AF175104

ACCESO GRATIS a la Lectura en la Nube

Para visualizar el libro electrónico en la nube de lectura envíe junto a su nombre y apellidos una fotografía del código de barras situado en la contraportada del libro y otra del ticket de compra a la dirección:

ebooktirant@tirant.com

En un máximo de 72 horas laborales le enviaremos el código de acceso con sus instrucciones.

LGBTI EN EUROPA
La construcción jurídica de la diversidad

LGBTI EN EUROPA
La construcción jurídica de la diversidad

ALICIA RIVAS VAÑÓ

tirant lo blanch

Valencia, 2019

© Alicia Rivas Vañó

© TIRANT LO BLANCH
EDITA: TIRANT LO BLANCH
C/ Artes Gráficas, 14 - 46010 - Valencia
TELFS.: 96/361 00 48 - 50
FAX: 96/369 41 51
Email:tlb@tirant.com
www.tirant.com
Librería virtual: www.tirant.es
DEPÓSITO LEGAL: V-3265-2018
ISBN: 978-84-9190-479-3
IMPRIME: Guada Impresores, S.L.
MAQUETA: Tink Factoría de Color

Si tiene alguna queja o sugerencia, envíenos un mail a: *atencioncliente@tirant.com*. En caso de no ser atendida su sugerencia, por favor, lea en *www.tirant.net/index.php/empresa/politicas-de-empresa* nuestro procedimiento de quejas.

Responsabilidad Social Corporativa: http://www.tirant.net/Docs/RSCTirant.pdf

A Miguel, y a Miguel, Ali y Blanca.

«There is a long and honorable tradition in the gay community, and it has stood us in good stead for a very long time. When somebody calls you a name, you take it and you own it».

Pride.

Índice

Introducción 11

Capítulo I
La diversidad sexual en contexto

1.1. Homosexualidad, transexualidad, intersexualidad, bisexualidad... .. 16
1.2. ¿Por vicio o por enfermedad? 30
    1.2.1. ¿Por vicio? Moral católica y homosexualidad. 30
    1.2.2. ¿Por enfermedad? Psiquiatría, enfermedad mental y homose-
    xualidad 48
1.3. Los colectivos LGTBI pasan a la acción 55

Capítulo II
Primeros instrumentos de protección en Europa

2.1. El Consejo de Europa y los primeros reconocimientos de la diversidad
    sexual 67
    2.1.1. La jurisprudencia del TEDH: el caso *Dudgeon* 68
    2.1.2. El margen de apreciación estatal y el consenso europeo 80
    2.1.3. Dudgeon despeja el camino 98
    2.1.4. Avances en relación a la transexualidad 110
2.2. Los primeros instrumentos comunitarios de protección de la diversi-
    dad sexual 122
    2.2.1. Primeras iniciativas 122
    2.2.2. El protagonismo del Parlamento Europeo: la Resolución Roth... 130
    2.2.3. La estrategia litigadora en la Unión Europea: orientación se-
    xual y no discriminación por razón de sexo 134

Capítulo III
El reconocimiento jurídico de la orientación sexual como motivo de discriminación

3.1. El TEDH y las limitaciones del reconocimiento del respeto a la vida
    privada y familiar 153
3.2. El TEDH y el reconocimiento de la prohibición de discriminación
    por orientación sexual 177
    3.2.1. La sentencia *Da Silva Mouta* 178
    3.2.2. El derecho a la no discriminación en la jurisprudencia del
    TEDH 184

3.2.3. El test de discriminación 198

3.3. El Tratado de Amsterdam de 2 de octubre de 1997 217

3.4. La Directiva 2000/78 y la protección laboral frente a la discriminación por orientación sexual 224

    3.4.1. El concepto de orientación sexual en la Directiva.................. 225

    3.4.2. Concepto de discriminación: discriminación directa, indirecta y acciones positivas... 229

    3.4.3. Ampliación del concepto de acoso 233

    3.4.4. Posibles excepciones a la prohibición de discriminación por orientación sexual.. 236

    3.4.5. La pareja homosexual... 240

Capítulo IV
La consolidación del reconocimiento del derecho a la diversidad sexual

4.1. La Carta de Derechos Fundamentales y el proyecto de Constitución Europea.. 245

4.2. El TEDH y el TJUE ante los nuevos retos...................................... 254

    4.2.1. La eterna cuestión de las diferentes edades de consentimiento 254

    4.2.2. Vida familiar.. 266

    4.2.3. Reivindicaciones relacionadas con la identidad de género...... 281

    4.2.4. Viejas reivindicaciones y nuevos asuntos............................... 294

4.3. El Tratado de Lisboa y otras novedades legislativas......................... 297

4.4. La interpretación de los nuevos instrumentos por el TEDH y el TJUE... 311

    4.4.1. Adopción y pareja homosexual.. 312

    4.4.2. La identidad de género... 340

    4.4.3. Nuevos desafíos 346

Conclusiones...

Listado de sentencias..

Introducción

Desde la aparición en el mundo político y jurídico del discurso de los derechos, bien en su forma originaria de derechos ciudadanos, bien en su posterior configuración de derechos humanos con vocación de universalidad, las pretensiones de distintos grupos sociales de verse incluidos y protegidos por el manto del reconocimiento en el sistema no han parado de expandirse. Clase obrera, mujeres, minorías religiosas y étnicas, etc., han ido reivindicando su acceso a este esquema de aceptación con distinta fuerza y dispares resultados. Sin embargo, uno de los grupos sociales que más tarde ha llegado a este escenario, y que seguramente mayores dificultades está encontrando, es el que aglutina a personas con una orientación sexual o una identidad sexual diversa a la mayoría de la población, heterosexual, y estructurada en torno a un paradigma patriarcal.

Los obstáculos que este colectivo tiene que afrontar son muchos y de muy diversa índole. El tabú y la represión social en materia de sexualidad han golpeado fuertemente a quienes no se estructuran en torno al criterio de heteronormalidad impuesto. Incluso en ámbitos académicos de corte progresista, dedicados al estudio crítico de los derechos humanos, la sola mención de la homosexualidad provoca, sobre todo en algunos compañeros, movimientos de incomodidad en la silla y cierta risita nerviosa que denota la dificultad para afrontar, en un discurso reivindicativo y emancipador, la realidad de la diversidad sexual en nuestro entorno cultural.

Y sin embargo, se trata de un asunto que afecta a personas de todo el mundo, de todo estrato social, de toda condición. Aun cuando no hay consenso académico acerca del porcentaje de población que tiene, en mayor o menor medida, orientaciones sexuales homosexuales o identidades sexuales que no encajan en el binario hombre-mujer, parece aceptado que podemos estar hablando de una característica que comparten entre un tres o cuatro por ciento y un diez por ciento de las personas que habitan la Tierra. En este contexto, la elección de un tema como el que aquí se presenta se justifica por sí misma.

Este trabajo de investigación parte de una premisa que se pretende demostrar a lo largo del desarrollo del mismo: el elemento determinante del proceso de reconocimiento y aceptación de la diversidad sexual al que estamos asistiendo es la labor de los colectivos LGBTI. Sin la creación de un sistema de organización de la sociedad civil aglutinada en torno a la característica común de la diversidad sexual (entendida ésta en sentido amplio), sin la adquisición por parte de este colectivo de la conciencia de lucha y reivindicación de espacios propios, difícilmente estaríamos asistiendo a la evolución social que hoy se percibe en muchos países occidentales. La dificultad de incidir notablemente en los procesos electorales, dada la condición de auténtica minoría que tienen, ha llevado al colectivo, además, a buscar otros mecanismos de acción e intervención social, fundamentalmente en la forma de auténticos lobbies ante las instituciones europeas, que merecen una atención académica hasta ahora escasa.

Por ello, aunque éste es un trabajo centrado en el análisis jurídico, resulta de particular relevancia la incorporación de elementos que habitualmente son ajenos a la investigación en el mundo académico jurídico, ya que, partiendo de la premisa inicial que se ha expuesto, difícilmente se puede comprender en todos sus aspectos esta evolución del tratamiento normativo de la diversidad sexual si no se atiende a factores ajenos al análisis jurídico, y muy particularmente, a la intervención de los colectivos reivindicativos del reconocimiento y protección de la libertad sexual. Todo ello será estudiado en un contexto geográfico e institucional muy concreto: Europa y sus organizaciones internacionales.

En el primer capítulo se hará un recorrido histórico y contextual para entender la realidad de partida de este colectivo, incidiendo fundamentalmente en los paradigmas normativos y sociales a través de los cuales la diversidad sexual ha sido y es considerada como un elemento perturbador y repudiable. Se afrontarán determinados discursos que han contribuido notablemente a la represión de esta realidad, identificando dos posturas especialmente influyentes en el ámbito europeo: la doctrina de la Iglesia Católica, y la posición de la psiquiatría. Y se prestará una especial atención a la génesis del movimiento asociativo y reivindicativo del colectivo.

A partir de entonces, el estudio estará dedicado al análisis histórico y a la evolución de las respuestas jurídicas que se han ido superponiendo a lo largo del tiempo. Se trata así de una investigación cuya finalidad principal es la de realizar un recorrido histórico para entender la evolución del reconocimiento de la diversidad sexual en el mundo del Derecho, desde la doble perspectiva de la acción política de los colectivos LGBTI y de la respuesta jurídica obtenida a través tanto de los órganos legislativos europeos, como de la jurisprudencia del Tribunal Europeo de Derechos Humanos y del Tribunal de Justicia de la Unión Europea. Por último se atenderá al análisis de las dificultades encontradas en estas respuestas, y cómo ellas ilustran una forma de entender los derechos humanos en Europa que carece de suficiente coherencia y fuerza normativa, proponiendo un modelo de acción diferente, que permita consolidar los avances experimentados y atender a las reivindicaciones aún pendientes del colectivo LGBTI.

De este modo, el segundo capítulo estará destinado al estudio de los primeros instrumentos de reconocimiento de la diversidad sexual como factor merecedor de alguna forma de protección por parte del Derecho. Se realizará un análisis detallado de las primeras aportaciones jurisprudenciales de los Tribunales Internacionales europeos, profundizando en la incidencia de las estructuras jurídicas existentes en ese momento, y aportado a la descripción de la situación elementos normalmente ajenos al análisis jurídico.

El tercer capítulo afrontará los primeros reconocimientos, tanto en el seno del Consejo de Europa como en relación a la Unión Europea, de un incipiente derecho a la no discriminación por orientación sexual, y las disfunciones que el tipo concreto de consagración de este derecho en ambos ámbitos ha suscitado, poniendo de relieve las dificultades teóricas y prácticas de una limitada concepción del principio de igualdad, cuyas consecuencias se explicitan en el capítulo siguiente.

Efectivamente, el cuarto capítulo analiza la forma en que se han afrontado las reivindicaciones del colectivo LGBTI a partir del reconocimiento de la orientación sexual como motivo de protección antidiscriminatoria, señalando por un lado la positiva evolución que ha experimentado la situación de estas personas en Europa, e indicando, por otro, las disfunciones aún existentes en el sistema, que muestra una vez más los problemas de aplicación de un conjunto normativo que no sigue una línea interpretativa consolidada, sino que va encarando las nuevas demandas del colectivo de modo particularizado, sin atender a la propia naturaleza de los derechos en juego. Así, la constatación de la transformación en el modo de entender la diversidad sexual en las sociedades europeas se constituye en el elemento determinante en muchos casos de un reconocimiento de derechos que se realiza desde fuera de la propia naturaleza de los mismos, dejando su interpretación a merced de las cambiantes condiciones sociales. Los nuevos desafíos que esta posición de los Altos Tribunales europeos suponen serán analizados desde esta perspectiva, confrontándola con la alternativa consistente en interpretar los derechos humanos como elementos de un conjunto normativo con entidad propia, y por tanto, con consecuencias ineludibles de reconocimiento de derechos a las minorías sociales.

Capítulo I
La diversidad sexual en contexto

Cuando hablamos de orientación sexual, nos estamos refiriendo a fenómenos, que tanto hoy como a lo largo de la historia han aglutinado múltiples y diversas manifestaciones. De este modo, homosexualidad masculina y femenina, transexualidad, travestismo, sadomasoquismo, etc., han compartido en cierta medida un tratamiento común, aun cuando estamos hablando de realidades distintas, de distintos modos de entender la sexualidad, y en algunos casos, de cuestiones en las que el factor sexual es secundario.

Esta falta de valoración diferenciada de estas realidades proviene de diversas causas que históricamente han confluido: se trata en todos los casos de fenómenos minoritarios, que afectan a un porcentaje de población relativamente pequeño; son manifestaciones de sexualidad, un tema en general históricamente poco estudiado y rodeado de tabúes; y además, son asuntos sobre los que ha recaído a lo largo del tiempo la represión y condena sociales.

No es hasta bien entrado el siglo XX, en su último cuarto, cuando determinados grupos conformados por personas con una orientación sexual homosexual, fundamentalmente masculina, empiezan a protagonizar un intento de visualización social, de normalización, que finalmente comienza a dar sus frutos en relación a la protección jurídica que se les reconoce. El camino, sin embargo, se presenta como un recorrido vacilante, a veces con evidentes elementos de retroceso, con enormes diferencias de un ordenamiento jurídico a otro, y con un claro protagonismo de organismos internacionales, que de manera excepcional han contribuido notablemente a la protección jurídica de estas situaciones.

En este primer bloque vamos a definir las situaciones y pretensiones que hoy día se encuentran incluidos en el concepto de orientación sexual y vamos a estudiar cuál ha sido históricamente la posición social dominante frente a las mismas. No se pretende hacer un recorrido histórico pormenorizado y completo, sino tan sólo destacar las grandes líneas y los elementos que mejor representan el tratamiento de la homosexualidad[1] a lo largo del tiempo, y cuyos posicionamientos han marcado gran parte del debate que aún hoy se mantiene en esta materia. La finalidad última de este capítulo es ofrecer una visión comprensiva de la realidad social y jurídica desde la que se parte en el avance de la protección de la orientación sexual en nuestro entorno cultural.

1.1. HOMOSEXUALIDAD, TRANSEXUALIDAD, INTERSEXUALIDAD, BISEXUALIDAD...

Como acabamos de apuntar, son multitud de fenómenos distintos los que se han aglutinado, como si de lo mismo se tratara, en una terminología común, que ha recibido distintas denominaciones, como *actos contra natura, actos impuros, actos repugnantes, sodomitas,* etc., todas ellas denotando el carácter peyorativo y antimoral con que se concebían estas expresiones de sexualidad e identidad personal[2].

No es hasta que el Derecho empieza a dar protección a algunas de estas cuestiones, cuando surge el concepto de orientación sexual. Se

---

[1] A efectos de este trabajo, como una fórmula de simplicidad terminológica, vamos a denominar bajo el paraguas del término «homosexualidad» o «persona homosexual», una multitud de orientaciones e identidades sexuales respecto de las cuales es difícil encontrar una terminología común. A los solos efectos de tener una idea razonable acerca de los comportamientos humanos a los que se hace referencia cuando utilizamos una determinada terminología, y sin que ello implique la formulación de ninguna realidad polarizada, cuando hablamos de orientación sexual, en principio, nos vamos a referir a los comportamientos sexuales y afectivos que tienen que ver con la atracción sexual hacia personas del mismo sexo, o con la necesidad de asumir una identidad sexual que no viene marcada por una realidad biológica determinada. Sólo en ocasiones concretas diferenciaremos entre orientación e identidad sexual, para tratar de modo separado la distinta respuesta jurídica que se ha dado a la homosexualidad y a la transexualidad, fundamentalmente. Somos plenamente conscientes del carácter limitador y simplista de nuestro uso del lenguaje en este caso, aun cuando no es nuestra intención que ese sea el resultado del concreto uso terminológico aquí adoptado. Cuando sea posible, se utilizará el término LGBTI, siglas que se corresponden con los términos *Lesbian, Gay, Transexual, Bisexual, Intersexual,* intentando así aglutinar en una sola palabra la multitud de orientaciones e identidades sexuales que quedan fuera de la normatividad dominante.

[2] En palabras de T. MORRISON, «el lenguaje opresivo hace algo más que representar violencia: es violencia», *apud* D. ERIBON, *Reflexiones sobre la Cuestión Gay*, Barcelona: Anagrama, 2001, pág. 28.

trata de un concepto que pierde ese carácter peyorativo, un concepto que pretende denominar una serie de comportamientos e identidades sexuales de forma neutra, sin añadir consideraciones ni valoraciones morales, lo que para el caso que nos ocupa ya supone un enorme cambio que denota una transformación más profunda de la concepción y aceptación social de la diversidad sexual[3].

Pero, ¿cuál es el contenido de este concepto de orientación sexual? ¿A qué tipo de conductas y preferencias sexuales estamos aludiendo? Para comenzar, cuando nos referimos a la orientación sexual de las personas, estamos indicando la particular manera en la que una persona afronta tanto su sexualidad como su identidad sexual, esto es, tanto sus preferencias sexuales (personas hacia las que se siente atraída) como su adscripción emocional y psicológica a un género determinado[4].

Sin embargo, el concepto de orientación sexual se empieza a utilizar en el mundo del Derecho para referirse, inequívocamente, y sin que sea limitativo, a la homosexualidad, definida ésta como el impulso sexual y afectivo que experimenta una persona por personas de su mismo sexo biológico. Homosexualidad que ha de ser entendida como masculina y femenina, o si se prefiere, como concepto inclusivo no

---

[3]   Se utiliza el término «orientación sexual» en lugar del quizás más acertado de «diversidad sexual» por cuanto los instrumentos normativos de protección lo han acuñado, en un momento histórico determinado, y así ha sido introducido en legislación y jurisprudencia, como veremos más adelante. Los cambios terminológicos que se superponen a lo largo del tiempo son muy ilustrativos de la evolución jurídica que se está llevando a cabo.

[4]   DIAZ LAFUENTE define el concepto de orientación sexual como «la capacidad de cada persona de sentir una profunda atracción emocional, afectiva y sexual por personas de un género diferente al suyo, o de su mismo género, o de más de un género, así como a la capacidad de mantener relaciones íntimas y sexuales con estas personas», pero nosotros lo ampliamos para incluir la identidad sexual, por cuanto no aparece en los textos jurídicos como motivo diferenciado hasta hace muy poco, y solo residualmente, siendo a través de los conceptos de género o de orientación sexual como se ha producido la mayor parte del reconocimiento de los derechos vinculados con distintas identidades sexuales. En J. DIAZ LAFUENTE, «La Protección de los Derechos Fundamentales frente a la Discriminación por Motivos de Orientación Sexual e Identidad de Género en la Unión Europea». *Revista General de Derecho Constitucional*, nº 17, 2013, págs. 1-48, en pág. 10.

sólo de gays[5], sino también de lesbianas. Pero este concepto de orientación sexual también incluye a personas cuya preferencia sexual no se encuentra tan polarizada, esto es, personas que pueden demostrar interés sexual y afectivo por ambos sexos, en mayor o menor medida, y que se definen como bisexuales.

Además, hay otro fenómeno incluido hasta ahora en la definición de la orientación sexual, algo más complejo por cuanto atañe fundamentalmente a la identidad sexual, y que ha sido también objeto de protección jurídica. Nos referimos a la transexualidad. Podría ser definida como la situación en la que se encuentra una persona que psicológicamente pertenece al sexo contrario al de su condición biológica. En estas circunstancias, la persona intenta adaptar su realidad biológica a su identidad psicológica, y es en este momento en el que la transexualidad resulta relevante para el Derecho. Se trata de una

---

[5]   El origen del uso actual del término se sitúa en torno al último cuarto del s. XIX. En esta dirección apuntan quienes afirman que hacia fines del siglo, se usaba con su significado actual en los códigos de la comunidad homosexual norteamericana (http://www.elcastellano.org/palabra.php?q=gay), aunque respecto de la popularización del vocablo hay quien lo sitúa en 1939, con la película *Bringing up Baby*, protagonizada por Cary Grant (http://etimologias.dechile.net/?gay), y quien sin embargo considera que no es hasta los años sesenta, con el inicio del proceso reivindicativo de la comunidad homosexual, cuando la palabra trasciende al vocabulario común, llegando al español hacia los años setenta (http://www.elcastellano.org/palabra.php?q=gay). Se trata sin embargo de un término que proviene del latín *gaudium*, «gozo», de donde se formó el occitano *gai*, que significaba en principio «gozo, alegría». Así ha sido utilizado hasta la irrupción de su nueva acepción. Ya en el siglo XII el poeta francés Chrétien de Troyes lo usaba con el significado de «feliz, alegre, exultante» y también «divertido». El inglés incorpora el término con el mismo significado, aunque hacia el siglo XVII adquiere la connotación de «persona autoindulgente que sólo busca el placer» (http://www.elcastellano.org/palabra.php?q=gay). El español también contiene la acepción inicial del término, conformándose como *gayo*. Incluso en el siglo XX, Machado lo utilizó para crear la expresión *gay-trinar* en su poema *Retrato*, publicado en el periódico *El Liberal* en 1906. Sin embargo, se trata de un término cuyo contenido ha venido referido fundamentalmente a la homosexualidad masculina, siendo muy común la utilización de la expresión gays y lesbianas para incorporar en el discurso a la homosexualidad femenina, por más que para algunos autores se trate de una redundancia. La comunidad homosexual masculina acabó utilizando masivamente este vocablo, otorgándole el significado *good as you*, frente a las connotaciones patológicas que el término homosexual había acabado adquiriendo. Todas las fuentes electrónicas han sido consultadas el 18 de septiembre de 2012.

realidad que ha sido incluida hasta ahora en el concepto de orientación sexual, pero cuyos componentes trascienden la mera conducta sexual y afectiva, afectando como acabamos de decir a la identidad sexual, condicionando la identidad personal en cuanto ser sexual. Por ello, el término *orientación sexual* no cubre todas las necesidades de protección de la persona transexual, y ya surge con fuerza la reivindicación del colectivo *trans*[6] de recibir protección en términos de identidad sexual, de forma, por tanto, diferenciada de la homosexualidad y la bisexualidad, que sí ven reconocidas sus pretensiones, al menos a priori, en la terminología de la orientación sexual[7].

En este mismo sentido se empiezan a oír cada vez con más fuerza las reivindicaciones de otro colectivo, muy minoritario, y hasta ahora prácticamente invisible: las personas intersexuales, aquellas personas con distinto grado de hermafroditismo. Estamos aquí ante otro supuesto de identidad sexual, más que de orientación. Las condiciones de vida de las personas intersexuales han sido y son especialmente adversas, y hoy día presentan reivindicaciones que van desde la exigencia de no ser sometidos a tratamientos hormonales o quirúrgicos sin su consentimiento expreso (por lo que se descartarían éstos en edades tempranas) hasta el reconocimiento de su libertad de elección del sexo jurídico por el que optar[8].

---

[6]   Cada vez se utiliza con mayor asiduidad el término *trans* para referirse, tanto en la literatura científica, como sobre todo en la acción política y social a las cuestiones relacionadas con la transexualidad.

[7]   Tanto es así, que aunque en los primeros movimientos reivindicativos, gays, lesbianas y transexuales aparecían y se organizaban juntos, las diferencias en cuanto a las necesidades y aspiraciones de unas y otros han llevado a la disgregación en colectivos distintos, aun cuando se mantienen muchas organizaciones LGBTI, pero incluso en estos casos, con áreas específicas de organización y acción transexuales.

[8]   Algunas de estas reclamaciones se pueden consultar en http://www.isna.org/, página web de la *IntersexSociety of North America* (consultada el 8 de octubre de 2012). También en http://oii-espana.blogspot.com.es/, un blog creado por la Organización Internacional de Intersexuales para exponer el contenido de sus reclamaciones y su rechazo a la reasignación sexual no consentida (consultada el 8 de octubre de 2012). Y la sección sobre intersexualidad de ILGA Europe ofrece una importante información al respecto: http://www.ilga-europe.org/home/issues/trans_and_intersex/intersex (consultada el 5 de octubre de 2012). En relación a nuevas maneras de afrontar las cuestiones médicas relacionadas con la intersexualidad (o, en el sentido de las reivindicaciones de parte del colectivo,

Además, debemos señalar que las cuestiones relacionadas con la identidad sexual y aquellas que tienen que ver con la orientación sexual homosexual, al tratar aspectos de la personalidad diferentes (la adscripción a un género, por un lado y la preferencia sexual por personas de tu mismo género, por otro), solo confluyen en determinados casos. Así, hay personas transexuales e intersexuales que una vez han definido su género, en los casos en que ésa es su voluntad, serán hetero, homo o bisexuales, compartiendo así las necesidades de protección de ambos colectivos, o tan solo de uno de ellos. Lo mismo se puede decir a la inversa, hay homosexuales con dificultades de identidad de género (transexuales o intersexuales homosexuales) aun cuando se trata de una minoría dentro del colectivo LGBTI.

A pesar de lo dicho hasta ahora, establecer diferencias tan claras y delimitadas entre orientación e identidad sexual, no es una tarea fácil, y puede ser que estos conceptos no deban ser separados con tanta rapidez. Existen multitud de diferencias entre los seres humanos en relación a la sexualidad, la identidad sexual y el género. Dependiendo de las distintas combinaciones de estos conceptos, las personas se identifican en un sentido u otro. Homosexual, heterosexual, hombre, mujer, transexual, travesti, hermafrodita, transgénero, *queer*, etc., responden a un intento de sistematización de estos condicionantes vitales que seguramente es tanto artificial como carente de efectividad.

Diferentes modelos teóricos han cuestionado a lo largo del tiempo precisamente este intento de catalogación de la identidad sexual y la sexualidad humana. Desde las críticas que provienen del feminismo respecto del concepto de género, entendido como una construcción social que limita y constriñe las aspiraciones de hombres y mujeres a sus diferentes roles en base a su identidad sexual, hasta la más radical construcción teórica queer, que niega toda base biológica al binario hombre/mujer y reivindica la libertad personal para crear una identidad y sexualidad únicos e intransferibles, la puesta en cuestión de las clásicas concepciones de sexo, sexualidad y género, hace que resulte muy difícil describir fenómenos que sin embargo existen en la rea-

---

la DSD, *Disorders of Sex Development*) ver http://www.accordalliance.org/(consultadas el 7 de octubre de 2012).

lidad de las relaciones e identidades humanas, y que son relevantes para el mundo del Derecho[9].

Conviene por tanto detenerse en estos diferentes enfoques, no solo por su interés científico, sino también por los posibles posicionamientos que, respecto de su tratamiento jurídico, se desprenden de cada uno de ellos, tanto respecto del fundamento para su regulación, como del contenido de la misma.

Lo primero que debemos definir, por más que se trate de conceptos muy básicos para los entendidos en la materia, es lo que entendemos por sexo, sexualidad y género. En este ámbito, las construcciones teóricas que aporta el feminismo científico son de enorme valor[10]. Así, cuando hablamos de sexo, nos estamos refiriendo a la determinación biológica de las personas como hembras o machos. Podríamos pensar que se trata ésta de una determinación sin grandes problemas para el mundo del Derecho, que tan solo tiene que, basándose en la biología humana, reconocer el hecho de ser hombre o de ser mujer en el sentido expuesto, esto es, otorgar la categoría de hombres a las personas pertenecientes biológicamente al sexo masculino y de mujer, a las pertenecientes al sexo femenino. Esta categorización inicial está siendo puesta en duda incluso en relación a sus bases biológicas, desde la perspectiva *queer*, que niega que un alto porcentaje de población pueda ser identificado sin problemas y sin la presión social de la heteronormalidad dominante, en términos del binario hombre-mujer. En el extremo de esta dificultad se sitúa un grupo de población para el que esta primera categorización resulta especialmente conflictiva, las personas intersexuales. Se trata de situaciones en las que, o bien y a

---

[9]   Una amplia revisión de la bibliografía queer y feminista se puede encontrar en GRUPO DE TRABAJO QUEER, *El Eje del Mal es Heterosexual*, Madrid: Traficantes de Sueños, 2005; D. CORDOBA, J. SAEZ Y P. VIDARTE (eds.) *Teoría Queer. Políticas Bolleras, Maricas, Trans, Mestizas*. Madrid: Egales, 2005; A. JAGOSE, *Queer Theory: An Introduction*, New York: New York UP, 1996; S. SEIDMAN (org.), *Queer Theory Sociology*, Oxford: Blackwell, 1996.

[10] Es imposible hacer un recuento pormenorizado de la abundantísima producción doctrinal del feminismo académico. Cabe citar a autoras tales como Hélène Cixous, Luce Irigaray, Annie Leclerc, Echols, Mary Daly, Vandana Shiva, Sedgwick, Faludi, Haraway, etc. Para un interesante recorrido por el feminismo filosófico, ver J. HERRERA FLORES, *De Habitaciones Propias y Otros Espacios Negados. Una Teoría Crítica de las Opresiones Patriarcales*, Bilbao: Universidad de Deusto, 2005.

pesar de que genéticamente se puede identificar el sexo biológico, los genitales externos tienen la apariencia de pertenecer al sexo biológico contrario, o bien nos encontramos ante personas cuya carga genética no permite determinar con claridad su pertenencia al sexo femenino o masculino. En estos casos, también conocidos desde la antigüedad como hermafroditismo[11], se tiende a definir la pertenencia a un sexo u otro por parte de los progenitores, pudiendo dar lugar a error, esto es, que no coincida la determinación hecha a muy temprana edad por terceras personas, con los sentimientos del sujeto que ha sido objeto de esta determinación. Debido a las múltiples variantes que se pueden dar en relación a este fenómeno, ciertamente excepcional tanto en número de casos como en grados de complejidad, la respuesta desde el Derecho debe también atemperarse, no siendo posible en algunos casos la asignación de la persona a un determinado sexo hasta que ésta tenga edad suficiente como para que pueda intervenir en su propia determinación de su identidad sexual. En este sentido, son varios los colectivos de personas intersexuales que reclaman la posibilidad de establecer mecanismos que dejen en suspenso temporalmente esta asignación sexual (con la necesidad de reforma de los registros civiles correspondientes, que a día de hoy no permiten la inscripción sin asignación sexual de las personas[12]), e incluso la prohibición de

---

[11]   **Hermafrodito o Hermafrodita** es un personaje de la mitología griega. Era hijo de Afrodita y de Hermes, en honor de los cuales recibió su nombre, una mezcla de los de sus padres. La náyade Salmacis (o Salmácide), espíritu de un lago, sintió una atracción inmediata hacia él, pero el joven se resistió. Aun así, Salmacis se abrazó a él fuertemente, lo arrastró al fondo del lago y, suplicó a los dioses que no separaran sus cuerpos. Los dioses le concedieron su deseo y ambos cuerpos se fusionaron para siempre en un solo ser, de doble sexo. Hermafrodito suplicó a sus padres, los dioses, que todo joven que se bañara en aquel lago corriera su misma suerte. De esta forma, el lago arrebataría la virilidad a todo aquel que se bañara en él, y así le fue concedido. Fuente: http://es.wikipedia.org/wiki/Hermafrodito (consultado el 11 de septiembre de 2012 – contrastado con la importante referencia bibliográfica que se cita en el artículo).

[12]   Con excepción de la reforma en el sistema registral civil llevada a cabo en Alemania para permitir incluir la categoría de «sexo indefinido», y que entró en vigor el 1 de noviembre de 2013. Sin embargo, han sido importantes las críticas recibidas en relación a esta reforma legal por parte de grupos representativos de personas intersexuales, por cuanto lo que hace la nueva legislación alemana es otorgar la capacidad de decisión acerca de la identidad sexual, en los casos en los que ésta no está biológicamente claramente definida, al equipo médico

asignación sexual por parte de progenitores o médicos cuando se da una situación de ambigüedad sexual como la que hemos descrito[13].

Un segundo fenómeno que tiene que ver también con dificultades en la asignación de una determinada identidad sexual es el de la transexualidad. Estamos aquí ante una situación en la que la determinación biológica del sexo es clara, se trata de personas que nacen con un sexo biológico claramente determinado, tanto respecto de su carga genética como respecto de sus atributos sexuales externos e internos, pero cuya identidad sexual no se corresponde con esta realidad biológica[14]. Así, la Organización Mundial de la Salud define la transexualidad como un trastorno de la identidad sexual caracterizado por el deseo de vivir y de ser aceptado como integrante del sexo opuesto, habitualmente acompañado de un sentimiento de incomodidad o de inadecuación al sexo anatómico propio, y del deseo de someterse a

---

de que se trate. Una lectura crítica de esta medida puede encontrarse en http://tgeu.org/An_Option_that_is_no_option_Germanys_new_intersex_law (consultado el 30 de abril de 2014). Por otro lado, de nuevo en Alemania, una reciente sentencia del Trbunal Constitucional alemán ha declarado la necesidad, para respetar el libre desarrollo de la personalidad, de, o bien crear un tipo de reconocimiento de género distinto al de hombre o mujer (algo a lo que muchas asociaciones intersex se oponen), o bien no tener que inscribir ningún sexo biológico (que no es lo mismo que dejarlo en blanco, se trataría de no incluir este elemento de identificación en el registro civil). Nos referimos a la sentencia 1 BvR 2019/16 de 10 de octubre de 2017.

[13] Una autora especialmente importante en este ámbito ha sido C. CHASE, que produjo el documental *Hermaphrodites Speak!* en 1997, lo que llevó al debate público los sufrimientos y reivindicaciones de este colectivo. Para un completo análisis de la historia de la aparición y lucha de los colectivos intersexuales, así como para conocer la crítica queer en este sentido, ver *ibidem* «Hermaphrodites with Attitude: Mapping the Emergence of Intersex Political Activism», *A Journal of Lesbian and Gay Studies. The Transgender Issue*, vol. 4, nº 2, 1998, págs. 189 ss. En los últimos tiempos, otros interesantes documentales han tratado la cuestión, en concreto, D. ELISCO, *La Ciencia de los Sexos*, Inglaterra, 2009, y P. HART, *Mi Aventura Intersexual*, Australia, 2010, ambos disponibles en http://www.rtve.es/television/20111025/noche-tematica-tercer-genero/471002.shtml (consultado el 11 de octubre de 2012).

[14] Cuando nos refiramos, en el presente trabajo, a un hombre o a una mujer transexual, estaremos indicando el género elegido por la persona, y no su asignación biológica, en un acto consciente de rechazar la denominación en inglés de las personas transexuales que hace referencia al género del que provienen biológicamente, y aquel en el que finalmente se identifican (ej. female to male transexual).

cirugía y a tratamiento hormonal para hacer el propio cuerpo tan congruente como sea posible con el sexo preferido por la persona[15].

La lucha de los colectivos de homosexuales (hombres y mujeres) y transexuales, que comenzó, como ya hemos dicho, siendo un movimiento común, se ha visto resentida por la importancia de las diferencias en las reivindicaciones de unos y otras, algo que veremos más adelante. Lo que aquí interesa es resaltar la fundamental aspiración que en los últimos años está reclamando el movimiento transexual para que deje de considerarse a la transexualidad como un trastorno de la identidad sexual, de modo que se despatologice, se deje de tratar como una enfermedad o patología psiquiátrica[16].

No obstante lo anterior, para la mayoría de la población humana, la definición biológica de la sexualidad no resulta controvertida, se trata de un atributo corporal más, como pudiera ser la altura, el color de la piel, el tamaño de los ojos, etc. La controversia empieza a surgir cuando otorgamos a la asignación biológica del sexo una serie de características personales y sociales que identificamos con la condición de ser hombre o de ser mujer. Se trata en este caso de la categorización de las personas a través de la idea de género. El género hará referencia por tanto, no a la pertenencia biológica a uno de los sexos, sino

---

[15] Organización Mundial de la Salud, *CIE-10, Trastornos mentales y del comportamiento. Descripciones clínicas y pautas para el diagnóstico.*

[16] Así, los colectivos de transexuales han iniciado importantes campañas a todos los niveles para ser excluidos del catálogo de trastornos mentales y del comportamiento de la OMS al modo en que ya se consiguió respecto de la homosexualidad. En el caso de Andalucía, la *Asociación de Transexuales de Andalucía Sylvia Rivera* también ha llevado estas reivindicaciones al ámbito regional y local y ha logrado que la anteriormente denominada «Unidad de Trastornos de la Identidad de Género» del Hospital Carlos Haya de Málaga (único hospital de Andalucía con una unidad específica para la reasignación de género), haya pasado a llamarse «Unidad de Transexualidad e Identidad de Género», manteniendo así las siglas UTIG. Ver http://www.atandalucia.org/(consultado el 30 de septiembre de 2012). Incluso el Parlamento Europeo ha insistido en la necesidad de esta despatologización de la transexualidad en su Resolución de 28 de septiembre de 2011 sobre derechos humanos, orientación sexual e identidad de género en Naciones Unidas. Texto accesible en http://www.europarl.europa.eu (consultado el 30 de abril de 2014). Sobre el difícil proceso de adecuación que experimentan las personas transexuales, ver J. AMES (ed.), *Sexual Metamorphosis: an Anthology of Transsexual Memoirs*, New York: The Vintage Books, 2005.

a toda una serie de atributos que se consideran ligados con la condición de hombre o de mujer. Y en esta estructura, la sexualidad, esto es, la forma en la que las personas perciben y sienten la necesidad de relacionarse sexual y afectivamente con otras personas, es uno de los atributos que, al menos en nuestra esfera cultural y temporal, vienen condicionados por la pertenencia al género masculino o al género femenino. De este modo, tenemos tres conceptos distintos, sexo, género y sexualidad, que sin embargo se entremezclan en la categorización de las personas como hombres o mujeres.

Y esta categorización resulta particularmente relevante para el mundo del Derecho por varios motivos: en primer lugar, la determinación de los roles sociales a través del género, una de las grandes cuestiones para el feminismo, lleva a un tratamiento jurídico que inevitablemente refleja la consideración social de cómo se deben comportar hombres y mujeres, de cuál es su papel en la sociedad en relación al género al que pertenecen. En segundo lugar, esta asignación de roles de géneros, en cuanto se haga perpetuando situaciones de poder, supone colocar en posiciones de partida distintas a las personas de uno y otro género, restringiendo las posibilidades de autonomía personal, de elección individual, de unos y otras, algo que también resulta de marcada importancia para el tratamiento jurídico de las aspiraciones individuales. Por último, y en relación al tema que nos ocupa, esta asignación de roles de género inciden profundamente en el entendimiento de la sexualidad humana, y puede tener, también en este ámbito, importantes consecuencias en relación con las respuestas que desde el Derecho se den en este caso.

Y es aquí donde debemos detenernos en el análisis de las diferentes posturas que en relación a estos asuntos podemos encontrar en la literatura científica. Posturas que para empezar se encuentran marcadas por la consideración de la naturaleza del género: ¿es el género, lo que entendemos hoy por hombre y mujer, el fruto de una determinación biológica ahistórica y acultural, o es por el contrario el fruto solo de la cultura y el momento en el que vivimos, sin vinculaciones con la realidad biológica?

Pues bien, podemos establecer dos formas de responder a estar preguntas, que corresponden a dos líneas de pensamiento diferenciadas, aunque como siempre ocurre cuando de generalizar se trata, a pesar de que tienen rasgos que las identifican como posturas claramente distintas e incluso antagónicas, los autores que se adscriben a una u otra aportan matices que no siempre coinciden con una descripción general de las mismas como la que aquí se ofrece[17].

En primer lugar, vamos a exponer la respuesta que a estos problemas da la teoría esencialista. Se trata de un grupo de autores[18] que postulan que siempre se ha podido categorizar a los seres humanos como hombres o como mujeres porque estas categorías se basan en determinadas características que son atemporales e inmutables. En otras palabras, para los esencialistas las categorías «masculino» y «femenino» poseen una esencia fija, no sujeta a variaciones, que explica por qué una persona siempre puede ser identificada con una u otra categoría, independientemente del momento histórico, la pertenencia cultural y el desarrollo personal de que se trate.

La segunda postura, prácticamente contraria a la ya vista, es la que se ha denominado como teoría constructivista. En este caso, los autores que han desarrollado esta posición mantienen que las categorías sociales, como la de mujer-hombre, son productos culturales específicos que varían de sociedad en sociedad y de época en época, al tratarse de resultados de diálogos sociales y asunciones determinadas. Incluso, en opinión de estos autores, la misma idea de esencia es en sí misma una construcción histórica. De este modo, esta teoría afirma la naturaleza cambiante de la idea de género, de la existencia de la dualidad hombre-mujer, entendida como una construcción social, propia de las sociedades occidentales contemporáneas, articulada en torno al sexo biológico de las personas. Así, en otras sociedades y en otros momentos históricos incluso de Occidente, el sexo biológico ha podido ser entendido de forma distinta, asumiendo éste una relevancia y significado social también diferente.

---

[17]   En esto, seguimos la exposición de BAMFORTH, N., *Sexuality, Morals and Justice: a Theory of Lesbian and Gay Rights Law*, London: Cassell, 1997, pág. 75 ss.

[18]   Entre ellos se encuentra J. BOSWELL, autor de una importantísima revisión histórica del fenómeno de la homosexualidad en Europa, y que partía de la afirmación de que siempre han existido personas que se identifican a sí mismas como gays, utilizando aquí el término en un sentido que incluye toda una serie de elementos de valoración social y personal coincidentes con la actualidad. J. BOSWELL, *Christianity, Social Tolerance, and Homosexuality: Gay People in Western Europe from the Beginning of the Christian Era to the Fourteenth Century*, Chicago: University of Chicago Press, 1980.

Cuando nos encontramos con la aplicación de estas contrapuestas posiciones doctrinales a la cuestión de la orientación sexual, se reproducen las divergencias[19]. Así, los esencialistas afirman que en todas las sociedades, y en todos los momentos históricos, ha habido heterosexuales, homosexuales y quizás, algunas personas bisexuales. Se trata por tanto de categorías universales, estables e inmutables, de tal manera que las personas homosexuales serían aquellas exclusivamente atraídas por personas de su mismo sexo, las heterosexuales serían aquellas que sienten atracción sexual o realizan actividades sexuales con personas del sexo contrario, y los bisexuales aquellas personas que con variaciones en su grado de atracción, se encontrarían inclinadas hacia personas de los dos sexo. Para el esencialismo, por tanto, la identificación personal con una identidad homosexual no reviste problemas, se trata tan solo del reconocimiento consciente de una realidad personal que siempre ha estado ahí, de una orientación determinada con la que solo es necesario identificarse.

En el caso del constructivismo, el punto de partida es radicalmente opuesto. Que siempre han existido actos sexuales entre personas del mismo sexo, tal y como han existido entre personas de sexos opuestos, es una realidad irrefutable. Lo que el constructivismo niega es que la construcción social, el significado social, de la realización de esta actividad sexual haya sido básicamente la misma a lo largo del tiempo y de las culturas. Para este grupo de autores, «[s]exuality consists of acts with meanings. Although the acts may have a universal existence, the meanings may vary considerably. And it is through meaning, through an understanding of behavior which culture provides, that patterns of behavior take on social significance»[20]. Pero dentro del constructivismo encontramos a su vez dos posturas diferenciadas en cuanto al grado de importancia que otorgan a la base biológica en torno a la cual se construyen estas identidades. Así, por un lado los autores más radicales postulan que no existe tal base biológica, que no hay ningún rasgo inmutable, ligado a la herencia genética o bioló-

---

[19]   Para una revisión de los distintos debates abiertos en torno a esta cuestión, ver L. VÉLEZ-PELLIGRINI, *Minorías Sexuales y Sociología de la Diferencia. Gays, Lesbianas y Transexuales ante el Debate Identitario*, Madrid: Montesinos, 2008.

[20]   J. D'EMILIO, *Making Trouble: Essays on Gay History, Politics, and the University*. New York: Routledge, 1992, pág. 18, *apud* BAMFORTH, *op. cit.*, pág. 76.

gica que nos predetermine hacia un tipo u otro de orientación sexual. De este modo, los deseos y preferencias sexuales de las personas vienen atribuidas exclusivamente por la interacción con el medio social, serán las condiciones particulares de crianza, y el significado que se otorgue al deseo sexual, el que determine la particular orientación sexual de cada individuo[21]. Varias son las cuestiones que surgen respecto de esa postura: por un lado, parece obviar la experiencia personal de muchos gays y lesbianas que narran cómo siempre han sido conscientes de su orientación sexual, desde que tienen recuerdos. Aún así, podría decirse por parte de los constructivistas radicales que la modulación social de la sexualidad es tan profunda como subliminal, de modo que es difícil percatarse del momento en el que nos identificamos como homosexuales, al igual que ocurre en relación a los roles de género. Sin embargo, existe otra cuestión de mayor calado que convierte a esta postura en una teoría no solo poco convincente, sino incluso contraproducente para las aspiraciones de los grupos LGTBI. Se trata de la derivación del argumento hacia una conclusión tan coherente como indeseada por el colectivo. Si la orientación sexual no tiene ninguna base biológica sino que es fruto del condicionamiento social, bien podría aspirarse a perfeccionar ese condicionamiento social para evitar que existan orientaciones homosexuales. Ello abriría la puerta a la posibilidad tanto de experimentación médica para modificar la orientación sexual de las personas, como de una determinada actuación por parte del Derecho para evitar fomentar una visión positiva y legítima de la homosexualidad. Evidentemente, ésta no es la finalidad buscada o querida por esta posición doctrinal, pero los postulados en los que se basa permiten llegar a semejante conclusión.

---

[21]   Autores más cercanos al constructivismo radical pueden ser el mismo M. FOUCAULT, *History of Sexuality*, New York: Penguin Books, 1990; D, RICHARDSON, «Theoretical Perspectives on Homosexuality», en J. HART y D. RICHARDSON (eds.), *The Theory and Practice of Homosexuality*, London: Routledge, 1981; D. HALPERIN, *One Hundred Years of Homosexuality*, New York: Routledge, 1990; J. N. KATZ, *The Invention of Heterosexuality*, New York: Dutton Books, 1995; M. McINTOSH, «The Homosexual Role», *Social Problems*, n° 16, 1968, págs. 182 ss; K. PLUMMER, *The Making of the Modern Homosexual*, London: Hutchinson, 1981; J. WEEKS, *Sex, Politics and Society*, London: Longman, 1989.

Por el contrario, otro grupo de autores constructivistas modera-
dos no rechazan la posibilidad de la existencia de una base biológica que predetermina la orientación sexual de las personas. Estos
autores ponen el acento, no en el origen de la atracción sexual, sino
en la relevancia social, en el significado que las sociedades otorgan a
esta atracción sexual, a la categorización de las mismas, que varía en
función del momento histórico y cultural en que nos encontremos.
Así, asumiendo que la atracción sexual puede estar predeterminada
biológicamente, argumentan que la percepción de la propia sexualidad y de las categorías sexuales, como la condición de gay o de
lesbiana, es fruto de las sociedades occidentales de nuestro tiempo.
De este modo, mientras que siempre han existido personas atraídas
por aquellas de su mismo sexo, la estructuración social de este dato
ha variado considerablemente a lo largo del tiempo y de la cultura.
Ello tiene importantes consecuencias para el Derecho. Por un lado, permite modular la intervención del ordenamiento jurídico en el
sentido de regular una actividad que no es susceptible de variación,
de modificación. En segundo lugar, pone en evidencia tanto la importancia de una determinada regulación jurídica, por cuanto tiende
a perpetuar o a modificar la construcción social de las categorías sexuales, como los límites de tal actuación, siendo así que el Derecho
es sólo uno de tantos elementos que conforman la estructura social
y cultural en cada momento.

En realidad, el constructivismo moderado y el esencialismo difie-
ren sobre todo en el grado de importancia que se da a la base biológica y a la construcción social de la identidad. Mientras unos ponen el
acento en esta última, otros otorgan mayor importancia a la primera,
pero ambos permiten realizar una articulación de la respuesta normativa que se mueva en los mismos parámetros.

La importancia para el mundo del derecho de estas construcciones
doctrinales es enorme, por cuanto es necesario conocer la realidad que
se pretende regular para que esta regulación sea útil, y es necesario
también adoptar una posición respecto del sentido de esta regulación
para que sea también legítima. El estudio de las distintas visiones que
de la realidad LGTBI se han impuesto a lo largo del tiempo en nuestro
entorno cultural nos permitirá abordar esta segunda necesidad.

1.2. ¿POR VICIO O POR ENFERMEDAD?

El debate social acerca de la homosexualidad se ha venido produciendo, sobre todo desde finales del siglo XIX hasta nuestros días en el mundo occidental, en torno a dos posiciones que pueden resumirse en la pregunta siguiente: ¿por vicio o por enfermedad?[22] Posiciones que se suceden en el tiempo, pero que también conviven y se interrelacionan para conformar un tratamiento filosófico, jurídico, moral y psiquiátrico de la orientación sexual, basado en el paradigma de la heteronormalidad y en la consideración de otras formas de sexualidad e identidad sexual como disruptivas y peligrosas para el orden establecido. En este capítulo vamos a hacer un pequeño recorrido, sin ánimo de exhaustividad, por las principales fuentes productoras de la conciencia social dominante en esta materia: la moral religiosa, que en nuestro particular entorno cultural se va a centrar en la moral católica, y la aportación de la psiquiatría.

No podremos explicar qué lleva a huir de los posicionamientos anteriores si no se tiene en cuenta el activismo político de los grupos LGTBI, que por primera vez logran importantísimos cambios en la percepción de la homosexualidad, y en su tratamiento médico, filosófico, jurídico y político. Por ello, dedicaremos un apartado final al estudio del surgimiento de estos movimientos de reivindicación.

1.2.1. *¿Por vicio? Moral católica y homosexualidad.*

La valoración moral de la conducta humana es sin duda un elemento esencial para la regulación normativa de las prácticas sexuales[23]. El entorno cultural e histórico ha determinado a lo largo del tiempo la

---

[22] Se hace referencia así a una postura ampliamente sustentada hasta hace bien poco en la cultura occidental que podía «comprender» e incluso «apiadarse» del enfermo, pero que rechazaba frontalmente al vicioso, siendo éstas las únicas posibilidades de explicación de la conducta homosexual. De hecho, un libro de V. Domingo de Loren, en el que se recogen las opiniones manifestadas en entrevistas por parte de prestigiosos jueces, profesores de universidad, y profesionales ligados al Derecho en general, contiene en su portada la siguiente pregunta: «la homosexualidad, ¿es un vicio o una enfermedad?, resumiendo así los parámetros en los que se van a mover las posturas de los entrevistados. V. DOMINGO LOREN, *Los Homosexuales frente a la Ley. Los Juristas Opinan*. Barcelona: Plaza & Janes, 1978.

[23] Para un análisis en profundidad de la relevancia para el Derecho del debate moral acerca de la sexualidad, y particularmente de la homosexualidad, ver: M.

respuesta jurídica ante distintos comportamientos sexuales. La mayor o menor tolerancia de la libertad sexual ha venido definida por el contexto cultural y social y por el momento histórico en el que nos encontremos. Estos límites han estado y están profundamente marcados por la moral social dominante en cada caso, y esta moral social, a su vez, en gran parte de las culturas del planeta, viene determinada por las valoraciones aportadas por las religiones mayoritarias.

La religión ha tenido un papel esencial en la fundamentación del rechazo de la homosexualidad en Europa. En particular, en países como España, el catolicismo ha cimentado un sentimiento homófobo articulado sobre la construcción teológica de la sexualidad que hunde sus raíces en la teología tomista, pero que aún hoy tiene en la moral católica oficial un importante peso.

Y aún más, en materia de comportamiento sexual, las normas jurídicas, y de modo muy importante, su interpretación en contextos concretos, se encuentran especialmente influenciadas por las convicciones morales de los agentes jurídicos. Cuando en el bloque siguiente estudiemos los avances que en materia de tratamiento jurídico de la homosexualidad, han sido protagonizados por aquellas personas encargadas de la labor legislativa y de impartición de justicia, se hará aún más patente la enorme fuerza de las posiciones personales en relación a la conducta sexual del ser humano. Por ello, es necesario situar el análisis jurídico que se realizará posteriormente, en el contexto de la moral sexual dominante en el que se enmarca. En el caso que nos ocupa, resultando que nuestro análisis se va a centrar en el entorno europeo, resulta especialmente vinculante la posición del cristianismo, y en concreto del catolicismo, respecto de la moral sexual. Dada la centralidad y la fuerza de esta tradición, que ha llevado a los defensores del reconocimiento jurídico y social de la homosexualidad a intentos legitimadores basados precisamente en la negación de los cimientos de esta moral católica, nos vamos a detener más despacio en el estudio de esta cuestión, limitándonos, sin embargo, a las posiciones actuales, ya que un acercamiento al tratamiento histórico de

---

SANDEL, «Moral Argument and Liberal Toleration: Abortion and Homosexuality», *California Law Review*, vol. 77, 1989, págs. 521 ss.

este asunto, por muy atractivo y sugerente que sea, nos llevaría a la realización de otro trabajo de investigación.

Vamos a dedicar este apartado del capítulo a analizar en detalle cuál ha sido y es la posición de la doctrina católica en relación a la homosexualidad, lo que nos dará instrumentos imprescindibles para entender la evolución de la situación jurídica de las personas homosexuales en Europa.

La postura oficial de la Iglesia Católica es clara y sin ambigüedades: «Los actos homosexuales son intrínsecamente desordenados. Son contrarios a la ley natural. Cierran el acto sexual al don de la vida. No proceden de una verdadera complementariedad afectiva y sexual. No pueden recibir aprobación en ningún caso»[24]. De este modo, la única salida en términos morales para las personas homosexuales es la vida en castidad[25].

Distintas en cierta medida, sobre todo por cuanto parecen entender la realidad homosexual desde una óptica más compleja, son las

---

[24] Catecismo de la Iglesia Católica, n.1357. También se recoge en este mismo sentido en otros documentos, aunque los más relevantes, junto con el ya referido, son dos documentos de la Congregación para la Doctrina de la Fe: la Declaración *Persona Humana, sobre algunas cuestiones de ética sexual*, de 29 de diciembre de 1975 (Ecclesia, 17 de enero de 1976, págs. 72-76); y la *Homosexualitatis problema. Carta a los Obispos de la Iglesia Católica sobre la atención pastoral a las personas homosexuales*, de 1 de octubre de 1986 (Ecclesia, 15 de noviembre de 1986, págs. 1579-1586). Para un estudio en profundidad de la postura del Catolicismo frente a la homosexualidad ver, C. PEÑA GARCÍA, *Homosexualidad y Matrimonio, Estudio sobre la Jurisprudencia y la Doctrina Canónica*. Madrid: Universidad Pontificia de Comillas, 2004.

[25] Así lo expresa la Congregación para la Doctrina de la Fe, siendo el prefecto Joseph Ratzinger, quien posteriormente sería Papa como Benedicto XVI, cuando se pregunta acerca de la posición de las personas homosexuales católicas: «¿Qué debe hacer entonces una persona homosexual que busca seguir al Señor? Sustancialmente, estas personas están llamadas a realizar la voluntad de Dios en su vida, uniendo al sacrificio de la cruz del Señor todo sufrimiento y dificultad que puedan experimentar a causa de su condición. Para el creyente, la cruz es un sacrificio fructuoso, puesto que de esa muerte provienen la vida y la redención. Aun sí toda invitación a llevar la cruz o a entender de este modo el sufrimiento del cristiano será presumiblemente objeto de mofa por parte de alguno, se deberá recordar que ésta es la vía de la salvación para todos aquellos que son seguidores de Cristo». *Homosexualitatis problema, op. cit.*, nº 12.

posturas teológicas. PEÑA GARCÍA, siguiendo a GAFO[26], distingue cuatro grandes grupos de teólogos:

a) Los que rechazan tanto la orientación como el comportamiento homosexual, aunque se trata de un movimiento casi residual en estos momentos, que aun así se detecta todavía en algunas aproximaciones del protestantismo fundamentalista y del judaísmo ortodoxo.

b) Los que, en la línea del magisterio, condenan la conducta homosexual, pero no la tendencia ni, sobre todo, a la persona homosexual, postura en la que se aglutinan la mayoría de los teólogos católicos.

c) Los que sostienen que el juicio moral sobre la conducta homosexual debe seguir los mismos criterios que legitiman la conducta heterosexual, por lo que solicitan un cambio de postura de la Iglesia[27].

d) Los que, aun cuando no admiten la igualdad entre la orientación homosexual y la heterosexual, consideran aceptable en algunos casos la conducta homosexual[28].

De las diferentes posturas teológicas en torno a esta cuestión, la que sin duda es mayoritaria, por ser además aquella que sostiene el propio magisterio, es la segunda, que sin condenar a las personas homosexuales, admitiéndolas por tanto en el seno de la Iglesia Católica, condena sin embargo la realización de prácticas homosexuales, y tiene especial cuidado con la tendencia homosexual. En este sentido, resulta aquí de un particular interés el análisis de una fuerte con-

---

[26] J. GAFO, «Cristianismo y Homosexualidad», en J. GAFO (ed.), *La Homosexualidad: un Debate Abierto*, Bilbao: Desclée de Brouwer, 1997, págs. 204 -212.

[27] Entre estos autores es encuentran A. KOSNIK, et al., *La Sexualidad Humana. Nuevas Perspectivas del Pensamiento Católico*, Madrid: Cristiandad, 1978; y el más conocido ex jesuita J. McNEILL, *Libertà, Gioiosa Libertà. Un Cammino di Spiritualità e Liberazione per Omosessuali Credenti*, Tormo: Gruppo Abele, 1996.

[28] C. PEÑA GARCÍA, *Homosexualidad y... op. cit.*, págs. 53-54. Entre estos autores encontramos a C. CURRAN, «Homosexuality and Moral Theology, Methodological and Substantive Considerations», *The Tomist*, nº 35, 1971, págs. 447 ss.; P. KEANE, *Sexual Morality. A Catholic Perspective*, New York: Paulist Press, 1977; y más recientemente F. TARGONSKY, *Fenomenologia della Diversità*, Roma: Miscellanea Francescana, 1994.

troversia que a mediados de los años noventa se produjo entre dos
académicos, J. FINNIS[29] y S. MACEDO. La importancia del análisis
de esta discusión académica radica en dos cuestiones fundamentales:
por un lado, J. FINNIS es una persona especialmente vinculada a la
Iglesia Católica, y un perfecto representante de la tendencia mayoritaria que hemos recogido *supra* y por otro, la discusión se centra no
sólo en la postura de la Iglesia, ya recogida, sino que lo hace desde el
punto de vista de los juristas, esto es, extrapolando los resultados al
mundo del Derecho, extrayendo conclusiones que tienen relevancia
para los ordenamientos jurídicos. Otros autores, junto con FINNIS,
conforman lo que se ha venido en denominar la *Nueva Escuela de
Derecho Natural*[30], movimiento doctrinal que ha protagonizado un
nuevo florecimiento de la tradición jurídica cristiana.

Esta escuela parte de la consideración de que la realización de prácticas sexuales sin reflexión, como una mera consecuencia de los impulsos o instintos naturales, no tiene validez moral, porque ello niega
las diferencias entre los seres humanos y los animales, que no es otra
que la capacidad de tomar decisiones basadas en la razón, de acuerdo
con las cuales los humanos actúan y desarrollan su vida. Siguiendo las

---

[29]   John Finnis es un filósofo católico y tomista, que ejerce en la Universidad de Oxford
        y en la Universidad de Notre Dame du Lac como profesor de Derecho y Filosofía
        del Derecho. Es uno de los más prominentes filósofos del Derecho. Su obra *Natural
        Law and Natural Rights*, Oxford: Oxford University Press, Clarendon Law Series,
        1980, es considerada como uno de los trabajos cumbres de la filosofía iusnaturalista.
        Es miembro de la Pontificia Academia Pro Vita, constituida por el Papa Juan Pablo
        II para que en el ámbito científico se haga una promoción y defensa de la vida, e
        íntimamente ligada al Pontificio Consejo Pastoral para los Operadores Sanitarios
        (*Pontificio Consiglio della Pastorale per gli Operatori Sanitari*).
[30]   El autor más señalado de esta corriente de pensamiento es J. FINNIS. Un plan-
        teamiento general de su postura puede encontrarse en su trabajo «Is Natural
        Law Theory Compatible With Limited Government?», en R. GEORGE. (ed.)
        Natural Law, Liberalism, and Morality, Oxford: Oxford University Press, 1996,
        pág. 1 ss. También en «Law, Morality, and Sexual Orientation», *Notre Dame
        Law Review*, vol. 69, 1994, pág. 1049 ss. Una importante crítica a estas posturas
        en S. MACEDO, «Homosexuality and the Conservative Mind», *The George-
        town Law Journal*, vol. 84, 1995, pág. 261 ss.; *Ibidem*, «Against the Old Sexual
        Morality of the New Natural Law», en R. GEORGE (ed.), *Natural Law, Libera-
        lism, and Morality*, op. cit., pág. 27. Ver también la postura de M. PERRY, «The
        Morality of Homosexual Conduct: A Response to John Finnis», *Notre Dame
        Journal of Law, Ethics & Public Policy*, vol. 9, 1995, pág. 41 ss.

enseñanzas de esta escuela de pensamiento, el ser humano, para actuar de acuerdo con su naturaleza peculiar y distinta a la animal, necesita encontrarse guiado por razones, que están en la base de los juicios morales que hacemos sobre los actos propios y de los demás. Dependiendo de la legitimación de una determinada razón para actuar, de su valor como vehículo para promover y desarrollar la condición humana, el juicio moral acerca de una determinada acción será positivo o negativo.

En el caso de las prácticas sexuales, la búsqueda del placer como única razón para mantener relaciones sexuales no es una razón legítima para actuar, porque no es compatible con nuestra condición de seres humanos, y por tanto, es moralmente rechazable. Los motivos por los que esta escuela de pensamiento llega a esta conclusión son que la búsqueda del placer como única razón por la que realizar actos sexuales implica tratar al cuerpo como un instrumento. Dentro de la dicotomía entre alma y cuerpo establecida por la tradición cristiana, ambos aspectos del ser humano merecen igual respeto, por lo que instrumentalizar el cuerpo para lograr experiencias placenteras es una forma de degradar el propio cuerpo en favor del espíritu, y en este sentido, es un acto de lleva a la desintegración de la persona como ser humano.

La Nueva Escuela de Derecho Natural construye una teoría sobre moral sexual que encuentra su fundamento en la institución del matrimonio. El matrimonio se concibe como un fin en sí mismo, que se perfecciona a través de la idea de «unión de dos personas en una misma carne» o en su terminología original «*two-in-one-flesh-union*»[31], que expresa el concepto de unión integral de la vida de dos personas (marido y mujer). De este modo, el matrimonio se concibe como un vínculo profundo entre los cónyuges, que en el plano espiritual y emocional se concreta en la idea de amor, y en el plano físico, en la idea de relación sexual de tipo reproductivo.

Esta escuela de pensamiento da un giro radical a la concepción clásica en el cristianismo de la idea de matrimonio como un medio para lograr la finalidad de la procreación, concibiendo a esta institución como un fin en sí mismo. El matrimonio no es, para estos autores, un mero contrato entre dos personas que regula ciertos aspectos de su vida en común, así como algunas garantías en caso de disolución

---

[31]   J. FINNIS, «Is Natural Law Theory Compatible With Limited…» *op. cit.*, en pág. 16.

del vínculo, sino que se trata de un fin en sí mismo, un bien humano básico (a basic human good), cuyo valor intrínseco es mucho más relevante en el plano moral que el que pudiera tener un contrato, y se concreta en la noción de una auténtica comunión de la vida, los cuerpos y las almas, de dos personas, hombre y mujer.

Es bajo estas premisas como esta escuela analiza los tipos de uniones y relaciones sexuales que las personas crean. En particular, respecto de lo que aquí nos ocupa, las relaciones homosexuales, la Nueva Escuela de Derecho Natural considera que cualquier relación homosexual es moralmente reprobable, por cuanto no son relaciones maritales. Es importante en este sentido indicar que la relación marital no es necesariamente la relación que surge de dos personas que contraen matrimonio. El hecho de que algunos Estados reconozcan el matrimonio homosexual, no convierte a estos matrimonios en tales, ya que no gozan de las características que hacen de una relación de pareja una relación marital. O si se quiere, para que una relación de pareja pueda ser considerada matrimonial, tiene que celebrarse un matrimonio, pero no todas las parejas que han contraído matrimonio pueden considerarse como tales. En concreto, los matrimonios de las parejas homosexuales no cumplen con ninguna de las características que para estos autores son necesarias para considerar que existe matrimonio, y que la actividad sexual dentro del mismo es moralmente aceptable. Y ello porque el tipo de actividad sexual que pueden realizar las parejas homosexuales no es, ni puede ser, de tipo reproductivo, y tampoco, siempre según esta escuela de pensamiento, es la expresión de amor, afecto y solidaridad que conforma el segundo de los elementos de esta particular concepción del matrimonio.

Es necesario en este punto señalar cuáles son las asunciones acerca de la homosexualidad que se encuentran en la base de esta reflexión, ya que como dice MACEDO «the new natural law position represents (in part at least) a failure to understand sympathetically the real nature of many homosexual relationships»[32]. Hablan estos autores, cuando se refieren a la homosexualidad, de «gay lifestyle»[33], «gay

---

[32] S. MACEDO, «Reply to Critics». The Georgetown Law Journal, vol. 84, 1995, págs. 329 ss., en pág. 330.

[33] J. FINNIS, «Law, Morality, and "Sexual Orientation"». Notre Dame Law Review, vol. 69, 1994, págs. 1049 ss., en pág. 1055.

ideology»[34], sin especificar el contenido de estos términos, y asumiendo que toda persona homosexual participa de la «ideología gay» y vive siguiendo el «estilo de vida gay». FINNIS, por ejemplo, afirma sin dudas de ningún tipo que «[t]he "gay" ideology treats sexual capacities, organs and acts as instruments to be put to whatever suits the purposes of the individual "self" who has them»[35], asumiendo que toda persona homosexual coincide en esta concepción de la vida sexual, que todos ellos son «*slaves to the passions*»[36].

MACEDO, un autor que ha dedicado importantes artículos a rebatir las teorías de la Nueva Escuela de Derecho Natural, en su crítica a la posición de FINNIS respecto de la homosexualidad, pone de relieve que «Finnis provides only off handed references to the "modern 'gay' ideology" (…) Finnis signals his argument's dependence on unexamined stereotype and over-generalization. Millions of homosexual lives and relationships are taken to be epitomized by a promiscuous, liberationist "gay lifestyle", which rejects all sexual restraints and value judgments»[37]. Para MACEDO, cuando estos autores hablan de homosexualidad, están pensando en las conductas más exageradas, la promiscuidad, los encuentros ocasionales, etc… a lo que este autor contesta que «[i]t would be wrong to regard the essence of "maleness" (or indeed, heterosexuality) as capture by its worst forms (domestic violence and rape). It is no better to characterize homosexuality in this way»[38].

Otro problema de partida en el análisis de la homosexualidad desde un punto de vista moral, por parte de la Nueva Escuela de Derecho Natural, es que toda la discusión gira en torno a la homosexualidad masculina. De hecho, estos autores, que defienden la inmoralidad de las prácticas homosexuales, no hacen la más mínima referencia, en ningún momento, al lesbianismo. Buscando una afirmación histórica de su posición, analizan la respuesta de la sociedad griega clásica al fenómeno, afirmando que la homosexualidad ya en aquella cultura era considerada inmoral, algo en lo que nos detendremos más adelante. Lo importante aquí de esta argumentación tiene que ver con la nula

---

[34] J.FINNIS, «Is Natural Law Theory Compatible…» *supra*, pág. 14.
[35] *Ibidem*, págs. 16-17.
[36] *Ibidem*, pág. 17.
[37] S. MACEDO, «Against the Old Sexual Morality …» *op. cit.*, pág. 41.
[38] *Idem*.

mención de la homosexualidad femenina. Así, FINNIS afirma que «[a] lthough the ideology of homosexual love (with its accompanying devaluation of women) continued to have philosophical defenders down to the end of classical Greek civilization, there equally continued to be influential philosophical writers, wholly untouched by Judeo-Christian tradition, who taught that homosexual conduct is not only intrinsically shameful but also inconsistent with a proper recognition of the equality of women with men in intrinsic worth»[39]. Aunque es cierto que los filósofos griegos clásicos no consideraron nunca la posibilidad de la homosexualidad femenina, también lo es que el discurso que sostiene la Nueva Escuela de Derecho Natural sigue la misma dirección, cuando hace referencias al mundo clásico sin adaptar sus argumentos al fenómeno del lesbianismo. En otras palabras, no sólo no mencionan la homosexualidad femenina, sino que incluso apoyan su rechazo a la homosexualidad precisamente en que supone una concepción de la mujer como un ser inferior al hombre. Sólo caben dos explicaciones a esta cuestión: o bien se trata de un argumento que podría ser aplicable también al lesbianismo, en el sentido de que supone una proyección de la inferioridad del hombre respecto de la mujer, o simplemente es que no han pensado en ningún momento en la homosexualidad femenina cuando elaboraban sus argumentos.

Las mujeres, como ha ocurrido y ocurre en muchas otras esferas, son ignoradas, y las características propias del lesbianismo no son tenidas en cuenta por esta escuela de pensamiento. De hecho, la caracterización de los homosexuales por parte de estos autores, como personas promiscuas e incontroladas, cuyo apetito sexual no tiene freno, es una concepción muy vinculada al estereotipo de la homosexualidad masculina, pero que no encuentra su correlación respecto del lesbianismo. Como MACEDO, citando a POSNER, afirma, «lesbians have quite stable relationships and have intercourses less frequently than heterosexual couples»[40]. Y de esta manera, el lesbianismo no ha sido considerado como una forma de homosexualidad que difiere en determinados elementos de las conductas homosexuales masculinas[41].

---

[39] J. FINNIS, «Law, Morality, and...» *op. cit.*, pág. 1062.
[40] S. MACEDO, «Against the Old Sexual Morality...» *op. cit.*, pág. 41.
[41] Para una visión similar acerca de cómo la Nueva Escuela de Derecho Natural ha ignorado la homosexualidad femenina en su argumentación, ver N. BAMFOR-

A pesar de que los autores más representativos de esta escuela de pensamiento parten de las asunciones ya vistas y de la referencia exclusiva a la homosexualidad masculina, su posición moral respecto a este asunto asume que la homosexualidad puede ser una característica personal no influenciada por la educación o el entorno, e incluso que no es el resultado de una decisión personal de alguien que de otro modo sería heterosexual. En resumen, estos autores admiten que la homosexualidad puede ser una característica natural no elegida por quien la posee. Así lo afirma MACEDO cuando dice que «[a]t least some of the new natural lawyers —secular philosophers such as John Finnis, Germain Grisez, and Robert George, working in one part of the Catholic natural law tradition— allow that some people are homosexual by nature»[42].

Aun partiendo del reconocimiento por parte de los autores de la Nueva Escuela de Derecho Natural, de que la homosexualidad puede ser en algunos casos una característica natural, y por tanto ajena a la voluntad individual, ello no supone para esta escuela una mejor valoración moral de la realidad homosexual. Muy al contrario, GRISEZ, citado por MACEDO, afirma que «a homosexual orientation is natural only in the sense that any handicap for which an individual is not personally responsible is natural»[43]. El hecho de que se trate de una característica natural, ajena a la voluntad o la capacidad de decisión de la persona, no confiere, en ningún sentido, legitimidad moral al ejercicio de prácticas sexuales entre personas del mismo sexo, y ello porque se trata de actividades intrínsecamente inmorales. Aun así, el hecho de que una persona tenga una orientación sexual homosexual, no tiene para estos autores ninguna relevancia moral. Esta escuela establece una clara distinción, con importantes consecuencias morales, entre la orientación homosexual, de cuya existencia es ajena la voluntad individual, y las prácticas homosexuales, que ahora sí, son el resultado de la voluntad personal de participar en ellas. De esta manera, tener una orientación homosexual es considerado como una característica natural (en el sentido de que no ha sido inducida por la educación, el entorno, etc.), que trasciende de las posibilidades de

---

TH, *Sexuality, Morals and Justice: a Theory of Lesbian and Gay Rights Law*, London: Cassell, 1997, págs. 172-173.

[42]   S. MACEDO, «Homosexuality and the Conservative …» *op. cit.*, pág. 272.
[43]   *Idem.*

decisión personales y por tanto no tiene un rechazo moral, no es moralmente relevante, pero practicar actividades sexuales con personas del mismo sexo es considerado como moralmente reprobable, al ser el resultado de la capacidad individual para decidir activamente actuar en contra de los bienes humanos básicos. FINNIS, argumentando su posición concordante con el uso por parte del Tribunal Europeo de Derechos Humanos del concepto de «*standard modern position*», y en relación a la homosexualidad, afirma que «[t]he concern of the standard modern position itself is not with inclinations but entirely with certain decisions to express or manifest deliberate promotion of or readiness to engage in, homosexual activity or conduct, including the promotion of forms of life (e.g. purportedly marital cohabitation) which both encourage such activity and present it as a valid or acceptable alternative to the committed heterosexual union which the state recognizes as marriage»[44]. Así, la inmoralidad de las prácticas homosexuales se extiende a cualquier tipo de intento de defender o dignificar las actividades y relaciones homosexuales, debido a la maldad intrínseca del sexo homosexual, lo que hace que cualquier intento de visualización o normalización comparta esta valoración moral. Para resumir, la posición de la Nueva Escuela de Derecho Natural en este punto es que aun asumiendo que en algunos casos (nunca se generaliza a todos) la homosexualidad puede ser un mero factor o característica natural, desde un punto de vista moral es inaceptable la consecución de prácticas homosexuales o incluso la expresión de la voluntad de realizar actos sexuales con personas de mismo sexo.

De acuerdo con esta teoría moral, la situación a la que las personas homosexuales se enfrentan es la de que una persona innatamente homosexual, para seguir los postulados de la doctrina oficial de la Iglesia Católica en este punto, como ya hemos visto *supra*, tiene que elegir entre dos modos de vida extremadamente duros: o bien se abstiene de realizar prácticas sexuales de cualquier tipo, esto es, elimina la sexualidad de su vida, o bien intenta mantener una relación heterosexual. En este segundo caso, de cualquier modo, es dudoso que pudiéramos hablar de una relación moralmente válida, ya que las características que esta escuela considera necesarias para que una relación hetero-

---

[44]   J. FINNIS, «Law, Morality, and…» *op. cit.*, pág. 1052.

sexual pueda ser considerada un matrimonio (único parámetro de validez de las relaciones sexuales), que se resumen en la expresión «*two-in-one-flesh-union*», exigen de un determinado estado de ánimo, de unos determinados sentimientos, que en el caso de una persona con orientación homosexual que se fuerza a sí misma a desarrollar una relación heterosexual, parecen al menos muy difíciles de conseguir.

A pesar de la dureza de las alternativas que esta escuela de pensamiento deja a las personas nacidas homosexuales, FINNIS argumenta que «a life involving homosexual conduct is bad even for anyone unfortunate enough to have innate or quasi-innate homosexual inclinations»[45].

La pregunta en este contexto que nos debemos plantear entonces es: ¿qué es tan moralmente dañino en la actividad sexual con personas del mismo sexo para que sea preferible condenar a las personas homosexuales a una vida de represión sexual absoluta, soledad y frustración, en lugar de permitirles (siempre en términos morales) desarrollar prácticas sexuales y relaciones homosexuales? Vamos a analizar en profundidad las causas por las que la Nueva Escuela de Derecho Natural considera las relaciones homosexuales como moralmente inaceptables.

De acuerdo con esta escuela de pensamiento, las relaciones sexuales homosexuales son intrínseca y radicalmente inmorales, pero no porque se trate de personas del mismo sexo, sino porque no responden ni pueden responder a las características que una relación sexual marital requiere, y toda relación sexual no marital es moralmente inaceptable.

En concreto, la actividad sexual homosexual nunca puede considerarse como marital porque no tiene un carácter reproductivo. La idea de procreación tiene una importancia extrema en la determinación de qué clase de actividad sexual en moralmente aceptable, y siempre debe ser marital, aun cuando haya dejado de ser un fin en sí mismo, como hemos visto más arriba, para convertirse en una consecuencia del bien humano básico que es el matrimonio. De este modo, sólo la actividad sexual de tipo reproductivo puede ser marital, incluso si en algunos casos la procreación resulta imposible, debido a causas naturales (infertilidad, edad avanzada, etc.). La actividad sexual entre personas del mismo sexo, por tanto, es radicalmente no marital, porque la actividad sexual que desarrollan no es de tipo reproductivo, esto es,

---

[45]   *Idem.*

no supone la introducción del pene en la vagina, y por tanto para las parejas homosexuales es imposible llegar a tener una relación sexual que sea moralmente aceptable. Hay dos cuestiones diferentes que es necesario analizar en torno a esta argumentación:

1. ¿Qué es una actividad sexual de tipo reproductivo?
2. ¿Cuál es la legitimación moral que esta característica otorga a la actividad sexual?

Respecto de la primera pregunta, la escuela de Derecho Natural tiene una idea muy clara de lo que debe ser entendido por una actividad sexual abierta a la procreación: «The reproductive-type acts of humans and other mammals are acts of inseminatory union of male with female organs»[46].

El comportamiento sexual al que estos autores hacen referencia consiste en la penetración del pene en la vagina en un acto que concluye en la eyaculación. Cualquier otro tipo de actividad sexual carece de la consideración de marital, incluso cuando se trata de una actividad heterosexual y desarrollada entre personas ligadas por vínculo matrimonial, y por tanto, es moralmente inadmisible. Comportamientos sexuales que impliquen penetración anal u oral, o incluso aquellos de tipo masturbatorio, son inmorales, sean éstos desarrollados por matrimonios heterosexuales, o por parejas homosexuales.

La razón por la que solo la actividad sexual de tipo reproductivo descrita es considerada como la única relación sexual moralmente aceptada es algo que vamos a analizar inmediatamente. Pero antes es necesario definir con mayor exactitud qué patrones de comportamiento, en relación a la sexualidad son moralmente aceptables[47]. Sabemos ya que sólo el sexo procreativo es bueno en términos morales. El primer problema que tenemos que afrontar es el de qué se considera actividad sexual en general. ¿Podemos decir que un beso es un acto sexual? ¿Y una caricia?

---

[46]   R. P. GEORGE y G. V. BRADLEY, «Marriage and the Liberal Imagination», *The Georgetown Law Journal*, vol. 84, 1995, págs. 301 ss.

[47]   Para una comprensión extremadamente rígida de la sexualidad en general, que limita aún más la actividad sexual susceptible de procreación, ver H. ARKES, «Questions of Principles, Not Predictions: a Reply to Macedo». *The Georgetown Law Journal*, vol. 84, 1995, págs. 321 ss., en págs. 322-323.

Asumiendo que la respuesta es negativa, y limitando el concepto de actividad sexual a la manipulación genital, resulta aún más complicado, en la práctica, respetar las restricciones impuestas por la Nueva Escuela de Derecho Natural para lograr una actividad sexual moralmente válida, por cuanto al menos en principio, resulta difícil pensar en desarrollar un comportamiento sexual de tipo reproductivo, como ha sido descrito más arriba, esto es, la introducción del pene en la vagina, sin una previa estimulación genital.

No obstante estas consideraciones acerca de la dificultad de definir claramente los límites entre una actividad sexual moralmente buena y una que no lo es, la realidad es que la Nueva Escuela de Derecho Natural sólo admite desde un plano moral, la validez del sexo de tipo reproductivo. ¿Qué diferencia tanto este tipo de comportamiento sexual de otras prácticas sexuales? ¿Cuál es la legitimación moral que aporta el carácter reproductivo de la relación sexual? La respuesta a estas preguntas sólo puede encontrarse en la cualidad moral que la Nueva Escuela de Derecho Natural confiere al acto sexual de tipo reproductivo. FINNIS lo afirma claramente cuando dice que «[t]he union of the reproductive organs of husband and wife really unites them biologically (and their biological reality is part of, nor merely an instrument of, their personal reality). Reproduction is one function and so, in respect of that function, the spouses are indeed one reality, and their sexual union therefore can actualize and allow them to experience their real common good – their marriage»[48].

De esta manera, el desarrollo del acto sexual de tipo reproductivo permite a los cónyuges alcanzar una unión biológica, porque a través de la consecución de su función reproductiva se convierten en una sola realidad. Es precisamente esta cualidad unitiva de la reproducción lo que otorga valor moral a la relación sexual procreativa, porque es un medio para implementar la esencia del matrimonio, la idea de unión de dos en una única carne. Cualquier otro acto sexual, porque no tiene significado reproductivo, porque no tiene el elemento de unión de los cónyuges en una única realidad, «damages personal

---

[48]   J. FINNIS, «Is Natural Law Theory Compatible...» *op. cit.*, pág. 15.

(and interpersonal) integrity by reducing persons' bodies to the status of means to extrinsic ends»[49].

Es en este sentido, en la incapacidad del sexo no reproductivo de lograr la unión biológica, como parte y contenido de la realización del matrimonio, en el que se apoya la inmoralidad de estas prácticas sexuales, porque si ellas no permiten desarrollar un bien humano básico como es el matrimonio, no existe razón para actuar, y por tanto estas actividades implican tratar al cuerpo como un instrumento. En particular, aunque no en exclusiva, la actividad sexual homosexual es radicalmente opuesta a este elemento reproductivo, y por tanto, no es ni puede ser marital, incluso en el caso en el que otros elementos, como la amistad (entendida en el sentido de amor) puedan confluir.

MACEDO, por su parte, pone en cuestión el carácter unitivo del sexo procreativo, señalando que la realidad de las parejas estériles es la de que no pueden procrear, y así, su actividad sexual nunca concluirá en esa unión biológica que la procreación pueda suponer. Para MACEDO, la realidad biológica es que «penises and vaginas don't unite biologically, sperm and eggs do (at least in a healthy uterus and under the right conditions)»[50].

Para este autor, las parejas estériles, de cuyas relaciones sexuales procreativas la Nueva Escuela de Derecho Natural otorga validez moral, tienen tantas posibilidades de conseguir la unión biológica propugnada por esta escuela de pensamiento, como las parejas homosexuales, porque para MACEDO «[s]terile heterosexual sex has only the appearance but not the reality of biological union»[51]. MACEDO hace depender la unión biológica de la que habla la Nueva Escuela de Derecho Natural del resultado de la efectiva procreación, o al menos, de la posibilidad real de procrear. Para este autor, la separación que la Nueva Escuela de Derecho Natural preconiza respecto de la relación sexual marital y la finalidad de la procreación, hace que las objeciones en relación a las actividades sexuales homosexuales pierdan su fundamentación: si, como defiende esta escuela, las parejas estériles pueden tener relaciones sexuales moralmente lícitas dentro del matrimonio,

[49]   R. P. GEORGE y G. V. BRADLEY, «Marriage and the Liberal…» *op. cit.*, pág. 314.
[50]   S. MACEDO, «Against the Old Sexual Morality…» *op. cit.*, pág. 37.
[51]   *Idem.*

como consecuencia del cambio en la concepción del propio matrimonio, y de las relaciones sexuales y la procreación, entonces las parejas homosexuales deben obtener la misma valoración moral. La Nueva Escuela de Derecho Natural rechaza la idea tradicional de que la finalidad del matrimonio, su razón última de existencia, es la procreación, e integra la relación sexual marital en la propia idea de matrimonio, como una forma de actualizar y expresar el bien básico del matrimonio. Es precisamente este cambio de posición el que confiere legitimidad moral a las relaciones sexuales de un matrimonio estéril. Debería ser también este cambio de posición el que permitiera considerar las relaciones sexuales homosexuales como moralmente válidas.

Este argumento es sin embargo rechazado por la Nueva Escuela de Derecho Natural, sobre la base de una argumentación que establece que de hecho hay una clara diferencia entre la actividad sexual de tipo reproductivo llevada a cabo por un matrimonio estéril, y las relaciones sexuales homosexuales: la actividad sexual tiene que ser de carácter reproductivo, esto es, la introducción del pene en la vagina, no porque la reproducción sea realmente posible, sino por el carácter de unidad biológica que sólo este tipo de relación sexual posee. Esta escuela de pensamiento vincula este carácter de unidad biológica que atribuye a la relación sexual de tipo reproductivo, no a las posibilidades reales de procreación sino al hecho de que se trata de una función biológica que sólo puede ser desarrollada a través de la naturaleza complementaria que el pene y la vagina tienen. Es en este sentido en el que los cónyuges alcanzan la unidad biológica, porque son dos partes de la misma función biológica, porque la procreación necesita de un pene y una vagina para llevarse a cabo. El que esta relación sexual tenga o no posibilidades reales de procreación es irrelevante, lo que importa es que, como función biológica humana, la procreación necesita de esta complementariedad entre órganos genitales. Y ese es el motivo por el que solo la relación sexual descrita en estos términos supone la no utilización del cuerpo como un instrumento al servicio de la mente, y en este sentido, es la única actividad sexual que no supone la desintegración del ser humano.

Éste es el motivo por el que las actividades sexuales homosexuales son consideradas por la Nueva Escuela de Derecho Natural como moralmente inaceptables, como también, y por los mismos motivos, lo son las actividades sexuales entre hombre y mujer que no tengan este carácter reproductivo. Aun así, el rechazo moral a las relaciones homosexuales es mayor por cuanto, al ser protagonizadas por personas del mismo sexo, pierden absolutamente el significado procreativo que se exige.

Esta es la auténtica esencia del rechazo de las relaciones homosexuales por parte de esta escuela, íntimamente ligada a la doctrina oficial de la Iglesia Católica. El centro de la argumentación acerca de qué es sexo moralmente válido es el carácter de función biológica, independientemente del resultado de la procreación. En definitiva, sólo la actividad sexual susceptible de lograr la procreación, incluso si dadas las circunstancias esta procreación es imposible, es legítima en términos morales.

Y así, la actividad sexual, para ser aceptada en términos morales, tiene que desarrollar una función biológica. A esta función biológica se le ha dado el significado de unidad biológica, porque para ser llevada a cabo es necesario que un hombre y una mujer participen en la misma. Incluso si, y a pesar de las importantes objeciones ya comentadas a esta idea, aceptáramos esta premisa, lo interesante es el siguiente paso de la argumentación defendida por esta escuela. Porque el nuevo derecho natural otorga a una función biológica el valor de parámetro de moralidad de las relaciones sexuales. De esta manera, si la relación sexual tiene lugar en los términos de la descrita función biológica, como unidad biológica, entonces es sexo moralmente bueno, y si no cumple con este requisito, entonces se trata de sexo moralmente reprobable. A primera vista este argumento parece olvidar lo que en teoría moral es una máxima absoluta, esto es, que las conclusiones normativas tienen que inferirse de premisas normativas, y no de hechos naturales. Y ello porque lo que está haciendo esta escuela de pensamiento es obtener una consecuencia normativa, que solo el sexo de tipo reproductivo es bueno, de una premisa no normativa, que la reproducción es una función que requiere de un hombre y una mujer para ser desarrollada. FINNIS, sin embargo, niega esta imputación: «[d]oes this account seek to "make moral judgements based on natural facts? Yes and no. No, in the sense that it does not seek to infer normative conclusions or theses from non-normative (natural-facts) premises. Nor does it appeal to any norm of the form "Respect natural facts or natural functions". But yes, it does apply the relevant practical reasons (especially that marriage and inner integrity are basic human goods) and moral principles (especially that one may never intend to destroy, damage, impede, or violate any human good, or prefer an illusory instantiation of a basic human good to a real instantiation of that or some other human good) to facts about the human personal organism»[52]. En realidad se trata de una argumentación circular, porque la realización del bien humano básico, el matrimonio, a través del elemento de la actividad sexual, se hace depender del valor dado a la función biológica de la procreación, al sexo de tipo reproductivo, y así, no es que este argumento aplique valores morales a hechos del organismo humano, sino que al contrario, son las funciones biológicas las que determinan el contenido, los elementos, de estos valores morales, de modo que finalmente lo que hacen es determinar lo que esos valores morales son.

Los importantes esfuerzos que en materia de legitimación moral del rechazo a la homosexualidad han sido protagonizados por este grupo de teóricos íntimamente vinculados con la Iglesia Católica, son cuanto menos, cuestionables, y difícilmente permiten mantener, en materia de reconocimiento de derechos fundamentales, una postura de no protección de las personas homosexuales sobre la base de una fundamentación moral que no resiste bien las críticas, que no parece plenamente fundada en un entendimiento de la naturaleza humana y de sus valores asociados que pueda ser compartida, ni por la mayoría de la población, ni por los principios básicos que se desprenden de la forma de convivencia estructurada en torno al respeto de los derechos más básicos de las personas.

Debemos apuntar, por último, que también en el seno de la Iglesia Católica están surgiendo grupos de presión que abogan por un cambio de sus premisas acerca de la valoración moral de la homosexualidad, y no solo en relación a las corrientes teológicas apuntadas *supra*, sino que se trata de organizaciones de gays y lesbianas católicos que aspiran a encontrar su lugar en la Iglesia sin tener que renunciar a su vida sexual y afectiva[53]. Estos colectivos están también protagonizando campañas en las que han contado con importantes apoyos[54].

---

[52]   J. FINNIS, «Law, Morality and…» *op. cit.*, págs. 1068-1069.
[53]   A modo de ejemplo, se pueden citar organizaciones como *New Ways Ministry*, http://newwaysministry.org o *Equally Blessed*, http://equally-blessed.org/(ambos consultados el 20 de septiembre de 2012).
[54]   Entre los que se encuentra KATHLEEN KENNEDY TOWNSEND, hija del Senador Robert F. Kennedy, y parte de una de las familias católicas más influyentes de Estados Unidos. Ha abogado en más de una ocasión por la apertura de la Iglesia Católica a la realidad homosexual, afirmando que «what we need is a

1.2.2. ¿Por enfermedad? Psiquiatría, enfermedad mental y homosexualidad

La Ilustración supuso la irrupción en el mundo occidental de nuevos parámetros de acercamiento y comprensión del mundo que nos rodea. Esta nueva fórmula de análisis de nuestro entorno ha impregnado a la cultura occidental durante los últimos siglos, constituyéndose así como una forma de entender la realidad caracterizada y basada en los dictados de un razonamiento lógico-normativo que tiene como consecuencia la necesidad de catalogación, estructuración y ordenación de todo el conocimiento. Influyen también estos parámetros incluso en la identificación de qué es el propio conocimiento, de cuáles son los elementos de la realidad que deben ser tenidos en cuenta y sistematizados.

El enorme impulso que la nueva manera de *pensar* supuso para el progreso científico y técnico no llegó sin embargo a la disciplina de la psiquiatría hasta bien entrado el siglo XIX, momento en que se empieza a desmitificar la enfermedad mental, que se priva de todo elemento espiritual y mágico-religioso, para convertirla en un elemento de estudio más al que aplicar la manera ilustrada de análisis de la realidad.

En este contexto, la psiquiatría empieza a interesarse por la sexualidad humana y a elaborar un discurso que conllevará, por un lado, la descriminalización de la homosexualidad, siendo muchos los médicos que reclamarán un cambio legislativo en este sentido[55], pero que supondrá también la patologización de la orientación sexual homosexual. Esto tendrá importantes consecuencias, no solo respecto de los posibles, y a veces terribles tratamientos a que serán sometidas muchas personas homosexuales[56], sino que así mismo conformará un

---

transformation of hearts and minds, nor merely a change of laws», http://www.theatlantic.com (consultado el 20 de septiembre de 2012).

[55] Quien acuñó el término *homosexualidad*, el médico húngaro, Karl Marie Benkert, llegó incluso a mandar en 1869, una carta al ministro de justicia, argumentando que la homosexualidad era innata y, por lo tanto, no podía ser castigada con prisión como sancionaba en aquel momento el Código Penal prusiano. En S. DI SEGNI OBIOLS, «Sodomitas, Homosexuales, Gay: de la Persecución a la Desmedicalización», *Vertex, Revista Argentina de Psiquiatría*, vol. XVII, 2006, págs. 99-104, en pág. 100.

[56] Para un resumen del contenido de estos tratamientos, ver J. A. HERRERO BRASAS, *La Sociedad Gay*, Madrid: Foca, 2001, pág. 61 ss.

elemento de la nueva construcción socio-cultural de la orientación sexual que ha llegado hasta nuestros días, y que marcará la propia definición e identificación de las personas en base a su orientación sexual.

Y ello, siguiendo aquí una postura constructivista moderada, porque si bien con anterioridad la conducta homosexual fue tremendamente reprimida y perseguida, incluso penalmente, es preciso señalar que lo que se perseguía era una *conducta*, un acto en concreto, y no una *esencia*, una forma de ser, una identidad. El siglo XIX será testigo de un proceso de cambio en la consideración social de la orientación sexual homosexual, que pasa de ser un acto con unas connotaciones morales y jurídicas muy negativas, a transformarse en el elemento que marca por encima de todo a la persona, que la define, y que con la intervención de la psiquiatría, convierte al homosexual en una persona enferma, principal y envolvente atributo que la identifica por encima de cualquier otro. En palabras de FOUCAULT:

«La sodomía —la de los antiguos derechos civil y canónico— era un tipo de actos prohibidos; el autor no era más que un sujeto jurídico. El homosexual del siglo XIX ha llegado a ser un personaje: un pasado, una historia, una infancia, un carácter, una forma de vida; asimismo una morfología, con una anatomía indiscreta y quizás misteriosa fisiología. Nada de lo que es in Toto escapa a su sexualidad»[57].

El inicio de este proceso se puede situar en 1886, cuando VON KRAFF-EBING, psiquiatra, publica *Psychopatia Sexualis*[58], auténtico best-seller en su momento, cuyo contenido será el encargado de consolidar la idea de que también en materia de sexualidad existe un parámetro de normalidad fuera del cual toda conducta sexual es enfermiza. Curiosamente, este parámetro normativo va a coincidir con el que la religión y la moral han construido: el sexo procreativo. Toda conducta que se desvíe de este criterio es la propia de un enfermo mental. Para GRANADOS COSME «(...) aludiendo a su carácter científico, la psiquiatría se convirtió en el aval "neutral" de un proceso ideológico de *anormalización* de la homosexualidad. Este supuesto, sin embargo, se sitúa en una frontera compleja: los límites entre lo

---

[57] M. FOUCAULT, *op. cit.*, pág. 56.
[58] R. VON KRAFF-EBING, *Psychopathia Sexualis*, Valencia: Editorial La Máscara, colección Malditos Heterodoxos, 2000.

biológico y lo cultural, lo esencial y lo construido, la ciencia natural y la ciencia social, así como de los paradigmas que las sustentan»[59].

Sin embargo, no todos los psiquiatras de la época coincidieron con esta lectura de la homosexualidad, y así, HAVELOCK ELLIS, siguió una línea de investigación absolutamente alejada del carácter de perversión que se había otorgado a la orientación sexual homosexual. Para este investigador inglés, las personas con tendencias sexuales homosexuales habían sufrido un desarrollo embrionario incompleto, de modo que su homosexualidad era congénita. Este investigador partía de la presunción de que todos los seres humanos eran básicamente bisexuales y que la diferenciación sexual era una cuestión de grado, situando a las personas homosexuales «en un continuo entre hombres y mujeres heterosexuales»[60].

No obstante, ésta fue una postura minoritaria en su momento, primando la consideración de la homosexualidad como una patología, teniendo en este sentido especial influencia los trabajos de LOMBROSO, que consideraba la homosexualidad como una forma de atavismo, aplicando así a la orientación sexual su teoría acerca del carácter de raza primitiva superviviente que atribuía a los criminales, con una serie de características físicas que permitían su identificación antes incluso de la comisión de delitos[61]. Ello hizo que incluso se llegara a vincular la idea de la *esencia* homosexual, apoyada por la psiquiatría, con la criminalización de épocas anteriores, caracterizando así a la persona homosexual como un individuo investido de una criminalidad patológica, esto es, aunando en una sola identidad lo peor de las distintas aproximaciones a la homosexualidad dominantes en los últimos siglos.

El psicoanálisis modificó solo en determinado sentido esta tendencia a la consideración doblemente perniciosa de la homosexualidad. Así, FREUD negó la consideración de degenerados a los hombres homosexuales, argumentando que éstos no reunían las características propias de la degeneración, no presentando en general ninguna otra desviación grave respecto de la normalidad que el hecho de tener tendencias ho-

---

[59]   J.A. GRANADOS COSME, «Medicina y Homosexualidad: Prácticas Sociales en Tensión». *Cuilcuilco*, enero-abril, vol. 13, nº 036, 2006, pág. 294.
[60]   S. DI SEGNI OBIOLS, «Sodomitas, Homosexuales... *op. cit.* en pág. 100.
[61]   A. MIRABET I MULLOL, *Homosexualidad Hoy*, Barcelona: Herder, 1984.

mosexuales, y enfatizando el hecho de que se pudiera tratar de personas con un alto desarrollo intelectual y cultural, descartando así las posiciones defendidas por KRAFFT-EBING, aunque solo en parte, ya que si bien no las consideró como perversiones, sí mantuvo la posición de buscar las causas de la homosexualidad en una patología subyacente.

Conviene matizar aquí, siguiendo a S. DI SEGNI OBIOLS, que en este momento histórico, cuando se habla de homosexualidad, término que se presenta como neutro (de forma que se puede utilizar tanto en el caso de hombres como en el de mujeres), se está haciendo referencia casi exclusivamente a la homosexualidad masculina. Las mujeres aquí también son ignoradas, aun cuando esta falta de interés en este caso permite a las lesbianas de la época no sufrir las consecuencias de la persecución y estigmatización a las que se ven sometidos los hombres homosexuales[62].

No es hasta después de la Segunda Guerra Mundial cuando podemos comenzar a observar importantes cambios en la aproximación psiquiátrica a la sexualidad y en concreto a la orientación sexual, en un momento histórico en el que el feminismo empieza a tomar fuerza tras haber salido la mujer del entorno de lo doméstico para ocupar los puestos de trabajo, en las cadenas de montaje, de los hombres que marchan a la guerra, y verse después relegadas de nuevo a su condición de amas de casa.

Será el biólogo ALFRED C. KINSEY, el que en 1948 publique una investigación científica[63] que, a pesar de las fuertes y en algunos casos muy fundadas críticas de la que será objeto[64], supondrá un punto de inflexión en la conceptuación y tratamiento científico de la orien-

---

[62] S. DI SEGNI OBIOLS, «Sodomitas, Homosexuales… *op. cit.*, en págs. 99-100.
[63] A. C. KINSEY, W. POMEROY y C.E. MARTIN, *Sexual Behavior in the Human Male*, Philadelphia: Saunders, 1948. Este primer estudio, sobre sexualidad humana masculina, será completado más tarde con una investigación similar sobre sexualidad femenina, ver A. C. KINSEY, W. POMEROY, C.E. MARTIN y P.H. GEBHARD, *Sexual Behavior in the Human Female*, Philadelphia: Saunders, 1953.
[64] Críticas en torno a deficiencias en los procedimientos de selección de la muestra, en el carácter excesivamente biológico, en la falta de valoración de las motivaciones, etc., pueden encontrarse en E. BERGLER, «The Myth of a New National Disease. Homosexuality and the Kinsey Report», *Psychiatric Quarterly*, nº 22, 1948, pág. 22 ss; D. P. GEDDES (ed.), *An Analysis of the Kinsey Reports on Sexual Behavior in the Human Male and Female*, New York: New American Library of World Literature, 1955.

tación sexual. Este informe establecerá una gradación de la orientación sexual que rompe claramente con el binario hombre-mujer/heterosexual-homosexual, para sentar las bases de una concepción de la sexualidad humana como un continuum entre la heterosexualidad absoluta y la homosexualidad absoluta. Así, establece este investigador 7 posibles orientaciones sexuales, de la siguiente forma:

1. Exclusivamente heterosexual, sin ningún elemento homosexual.
2. Predominantemente heterosexual, sólo accidentalmente homosexual.
3. Predominantemente heterosexual, pero algo más que accidentalmente homosexual.
4. Igualmente heterosexual que homosexual.
5. Predominantemente homosexual, pero algo más que accidentalmente heterosexual.
6. Predominantemente homosexual, sólo accidentalmente heterosexual.
7. Exclusivamente homosexual.

De este modo, además de introducir como una más de las posibles orientaciones sexuales a la bisexualidad, y a pesar del evidente carácter excesivamente encorsetado y estructurado de comportamientos sexuales que desde una óptica constructivista no pueden ser admitidos sin más, así como del sesgo geográfico y cultural en el que se inscribe (estamos hablando de un estudio exclusivamente estadounidense), lo cierto es que será a partir de este momento cuando empecemos a asistir a una revolución en la forma de entender la sexualidad humana que inspirará a grupos de personas que hasta ese momento escondían su orientación sexual, y la vivían de forma clandestina, para iniciar un proceso de visualización que aún no ha culminado.

MARTÍNEZ URIONABARRENETXEA, hace mención, sin embargo, de la aceptación con cierta alegría por parte de muchas personas homosexuales, durante la primera mitad del siglo XX, de la intervención de la psiquiatría en el análisis de las causas y consecuencias de la homosexualidad, bajo el lema «mejor enfermos que criminales»[65]. Sin

---

[65]   K. MARTÍNEZ URIONABARRENETXEA, «Medicina y Homosexualidad». *JANO*, 28 enero-3 febrero 2005, vol. LXVIII, nº 1549, págs. 42-43.

embargo, a partir de la irrupción en la escena pública de los colectivos de gays y lesbianas, empieza a surgir un fuerte movimiento que se opone a la patologización de la orientación sexual homosexual, y que también en este campo, ha sido el responsable de la presión ejercida para que las grandes organizaciones médicas hayan retirado de sus listados de patologías psiquiátricas a la condición homosexual. Un trabajo que supuso una especial inspiración para el inicio de esta reivindicación fue el realizado por la psicóloga investigadora EVELYN HOOKER, que en 1957 publicó *La adaptación del hombre declaradamente homosexual*, en cuya investigación llega a la determinación de que los hombres homosexuales no tenían mayores o menores problemas de adaptación[66] que los heterosexuales, y concluye que la homosexualidad no existe como entidad clínica, teniendo tantas formas como la heterosexualidad; se trata de una vivencia de la sexualidad que entra dentro de lo psicológicamente normal; constatándose así que la sexualidad no es un elemento de la personalidad tan determinante para el desarrollo individual como se había llegado a pensar[67].

Este estudio supuso un importante impulso para los colectivos homosexuales, que comenzaron a denunciar el tratamiento psiquiátrico de la orientación sexual. Así, la APA (*American Psychiatric Association*) en su primer DSM (*Diagnostic and Statistical Manual of Mental Disorders*), publicado en 1952, catalogaba la homosexualidad como una alteración sociopática de la personalidad, aceptando que se trataba de personas enfermas en términos sociales, según el medio cultural dominante. En la segunda edición del DSM, en 1968, la homosexualidad cambió su estatus médico para entrar a formar parte de «otras alteraciones mentales no psicopáticas», entre las que se encontraban la pedofilia, el sadomasoquismo y en voyeurismo[68].

---

[66] Adaptación entendida en términos de integración de la capacidad intelectual y emocional, comodidad consigo mismo y un funcionamiento eficaz con el entorno.

[67] E. HOOKER, «La Adaptación del Hombre Declaradamente Homosexual», *Journal of Projective Techniques*, nº 21, 1957, pág. 18 ss., *apud* S. DI SEGNI OBIOLS, «Sodomitas, Homosexuales… *op. cit.* en pág. 103.

[68] Un interesante trabajo acerca de las distintas teorías y tratamientos psiquiátricos de la homosexualidad, desde una óptica muy crítica se puede encontrar en D.J. WEST, *Homosexuality*, Harmondsworth: Penguin Books, 1968 (edición revisada).

Ante esta situación, los colectivos de homosexuales decidieron empezar a acudir a las reuniones de la APA, y así, en 1970, en San Francisco, participaron activamente en las sesiones de la organización para oponerse al mantenimiento de esta categorización psiquiátrica de la homosexualidad[69]. Finalmente en 1973 se inicia un proceso que lleva a la revisión del DSM, cuya edición de 1977, incluye solo una forma de vivencia de la homosexualidad, la ego-distónica, cuyas características vienen definidas por el deseo de adquirir o aumentar la excitación heterosexual de forma que puedan iniciarse o mantenerse relaciones heterosexuales y un patrón mantenido de manifiesta excitación homosexual, de la que la persona dice, explícitamente, que no es deseada por ser motivo de malestar. Aun cuando este cambio en la clasificación del DSM se vivió como todo un éxito de la reivindicación de los colectivos de gays y lesbianas, en relativamente poco tiempo se volvió a pedir la revisión de este catálogo, y así, en 1986 se publica el DSM-III-R ya sin contener ninguna mención sobre la orientación sexual homosexual. Por su parte, la Organización Mundial de la Salud, no dejó de incluirla en su catálogo de patologías mentales hasta 1992[70].

De este modo, cabe hacer especial hincapié en dos cuestiones fundamentales: por un lado, el estudio, siquiera sea de una forma tan escueta como la que aquí se presenta, del tratamiento psiquiátrico de la orientación sexual demuestra la permeabilidad también de la ciencia, y no solo del mundo de las ideas, respecto de la moral social dominante en cada momento histórico, constituyéndose así en una *ciencia impura*[71], no ajena, como no puede ser de otro modo, al deve-

---

[69]   Para un completo análisis de la importancia de la actividad de los colectivos LGBTI en la desmedicalización de la homosexualidad, ver BAYER, R., *Homosexuality and American Psychiatric: the Politics of Diagnosis*, Princeton: Princeton University Press, 1987; J. A. HERRERO BRASAS, *op. cit.*; M. SABSHIN, «Turning Points in Twentieth-century American Psychiatry», *American Journal of Psychiatry*, nº 147, 1990, pág. 1267 ss.; R. L. SPITZER, «Debate on DSM-III» *American Journal of Psychiatry*, nº 141, 1984, pg 539 ss.

[70]   ORGANIZACIÓN MUNDIAL DE LA SALUD, *CIE-10. Trastornos Mentales y del Comportamiento. Descripciones Clínicas y Pautas para el Diagnóstico*, Madrid, 1992.

[71]   Utilizamos aquí el término en el sentido dado por J. HERRERA FLORES, La Reinvención de los Derechos Humanos, Sevilla: Atrapasueños, 2008, pág. 74 *passim*. Sobre teoría crítica del Derecho, en general, ver A. PÉREZ LLEDÓ, «Teorías Críticas del Derecho», en E. GARZÓN VALDÉS y F.J. LAPORTA (dir.), «El

nir histórico, cultural y geográfico; por otro lado, se hace patente en
este contexto la importancia de la influencia y presión de los colectivos homosexuales, que han desplegado su estrategia en varios frentes,
siendo éste sólo uno de ellos, como veremos más adelante. Por ello,
interesa ahora hacer un pequeño recorrido por el movimiento asociativo LGBTI, ya que en la capacidad de organización de este colectivo
residirá en buena medida el importante cambio en la regulación jurídica a la que en esta materia estamos asistiendo en los últimos años.

1.3. LOS COLECTIVOS LGTBI PASAN A LA ACCIÓN

Históricamente, en el mundo occidental, aunque no solo, el tratamiento de las personas homosexuales se ha caracterizado por dos
notas, aún válidas en gran medida: de un lado, la persecución; de otro,
la ignorancia acerca de la situación de desprotección del colectivo.

Así, muy pocos recuerdan que los homosexuales se encontraban
entre las víctimas del Holocausto nazi, siendo el último colectivo que
recibió reconocimiento y compensación[72]. En efecto, no fueron reconocidos como víctimas hasta 1985, y hubo que esperar aún hasta
2002 para que se anularan las sentencias nazis y el Gobierno alemán
pidiera perdón oficialmente a las víctimas homosexuales[73]. Es curioso
comprobar cómo fue Alemania precisamente uno de los países europeos en los que primero se empieza a organizar tímidamente un
colectivo en defensa de los derechos de los gays. Se trata del *Comité
Científico y Humanitario*, dirigido por el abogado Magnus Hirsch-

---

Derecho y la Justicia», *Enciclopedia Iberoamerica de Filosofía*, Madrid: Trotta,
1996, pág. 87 ss.; O. FISS, «Teoría Crítica del Derecho y Feminismo», *Cuadernos
de Derecho Judicial*, 1995, pág. 173 ss.; J. BUTLER, *Gender Trouble: Feminism
and the Subversion of Identity*, Londres: Routledge, 1990.

[72] R. PLANT, *The Pink Triangle: the Nazi War against Homosexuals*, Edinburgh:
Mainstream Publishing, 1987.

[73] El fundamento de la falta de petición de perdón por parte del Gobierno alemán
supuso una nueva forma de castigo y humillación para las personas homosexuales que sufrieron el infierno de la persecución y los campos de concentración nazis. Así, se argumentó durante todos estos años que no podían pedir perdón por
la persecución de acciones que en su momento constituían delito en el régimen
democrático vigente antes del acceso al poder del partido nacionalsocialista de
Hitler. Afortunadamente, el Estado alemán rectificó.

feld, organización que fue brutalmente liquidada con el advenimiento del nacional-socialismo[74].

Sin embargo, después de la Segunda Guerra Mundial, se vuelve a producir un intento de organización del colectivo en países tan dispares como Países Bajos[75], Dinamarca[76], Gran Bretaña[77] y EE. UU. Sin duda, será en este último país en el que el movimiento actúe con más fuerza, creándose en 1950 la *Mattachine Society*, una de las pioneras y más importantes organizaciones gays estadounidenses. Por otro lado, el movimiento lésbico en este país también cristalizó en organizaciones como *Daughters of Bilitis*. Estos primeros y tímidos intentos se organizaron en torno a una estrategia de lucha de baja intensidad, esto es, un intento de avance paulatino que no supusiera una ruptura o un movimiento demasiado rápido e incontrolado. No será hasta finales de los 60, cuando en la convulsa sociedad norteamericana, sometida a enormes cambios culturales y sociales, los colectivos de gays y lesbianas salgan a la calle y modifiquen una estrategia de silencio por una de activismo participativo y transgresor. Así, en 1968 se funda la NACHO (North American Conference of Homophile Organization), que establece como uno de sus objetivos la asistencia a los congresos de la APA para exigir la despatologización de la homosexualidad.

En este contexto, el final de los años 60 en Estados Unidos vino marcado para el colectivo homosexual por la especial virulencia de la persecución policial, que se dedicó con particular interés a la represión sobre todo de la homosexualidad masculina, en un momento de extraordinaria convulsión social, con fuertes reivindicaciones protagonizadas

---

[74]   Junto con otras organizaciones como el *Instituto para la Investigación Sexual (Institut Für Sexualwissenschaft)*, fundada por el mismo Hirschfeld, la *Comunidad de los Propios (Gemeinschaft der Eigenen)*, creada en 1903 por Adolf Brand, o la *Asociación de la Amistad Alemana*, surgida en los años 20 de la mano de Hans Kahnert. Estos primeros intentos fueron seguidos en otros países, como el Reino Unido, en el que se creó a principios del siglo XX la *British Society for the Study of Sex Psychology*.

[75]   Con la creación de la organización COC.

[76]   País en el que se fundan *Forbundet af 1948* y *International Homosexual World Organisation*.

[77]   Se crean organizaciones como *Homosexual Law Reform Society* y *Campaign for Homosexual Equality*.

por distintos colectivos[78]. Y es en esta situación cuando se producen los altercados del *Stonewall Inn* de Greenwich Village, en Nueva York. Greenwich Village era una zona de la ciudad relativamente tranquila para la comunidad homosexual en la que determinados bares y pubs se habían convertido en una especie de oasis de aceptación y tolerancia para gays y transexuales[79]. El 28 de junio de 1969, sin embargo, la policía organizó una redada en el bar de ambiente gay Stonewall Inn, produciéndose una fuerte resistencia al arresto por parte de las personas[80] que allí se encontraban, y desencadenando un enfrentamiento que se extendió por todo el barrio y durante varios días[81]. Serán estos acontecimientos los que impulsen un cambio radical en la estrategia de los colectivos LGBTI, que a partir de ahora abogarán por la visibilización, el orgullo, y un actitud más combativa, iniciando campañas que incluirán la aparición en medios de comunicación, la celebración del Día del Orgullo Gay[82], el desarrollo de una subcultura gay urbana, y la celebración de encuentros académicos e internacionales para la puesta en común de nuevas y más efectivas estrategias de reivindicación.

Pero la historia[83] de persecución de las personas homosexuales es lamentablemente muy larga, encuentra elementos comunes en la

---

[78] El movimiento afroamericano pro derechos civiles, la contracultura de los años 60, y las manifestaciones contra la guerra de Vietnam, entre otros.

[79] Algunos de ellos, como el propio *Stonewall Inn*, regentados por la mafia.

[80] Entre ellas, tuvieron particular protagonismo algunas mujeres transexuales, como Sylvia Rivera o Marsha P. Johnson, que se han convertido en auténticos iconos para los colectivos trans de todo el mundo.

[81] Para una completa reconstrucción de los sucesos de esos días, con los testimonios de algunos de los testigos y protagonistas, ver K. DAVIS y D. HEILBRONER (producers), *La Rebelión de Stonewall*, 2010, accesible en http://www.youtube.com/watch?v=ETNLNrz-3iE (consultado el 10 de octubre de 2012).

[82] Que se celebra en multitud de ciudades de todo el mundo en torno al día 28 de junio, en conmemoración de los sucesos de Stonewall, encontrando su exponente de mayor afluencia en Río de Janeiro, Brasil.

[83] Los estudios académicos sobre la historia de la homosexualidad son cada vez más numerosos, siendo aquí imposible reproducir siquiera una parte de los mismos. Sirvan por todos, J. BOSWELL, *Christianity, Social Tolerance an... op. cit*; E. KOSOFSKY SEDGWICK, *Epistemology of the Closet*, Berkeley y Los Ángeles: University of California Press, 1990; J. BUTLER, *Bodies that Matter. On the Discursive Limits of «Sex»*, New York: Routledge, 1997; J. D'EMILIO, *Sexual Politics..., op. cit.*; M. DUBERMAN, M. VICINUS Y G. CHAUNCEY (ed.), *Hidden from History. Reclaiming Gay and Lesbian Past*, New York: Meridian, 1990; D.

mayoría de culturas y ha sido legitimada por raíces religiosas y morales que repiten al unísono un rechazo extraordinario y visceral a la homosexualidad, sobre todo a la masculina[84]. La aparición de la epidemia del SIDA no contribuyó precisamente a la normalización de la homosexualidad en nuestro entorno, aunque bien es cierto que supuso una tan atroz estigmatización, que en cierta medida se convirtió en un revulsivo de la marginación y la discriminación. Así, se supo de la homosexualidad de personalidades públicas de las que jamás se habría creído, como fue el caso del actor Rock Hudson, quien tuvo que unir a la desgracia de morir de una enfermedad prácticamente desconocida y por eso tremendamente temida, la repercusión social que causó el conocimiento de su homosexualidad ocultada durante toda su vida. Por otro lado, en el caso de la Iglesia Católica, el acompañamiento y consuelo espiritual que los sacerdotes tuvieron que ofrecer a los enfermos de SIDA hizo que muchos de ellos se acercaran a una realidad humana que de otro modo jamás habrían tenido la posibilidad de conocer, lo que por su parte impulsó un cambio de posiciones iniciales que han tenido su peso en la propia Iglesia, constituyendo hoy grupos de presión en el sentido que hemos visto *supra*.

Este impulso hacia el cambio protagonizado por la sociedad civil homosexual ha sido especialmente evidente en los últimos años, con el auge de organizaciones cada vez más fuertes y con más peso específico en sus respectivos ámbitos geográficos[85], que han sabido

---

HALPERIN, *One Hundred Years of Homosexuality*, New York: Routledge, 1990; S. WOLF, *Sexuality and Socialism: History, Politics and Theory of LGBTI Liberation*, Chicago: Haymarket Books, 2009; D. HERZOG, *Sexuality in Europe, a Twentieth-Century History*, Cambridge: Cambridge University Press, 2011.

[84] Así, TOMÁS Y VALIENTE nos narra cómo desde muy temprano en la historia de la Península Ibérica, desde el bajomedievo hasta la España del siglo XVII, los actos homosexuales, y sobre todo la sodomía, se consideran como el más horrendo de los crímenes, en una curiosa gradación de pecados en los que el estupro, el adulterio y el incesto, aun aumentando cada uno de ellos en gravedad respecto del anterior, son todos menos graves que el mayor de los pecados: el pecado contra natura, en el que se considera que lo que se está ofendiendo es a Dios, «porque es su imagen de la creación la que se altera». Ver, F. TOMÁS Y VALIENTE, «El Crimen y Pecado Contra Natura», en A.A.V.V., *Sexo Barroco y otras Transgresiones Premodernas*, Alianza Editorial: Madrid, 1990.

[85] En los últimos años el movimiento asociativo LGBTI ha protagonizado un impulso tremendo, proliferando asociaciones en todo el mundo. No es posible aquí

encontrar los apoyos necesarios en varios sectores estratégicos: por una parte, en el mundo de la política, en el que junto a lo que podría esperarse de fuerzas progresistas (aunque en esta materia sorprende mucho la falta de aceptación, independientemente de la adscripción política, de grupos ideológicos muy dispares), se ha sabido también encontrar apoyos individuales, determinados en muchos casos por la propia orientación sexual; por otro, en el mundo de la academia, que ha logrado, como hemos visto, construir todo un discurso perfectamente articulado en torno a la necesidad del respeto de la diversidad sexual; y por último, en el mundo de la acción política local, a través de la intervención social en barrios y pueblos, de forma que se ha tenido una presencia continua y prolongada tanto en los medios de comunicación como en el discurso político más cercano a la ciudadanía. Y así, se ha sabido articular, en definitiva, todo un complejo y completo entramado de acción común que ha constituido auténticos grupos de presión capaces de incidir en la toma de decisiones colectivas[86].

---

hacer un recuento de las mismas, sirva por todas la *International Lesbian and Gay Association*, ILGA, que ha intentado aglutinar a colectivos de todo el globo, y que ha realizado una importante labor de sistematización de la situación de las personas homo y transexuales en los diferentes entornos culturales y geográficos. Puede consultarse su trabajo en http://ilga.org (consultado el 10 de octubre de 2012).

[86]   Es mucha la investigación que sobre este fenómeno se está llevando a cabo en los últimos años, así, por ejemplo: L. HODSON, *NGOs and the Struggle for Human Rights in Europe*, Oxford: Hart Publishing, 2011, en la que, además, explora la naturaleza de los derechos humanos como resultado de la lucha reivindicativa de grupos de presión sociales, haciendo especial referencia a la teoría crítica del Derecho. También, R.A. SMITH Y D.P. HAIDER-MARKEL, *Gay and Lesbian Americans and Political Participation: a Reference Handbook*, Santa Barbara: ABC-CLIO, 2002, para un estudio de la influencia de la orientación sexual en el sistema político norteamericano; B.D. ADAM, J.W. DUYVENDAK Y A. KROUWEL (eds.), *The Global Emergence of Gay and Lesbian Politics: National Imprints of a Worldwide Movement*, Philadelphia: Temple University Press, 1999, en el que se describe con detalle la historia del movimiento LGBTI en distintos países de todo el mundo, pero no desde una óptica europea; B.D. ADAM, *The Rise of a Gay and Lesbian Movement*, New York: Twayne Publishers, 1995; P.M. AYOUB y D. PATERNOTTE (ed.), *LGBT Activism and the Making of Europe: a Rainbow Europe?*, Hampshire: Palgrave Macmillan, 2014; B. RAJAGOPAL, *International Law from Below: Development, Social Movements and Third World Resistance*, Cambridge: Cambridge University Press, 2003, en el que hace un interesantísimo análisis del Derecho internacional, desde la perspectiva del desafío que supone para el sistema el recurso al discurso de derechos

El fenómeno de los grupos de presión, que en el ámbito comunitario se encuentra perfectamente aceptado, es sin embargo extraño en la práctica legislativa continental. Así, el estudio del proceso de aprobación de la ley se limita en nuestra tradición jurídica al análisis del procedimiento legislativo, incluyendo aquí los trabajos preparatorios de los documentos legislativos. Sin embargo, las influencias y presiones de carácter político y social que se producen en todas las fases del proceso legislativo son entendidas entre nosotros como factores ajenos al Derecho y que deben ser objeto de estudio, por tanto, de otras disciplinas como puedan ser la sociología o la ciencia política. La inclusión de este tipo de factores en el estudio del proceso legislativo es una metodología de origen anglosajón que hasta hace poco no ha sido necesario utilizar en la forma de análisis del derecho fruto de la tradición romana y de codificación, por la diferente configuración y entendimiento tanto de lo que es la ley como del proceso de aprobación de la misma que nuestro Derecho establece. Sin embargo, el contexto comunitario, como ha ocurrido en otros ámbitos internacionales, como la Organización de Naciones Unidas, ha sido más permeable a la aceptación expresa de los grupos de presión de carácter social, y así resulta necesaria su inclusión como factor relevante para un mejor y más completo entendimiento de las normas regionales europeas y de los procesos que culminan con la adopción de las mismas.

De esta manera, es importante indicar la permeabilidad que el Derecho europeo, sobre todo en materia social, ha demostrado en relación con la inclusión de medidas y exigencias provenientes de ONGs representativas de sectores sociales minoritarios o con escaso poder de representación política. Es éste el caso de los grupos de gays y lesbianas, cuyo acierto principal en el ámbito europeo ha sido la unión de fuerzas, aglutinadas en torno a la sección europea de la organización ILGA[87] (International Lesbian and Gay Association), esto es, ILGA-Europe, que ha coordinado y dirigido las campañas de opinión y presión que en gran medida han contribuido a la inclusión en el artículo 13 del Tratado de Ámsterdam, sobre prohibición de discriminación en el ámbito de competencias de la Unión, de la

---

humanos protagonizado por los movimientos sociales, y que bien puede aplicarse, aunque no se menciona en esta obra, a la lucha LGBTI.

[87]   Accesible en la dirección http://www.ilga.org.

prohibición de discriminación por orientación sexual, y a los avances legislativos posteriores, como veremos. Por otra parte, gran parte de los colectivos sociales que pugnan por conseguir ser oídos en el nivel europeo, se unieron en septiembre de 1995 para crear la Plataforma de ONGs Europeas del Sector Social, cuyo cometido principal es el de contribuir a la estimulación de un debate civil sistemático entre las organizaciones sociales y las instituciones europeas en el ámbito de las políticas sociales. Debate éste que, gracias al carácter más permeable de las instituciones europeas, se lleva a cabo con frecuencia.

Conviene señalar en este punto, que ya hay articulada una forma más expresa de influencia en las decisiones comunitarias, a través de la creación, en el Parlamento europeo, del *Intergroup on LGBT Rights*[88], abierto a todos los grupos políticos, que une a más de cien parlamentarios europeos, de diferentes nacionalidades, en la consecución de nuevas esferas de reconocimiento y protección de la diversidad sexual, tanto en la UE como en terceros Estados. Así, se crea un canal de comunicación excelente entre la sociedad civil y el Parlamento Europeo que, al menos en este ámbito, permite un contacto más directo con aquellas personas con representación parlamentaria que expresan interés en este asunto.

Por otro lado, también en el ámbito del Consejo de Europa existen cauces formales de participación, a través de la vinculación directa de diversas ONGs[89], con la Conferencia de Organizaciones No Gubernamentales Internacionales, del Consejo de Europa, que se ha ido consolidando con el tiempo como cauce de participación de la sociedad civil y ya forma parte de la estructura del Consejo de Europa[90].Y habiéndose creado también la *Sexual Orientation and Gender Iden-*

---

[88] La información actualizada del trabajo de este grupo se puede encontrar en http://www.lgbt-ep.eu (consultado el 13 de mayo de 2013). Uno de sus co-Presidentes ha sido Michael Cashman, cofundador de la *Stonewall Lesbian and Gay Rights Group*, una de las ONGs británicas más activas en creación de líneas de actuación política y litigación estratégica en el Reino Unido y en Europa.

[89] Como por ejemplo, la *European Gay and Lesbian Sport Federation*, *ILGA-Europe*, *Human Rights Watch*, *Amnistía Internacional*, o *Transgender Europe*. El listado completo se puede consultar en http://coe-ngo.org (consultado el 13 de mayo de 2013).

[90] Se puede acceder a la información más relevante sobre este organismo en http://www.coe.int/t/ngo/conf_intro_en.asp (consultado el 13 de mayo de 2013).

tity Unit[91], en el seno del propio Consejo de Europa, que da acceso a importantísima y muy actualizada información sobre la materia y que sirve también de referente para la sociedad civil.

Y es a un análisis del desarrollo del Derecho Comunitario y del espacio jurídico del Consejo de Europa, en relación al reconocimiento y protección del ejercicio legítimo de las orientaciones sexuales, junto con la influencia de estos grupos de presión, a lo que vamos a dedicar la segunda parte del presente estudio[92].

---

[91] Accesible en http://www.coe.int/t/dg4/LGBTI (consultado el 13 de mayo de 2013).
[92] Sobre la relación en este sentido entre el Derecho y la acción reivindicativa, ver D.A. BORRILLO y V.L. GUTIÉRREZ CASTILLO (coords.), *Derecho y Política de las Sexualidades*, Barcelona: Huygens, 2013.

Capítulo II
Primeros instrumentos de protección en Europa

Una constante en la actividad de las organizaciones de defensa de los derechos de los colectivos LGBTI en Europa en los últimos años ha sido sin duda la búsqueda del apoyo de las instituciones tanto de la Unión Europea como del Consejo de Europa. El debate sobre el estatuto jurídico de la orientación sexual en Europa se ha producido así a un doble nivel, en cada uno de los Estados miembros y en las instituciones europeas, con una dinámica de desarrollo autónomo pero profundamente interrelacionado. En estos últimos años, y por una serie de razones que a continuación se expondrán, se ha puesto un énfasis especial en el entramado institucional europeo, en el que los defensores de la garantía jurídica de la orientación sexual han depositado numerosas esperanzas, y en el que han concentrado gran parte de sus esfuerzos. Existe, así, un «giro hacia Europa»[93] del movimiento de defensa de los derechos LGBTI, de tal modo que hoy no podría entenderse éste si no se prestara atención al contexto comunitario y del Consejo de Europa en el que actúan.

Una multitud de razones explican este interés de los colectivos de defensa de la diversidad sexual por ganarse a las instituciones europeas para su causa. La primera de ellas puede ser puramente estratégica, la búsqueda de todos los apoyos posibles en la lucha por el reconocimiento de los derechos de la comunidad LGBTI; dado que estos colectivos están demostrando un marcado activismo en los últimos años, es lógico pensar que éste se transforme en una ofensiva generalizada en todos los frentes en los que se pueda conseguir algún resultado favorable a sus objetivos. Y el frente europeo presenta varias peculiaridades que le hacen particularmente apetecible desde este punto de vista.

Entre estas peculiaridades destaca la eficacia jurídica de los instrumentos normativos comunitarios, bien surtidos de mecanismos jurídi-

---

93   M. RODRÍGUEZ-PIÑERO ROYO y A. RIVAS VAÑÓ, «Orientación Sexual y No Discriminación: el Debate en Europa». *Temas Laborales*, n° 52, 1999, pág. 3 ss.

cos potentes para asegurar su puesta en práctica en todo el territorio de la Unión. Cualquier medida que se adopte en el ámbito comunitario, si se hace por medio de los instrumentos jurídicos adecuados, tendrá una enorme efectividad tanto espacial (pues afectará al conjunto de la Unión) como funcionalmente, puesto que su implementación será celosamente vigilada por las instituciones comunitarias correspondientes. Una intervención comunitaria, además, permite superar de golpe todos los posibles obstáculos normativos aún presentes en los ordenamientos jurídicos nacionales, en virtud del principio de primacía. De esta forma, una única intervención puede suponer avances notables en una pluralidad de Estados, ahorrando iniciativas localizadas y aisladas. No hay que olvidar que el del estatuto jurídico de la orientación sexual es un problema común a todos los Estados miembros, por lo que una solución común ideada y elaborada en el nivel comunitario sería una buena salida a la situación actual, un auténtico atajo.

Desde un punto de vista material, una política de protección de la orientación sexual encaja bien en las prioridades de la Unión[94]. El proceso de integración europea ha prestado siempre una especial atención al problema de la discriminación, a partir de la lucha contra la discriminación por razón de nacionalidad, elemento indispensable para la puesta en marcha del mercado común, de la que se pasó a condenar progresivamente otras formas de discriminación, en particular por razón de sexo. La lucha contra la discriminación, por otra parte, se engloba en un proceso más amplio de interiorización de los derechos fundamentales en el esquema institucional y jurídico de la Unión, como uno de sus elementos constitutivos y característicos[95]. En este proceso la lucha de los colectivos homosexuales europeos tiene fácil acomodo. El giro hacia Europa que han efectuado estos colectivos no es más que la continuación de movi-

---

[94]   Ver J.M. DE AREILZA CARVAJAL, *Poder y Derecho en la Unión Europea*, Madrid: Civitas, 2014.

[95]   Véase el número monográfico AA.VV., «Los Derechos Fundamentales en la Unión Europea: Nuevas Perspectivas», *Revista de Derecho de la Unión Europea*, n°. 15, 2008; también AA.VV., *La Protección de los Derechos Fundamentales en la Unión Europea*, Madrid: Civitas, 2002; desde una perspectiva histórica, A.J. MENÉNDEZ, «El Lugar de los Derechos Fundamentales en el Derecho Constitucional de la Unión Europea, en AA.VV., *Historia de los Derechos Fundamentales*, vol. 4, tomo 6 (El Derecho Positivo de los Derechos Humanos), Madrid: Dykinson, 1998, págs. 729-788.

mientos similares efectuados con anterioridad por otros grupos sociales y minorías, señaladamente el de integración de la mujer[96].

Respecto del Consejo de Europa, la importante labor de adecuación del contenido del Convenio Europeo de Derechos Humanos a la evolución social que se va produciendo en los Estados miembros, ha permitido a los colectivos LGBTI tener más que fundadas esperanzas en el impulso que el Tribunal Europeo de Derechos Humanos va a protagonizar respecto de las demandas del colectivo, siendo así la primera institución europea en declarar, con carácter vinculante, contraria a los derechos humanos la criminalización de la homosexualidad, y la primera también en vincular a los Estados con la declaración de la orientación sexual como una de las características personales protegidas por la cláusula antidiscriminatoria del CEDH[97].

Existe otra razón que a nuestro juicio explica esta estrategia de utilización de las instituciones europeas, y que no es otra que la eficacia que frente a éstas tiene la actuación de *lobbies* y grupos de interés, como lo son los colectivos LGBTI. La experiencia de estos grupos ha demostrado una permeabilidad del aparato institucional comunitario y del Consejo de Europa frente a sus iniciativas, como ha ocurrido en otros ámbitos de las políticas europeas[98]. Ocurre además que determinadas de estas instituciones, especialmente, en el ámbito comunitario, la Comisión y el Parlamento Europeo, han desarrollado una particular sensibilidad frente a los problemas de estos colectivos, lo que se ha traducido en distintas iniciativas que en muchos casos han recogido

---

[96] A. CLAPHAM y J.H.H.WEILER, «Lesbians and Gay Men in the European Community Legal Order», en A. CLAPHAM, & K. WAALDIJK (ed.), *Homosexuality: a European Community Issue: Essays on Lesbian and Gay Rights in European Law and Policy*, Boston: Martinus Nijhoff Publishers, 1993.

[97] En general, sobre el funcionamiento y la actividad del TEDH, ver J. RUILOBA ALVARIÑO, «El Tribunal Europeo de Derechos Humanos: Organización y Funcionamiento», *Anuario de la Escuela de Práctica Jurídica*, nº 1, 2006. Y sobre el CEDH en general, D.J. HARRIS, M. O'BOYLE, E.P. BATES y C.M. BUCKLEY, *Law of the European Convention on Human* Rights, Oxford: Oxford University Press, 2014; C.M. DÍAZ BARRADO, «El Tribunal Europeo de Derechos Humanos», *Diario La Ley*, nº 7075, 2008; J. GARCÍA ROCA y P. SANTOLAYA MACHETTI (coord.), *La Europa de los Derechos: el Convenio Europeo de Derechos Humanos*. Madrid: Centro de Estudios Constitucionales, 2009.

[98] Ver M. GOLDHABER, *A People's History of the European Court of Human Rights*, New Jersey: Rutgers University Press, 2008.

las posiciones de los colectivos fundamentalmente homosexuales europeos[99]. Hay que señalar, además, que la atención de las instituciones comunitarias por los problemas derivados de la orientación sexual se justifica también porque en algunos casos va a ser el mismo proceso de integración europea el que los produzca, por lo que sólo se les podrá dar soluciones comunitarias. Pensemos en los problemas relacionados con la libertad de circulación de trabajadores homosexuales, o con la orientación sexual de los trabajadores empleados por las instituciones comunitarias. Respecto del Consejo de Europa, por último, ya hemos señalado el importante impulso protagonizado por el Tribunal Europeo de Derechos Humanos (en adelante TEDH), que ha llevado a cabo una labor de inclusión del colectivo en la protección otorgada por el CEDH, impulsada por la política litigadora que han protagonizado determinadas organizaciones.

Todas estas razones explican y justifican el recurso a las instituciones y procesos europeos en la garantía de los derechos de los colectivos LGBTI, buscando con ello la definición de un estatuto jurídico de la orientación sexual en el Derecho europeo. Pero sería sumamente limitado, y por ello injusto, analizar el papel en concreto de la Unión Europea en la protección de estos colectivos en términos exclusivamente instrumentales, como si se tratará tan sólo de utilizar sus potencialidades para lograr un determinado fin, por muy legítimo que éste sea. En realidad, la cuestión tiene una trascendencia mucho mayor. De lo que se trata en última instancia es de definir la auténtica naturaleza del proceso de integración europea, de construir en éste una vertiente social con entidad. La Unión Europea se va a legitimar ante sus ciudadanos ante todo por la forma en que va a tratar a éstos, cómo va a defenderlos, cómo va a contribuir a mejorar su vida y sus expectativas. El tratamiento de los colectivos desfavorecidos o discriminados en el orden jurídico comunitario pone a prueba a la propia Unión ante sus ciudadanos, y su contribución a la mejora de su situación supone la mejor vía de legitimación, en unos momentos del proceso de construcción europea en los que ésta aparece como una cuestión cada vez más esencial.

---

[99] En extenso, AA.VV., *After Ámsterdam: Sexual Orientation and the European Union*, Viena: ILGA-Europe, 1999.

2.1. EL CONSEJO DE EUROPA Y LOS PRIMEROS RECONOCIMIENTOS DE LA DIVERSIDAD SEXUAL

El primer documento con suficiente relevancia en el tema que nos ocupa, a nivel europeo, no surge del entramado institucional de lo que hoy en día conocemos como Unión Europea (en su momento Comunidad Económica Europea), sino que es el fruto de la labor de la Asamblea Parlamentaria del Consejo de Europa. Nos situamos aquí en el año 1981, en un contexto internacional de surgimiento y presión de los colectivos LGBTI, pero aún en un escenario de escasas consecuencias prácticas de la acción reivindicativa. Sin embargo, y a pesar de lo que en principio se pudiera esperar de un organismo internacional de estructura más clásica, como es el Consejo de Europa, sujeto especialmente a la voluntad de permanencia de los Estados miembros, será precisamente esta institución la que dé los primeros pasos para el reconocimiento jurídico de la orientación sexual. Este reconocimiento se concretará en la Recomendación 924[100], cuyo texto sentará las bases de posteriores pronunciamientos, no solo en el seno del Consejo de Europa (sobre todo en relación a la jurisprudencia del TEDH, como se verá *infra*), sino que marcará también la intervención de los organismos de la Unión Europea. Este documento hará una primera afirmación de particular relevancia: la conexión de la situación en ese momento de las personas homosexuales europeas con el compromiso de protección de los derechos humanos y de abolición de todas las formas de discriminación. En este contexto, se recomendará al Comité de Ministros que inste a los Estados miembros a realizar cambios legislativos tan importantes como despenalizar las prácticas sexuales entre personas del mismo sexo que consientan y tengan capacidad para consentir, igualar la edad mínima de consentimiento para actos sexuales homosexuales y heterosexuales, ordenar la destrucción de los archivos de datos policiales en los que se recogía la tendencia homosexual de las personas, ser especialmente vigilantes con la situación de los presos homosexuales, por el peligro de agresión física o sexual del que pueden ser objeto, asegurar la igualdad de trato en el empleo,

---

[100] Recomendación 924 de octubre de 1981, disponible en http://assembly.coe.int/ ASP/Doc/XrefViewPDF.asp?FileID=14958&Language=EN (consultado en 19 de julio de 2013).

impedir los tratamientos médicos forzados para alterar la orientación sexual de los adultos, e incluso, de un modo tremendamente progresista para el momento en que nos situamos (no hay más que observar en qué situación se encontraban las legislaciones nacionales a través de las peticiones contenidas en esta recomendación), asegurar los derechos de custodia, visita y relación entre los progenitores y su descendencia sin que se pueda alegar la homosexualidad para romper o impedir los vínculos familiares.

Por otra parte, también en octubre de 1981, la Asamblea Parlamentaria del Consejo de Europa aprueba la Recomendación 756[101] en la que insta a la Organización Mundial de la Salud a que suprima de su catálogo de enfermedades la homosexualidad, en base a la falta de evidencias científicas y por las consecuencias negativas que de la consideración de enfermedad se derivan para las personas homosexuales de toda Europa.

2.1.1. *La jurisprudencia del TEDH: el caso* Dudgeon

Casi a la vez que se aprueban las resoluciones comentadas, en octubre de 1981, el Tribunal Europeo de Derechos Humanos decide un asunto en el que se produce el primer reconocimiento con carácter jurídico vinculante del derecho de las personas homosexuales al disfrute de su vida privada. En su más que conocida sentencia *Dudgeon*[102], el TEDH estableció una jurisprudencia ya clásica en relación a la interpretación del derecho a la vida privada, interpretación que se considera de particular importancia para los gays y lesbianas. Establece el TEDH en la citada sentencia que las relaciones sexuales entre adultos que consienten pertenecen sin ningún género de duda a la vida privada, ya que solo motivos excepcionales pueden justificar una invasión de la vida privada cuando está en juego la vida sexual del individuo[103]. En el caso

---

[101]   Recomendación 756 de octubre de 1981, disponible en http://assembly.coe.int/ASP/Doc/XrefViewPDF.asp?FileID=14958&Language=EN.
[102]   Sentencia *Dudgeon v. United Kingdom*, de 22 de octubre de 1981, Series A, n°. 45. Disponible en http://www.echr.coe.int.
[103]   Así lo dice el Tribunal al afirmar que «[t]he present case [Dudgeon] concerns a most intimate aspect of private life. Accordingly, there must exist particularly serious reasons before interferences on the part of the public authorities can

de la lucha contra la homosexualidad, tal justificación excepcional no se considera satisfactoria, no siendo la protección de la moral ni de los derechos de los demás motivo suficiente para una tal invasión. Esta es la jurisprudencia que en su día permitió la despenalización de las prácticas homosexuales cuando éstas tienen lugar en privado y por adultos que consienten, extendiéndose sus efectos, gracias a nuevos casos, a todo el ámbito de los Estados miembros del Consejo de Europa[104].

Las aportaciones realizadas por el Tribunal Europeo de Derechos Humanos en relación a la protección jurídica de la diversidad sexual han supuesto enormes avances en el ámbito internacional. Va a ser el TEDH el primer Tribunal Internacional en incluir la realización de prácticas sexuales entre personas del mismo sexo que consienten entre aquellas actividades protegidas por el derecho a la vida privada, negando así la posibilidad de su persecución criminal, a la vez que va a suponer un cambio decisivo en la concepción de la orientación sexual como uno de los motivos de prohibición de discriminación, al incluir esta faceta personal entre las protegidas por el artículo 14 del CEDH, como veremos *infra*.

Sin embargo, tales avances van a resultar difíciles de alcanzar, necesitando el TEDH de un importante impulso litigador que en cierta medida «fuerce» los cambios que han ido aconteciendo. En este sentido, no hay que olvidar el carácter de jurisdicción voluntaria que tiene el TEDH en relación a la sujeción de los Estados del Consejo de Europa al mismo, lo que permite una menor capacidad de innovación en la interpretación de la norma, a la vez que supone, en un contexto cada vez más diverso, un auténtico desafío respecto de su aplicación a realidades sociales nacionales cada vez más complejas.

El momento paradigmático en el incipiente reconocimiento de los derechos de las minorías sexuales va a llegar precisamente con el asunto que estamos comentando, el caso *Dudgeon*. El señor D. Jeffrey Dudgeon es un ciudadano británico residente en Irlanda del Norte, que en enero de 1976 es objeto de un registro domiciliario ordenado por un juez, en relación a un asunto de tráfico de drogas (en el regis-

---

be legitimate for the purposes of paragraph 2 of Article 8 (art. 8-2)». Sentencia *Dudgeon v. United Kingdom*, *op. cit.*, epígrafe 52, párrafo 3.

[104] Más tarde, las sentencias *Norris v. Ireland*, de 26 de octubre de 1988, y *Modinos v. Cyprus*, de 22 de abril de 1993, contribuyeron a asentar la jurisprudencia establecida en la sentencia *Dudgeon*.

tro se encontró cierta cantidad de cannabis por lo que otra persona fue imputada). Fruto del registro, la policía encuentra una serie de documentos y papeles personales en los que se narran una serie de actos sexuales entre hombres. Por este motivo, el señor Dudgeon es conducido a dependencias policiales en las que es objeto de un interrogatorio acerca de su vida sexual que dura cuatro horas y media. Posteriormente, sin embargo, la fiscalía decide no iniciar la instrucción del caso, al considerar que no se trata de un asunto que afectara al interés general, por lo que se archiva la denuncia policial.

Este asunto va a revestir particular interés por varios motivos: en primer lugar, se trata de una situación que afectando, como después se verá, plenamente a los derechos del demandante, no ha resultado en una situación de importante perjuicio para el mismo, esto es, más allá de la evidente humillación de tener que sufrir un interrogatorio policial acerca de la vida sexual de uno, las posibles condenas (que podían llegar a ser muy severas) no llegan a producirse, por cuanto ni siquiera se inicia la investigación judicial, sino que se archiva el asunto sin posteriores trámites[105]. Por otro lado, resultando que Irlanda del Norte aún tipifica como delito las relaciones sexuales entre hombres (no así entre mujeres, que nunca fue objeto de persecución penal en el Reino Unido), sin embargo, desde años antes de la situación que nos ocupa, la persecución penal de las relaciones homosexuales masculinas se había producido en contadas ocasiones, siempre por parte de la fiscalía (aun cuando la norma de aplicación admitía las denuncias de cualquier persona), y siempre en situaciones en las que de una manera u otra se veían afectados menores de edad (el asunto de la diferente edad legal para consentir con respecto a las relaciones homosexuales, en comparación con las heterosexuales, que también surge en este caso, se tratará más adelante), o personas sin capacidad suficiente para consentir.

Estas dos circunstancias son interesantes desde un punto de vista jurídico porque nos van a servir para ilustrar la manera en que los avances en materia de derechos humanos van unidos necesariamente a situaciones conflictivas en las que la constante lucha emancipatoria

---

[105] De hecho, algunos de los votos particulares de esta sentencia niegan la condición de víctima al señor Dudgeon, en concreto los votos particulares discrepantes individuales de los jueces Pinheiro Farinha y Matscher (I, a) y el voto parcialmente discrepante del juez Walsh (puntos 3 a 6).

impulsa el cambio, y sin la cual, este cambio seguramente no habría llegado a producirse (o no al menos, desde una relectura puramente teórica de los mecanismos de garantía de derechos humanos).

Así, cabría preguntarse por qué el señor Dudgeon decidió llevar su caso hasta sus últimas posibilidades de recurso, esto es, hasta el TEDH, teniendo en cuenta el tiempo que habría de pasar desde los incidentes que dieron lugar a la demanda hasta la sentencia[106], y teniendo también en cuenta lo ya comentado respecto de la gravedad de la situación planteada. Varias y diversas pueden ser las respuestas, desde la pura voluntad de reintegrar su honor, hasta la búsqueda de una compensación económica, que sin embargo no resultó de tal cuantía como para suponer en sí misma un único motivo de acción. Admitiendo que pudiera tratarse de una combinación de todos estos elementos, a nuestro parecer resulta esencial para entender la actuación del demandante el hecho de que se tratara de una persona especialmente implicada en los movimientos de defensa de los derechos LGBTI, como especifica el propio TEDH en los antecedentes de la sentencia[107]. De hecho, ostentaba el cargo de Secretario del *Northern Ireland Gay Rights Association*, y fue uno de los fundadores de la *International Lesbian and Gay Association*[108]. Podría tratarse, aunque esta afirmación no deja de tener un alto contenido especulativo, de una magnífica oportunidad litigadora que se habría presentado a alguien suficientemente motivado con las demandas del colectivo como para ni siquiera esconder su nombre tras unas siglas (algo que sí ha ocurrido en otros casos ante el TEDH en los que la homosexualidad o transexualidad del recurrente ha sido un elemento esencial del proceso, como veremos *infra*). Ello ayudaría a entender, también, el amplio contenido del recurso presentado, que solicitaba, no solo un pronunciamiento sobre la contraposición de la tipificación penal de la conducta sexual homosexual con relación a los derechos a la vida privada y a la prohibición de discriminación, sino

---

[106] Los hechos se produjeron en enero de 1976, y la sentencia es de 22 de octubre de 1981.

[107] Sentencia *Dudgeon*, *op. cit.*, nº 32.

[108] L. HODSON, *NGOs and the Struggle for Human…*, *op. cit.*, pág. 138. Se trata de un interesante análisis de la influencia de las ongs y los grupos de presión en la transformación del ámbito de protección de los derechos humanos a nivel internacional, y en particular, también, de la estrategia litigadora de los colectivos LGBTI.

que también intentó impulsar un pronunciamiento acerca de la diferente edad de consentimiento de las prácticas sexuales entre hombres, respecto de las heterosexuales o de las llevadas a cabo entre mujeres, pronunciamiento que, como veremos, no llegó a producirse respecto de este último extremo[109].

Por otro lado, resulta de particular interés la extensa narración que en la sentencia se hace respecto de la situación legislativa en Irlanda del Norte. Y ello nos va a permitir explicar por qué el TEDH acoge este caso y se pronuncia a favor de los derechos del recurrente, si bien se trata de un asunto dirigido contra una medida legislativa que en la práctica había dejado de aplicarse. Aun cuando podríamos hablar de norma formalmente vigente pero materialmente derogada, lo cierto es que poco tiempo antes había habido un gran debate en torno a la conveniencia de adaptar la legislación penal sobre las prácticas homosexuales masculinas a la legislación que era de aplicación en el resto del Reino Unido, y que había supuesto la despenalización de las mismas. Teniendo en cuenta que la iniciativa legislativa para la modificación de la situación en Irlanda del Norte había partido del Gobierno británico, y que éste finalmente no se había atrevido a acometer tal modificación legislativa debido al intenso debate social que se había abierto en torno a esta cuestión, parecía que era el momento oportuno para afrontar el problema, desde una arena internacional, menos permeable a las situaciones de tensión social en momentos de debates coyunturales.

Cuando el TEDH se enfrenta a la alegación de posibles violaciones de derechos del CEDH, de forma independiente y en conjunción con el derecho a la no discriminación del art. 14 del mismo, la metodología de análisis es, en la mayoría de los casos, identificar primero si ha habido una vulneración del derecho sustantivo, para solo después, y siempre que el TEDH lo considere necesario, entrar en el análisis de la posibilidad de existencia de un trato discriminatorio. Esta misma metodología es la que se lleva a cabo en la sentencia *Dudgeon*, en la que el primer elemento de valoración es la posibilidad de violación del derecho a la vida privada y familiar recogido en el art. 8 del CEDH[110].

---

[109]   Sobre la historia detrás de esta sentencia, ver M. GOLDHABER, *A People's History...op. cit.*

[110]   El artículo 8 del CEDH, reza como sigue: «*1. Toda persona tiene derecho al respeto de su vida privada y familiar, de su domicilio y de su corresponden-*

Respecto de este artículo, el TEDH realiza su análisis a través de los siguientes pasos:

1. Identificación de si la situación en cuestión es susceptible de ser cubierta por el contenido del art. 8, entendiendo esto en el sentido de que entre en el ámbito de aplicación del artículo[111].

2. Identificación de si ha habido una injerencia en el disfrute del citado derecho por parte del Estado contra el que se dirige el recurso.

3. Una vez aceptada la existencia de la injerencia alegada, identificación de las posibles causas que el propio art. 8, en su apartado segundo, reconoce como límites legítimos del reconocimiento del derecho a la vida privada y familiar.

   3.1. En este sentido, el primer elemento a tener en cuenta es que la limitación lo sea de acuerdo con la ley nacional.

   3.2. En segundo lugar, que la limitación tenga como finalidad alguna de las invocadas como legítimas en el art. 8.2 del CEDH.

   3.3. Por último, que dicha limitación sea necesaria en una sociedad democrática, lo que deriva, en la mayoría de los casos en los que se llega a este nivel de análisis, en un juicio de proporcionalidad entre los fines perseguidos y los medios empleados.

Pues bien, en el caso que nos ocupa, esta metodología se respetó escrupulosamente. Lo primero, y ya por sí solo de especial relevancia, que afirma el TEDH es la indubitada conexión de los hechos sobre los que se denuncia con el contenido del art. 8. Así, en palabras del TEDH:

---

cia. 2. No podrá haber injerencia de la autoridad pública en el ejercicio de este derecho sino en tanto en cuanto esta injerencia esté prevista por la ley y constituya una medida que, en una sociedad democrática, sea necesaria para la seguridad nacional, la seguridad pública, el bienestar económico del país, la defensa del orden y la prevención de las infracciones penales, la protección de la salud o de la moral, o la protección de los derechos y las libertades de los demás».

[111] J.H. GERARDS, *Judicial Review in Equal Treatment Cases*, Leiden: Martinus Nijhoff Publishers, 2005, pág. 105.

«Although it is not homosexuality itself which is prohibited but the particular acts of gross indecency between males and buggery (see paragraph 14 above), there can be no doubt but that male homosexual practices whose prohibition is the subject of the applicant' s complaints come within the scope of the offences punishable under the impugned legislation; it is on that basis that the case has been argued by the Government, the applicant and the Commission. Furthermore, the offences are committed whether the act takes place in public or in private, whatever the age or relationship of the participants involved, and whether or not the participants are consenting. It is evident from Mr Dudgeon's submissions, however, that his complaint was in essence directed against the fact that homosexual acts which he might commit in private with other males capable of valid consent are criminal offences under the law of Northern Ireland»[112].

«The present case concerns a most intimate aspect of private life»[113].

De este modo, la aceptación de que la vida sexual de las personas (incluida la vida sexual de las personas que tienen relaciones sexuales con otras personas de su mismo sexo), se encuentra protegida, por definición, y salvo las posibles injerencias legítimas por parte del Estado, por el derecho a la vida privada, es una afirmación tremendamente importante, en un momento en el que aún había un significativo número de Estados que penalizaban las prácticas homosexuales entre adultos que consienten y en privado.

Lo siguiente que hace el TEDH es valorar si en el presente caso ha habido una injerencia estatal en la vida privada del recurrente. En este sentido va a cobrar especial importancia el hecho de que el proceso penal no siguiera adelante, y el análisis del TEDH se va a centrar en si la mera existencia de la norma supone una injerencia en la vida privada. Así, dice el TEDH:

«(…) the maintenance in force of the impugned legislation constitutes a continuing interference with the applicant's right to respect for his private life (which includes his sexual life) within the meaning of Article 8 par. 1 (art. 8-1). In the personal circumstances of the applicant, the very existence of this legislation continuously and directly affects his private life (…)»[114].

---

[112]   Sentencia *Dudgeon*, *op. cit.*, nº 39.
[113]   *Ibidem*, nº 51.
[114]   *Ibidem*, nº 41.

No acepta el TEDH que se trate de una legislación muerta, ya que se sigue aplicando en el caso de hombres homosexuales menores de 21 años y en aquellas situaciones en que se trata de personas con dificultades para dar un consentimiento válido. Además, sin duda tuvo un peso específico y especialmente importante el empeño del recurso del señor Dudgeon en alegar, sin que la misma fuera puesta en duda por ninguna de las partes, la sensación de amenaza continua y miedo que la sola existencia de la legislación contestada suponía para la vida de los homosexuales norirlandeses, que podían y de hecho eran sometidos a interrogatorios policiales especialmente cruentos en relación a su vida sexual, gracias a la existencia de la citada norma, además de ser potenciales víctimas de extorsión y chantaje en relación a su orientación sexual.

Siguiendo la metodología expuesta, el TEDH aborda el análisis, una vez establecido que el asunto entra dentro del ámbito de protección del derecho en cuestión y que se ha producido una injerencia estatal en el disfrute del mismo, de si esta injerencia es legítima en los términos en que la legitimidad viene admitida por el contenido del artículo 8.2, esto es, que se trate de una injerencia regulada por una ley nacional, que persiga una finalidad legítima, y que la medida sea necesaria en una sociedad democrática. Pues bien, respecto del primero de los requisitos, no tiene el TEDH ninguna duda de su compatibilidad con el CEDH, ya que efectivamente se trata de una injerencia que se encuentra regulada en una norma con rango de ley.

La segunda exigencia, que tiene que ver con la persecución de fines legítimos, tiene mayor interés, tanto por lo que se concede al Estado respecto de qué fines son legítimos en el caso de medidas represoras de la homosexualidad, como por el uso de un lenguaje que dista mucho de mantener siquiera una actitud comprensiva o tolerante hacia el fenómeno homosexual, a diferencia de lo que está ocurriendo en esos momentos en el mismo TEDH respecto de la transexualidad y que veremos *infra*. Así, el TEDH concede al Estado la legitimidad de la finalidad perseguida, que no es otra que la protección de la moral, en la que se subsume la protección de la juventud y la infancia, tras una pequeña valoración acerca de si se trataba de dos finalidades distintas o por el contrario una encajaba en la otra:

> «Both the Commission and the Government took the view that, in so far as the legislation seeks to safeguard young persons from undesirable and harmful pressures and attentions, it is also aimed at "the protection of the rights and freedoms of others". The Court recognises that one of the purposes of the legislation is to afford safeguards for vulnerable members of society, such as the young, against the consequences of homosexual practices»[115].

No se discute por parte del TEDH la legitimidad de la finalidad de proteger a los jóvenes de las consecuencias de las prácticas homosexuales, asumiendo, por un lado, que se trata de prácticas que pueden dañar a la juventud, y por otro, que el Estado tiene un interés legítimo precisamente en proteger a estos sectores de la sociedad del potencial daño. Supone, en definitiva, que aun cuando el TEDH finalmente va a conceder un extraordinario nivel de protección a las personas homosexuales respecto de posibles intromisiones en lo que es, ahora sí, su vida privada, esto se va a hacer *a pesar* de que estamos hablando de homosexualidad. Finalmente, el TEDH se decantará por considerar la legitimidad del fin perseguido solo a la luz de la salvaguardia de la moral, integrando en este ámbito el legítimo interés estatal en proteger a los niños y los jóvenes:

> «(…) [I]t is somewhat artificial in this context to draw a rigid distinction between "protection of the rights and freedoms of others" and "protection of morals". The latter may imply safeguarding the moral ethos or moral standards of a society as a whole (…), but may also, as the Government pointed out, cover protection of the moral interests and welfare of a particular section of society, for example schoolchildren»[116].

La discusión, por tanto, no va a pivotar en torno a la legitimidad de los fines perseguidos, cuando éstos son de aplicación al particular asunto de la orientación sexual, sino que se dan por válidos en 1981 planteamientos que hoy día serían objeto de una gran controversia. A pesar de todo, el TEDH va a realizar una labor de moderación en cómo se concibe la posible represión de la homosexualidad, igualando la labor del Estado en este sentido, a la que debe realizar en caso de otras formas de sexualidad:

---

[115] *Ibidem*, nº 47.
[116] *Idem*.

«There can be no denial that some degree of regulation of male homosexual conduct, as indeed of other forms of sexual conduct, by means of
the criminal law can be justified as "necessary in a democratic society"»[117].

Y así, la discusión se va a centrar en si es necesaria, en una sociedad democrática, para lograr el legítimo fin de la represión de la
conducta homosexual, la persecución penal de toda conducta homosexual entre hombres, independientemente de si ésta tiene lugar
entre hombres mayores de edad con plena capacidad para consentir
y en privado. Va a ser en la proporcionalidad de los medios elegidos
para lograr el fin legítimo buscado en donde el TEDH va a encontrar
la incompatibilidad de la regulación penal norirlandesa en la materia con el CEDH.

Para empezar, el TEDH exige que para que una interferencia en
el disfrute de un derecho sea compatible con el requisito del CEDH
de que se trate de una medida necesaria en una sociedad democrática, es indispensable que exista una necesidad social apremiante, o
en los términos del TEDH en inglés, «a pressing social need». Y en
este sentido, el Estado se encuentra, en principio, en mejor posición
para valorar si tal «pressing social need» se da en el asunto de que
se trate. Además, en los casos en los que la presión social tiene que
ver con la moral social imperante, mayor es la capacidad del Estado, respecto de aquella del TEDH, para comprender cuáles son los
valores sociales, la *mores* mayoritaria y que hay que preservar. Sin
embargo, este margen de apreciación estatal no es absoluto, como se
verá *infra*, puesto que está sujeto al escrutinio del TEDH, que lo realizará de una forma más o menos intensa, no solo en relación a los
objetivos perseguidos, sino también, y en el asunto que nos ocupa
esto es esencial, en relación al concreto derecho cuya limitación se
pretende justificar. Y es aquí donde el TEDH realiza una afirmación
que va a suponer, de hecho, un cambio en la apreciación de la capacidad de intervención del Estado en las relaciones homosexuales,
asegurando, blindando incluso, la vida sexual de las personas, independientemente de su orientación sexual, de invasiones estatales,
por mucho que éstas persigan un fin legítimo. Así, dice el TEDH, en
una frase ya célebre:

---

[117]   *Ibidem*, n° 49.

«The present case concerns a most intimate aspect of private life. Accordingly, there must exist particularly serious reasons before interferences on the part of the public authorities can be legitimate for the purposes of paragraph 2 of Article 8 (art. 8-2)»[118].

La vida sexual como uno de los aspectos más íntimos de la vida privada de las personas, y por tanto, como uno de los aspectos más particularmente protegidos, o si se quiere, en la terminología del Tribunal Constitucional español, como un elemento indispensable del contenido esencial del derecho a la vida privada, que requiere de esta manera de razones especialmente severas para justificar una limitación en su ejercicio.

Una vez establecida esta afirmación, va a resultar muy difícil encontrar una justificación suficiente para la restricción del derecho a la vida privada de las personas homosexuales. Para empezar, la existencia en Irlanda de Norte de un gran rechazo moral de las prácticas homosexuales, al menos por un sector importante de la sociedad, no va a justificar semejante restricción, más aún cuando se trata de una legislación que en la práctica no se aplicaba, y no por ello había voces exigiendo un endurecimiento de la ley ni ningún otro dato que indicara que había presión social apremiante.

Por otro lado, el hecho de que la injerencia en el derecho a la vida privada sea necesaria en una sociedad democrática, como condición de legitimidad de la misma, exige por parte del Estado que demuestre que no hay otros medios de llegar al fin legítimo perseguido que sean menos gravosos para los derechos del CEDH. En definitiva, como venimos diciendo, lo que se va a hacer es un juicio de proporcionalidad entre los fines buscados y los medios utilizados para ello, y en este juicio, perseguir la legítima finalidad de reprimir la conducta homosexual a través de la criminalización de toda conducta homosexual masculina, incluso aunque sea entre adultos que consienten y en privado, es desproporcionado. La injerencia en la vida privada de los hombres homosexuales norirlandeses es demasiado gravosa como para poder ser justificada en términos de protección de la moralidad. En palabras del TEDH:

---

[118]   *Ibidem*, n° 52.

«Although members of the public who regard homosexuality as immoral may be shocked, offended or disturbed by the commission by others of private homosexual acts, this cannot on its own warrant the application of penal sanctions when it is consenting adults alone who are involved»[119].

La realidad de otros Estados, en los que ha dejado de criminalizarse la homosexualidad, unida al hecho de que se estaban produciendo en el momento de elaboración de la sentencia (1981) ciertos cambios sociales que valoraban la diversidad sexual con mayor tolerancia y comprensión, llevan al TEDH a concluir que la criminalización de las prácticas homosexuales masculinas entre adultos que consienten y tienen capacidad para consentir, en privado, es una violación del derecho a la vida privada reconocido en el art. 8 del CEDH.

A pesar de la fuerza de los argumentos que expone para proteger las relaciones sexuales homosexuales adultas, el TEDH no lleva su argumentación tan lejos como para, por un lado, hacer ningún juicio de valor respecto de la moralidad de la homosexualidad[120], y por otro, incluir en la protección del paraguas del art. 8 la diferencia en la edad de consentimiento entre las relaciones heterosexuales y lesbianas (17 años) y la edad de consentimiento para mantener relaciones sexuales entre hombres, que subía hasta los 21 años, en la legislación de Inglaterra y Gales, y a la que sin duda, en caso de reforma legislativa para Irlanda del Norte (descriminalización de las prácticas homosexuales masculinas), se tendería a emular. En este aspecto, el TEDH admite un mayor margen de apreciación estatal, y por tanto deja en manos de las autoridades nacionales la determinación de la edad de consentimiento necesaria para poder mantener relaciones sexuales del tipo que sea, permitiendo así también, que haya una diferencia de tratamiento entre heterosexuales y lesbianas por un lado, y hombres homosexuales por otro, que nos hace adivinar cuál iba a ser el resultado del análisis de la posible vulneración del art. 14 del CEDH en conjunción con el art. 8.

---

[119] *Ibidem*, nº 60.
[120] El TEDH se debate entre la continua aclaración de que la sentencia no supone un juicio sobre la moralidad de la homosexualidad (*ibidem*, nº 54) y la concesión de un mayor grado de comprensión y tolerancia de este tipo de relaciones (*ibidem*, nº 60).

Y efectivamente, cuando el TEDH entra a valorar la posible vulneración del art. 14 del CEDH lo hace en los siguientes términos:

> «Where a substantive Article of the Convention has been invoked both on its own and together with Article 14 (art. 14) and a separate breach has been found of the substantive Article, it is not generally necessary for the Court also to examine the case under Article 14 (art. 14), though the position is otherwise if a clear inequality of treatment in the enjoyment of the right in question is a fundamental aspect of the case (...)»[121]

El pronunciamiento en esta materia se sustenta en la importante jurisprudencia del TEDH respecto del carácter de derecho no autónomo que el art. 14 tiene dentro del CEDH, y que ha llevado a importantes críticas por parte de la doctrina, asunto éste que trataremos más adelante.

2.1.2. *El margen de apreciación estatal y el consenso europeo*

El carácter de Tribunal internacional del TEDH ha llevado a éste a ser especialmente cuidadoso en la consecución de avances en materia de derechos humanos «sensibles», esto es, respecto de los cuales hubiera aún un importante debate social, tanto respecto de la proporción de población posicionada a favor o en contra de cambios legislativos, como respecto de sectores, que aunque minoritarios, son especialmente combativos en algunos asuntos. A pesar de esta, en principio, posición de debilidad del TEDH, éste ha logrado importantísimos avances en estas materias sensibles, y no solo nos estamos refiriendo a asuntos relacionados con la orientación sexual, sino que podemos enumerar importantes sentencias en materia de familia, inmigración, libertad religiosa, etc… que son claves para entender los avances que en Europa se producen en relación a los derechos humanos.

Uno de los mecanismos utilizados por el TEDH en su función de intérprete máximo del CEDH, es la doctrina del margen de apreciación estatal y su contraposición con lo que el Alto Tribunal ha venido en denominar «test del consenso europeo». Es necesario, para completar el análisis sobre esta materia, detenernos en el estudio de estos instrumentos.

---

[121] Sentencia *Dudgeon, op. cit.*, n° 67.

El test del consenso europeo es un instrumento desarrollado por el TEDH como un mecanismo que permite reducir el margen de apreciación dado a los Estados respecto de la implementación e interpretación del CEDH. La fórmula del margen de apreciación estatal, por otro lado, confiere a los Estados cierta capacidad de control de la interpretación y significado del CEDH, permitiendo además la adaptación del mismo a las concretas circunstancias sociales y culturales de cada una de las sociedades en las que está llamado a desplegar sus efectos. Ésta es precisamente una de las consecuencias de la lectura del art. 1 del CEDH, que dice:

> «*The High Contracting Parties shall secure to everyone within their jurisdiction the rights and freedoms defined in Section I of this Convention*».

De este modo, el CEDH confiere a los Estados Partes la responsabilidad primera de garantizar el disfrute de los derechos humanos por él formulados, y de la misma manera, la primera interpretación del contenido de éstos, que al ser enunciados en términos muy generales, necesariamente, ya que deben perdurar en el tiempo y tienen que poder ser adaptados a las diversas realidades estatales, necesitan de interpretación y una importante labor de concretización en su aplicación a situaciones muy dispares. En palabras de MAHONEY «[b]ecause the Convention (on the whole) lays down standards of conduct rather than detailed rules, there will be a spectrum of choices available to the national authorities for fulfilling their duty of implementation. Any choice made within this spectrum, even if it does not correspond to the choice that the judges think would have been the best in the circumstances, will not be contrary to the Convention»[122]. En este mismo sentido se manifiesta JONES, quien sostiene una postura muy diferente respecto del papel del TEDH en la interpretación del CEDH, pero que afirma que «[t]he initial responsibility to secure the rights and freedoms set out in the Convention rests with the state party»[123].

---

[122]   P. MAHONEY, «Judicial Activism and Judicial Self-restraint in the European Court of Human Rights: Two Sides of the Same Coin». *Human Rights Law Journal*, vol. 11, 1990, págs. 57-88. En pág. 78.

[123]   T. H. JONES, «The Devaluation of Human Rights under the European Convention». *Public Law*, Otoño, 1995, págs. 430-449. En pág. 436.

Si parece evidente cuál es el papel de los Estados Partes respecto de la interpretación y adaptación de los enunciados del CEDH a las respectivas realidades sociales, más difícil resulta, sin embargo, encontrar en este esquema el lugar adecuado para la acción de un tribunal internacional encargado de supervisar la implementación del CEDH. Así, se trata de saber en qué momento la actuación de los Estados puede ser corregida por el TEDH, y si tal corrección es legítima en todos los casos. Para autores como MAHONEY[124], el foco de legitimidad radica precisamente en los Estados Partes, principales protagonistas en la interpretación y aplicación del CEDH, mientras que otros autores como JONES[125] son de la opinión de que semejante afirmación supone en la práctica vaciar de contenido la función de supervisión y control de la correcta implementación del CEDH que tiene atribuido el TEDH.

En definitiva, el debate en torno a la idea del contenido y los límites del margen de apreciación estatal tiene como elemento central la controversia acerca de la posición de los Estados Partes y del TEDH en la definición del contenido y los límites de los derechos humanos reconocidos a través del CEDH, y en relación a la cuestión de hasta qué punto la intervención del TEDH en el control del derecho interno de los Estados Partes es una actividad legítima de éste o por el contrario supone la manifestación de un excesivo activismo judicial[126].

Aunque los orígenes de la doctrina del margen de apreciación no están muy claros[127], su primera utilización por parte del TEDH parece encontrarse en la sentencia *Handyside v. Reino Unido*[128], un

---

[124] P. MAHONEY, «Judicial Activism and Judicial... *op. cit.*
[125] T.H. JONES, «The Devaluation of Human Rights under... *op. cit.*
[126] Ver E. BENVENISTI «Margin of Appreciation, Consensus and Universal Standars», *New York University Journal of International Law and Politics*, nº 31, 1998-1999, pág. 843 ss.; G. LETSAS, *A Theory of Interpretation of the European Convention on Human Rights*, Oxford: Oxford University Press, 2007.
[127] Mientras que P. LAMBERT, «La Cour Européenne des Droit de l'Homme-1996» *Journal des Tribunaux, Droit Européen*, année 5, nº 37, 1997, págs. 57-62, en pág. 62, indica que «la théorie de la marge d'appréciation des États —dont on ne s'étonne pas d'apprendre qu'elle est d'origine britannique— (...)», T.H. JONES, «The Devaluation of Human Rights under... *op. cit.*, pág. 430, indica que «[t]he origins of the doctrine lie in the French public law notion of *une marge d'appréciation* on the part of the legislature and executive» (cursiva en el original).
[128] Sentencia *Handyside v. United Kingdom*, de 7 de diciembre de 1976, Series A, nº 24.

asunto relacionado con los límites del derecho a la libertad de expresión respecto de la protección de la moral. El TEDH realiza el análisis acerca de la legitimidad de la restricción del derecho en los siguientes términos:

> «[I]t is not possible to find in the domestic law of the various Contracting States a uniform European conception of morals. The view taken by their respective laws of the requirements of morals varies from time to time and from place to place, especially in our era which is characterized by a rapid and far-reaching evolution of opinions on the subject. By reason of their direct and continuous contact with the vital forces of their countries, State authorities are in principle in a better position than the international judge to give an opinion on the exact content of these requirements (…) It is for the national authorities to make the initial assessment of the reality of the pressing social need implied by the notion "necessity" in this context»[129].

En este primer caso[130], el TEDH utiliza la noción de margen de apreciación estatal definiéndolo en el sentido de otorgar un importante campo de autonomía a los Estados Partes, justificando además el papel que les atribuye, en interpretación del CEDH, en la mayor cercanía de los Estados respecto de las realidades sociales que les son propias, lo que va a suponer en la práctica una mayor dificultad de justificación tanto teórica como práctica de la intervención del TEDH en la concreción de los cambios sociales que permitan una interpretación evolutiva del CEDH. Y sin embargo, veremos cómo desde este punto de partida cada vez encontraremos un mayor número de sentencias del TEDH en las que éste restringe el margen de apreciación estatal de una manera notable, aun cuando vacilante en algunas materias, a través de la utilización del criterio del test del consenso europeo, una utilización no exenta de contradicciones y dificultades técnicas de aplicación, como veremos *infra*.

Pero primero abordemos el análisis de las consecuencias de esta toma de postura por parte del TEDH en este primer asunto, como medio para ilustrar los efectos que semejante posición judicial de autoconten-

---

[129]   Sentencia *Handyside*, *op. cit.*, n°. 48-49.
[130]   Primer caso para el TEDH, ya que la CoEDH ya lo había utilizado con anterioridad en relación al art. 15 del CEDH. Ver P. MAHONEY, «Judicial Activism and Judicial… *op. cit.*, pág. 78.

ción puede producir. Para empezar, la existencia misma de un tribunal de las características del TEDH tiene, como ya hemos dicho, un encaje evidentemente complicado en un sistema de protección de derechos humanos que contiene como uno de sus principios fundacionales el de democracia, como claramente se afirma en el preámbulo de la CEDH:

> «*Reaffirming* their profound belief [that of the Contracting States] in those fundamental freedoms which are the foundation of justice and peace in the world and are best maintained on the one hand by an *effective political democracy* and on the other by a common understanding and observance of the human rights upon which they depend;» (segundo énfasis añadido).

Los dos elementos esenciales, de esta manera, para una efectiva consecución de la primordial finalidad de garantizar paz y justicia, resultan ser la democracia y el respeto de los derechos humanos. En este contexto, en el que las ideas de democracia y respeto de derechos humanos se encuentran intrínsecamente ligadas, siendo así imposible concebir la esencia misma del sistema sin una de ellas, surge la pregunta acerca de la legitimidad que puede tener la actuación de un tribunal internacional, sin anclaje democrático, para supervisar y en su caso considerar contrarias a la CEDH las decisiones tomadas por la autoridad nacional democráticamente legitimada. Pero de otro lado, podemos plantear la misma controversia en el sentido de cuál es el papel del TEDH si no es el de asegurar el respeto de los derechos humanos en un sistema creado y aprobado (incluyendo en la misma idea de sistema al TEDH) por Estados democráticos.

En relación a la primera pregunta, el respeto de un amplio margen de apreciación estatal parece resolver o al menos mitigar la tensión entre democracia y actuación del TEDH. Como argumenta MAHONEY «[t]he European Convention on Human Rights is grounded on a certain political philosophy, namely that political democracy is the best system of government for ensuring respect of fundamental freedoms and human rights. Any theory of interpretation or review by the Court must be compatible with that basic underpinning of political theory»[131]. Como consideración general resulta más que difícil encontrar argumentos contrarios a esta afirmación, pero en realidad

---

[131]   P. MAHONEY, «Judicial Activism and Judicial... *op. cit.* pág. 81.

una postura como ésta no concreta ni ayuda a resolver la cuestión de fondo que sigue planteándose, esto es, ¿cuál es el papel del TEDH en esta construcción teórica acerca de la CEDH? O si se quiere en otros términos, en un contexto en el que la democracia es el mejor sistema de protección de derechos humanos, en términos absolutos, ¿cuál es el papel de un tribunal internacional, con poderes de supervisión y control sobre las decisiones tomadas por Estados democráticos?

Desde una postura de radicalismo democrático se podría contestar a estas preguntas con la afirmación de que efectivamente un tribunal con capacidad para controlar, y eventualmente revocar, la decisión tomada por una autoridad nacional que basa su poder en un sistema democrático, es un tribunal ilegítimo. Pero evidentemente este argumento choca frontalmente con el espíritu y la misma letra del sistema de protección de derechos humanos establecido en el CEDH. Otra posible respuesta contemplaría la utilización de una justificación histórica consistente en atribuir la necesidad de la creación de un tribunal de las características del que aquí nos ocupa, a la terrorífica experiencia de la Segunda Guerra Mundial, como una fórmula extrema de protección europea frente a la posibilidad de que se repita el surgimiento de gobiernos que (aun cuando elegidos democráticamente, como ya sabemos) pretendan vulnerar sistemáticamente los derechos fundamentales, ya que «[t]he proceedings at Nuremberg and the United Nations had special meaning for those who had witnessed the awful abuses of human rights in Nazi-occupied Europe. For the Europeans pressing for political union, human rights became an important priority»[132]. En esta argumentación, el sistema de garantías establecido en el CEDH, y por tanto el TEDH, se concebiría como un instrumento de protección frente a estas posibles agresiones extremas de los derechos humanos. Aunque esta postura se encuentra bien fundamentada, y podría considerarse que fue el objetivo inicial que buscaban los impulsores del proyecto, esta interpretación no se corresponde con el desarrollo posterior del CEDH en Protocolos que extienden el número de derechos que se protegen a aquellos que no se consideran tan íntimamente ligados al desarrollo del sistema de-

---

[132]   M.W. JANIS, R.S. KAY y A.W. BRADLEY. *European Human Rights Law: Text and Materials*. Oxford: OUP, 1995, pág. 18.

mocrático[133] y que han perfeccionado el sistema de protección que supone el TEDH, ampliando su capacidad[134].

Dado que ninguna de las posiciones tendentes a anular o circunscribir enormemente el poder de actuación del TEDH parece ofrecer una respuesta satisfactoria, es necesario partir de la asunción de que el TEDH debe tener garantizado un determinado espacio de acción legítima, independientemente de que, efectivamente, los Estados Partes mantengan su poder de implementación, con cierta capacidad de adaptación del CEDH a sus respectivas realidades. El foco de la controversia se centrará, en este caso, en el establecimiento de los límites dentro de los cuales tanto el TEDH como los Estados Partes pueden desplegar sus respectivos poderes en la apreciación y concreción de los derechos y libertades establecidos en el CEDH. Y en este análisis quizás sea útil acudir a una interpretación sistemática del CEDH, dado que su articulado, con el reconocimiento de restricciones explícitas al disfrute de los derechos protegidos, así como de poderes generales que limitan su aplicación, véase el artículo 15[135], nos ofrece un es-

---

[133] El TEDH ha establecido que hay determinados derechos que inciden particularmente en el concepto de democracia. A modo de ejemplo, ver la sentencia Castells v. España: «(...) freedom of expression, enshrined in paragraph 1 of Article 10 (art. 10-1), constitutes one of the essential foundations of a democratic society and one of the basic conditions for its progress (...)». Sentencia *Castells v. España*, de 23 de abril de 1992, Series A, n° 236, par. 42.

[134] El Protocolo n° 11, que entró en vigor con carácter general el 1 de noviembre de 1998, supuso una modificación de gran calado respecto de la organización institucional del TEDH, transformando su estructura y forma de funcionamiento. Para una clarificadora explicación de los cambios acaecidos, ver J. RUILOBA ALVARIÑO, «El Tribunal Europeo de Derechos Humanos: Organización y Funcionamiento». *UNED, Anuario de la Escuela de Práctica Jurídica*, n° 1, 2006.

[135] El artículo 15 dice:
«1. In time of war or other public emergency threatening the life of the nation any High Contracting Party may take measures derogating from its obligations under this Convention to the extent strictly required by the exigencies of the situation, provided that such measures are not inconsistent with its other obligations under international law.
2. No derogation from Article 2, except in respect of deaths resulting from lawful acts of war, or from Articles 3, 4 (paragraph 1) and 7 shall be made under this provision.
2. Any High Contracting Party availing itself of this right of derogation shall keep the Secretary General of the Council of Europe fully informed of the measures which it has taken and the reasons therefor. It shall also inform the

quema general de las funciones y límites a los que tanto el TEDH como los Estados Partes están sujetos. Para empezar, el artículo 15 del CEDH permite la utilización por parte de los Estados del derecho de excepción, pero imponiendo una serie de condiciones para poder ser tomada esta decisión sin vulnerar el contenido del CEDH. Así, se limitan los poderes estatales de suspensión de derechos humanos, impidiendo su aplicación en el caso de determinados derechos[136] o supeditando esta suspensión a la exigencia de información y control por parte del Consejo de Europa. Pero incluso en esta situación, en la que parece que la capacidad de decisión estatal es más que amplia, el TEDH ha reclamado su posición de garante último del CEDH, indicando que, aun cuando se trata de una materia en la que los Estados Partes tienen un amplio margen de apreciación, su capacidad de supervisión mantiene toda su vigencia. Así, en el asunto *Brannigan and Mcbride v. Reino Unido*[137], afirma que

> «(…) it falls to each Contracting State, with its responsibility for "the life of [its] nation", to determine whether that life is threatened by a "public emergency" and, if so, how far it is necessary to go in attempting to overcome the emergency. By reason of their direct and continuous contact with the pressing needs of the moment, the national authorities are in principle in a better position than the international judge to decide both on the presence of such an emergency and on the nature and scope of derogations necessary to avert it. Accordingly, in this matter a wide margin of appreciation should be left to the national authorities (…). Nevertheless, Contracting Parties do not enjoy an unlimited power of appreciation. It is for the Court to rule on whether inter alia the States have gone beyond the "extent strictly required by the exigencies" of the crisis. The domestic margin of appreciation is thus accompanied by a European supervisión»[138].

La misma idea de la necesidad de establecer una convivencia entre el margen de apreciación estatal y los poderes de supervisión del

---

Secretary General of the Council of Europe when such measures have ceased to operate and the provisions of the Convention are again being fully executed».

[136] Se trata de los artículos 2 (derecho a la vida, con la excepción de actos de guerra legítimos), 3 (prohibición de la tortura), 4 (prohibición de la esclavitud y del trabajo forzado) y 7 (principio de legalidad penal).

[137] Sentencia *Brannigan y Mcbride v. Reino Unido*, de 25 de mayo de 1993, Series A, nº 258-B.

[138] *Ibidem*, nº. 43.

TEDH puede encontrarse en la aplicación de artículos que garantizan derechos concretos cuyo disfrute está sujeto a limitaciones impuestas por las autoridades nacionales en determinadas circunstancias[139]. Estos artículos expresamente reconocen la capacidad de los Estados Partes de restringir y condicionar el disfrute de los derechos reconocidos. Si bien es cierto que no puede hacerse una interpretación de lo anterior *contrario sensu*, esto es, entendiendo que puesto que hay artículos en los que se reconoce la posibilidad de los Estados de limitar los derechos reconocidos, ello quiere decir que donde no se hace una explícita mención significa que los Estados no tienen ninguna capacidad de decisión, también lo es que al menos sí puede entenderse que cuando la mención a la posibilidad de limitación es explícita, un mayor margen de apreciación estatal debe ser reconocido, mientras que respecto de aquellos derechos que no incluyen en su enunciado ninguna mención a posibles restricciones, menor margen de apreciación por parte de los Estados debe existir.

Pero es que incluso en el caso de aquellos derechos que, como decimos, encuentran límites explícitos en su reconocimiento por parte del CEDH, el TEDH mantiene su poder de supervisión, como hemos tenido ocasión de valorar en *Dudgeon, supra*. Por ello, esta cuestión no llega a resolverse acudiendo solo al texto del CEDH, que no parece aportar una solución concreta al problema de los límites dentro de los cuales Estados Partes y TEDH deben ejercer sus respectivas atribuciones, o lo que es lo mismo, al problema de en qué consisten exactamente éstas, entendiendo además que se trata de dos funciones, las estatales y la del TEDH que necesariamente van a tener que convivir y por tanto están llamadas a entenderse, a articularse conjuntamente[140].

---

[139] YOUROW explica que «in analyzing the margin of appreciation doctrine and the international supervisory function in Convention jurisprudence, three categories of substantive rights emerge: due process, personal freedom and discrimination. In each of these categories, the Convention explicitly protects certain rights and places limits upon bona fide restrictive state action, but also explicitly places limits upon the rights». H.C.YOUROW, «The Margin of Appreciation Doctrine in the Dynamics of the European Human Rights Jurisprudence». *Connecticut Journal of International Law*, vol. 3, 1987, págs. 111-159, en pág. 113.

[140] El Protocolo 15, abierto a su firma y ratificación el 24 de junio de 2013, supone una enmienda al CEDH que introduce la idea del margen de apreciación estatal en relación a todo el articulado del CEDH, haciendo expresa referencia

Y aquí es donde va a entrar en juego la idea del test de consenso europeo, que va a ser el instrumento a través del cual el TEDH defienda y legitime su activismo en la interpretación de CEDH. Para ello, es preciso conocer qué se quiere decir cuando se habla de test de consenso europeo. En palabras de HELFER: «(…) [T]he tribunals (Court and Commission) interpret the Convention as a modern document that responds to and progressively incorporates changing European social and legal developments. Toward this end, they search for the existence of rights-enhancing practices and policies among the Contracting States that affect human rights. When these practices achieve a certain measure of uniformity, a "European consensus" so to speak, the Court and Commission raise the standard of rights-protection to which all states must adhere»[141].

Para determinar, por tanto, si existe consenso europeo sobre una materia determinada, «(…) the Court and Commission rely on three distinct factors as evidence of consensus: legal consensus, as demonstrated by European domestic statutes, international treaties, and regional legislation; expert consensus; and European public consensus»[142].

En esta interpretación del CEDH el TEDH, para concretar el significado de los derechos y libertades protegidos, se aleja del análisis de la

---

a esta elaboración jurisprudencial en la modificación de su preámbulo, en un intento de limitación del poder del TEDH, que se enmarca en las dificultades de determinados Estados para asumir sus obligaciones internacionales en materia de derechos humanos. Así, el Reino Unido, tras alguna sentencia especialmente sensible para sus intereses (en materia de reconocimiento de derecho de sufragio de presos, por ejemplo), impulsó la celebración de la Declaración de Brighton, fruto de la cual se aprueba este protocolo. Sin embargo, habrá que esperar a su entrada en vigor (para la cual es necesaria la ratificación de los 47 miembros del Consejo de Europa, al ser un protocolo de enmienda), para conocer sus efectos prácticos, ya que, aun cuando se consolida este margen de apreciación por parte de los Estados, también se afirma con rotundidad la función de supervisión del propio TEDH. Ver https://www.coe.int para obtener información actualizada sobre el proceso de ratificación.

[141] L.R. HELFER, «Consensus, Coherence and the European Convention on Human Rights» *Cornell International Law Journal*, vol. 26, 1993, págs. 133 ss., en pág. 134 (notas omitidas).

[142] *Ibidem*, en pág. 139 (notas omitidas), ver también para una explicación en mayor profundidad del contenido de estos tres elementos.

posible intención de los primeros firmantes del CEDH[143], ya que éste no permitiría más que la constatación del contenido que los derechos humanos podían tener en el momento de la firma. Si se mantuviera esta metodología, el TEDH solo aplicaría una fotografía fija de la interpretación de los derechos humanos que en un momento histórico determinado se ha desarrollado, perpetuando así esta concepción, y no permitiendo la adaptación del instrumento internacional a la evolución de la apreciación del contenido de los derechos reconocidos. Es precisamente la necesidad de adaptación del CEDH a las percepciones contemporáneas del sentido y contenido de los derechos humanos lo que ha movido al TEDH a desarrollar un instrumento de evolución como es el test de consenso europeo. Así, vamos a ver la justificación de este impulso jurisprudencial por primera vez en el asunto Tyrer v. Reino Unido, en el que el TEDH dice que «(...) the Convention is a living instrument which (...) must be interpreted in the light of the present-day conditions»[144].

La posición del TEDH se asemeja mucho a la que tradicionalmente han mantenido los Tribunales Constitucionales en la interpretación de sus respectivas Constituciones. A pesar de encontrarnos ante un tratado internacional cuyo contenido, en consecuencia, por su propia naturaleza, debe estar sujeto a la voluntad soberana de los Estados que lo ratifican, se puede argumentar que, al igual que ocurre con los textos constitucionales, muchos de los conceptos del CEDH son intencionadamente expresados en términos muy abiertos y ambiguos, como un modo de indeterminación terminológica al servicio precisamente de la posibilidad de permanencia en el tiempo de un Tratado internacional con vocación de continuidad. De este modo, podemos entender que esos mismo Estados, al adherirse al CEDH, mostraban su conformidad con un tratado internacional cuyo contenido era abierto y que contaba con un órgano de supervisión (cuya jurisdicción, aun cuando ahora es preceptiva, era voluntaria para los

---

[143] M.D. DUBBER, «Homosexual Privacy Rights before the United States Supreme Court and the European Court of Human Rights: a Comparison of Methodologies». *Stanford Journal of International Law*, vol. 27, 1990, págs. 189-214, en pág. 207.

[144] Sentencia *Tyrer v. Reino Unido*, de 25 de abril de 1988, Series A, nº 26, nº 31.

Estados del Consejo de Europa en un inicio[145]), cuya misión, al menos en parte, es precisamente la adecuación del contenido del CEDH a las cambiantes circunstancias que el paso del tiempo conlleva.

Y aquí es donde resulta particularmente importante la función del test de consenso europeo, por cuanto, lejos de concebirse como un instrumento de activismo judicial, se convierte en una forma de adecuación en el tiempo del CEDH sujeta a la exigencia de que efectivamente la realidad social haga necesario un cambio en la interpretación del contenido del mismo. En este sentido, cobra una especia relevancia precisamente la naturaleza del tratado de que se trata, puesto que el reconocimiento y la protección de los derechos humanos tiene una serie de características, desde el punto de vista jurídico, que van a justificar la utilización de un criterio evolutivo en la interpretación del CEDH. Como bien señala DELMAS-MARTY «fuzziness is inherent to human rights»[146]. Ante la necesidad de determinación del contenido concreto de los derechos reconocidos en términos tan abstractos, el test de consenso europeo se perfila paradójicamente como una garantía de autocontención judicial, al menos en principio, desde un punto de vista puramente conceptual, por cuanto armoniza la necesidad de respeto de las voluntades nacionales con la importancia de una interpretación de los derechos humanos que mantenga su contenido actualizado y reflejando precisamente esas voluntades[147].

---

[145] El artículo 46.1 del CEDH, en su redacción previa al 1 de noviembre de 1998, establecía que: «*Cada una de las Altas partes Contratantes puede declarar, en cualquier momento, que reconoce como obligatoria de pleno derecho y sin convenio especial la jurisdicción del Tribunal para todos los asuntos relativos a la interpretación y aplicación del presente Convenio*».

[146] Citado por R. KOERING-JOULIN, «Public Morals». En M. DELMAS-MARTY (edt.) *The European Convention for the Protection of Human Rights: International Protection versus National Restrictions*, London: Martinus Nijhoff Publisher, 1992, págs. 83 ss., en pág. 83.

[147] Sin embargo, incluso si esto es así, hay autores que indican importantes consecuencias negativas de la utilización de un instrumento como el test de consenso europeo. Así, JONES indica «(…) two further problems which attend the consensus principle [apart from the unpredictability of its application]. The first is that there is a risk that emphasizing the need for consensus could entail settling for the lowest common denominator. The second is that the margin of appreciation doctrine combined with a consensus principle could lead to a vicious circle. (…) [D]iverse national practices somehow dictate a broad grant of national freedom of action under the Convention: the broad scope of the margin sanctions the con-

Efectivamente, se trata de una construcción conceptual que hace casar las funciones tanto de los Estados como del TEDH, pero que para ello necesita de una metodología muy técnica y bien definida. Y es aquí en donde encontramos los más relevantes problemas que han provocado un rechazo importante de parte de la doctrina[148]. Y es que la forma de utilización a lo largo del tiempo por parte del TEDH ha sido cuanto menos inconsistente, carente de una metodología unívoca, y en definitiva, errática. Esto es algo que vamos a poder comprobar en el asunto que nos ocupa, en el que precisamente la existencia de un cambio europeo de actitudes puede resultar particularmente relevante. Podríamos pensar que cuando realizamos esta apreciación estamos pensando en la falta de uniformidad de los criterios de tipo sociológico, estadístico o incluso jurídico que deban utilizarse para constatar si un cambio de actitudes se ha generado suficientemente como para justificar una nueva forma de interpretación de los derechos del CEDH. Es cierto que parte del problema radica precisamente en esto, pero la inconsistencia respecto del uso del test del consenso europeo se observa también en cómo afecta al propio contenido del CEDH.

Decíamos con anterioridad que en el caso *Dudgeon* ya habíamos tenido ocasión de observar la dificultad de la puesta en práctica del test del consenso europeo. Éste se va a utilizar solo respecto de la consideración de si las medidas de persecución penal para proteger la moral pública son proporcionadas. De esta manera, la esencia del derecho, la definición de su contenido no se ve tan afectada (aunque

---

tinued national independence of action». T.H. JONES, «The Devaluation of Human Rights Under... *op. cit.*, pág. 441. Por otra parte, HODSON considera que un enfoque de este tipo deja a las minorías sin protección frente a la acción de la mayoría, L. HODSON, «A Marriage by Any Other Name? Schalk and Kopf v. Austria», *Human Rights Law Review*, nº 11 (1), marzo 2011, págs. 170-179, en pág. 177; e incluso, autores como LETSAS, niegan cualquier virtualidad a este método de aproximación a la interpretación del contenido de los derechos humanos, defendiendo por el contrario una metodología basada en la búsqueda del mejor contenido moral de los mismos. G. LETSAS, *A Theory of Interpretation of the European Convention on Human Rights*, Oxford: Oxford University Press, 2007.

[148] HELFER, por ejemplo, insiste en que «[i]f the tribunals [Court and Commission] hope to maintain their institutional authority and balance their opposing jurisprudencial mandates, they must strive for greater coherence in applying the consensus methodology». L.R. HELFER, «Consensus, Coherence and...» *op. cit.*, pág. 154.

sí de forma tangencial) como la apreciación de los límites de las legítimas restricciones al mismo. Y sin embargo no es ésta la única forma en la que se ha utilizado el test de consenso europeo por parte del TEDH. Y ello, incluso respecto de asuntos que, siendo anteriores en el tiempo, tocaban igualmente cuestiones muy sensibles, en concreto, en la interpretación del art. 8 del CEDH, en el que nos vamos a centrar para ilustrar esta inconsistencia en la aplicación del test del consenso europeo en relación a asuntos que no tienen nada que ver con la diversidad sexual (ya que respecto de esta última vamos a tener ocasión de comprobar esta falta de rigor en la aplicación de este método de interpretación *infra*).

El art. 8 corresponde a un grupo de artículos del CEDH[149] que contienen en su enunciado una posibilidad de limitación explícita de su aplicación, sujeta a una serie de requisitos, básicamente, como ya hemos visto *supra*, que se trate de una injerencia en el disfrute del derecho conforme a derecho, que persiga una finalidad legítima de las que estos propios artículos regulan y que se trate de una injerencia necesaria en una sociedad democrática[150]. A pesar del amplio margen de apreciación estatal que estas limitaciones parecen ofrecer, el TEDH ha desarrollado una jurisprudencia que trasciende el contenido clásico del derecho a la vida privada[151], o en otras palabras, va más allá del «domiciliary protection of the individual»[152], para proteger todo un campo de actividades humanas que cubren «a wide range of elements

---

[149] Estos artículos son: el mismo artículo 8 (vida privada y familiar), artículo 9 (libertad religiosa), 10 (libertad de expresión) y 11 (libertad de asociación).

[150] Para un análisis de esta cuestión, en relación a la homosexualidad, ver M.D. DUBBER, «Homosexual Privacy Rights...», *op. cit.*, pág. 198.

[151] L.G. LOUCAIDES, «Personality and Privacy under The European Convention on Human Rights». *The British Year Book of International Law*, vol. 61, 1990, págs. 175-197, pág. 189.

[152] Sentencia *Marckx v. Bélgica*, de 13 de junio de 1979, Series A, nº 31, opinión discrepante del Magistrado Sir Gerald Fitzmaurice, pár. 7, en la que argumenta a favor de una interpretación del contenido del derecho del art. 8 en el sentido de considerar que solo protege la inviolabilidad del domicilio, postura ésta que parece difícil de armonizar con el reconocimiento expreso del derecho a la vida familiar, que parece transcender de una mera garantía del derecho a la inviolabilidad domiciliaria, y que en cualquier caso ha sido rebatida por la posterior jurisprudencia, ya consolidada, del TEDH.

and manifestations of the individual's personality»[153]. Ésta es la interpretación que la CoEDH asumió ya en el asunto X v. Islandia, que en su auto de inadmisión del recurso, indicaba que

> «For numerous Anglo-Saxon and French authors the right to respect for "private life" is the right to privacy, the right to live, as far as one wishes, protected from publicity (...) In the opinion of the Commission, however, the right to respect for private life does not end there. It comprises also, to a certain degree, the right to establish and to develop relationships with other human beings, especially in the emotional field for the development and fulfillment of one's own personality»[154].

Uno de los primeros asuntos especialmente relevantes en cuanto a la extensión del contenido del art. 8 lo vamos a encontrar en el asunto *Marckx*[155], y esta interpretación se va a producir aplicando precisamente el test del consenso europeo, pero desde una metodología completamente distinta a la que hemos visto en el asunto Dudgeon. Paula Marckx, una ciudadana belga, acude al sistema de protección del CEDH (en aquel momento, como primer paso, la CoEDH) en nombre propio y en el de su hija Alexandra, que había nacido en 1973 sin encontrarse su madre casada. El reconocimiento jurídico entre la madre y su descendencia en aquel momento en Bélgica no era automático cuando se trataba de madres solteras, rompiéndose en ese caso el principio general de *mater semper certa est*, que sin embargo sí se aplicaba respecto de las madres casadas. Así, para que este reconocimiento se diera, la madre soltera tenía que reconocer a su

---

153   L.G. LOUCAIDES, «Personality and Privacy...», *op. cit.*, en pág. 189.Para una discussion general acerca del contenido y ámbito de protección reconocido por el artículo 8 hasta la década de los 90, ver también G. COHEN-JONATHAN, *La Convention Européenne des Droits de l'Homme*, Paris: Presses Universitaires d'Aix-Marseille, 1989, en págs. 354-378; J. ROBERTS, *Droit de l'Homme et Libertés Fondamentales*, Paris: LGDJ, 1994, en págs. 311-343 (acerca de la noción de «identité des personnes») y P.J. DUFFY, «The Protection of Privacy, Family Life and other Rights under Article 8 of the European Convention on Human Rights». *Yearbook of European Law*, vol. 2, 1982.

154   Asunto *X v. Islandia*, app. n° 6825/74, D. R. 5, pág. 86, en pág. 87.

155   Sentencia *Marckx*, *op. cit.* Sobre esta sentencia, ver M.J. BOSSUYT, «L'arrêt Marckx de la Cour Européenne des Droits de l'Homme». *Revue Belge de Droit International*, 1980, págs. 53-81. Para una aproximación más crítica, ver F. RIGAUX, «La Loi Condamnée: A Propos de l'Arrêt du 13 Juin 1979 de la Cour Européenne des Droits de l'Homme». *Journal des Tribunaux*, n° 5093, 1979, págs. 513 ss.

hijo/a biológico/a como descendencia ilegítima, e iniciar un proceso de adopción de su propia progenie que, aún así, no llegaba nunca a gozar del mismo estatus jurídico que los hijos nacidos en el matrimonio, manteniéndose diferencias en, por ejemplo, derechos de sucesión o las relaciones de los hijos naturales con la familia extensa de su madre[156]. En esta situación, Paula Marckx en nombre de su hija y en el suyo propio, decide acudir al TEDH por entender violado, *inter alia*, su derecho a la vida privada y familiar y a la no discriminación por razón del nacimiento.

El TEDH efectivamente entendió que en estas circunstancias se habían vulnerado los derechos de las recurrentes, tanto en relación al derecho a la vida privada y familiar por sí solo como en conjunción con el derecho a la no discriminación del art. 14 (cuya protección se extendió incluso a las consecuencias económicas y hereditarias que tal regulación suponía para los hijos ilegítimos). Lo interesante del análisis del TEDH para llegar a esta conclusión, en lo que atañe al estudio que aquí se está realizando, es el uso que se hace del test del consenso europeo, que resulta ser aplicado con una metodología muy distinta de como más tarde se utilizará en relación a los asuntos en los que la diversidad sexual se ve involucrada.

Para empezar, se utiliza como fórmula para argumentar que el artículo 8 del CEDH incluye en el concepto de vida familiar a las familias conformadas por una madre y su hijo/a[157], al indicar que «(…) the Court notes that the Committee of Ministers of the Council of Europe regards the single woman and her child as one form of family no less than others»[158]. Establecida esta evolución de las actitudes a través de

---

[156] Para una descripción más detallada de la regulación belga en esta materia en aquel momento, ver la sentencia *Marckx, op. cit.*, nº. 8-19.

[157] Esta afirmación se sustenta también en una concepción del papel que el art. 14 del CEDH juega dentro del sistema que más tarde, de nuevo, se abandonará en favor de un rol mucho más reducido del mismo. Así, considera el TEDH que «(…) Article 8 makes no distinction between the "legitimate" and the "illegitimate" family. Such a distinction would not be consonant with the word "everyone", and this is confirmed by Article 14 with its prohibition, in the enjoyment of the rights and freedoms enshrined in the Convention, of discrimination grounded on "birth" (…) Article 8 thus applies to the "family life" of the "illegitimate" family as it does to that of the "legitimate" family». Sentencia *Marckx, op. cit.*, nº. 31.

[158] *Idem.*

la postura que el Comité de Ministros del Consejo de Europa manifiesta al respecto, la cuestión se plantea en términos de igualdad de un tipo de familia respecto de la más tradicional y entra en juego la aplicación del art. 14. De este modo, el test de consenso europeo se utiliza para ampliar la definición del contenido del derecho reconocido en el art. 8. Se establece que el art. 8 protege también a las familias compuestas por una madre soltera y su descendencia y se extraen las consecuencias en relación a la no discriminación que lógicamente derivan de esa afirmación, limitando el margen de apreciación estatal hasta casi hacerlo desaparecer. Resulta especialmente ilustrativo cómo no se hace mención alguna a las posibilidades expresas de restricción del derecho que se regulan en el mismo enunciado. Así, no hay mención alguna a la posibilidad de encontrar una restricción justificada del derecho en base a, por ejemplo, el mantenimiento de la moral pública, y por tanto no se entra en el estudio de si se trata de una medida necesaria en una sociedad demócratica o por el contrario es desproporcionada. El punto de partida varía, y lo hace en base a la aplicación de un criterio de interpretación evolutiva del CEDH sustentado en la existencia de un consenso europeo sobre la materia, lo que permite escapar de la acusación de un excesivo activismo judicial por parte del TEDH. A pesar de esto, surgirán críticas más centradas en la existencia o no de un auténtico consenso europeo que en la utilización del mismo en el sentido expuesto[159].

Si comparamos este uso concreto del test de consenso europeo con la forma en la que el mismo se aplica en el caso *Dudgeon*, las diferencias en la metodología y consecuentemente en los resultados son más que llamativas. Si en *Marckx* el consenso europeo modifica la interpretación del contenido del derecho para ampliarlo, no dejando margen, en principio, a la aplicación de criterios de restricción del derecho que impliquen diferencias de trato entre tipos de familia, cuando se trata del asunto *Dudgeon*, el consenso europeo no se utiliza hasta la última parte del análisis, aquella relativa a la proporcionalidad de la medida restrictiva en una sociedad democrática. Y no es que, como cabría esperar, se indique

---

[159]   A modo de ejemplo, MERRILLS critica que «references to the international instruments in question suggests that the Court's identification of the trend described [in the *Marckx* case] may have been premature». J.G. MERRILLS, *The Development of International Law by The European Court Of Human Rights*. Manchester: Manchester University Press, 1988, pág. 74.

que no hay consenso acerca de la inclusión de la vida sexual dentro del ámbito de protección del art. 8. Se afirma que el art. 8[160] protege la vida sexual de las personas, por interpretación del contenido del derecho a la vida privada en sus términos, sin necesidad de acudir a factores externos, como pueda ser la evolución de la percepción social. Se afirma igualmente que la protección de la moral y de los derechos de los menores justifica una restricción del derecho en materia de diversidad sexual, esta vez como consecuencia del reconocimiento del margen de apreciación estatal, de nuevo sin utilizar ninguna perspectiva de búsqueda de la existencia o no de consenso europeo al respecto, y solo en relación a la proporcionalidad de la medida (penalización de las relaciones sexuales entre hombres adultos que consienten) se alude a este consenso europeo como elemento que niega la pertinencia de una restricción tan amplia del derecho[161].

Será precisamente la utilización del test de consenso europeo de una forma tan errática, sin una aparente metodología común, unida a las dificultades de todo tipo para encontrar criterios comunes acerca de cúando realmente podemos hablar de la existencia de un consenso europeo respecto de una materia determinada, la que lleve a pensar en este instrumento de autocontención judicial como precisamente una fórmula de activismo judicial enmascarado, y no necesariamente en el sentido de ampliación del contenido de los derechos reconocidos, con las consecuencias que ello puede acarrear[162], como vamos a ver más adelante[163].

---

[160] Se analiza este asunto en profundidad, con sus correspondientes referencias a la sentencia, *supra*.

[161] Dice el TEDH que «[a]s compared with the era when [the Northern Ireland] legislation was enacted, there is now a better understanding, and in consequence an increased tolerance, of homosexual behaviour to the extent that in the great majority of the member States of the Council of Europe it is no longer considered to be necessary or appropriate to treat homosexual practices of the kind now in question as in themselves a matter to which the sanctions of the criminal law should be applied; the Court cannot overlook the marked changes which have occurred in this regard in the domestic law of the member States». Sentencia *Dudgeon, op. cit.*, n°. 23-24.

[162] Para MERRILLS, «when an international court develops the law, the direction in which it does so is (…) influenced by judicial ideology (…) pertaining to the subject matter of the particular court's jurisdiction». J. G. MERRILLS, *The Development Of International Law…, op. cit.*, pág. 207.

[163] Para un análisis de la evolución de esta doctrina, ver E. BREMS, «The Margin of Appreciation Doctrine of the European Court of Human Rights: Accommodating Diversity within Europe», en D.P. FORSYTHE y P.C. McMAHON (dir.), *Human Rights and Diversity*, Lincoln: University of Nebraska Press, 2003, págs.

2.1.3. *Dudgeon despeja el camino*

El éxito logrado con el caso *Dudgeon*, vivido por los colectivos LGBTI como un auténtico balón de oxígeno en una lucha emancipadora que hasta ese momento había dado escasos frutos a nivel internacional, y que se complicaba aún más en las realidades nacionales en las que la irrupción del SIDA había provocado una reacción homófoba sin precedentes[164], como ya se mencionó *supra*, contribuyó a un aumento de los asuntos que llegaron, primero a la Comisión Europa de Derechos Humanos[165], para desembocar después en el TEDH.

Entre estos asuntos, que veremos a lo largo de las próximas líneas, se encuentra la sentencia *Rees v. United Kingdom*[166]. El caso *Rees* hace referencia a la situación de las personas transexuales en el Reino Unido. Se trata de la primera vez que el TEDH hace frente a una cuestión como ésta, y es muy interesante observar la diferente manera de afrontar el fenómeno de la transexualidad en comparación con cómo se hace frente a la homosexualidad. El señor Rees es un hombre transexual que nació siendo biológicamente mujer. Así fue inscrita en el registro civil británico, y así vivió hasta que decidió proceder al cambio de sexo a través de un tratamiento hormonal y quirúrgico que fue costeado por la sanidad pública del Reino Unido. Incluso pudo cambiar de nombre, emitiéndose documentos oficiales de identidad, como el pasaporte, en el que se incluía el tratamiento de señor (*Mr.* en inglés), dando en principio cuenta de la nueva identidad masculina del sr. Rees. Sin embargo,

---

81-110; F. J. PASCUAL VIVES, «El Margen de Apreciación Nacional en los Tribunales Regionales de Derechos Humanos: una Aproximación Consensualista», *Anuario Español de Derecho Internaciona*l, nº 29, 2013.

[164] Muchos son los documentos que recogen las enormes dificultades de la comunidad homosexual para afrontar el aislamiento social y la represión provocados por la epidemia del SIDA. Son interesantes algunos excelentes documentales que han abordado y descrito esta situación. A modo de ejemplo, cabe citar *Homosexuales: la crisis del SIDA*, y *Rod Hudson: el galán desconocido*, accesibles ambos en www.rtve.es, consultado el 1 de agosto de 2013.

[165] La Comisión Europea de Derechos Humanos funcionaba como una especie de órgano de admisión de los recursos o quejas individuales, y en caso de entender que éstos tenían fundamento jurídico suficiente, dictaba un informe sobre su opinión en relación con el asunto planteado, que de este modo era estudiado por el TEDH. La CoEDH desapareció con la entrada en vigor del Protocolo no. 11, un año después de su ratificación el 1 de noviembre de 1998.

[166] Sentencia *Rees v. Reino Unido*, de 17 de octubre de 1986, Series A, nº 106.

a pesar de todo este reconocimiento estatal del cambio de sexo del recurrente, el registro civil se niega a proceder a cambiar el asiento registral en el que se identificaba el sexo femenino del recurrente, para incluir ahora la nueva identidad sexual del mismo.

Las razones que se aducen para negar esta modificación registral apelan a la propia naturaleza del sistema registral británico. Se trata de un registro de carácter histórico que recopila los datos veraces que se producen en el momento temporal en que se producen, y que sirve también, de modo muy importante, como fuente de información estadística al servicio de la Administración Pública. Proceder a modificar un dato que en el momento de su recogida era cierto, para introducir otro de forma extemporánea, adulteraría el sistema, sería contrario a su propia esencia y derivaría en un cambio completo del sistema registral del Reino Unido. Hay que añadir que se trataba de un sistema muy distinto al continental, en el que había una pluralidad de registros (para nacimientos, matrimonios, decesos y adopciones) que además no admite la introducción de datos posteriores acerca de cambios que en los sistemas de registro civil continentales sí son contemplados.

La manera en la que el TEDH afronta esta cuestión difiere en buena medida de la metodología utilizada en *Dudgeon*, quizás porque el paso del tiempo (cinco años desde la sentencia mencionada) y la trascendencia de la jurisprudencia allí asentada, han llevado a la necesidad de no detenerse en lo obvio e indagar en nuevas cuestiones. De este modo, algo que en *Dudgeon* resultó esencial, como es la determinación del ámbito de protección ofrecido por el art. 8 del CEDH, aquí se va a dar por supuesto: indubitadamente la identidad sexual forma parte del ámbito de protección del derecho a la vida privada en el CEDH.

La pieza clave para comprender la jurisprudencia de *Rees* la vamos a encontrar en la posición del Estado respecto de sus obligaciones en relación a la protección de la vida privada del art. 8. Así, lo primero que va a diferenciar el TEDH es la prohibición de intromisión en la vida privada, como una obligación negativa del CEDH, respecto de la obligación de actuación, obligación positiva, que pudiera también desprenderse del art. 8, y que ya había tenido la ocasión de afirmar en su importantísima sentencia *Abdulaziz, Cabales y Balkandali v. UK*[167].Y de esta forma, el TEDH establece una diferencia esencial en la actuación del Estado, en lo que el derecho al respeto de la vida privada exige por parte del Estado, que va a tener relevancia respecto del ámbito de protección de derechos individuales que se va a otorgar, ya que si lo que se pide es la actuación del Estado para garantizar el disfrute del derecho, y no una mera omisión de actuación, entonces el Estado tiene un mayor margen de apreciación. Será aquí donde el TEDH realizará una interpretación de lo que el art. 8.2 quiere decir cuando habla de «injerencias», que en nuestra opinión no ha sido la más acertada, y que llevará a una lectura forzada de los fines que legitiman las mismas. Para el Alto Tribunal, hablar de injerencia es hablar de actuación estatal no requerida, un acto que colisiona, invade, se entromete, en el normal disfrute del derecho si el Estado no hubiera intervenido. Pues bien, queda fuera de esa definición la no intervención estatal, esto es, la interferencia que se produce en el normal disfrute de un derecho por la falta de actuación estatal cuando ésta es requerida. De este modo, para el TEDH, una injerencia es solo una actuación del Estado cuando lo que se le exige es la no actuación, pero no una no actuación del Estado cuando lo que se le exige es precisamente actuar. Evidentemente, en una construcción de este tipo el principal problema con el que el TE-DH se encuentra es cómo valorar si la falta de actuación del Estado supone de hecho una violación del art. 8, pues para ello debe saber primero si esa actuación estatal es necesaria respecto del contenido del derecho, si el contenido del derecho exige una no intromisión o por el contrario implica la existencia de obligaciones positivas por parte del Estado, y si es así, qué justificaría esta falta de actuación estatal. Finalmente el Tribunal recurre a los fines que el propio art. 8 establece como fines legítimos por los que una injerencia es posible, pero utilizando para ello una forzada argumentación que no habría sido necesaria con una interpretación más abierta del término «injerencia». Y así,

> «In determining whether or not a positive obligation exists, regard must be had to the fair balance that has to be struck between the general interest of the community and the interests of the individual, the search for which balance is inherent in the whole of the Convention (…). In striking this balance the aims mentioned in the second paragraph of Article 8 (art. 8-2)

---

[167] Sentencia *Abdulaziz, Cabales and Balkandali v. Reino Unido*, de 28 de mayo de 1985, Series A, vol. 94.

may be of a certain relevance, although this provision refers in terms only to "interferences" with the right protected by the first paragraph - in other words is concerned with the negative obligations flowing therefrom (...)»[168]

Las obligaciones de hacer, de actuar, por parte del Estado van a estar más sujetas, según esta jurisprudencia, a la necesidad de encontrar un equilibrio entre los intereses colectivos y los individuales. Y es en la búsqueda de este equilibrio en la que los fines que legitiman una injerencia estatal van a tener suma importancia. No porque la no actuación del Estado sea una injerencia en sí misma, sino como guía para la correcta interpretación de los intereses colectivos que se deben salvaguardar cuando se exige a un Estado que actúe en defensa del legítimo ejercicio de un derecho individual. Y ésta no es una interpretación fruto del azar, y que no tenga sus consecuencias, antes al contrario, se trata de una manera de, en cierta medida, desposeer del carácter de derecho humano al derecho de que se trate, ya que no entramos en la valoración del contenido del mismo, sino que lo que hacemos es determinar qué se le puede exigir al Estado que haga. La perspectiva de análisis varía radicalmente: en el caso de las obligaciones negativas del Estado ponemos el acento en el contenido del derecho, mientras que en las obligaciones positivas nos centramos en el nivel de exigencia que requerimos del Estado, y éste está sujeto a condicionantes ajenos a la naturaleza del derecho en buena medida y tiene que ver más con posibilidades fácticas, con niveles de esfuerzo y si merece la pena el mismo. En el fondo, no deja de ser una visión de los derechos que hunde sus raíces en la más pura tradición liberal, aquella que sin duda es el origen del propio CEDH[169].

En su lugar, el Alto Tribunal nos dice que para determinar el contenido de las obligaciones positivas del Estado en este caso, hay que definir lo que el art. 8 quiere decir cuando habla de «respeto» de la vida privada. Y así:

«(...) [T]he notion of "respect" is no clear-cut, especially as far as those positive obligations are concerned: having regard to the diversity of the

---

[168]   Sentencia *Rees*, *op. cit.*, n° 37.
[169]   Ver el clásico H. LAUTERPACHT, *International Law and Human Rights*, Londres: Stevens & Sons, 1950.

practices followed and the situations obtaining in the Contracting States, the notion's requirements will vary considerably from case to case»[170].

Se apela, de este modo, a la dificultad de encontrar en las prácticas sociales de los Estados miembros indicaciones claras de que hay un cierto consenso europeo respecto de qué obligaciones de carácter positivo, qué prestaciones, son exigibles en este ámbito a los Estados para no incurrir en una violación del derecho a la vida privada protegido por el CEDH. Como ya hemos visto que ocurre en la dinámica margen de apreciación-consenso europeo, se trata de una relación inversamente proporcional: a mayor consenso, menor margen de apreciación, y a menor consenso, mayor margen de apreciación. Y de este modo, la no existencia de criterios comunes en relación a la regulación de la situación de las personas transexuales en los distintos ordenamientos jurídicos nacionales, va a impedir al TEDH encontrar un instrumento de limitación del margen de apreciación estatal en este caso, dando así la razón al Reino Unido y negando la existencia de una vulneración del CEDH en la situación de una persona transexual que no puede cambiar su sexo civil.

Y la base de tal negación de un derecho humano va a ser que existe un interés general que necesita ser protegido, interés general que se define básicamente como el derecho del Estado a mantener su propio sistema de registro de estatus civil. El TEDH indica que, aun cuando los derechos de las personas transexuales deben ser protegidos, esta protección de una parte muy minoritaria de la población no puede suponer para la mayoría una exigencia tal que conlleve grandes alteraciones de sus propios sistemas legales, siquiera sea en una cuestión tan concreta como es el registro civil. Esta aproximación plantea al menos un par de cuestiones de trascendencia:

– Por un lado, los elementos que deben prevalecer en la búsqueda del equilibrio entre intereses colectivos e individuales, en una situación en la que no se están contraponiendo derechos humanos de una mayoría frente a derechos humanos de una minoría, como cabría esperar, sino intereses mayoritarios de otro tipo, unidos sin duda a algunas consideraciones sobre la posición de terceros

---

[170] Sentencia *Rees*, *op. cit.*, n° 37.

que pudieran verse afectados por la condición de transexual de quien se trate, frente a derechos humanos de una minoría.

– Por otro, el alejamiento de la primera fórmula de análisis que en principio parecía proponerse el propio TEDH, no examinando la posible exigencia de acciones positivas al Estado, en el marco de los fines que el propio art. 8.2 expresamente reconoce como legítimas injerencias en el derecho a la vida privada (y a los que, como hemos visto antes, el TEDH otorgaba la condición de elementos a la luz de los cuales examinar estas obligaciones estatales positivas). Un análisis siguiendo esta metodología habría permitido al TEDH siquiera insuflar algo más de solidez jurídica a la argumentación, contraponiendo los intereses mayoritarios a los minoritarios en el marco de las medidas necesarias en una sociedad democrática, y no atendiendo solo a la dificultad fáctica, al exceso de esfuerzo, que el respeto de un derecho humano pueda suponer para una determinada sociedad.

En estas circunstancias, parece que prima la naturaleza de Tribunal internacional del TEDH en la imposibilidad de exigir a un Estado miembro una reforma legislativa de tal calado sólo para responder a las legítimas demandas de un sector muy minoritario de la población.

Y ello se hace aún más explícito en la forma en la que este Tribunal se expresa respecto de la situación de las personas transexuales. Así

«Transsexualism is not a new condition, but its particular features have been identified and examined only fairly recently. The developments that have taken place in consequence of these studies have been largely promoted by experts in the medical and scientific fields who have drawn attention to the considerable problems experienced by the individuals concerned and found it possible to alleviate them by means of medical and surgical treatment»[171].

Es importante evidenciar el tipo de lenguaje que se utiliza cuando se trata de referirse a las personas transexuales: resulta claro un cierto grado de comprensión de la realidad transexual, incluso de preocupación por su situación, hasta el punto de añadir explícitamente en la sentencia que

---

[171] *Ibidem*, n° 38.

«(...) the Court is conscious of the seriousness of the problems affecting these persons and the distress they suffer»[172].

Más evidente es aún la diferencia de apreciación del fenómeno transexual si lo comparamos con las expresiones y reservas hechas por este mismo Tribunal solo cinco años antes, cuando se trataba de valorar la criminalización de las prácticas sexuales homosexuales en el caso *Dudgeon*, comentado *supra*. Y así, la homosexualidad se presenta como una cuestión de la que el TEDH no hace ninguna valoración, intentando mantener una posición neutral, bien que asumiendo como válidas ciertas relaciones entre homosexualidad y protección de la juventud y la infancia, o de la moral, e incluso clarificando que la protección a través del art. 8 del CEDH que se reconoce, no implica en ningún caso una aceptación moral de la homosexualidad[173]. El esquema es el de otorgar la protección requerida *a pesar* de tratarse de homosexualidad. O en otros términos, el contenido del art. 8 exige la protección de las relaciones sexuales privadas entre adultos del mismo sexo que consienten, a pesar de los legítimos reparos morales de una buena parte de la población. Pero nada más, aquí termina la protección, que queda circunscrita al mínimo ámbito de privacidad, no reconociéndose como lícita ninguna expresión exterior del hecho homosexual. Proteger en términos de privacidad no es igualar, en ningún caso, ni normalizar. De ello se deriva, como consecuencia inelu-

---

[172] *Ibidem*, n° 47.

[173] Conviene recordar los términos en los que se expresaban, respecto de la homosexualidad, algunos jueces en sus votos particulares discrepantes en *Dudgeon*. Así, el juez Zekia nos dice que «[a]ll civilised countries until recent years penalised sodomy and buggery and akin unnatural practices» (punto 3). El juez Walsh explica, por otro lado, la necesaria diferenciación que hay que hacer entre «(...) homosexuals who are such because of some kind of innate instinct or pathological constitution judged to be incurable and those whose tendency comes from a lack of normal sexual development or from habit or from experience or from other similar causes but whose tendency is not incurable». (punto 13). Y por último, el juez Matscher insiste en la relación entre homosexualidad y corrupción de menores, cuando argumenta que «[t]he reason why the police pursued their enquiries was probably also to investigate whether the applicant did not have homosexual relations with minors as well. Indeed, it is well known that this is a widespread tendency in homosexual circles and the fact that the applicant himself was engaged in a campaign for the lowering of the legal age of consent points in the same direction (...)» (punto I. b).

dible, el mantenimiento de diferentes edades para consentir, incluso entre las prácticas homosexuales femeninas y masculinas, y también, necesariamente, la negación de análisis de la posible vulneración del derecho a la no discriminación en conjunción con el derecho a la vida privada, algo que trataremos en mayor profundidad *infra*.

Pues bien, en cuanto a la transexualidad, ya hemos visto la radical diferencia en el punto de partida, en el que se considera de forma más o menos explícita que se trata de un grupo de población al que hay que facilitar en la medida de lo posible la adaptación física y legal a su identidad sexual, debido a la difícil situación en la que se encuentra. Aquí el esquema es el contrario que en el caso de la homosexualidad en *Dudgeon*: no se otorga la protección requerida *a pesar* de tratarse de transexualidad. Esto es, aun siendo una situación en la que sería deseable que los Estados miembros hicieran lo posible por facilitar el cambio de sexo en el registro civil, el contenido del art. 8 no lleva, en las condiciones sociales y políticas en las que se presenta el asunto, a poder exigir del Estado una tal actuación.

Y así, las esperanzas puestas en este caso por los colectivos LGBTI no llegaron a cobrar forma. A pesar de todo, para las personas transexuales supuso un importante paso, para empezar, porque suponía el reconocimiento jurídico de la importancia de responder a las dificultades que surgen en torno al cambio de identidad sexual, si bien este reconocimiento no se tradujera en la protección en forma de derechos humanos que se esperaba y el colectivo siguiera siendo tratado en el Reino Unido, como «an ambiguous being»[174].

Por último, como ocurrió también en el caso *Dudgeon*, y como va a ocurrir en casi todos los asuntos de litigación estratégica, en los que se aprovecha el asunto principal para plantear otras reivindicaciones (muchas veces a sabiendas de las escasas posibilidades de reconocimiento que se tienen), se apelaba a la vulneración del derecho al matrimonio del art. 12 del CEDH, ya que las personas transexuales no podían contraer el mismo, salvo en relación a la identidad sexual

---

[174] *Ibidem*, nº 41, en referencia a la posición del recurrente y de la CoEDH, cuyo dictamen era favorable a la consideración de que la imposibilidad de llevar a cabo el cambio de identidad sexual registral en el Reino Unido suponía una violación del art. 8 del CEDH.

biológica. Evidentemente, este argumento, no habiendo aceptado la vulneración del art. 8, fue rechazado amparándose para ello en el contenido del derecho al matrimonio. En palabras del TEDH

> «(…) the right to marry guaranteed by Article 12 (art. 12) refers to the traditional marriage between persons of opposite biological sex. This appears also from the wording of the Article which makes it clear that Article 12 (art. 12) is mainly concerned to protect marriage as the basis of the family»[175].

La argumentación en este sentido es tomada de forma unánime por el Tribunal.

No tardó mucho el TEDH en enfrentarse a otro asunto relacionado con la orientación sexual. En 1988 se dicta la sentencia del caso *Norris v. Ireland*[176], en el que, como ocurrió en *Dudgeon*, se invoca la vulneración del art. 8, respecto de la ley irlandesa que penaliza las prácticas homosexuales masculinas.

El señor Norris es un ciudadano irlandés homosexual y, de nuevo, un activista en favor de los derechos LGTB, que comenzó su andadura como tal en 1971, siendo miembro fundador del *Irish Gay Rights Movement*, surgido en 1974[177] y participando también en 1973 en la creación del *Sexual Liberation Movement*, que después se conoció como *The Gay Society*, uno de los primeros y más activos movimientos en favor de los derechos LGBTI de Irlanda, hoy día conocido como la *Q Soc*[178]. El recurso ante el TEDH se enmarca en la campaña iniciada en los años 70 por Norris junto a otros miembros, todos relacionados con el mundo universitario, denominada la *Campaign for Homosexual Law Reform*[179], que curiosamente estuvo presidida y asesorada legalmente inicialmente por Mary McAleesa, quien fuera Presidenta de Irlanda, tras la primera mujer Presidenta, Mary Robinson, quien sucedió a la anterior en la campaña y defendió la causa de Norris ante el TEDH.

---

[175] *Ibidem*, n° 49.
[176] Sentencia *Norris v. Irlanda*, de 26 de octubre de 1988, Series A, n° 142.
[177] *Ibidem*, n° 9.
[178] Sobre el origen de este movimiento, ver www.trinityLGBTI.com (consultado el 9 de agosto de 2013).
[179] http://en.wikipedia.org/wiki/Campaign_for_Homosexual_Law_Reform (consultado el 9 de agosto de 2013), contrastado con M. ROBINSON, *Everybody Matters*, London: Hachette UK, 2012.

El caso *Norris* no difiere en lo sustancial del caso *Dudgeon*: se llegará a la misma conclusión, la criminalización de las prácticas sexuales entre hombres con capacidad para consentir en privado es contraria al derecho a la vida privada del art. 8 del CEDH, de manera que Irlanda se verá obligada a modificar su legislación sobre la materia. Y además la estructura de análisis de la situación invocada por el recurrente es prácticamente idéntica a la de *Dudgeon*. Así, primero se reconoce que la legislación en cuestión supone una injerencia en la vida privada de los hombres homosexuales, y se analiza si esta injerencia es legítima en relación a las condiciones que, para considerarla como tal, impone el art. 8.2. De este modo, se llega a la conclusión de que, por una parte, la injerencia se encuentra contemplada por ley y tiene un fin legítimo, la protección de la moral. Y, como ocurre en *Dudgeon*, la violación del derecho se constata respecto del requisito de que se trate de una medida necesaria en una sociedad democrática. Será en esta materia en la que el TEDH determinará que la criminalización de las prácticas homosexuales, teniendo en cuenta la naturaleza del derecho sobre el que se produce la injerencia, no reúne los requisitos de proporcionalidad ni de necesidad social apremiante[180].

Quizás lo más interesante de esta sentencia no sea la apreciación de vulneración del art. 8 del CEDH, que no añade nada nuevo a lo expresado en *Dudgeon*, sino la controversia acerca de la condición de víctima del sr. Norris. Y ello porque se trata de un asunto que no solo va a afectar al concreto caso que se juzga en este momento, sino que va a suponer una jurisprudencia que, como veremos, ha permitido poder recurrir al TEDH en base a unos requisitos de legitimación activa más abiertos[181]. Si cuando analizábamos *Dudgeon* hacíamos la observación de la difícil consideración de víctima de alguien que no había sido objeto de una persecución judicial, sino que todo había quedado en un interrogatorio policial que se había archivado, aún más difícil va a resultar otorgar tal condición al sr. Norris, contra el que ninguna

---

[180]   Sentencia *Norris*, *op. cit.*, nº 38 a 40.
[181]   Algo que parece correr peligro con la aprobación de los Protocolos 14 y 15, que a partir del concepto de «perjuicio significativo» como criterio de admisión a trámite, impuesto a través del Protocolo 14 y endurecido en el Protocolo 15, pueden imponer unos requisitos de legitimación activa mucho más restrictivos.

medida específica, de ningún tipo, había sido tomada por parte de las autoridades irlandesas.

En efecto, la naturaleza de litigación estratégica del caso *Norris* es más que evidente, en cuanto que se trata de un recurrente que no ha sufrido ninguna medida concreta contra su persona en razón de su orientación sexual o de actos relacionados con la misma. Así, la condición de víctima es defendida por el recurrente en base al daño que la posibilidad de aplicación de la legislación penal en materia de prácticas homosexuales le causaba. Se trata de una condición ciertamente frágil, por cuanto que se sustenta en la posibilidad de que el Estado lleve a cabo una acción, y no en las consecuencias de la acción misma. Será esta cuestión la que lleve a seis de los magistrados a votar en contra del pronunciamiento de la mayoría, como refleja el voto particular discrepante que emitieron. Sin embargo, la mayoría del TEDH opta por considerar que la posibilidad de ser objeto de persecución es en sí misma suficiente para ser considerado víctima a efectos de legitimación activa ante el TEDH. Así se expresa cuando afirma, aplicando su propia jurisprudencia anterior[182], que

> «(...) the Court has held that Article 25 (art. 25) of the Convention entitles individuals to contend that a law violates their rights by itself, in the absence of an individual measure of implementation, if they run the risk of being directly affected by it (...)»[183]

Y expresa además que la propia existencia de la ley controvertida obliga a los homosexuales irlandeses a encontrarse en la misma situación en la que se encontraban los homosexuales norirlandeses en *Dudgeon*, esto es,

> «(...) either [he] respects the law and refrains from engaging - even in private and with consenting male partners - in prohibited sexual acts to which he is disposed by reason of his homosexual tendencies, or he commits such acts and thereby becomes liable to criminal prosecution (...)»[184]

---

[182] Sentencia *Johnston y Otros v. Ireland*, de 18 de diciembre de 1986, Series A, nº 112; Sentencia *Marckx, op. cit.*

[183] Sentencia *Norris, op. cit.*, nº 31.

[184] *Ibidem*, nº 32.

Incluso aun cuando, como el Estado argumenta, se trata de una ley que ha dejado de aplicarse, y por tanto, existe un riesgo de persecución penal por este motivo muy bajo, el hecho de que no haya una política expresa por parte de las autoridades para no aplicar la ley y la propia existencia de la misma, que permite siempre un cambio de política en cuanto a su aplicación, hacen que el recurrente esté corriendo un riesgo cierto de verse afectado por la criminalización de las relaciones homosexuales que lo convierten en víctima a efectos del CEDH.

El TEDH, además, hace referencia a un párrafo del Tribunal nacional que es relevante no solo a efectos de la consideración de víctima del recurrente, motivo por el que el Alto Tribunal lo resalta, sino también porque denota cierto cambio de actitud en el seno del mismo ante el fenómeno homosexual. El lenguaje comienza a asemejarse más al observado en *Rees*, siquiera haya sido tomado prestado, y así se aduce que «(…) one of the effects of criminal sanctions against homosexual acts is to reinforce the misapprehension and general prejudice of the public and increase the anxiety and guilt feelings of homosexuals leading, on occasions, to depression and the serious consequences which can follow from that unfortunate disease (…)»[185]

De este modo, el TEDH da un paso más, no solo en la consolidación de la actividad sexual homosexual como un acto privado protegido de injerencia estatal por el derecho a la vida privada del art. 8 del CEDH[186], sino que, y esto va a ser igualmente relevante para las aspiraciones del colectivo, permitirá que la acción reivindicativa a través de la litigación estratégica pueda desarrollarse con mayores opciones de éxito, al tener más posibilidades de pasar el filtro de la admisión a trámite, sin tener que demostrar una condición de víctima difícil de encontrar, a efectos de una litigación tan pública como ésta. No hay que olvidar que el fenómeno de «salida del armario» del colectivo se encuentra en ese momento en una fase muy incipiente, siendo las víctimas de actos con-

---

[185] *Ibidem*, nº 33.

[186] Se está haciendo uso aquí de un concepto más ligado a la intimidad que al contenido que el propio TEDH está dando al término «vida privada», conectado más con la idea de respeto de las relaciones personales con otras personas, de las que se reclama el reconocimiento de su relevancia social. En este sentido, ver C. RUIZ MIGUEL, *El Derecho a la Protección de la Vida Privada en la Jurisprudencia del Tribunal Europeo de Derechos Humanos*, Madrid: Cuadernos Civitas, 1994.

cretos muy reticentes a la exposición pública que un proceso judicial implica, como parece indicar el hecho de que en la mayoría de los casos que se analizan en estas páginas las personas recurrentes son activistas muy vinculados con la acción reivindicativa del colectivo, y que por tanto ya han hecho pública su orientación sexual.

El trabajo del TEDH en relación al reconocimiento jurídico de los derechos LGBTI en Europa resulta esencial para comprender las posteriores transformaciones que tanto en el seno del propio Consejo de Europa como en el ámbito de las instituciones comunitarias se van a desarrollar. Si bien hoy resulta, a la vista de la situación actual de reconocimiento de derechos, en principio un limitado ámbito de protección el que se ofrecía, lo cierto es que contribuyó sobremanera, no solo al cambio de posiciones estatales respecto de la materia, sino también a la formación de una conciencia de cambio en los colectivos LGBTI, que comenzaron a invertir en litigación europea, y a la conformación de un debate público sobre un asunto que hasta entonces había estado ausente e incluso culturalmente vetado[187].

2.1.4. *Avances en relación a la transexualidad*

Al contrario de lo que hemos visto que ocurre en relación a la litigación estratégica protagonizada por las reclamaciones de derechos por parte de las personas homosexuales, cuando tratamos de

---

[187] VANHALA nos ofrece una buena definición de lo que debemos entender por litigación estratégica, y así «[t]he term "test case" and "strategic litigation" generally refer to those cases in which an organization or individual entreats a court or tribunal to a) look at an issue for the first time or potentially reconsider an issue that has been decided in the past, b) decide an issue that will affect a significant number or class of people, and/or c) consider a particular perspective on an issue that has hitherto not been included in existing jurisprudence». L. VANHALA, *Making Rights a Reality? Disability Rights, Activists and Legal Mobilization*, Cambridge: Cambridge University Press, 2011. Para un estudio sobre la utilización de la litigación estratégica por parte de los colectivos LGBTI, ver A.C. LOUX, «Losing the Battle, Winning the War: Litigation Strategy and Pressure Group Organization in the Era of Incorporation», *King's Law Journal*, vol. 11, nº 1, 2000, págs. 90 ss.; C. HILSON, «New Social Movements: the Role of Legal Opportunity» *Journal of European Public Policy*, nº 9 (2), 2002, págs. 238 ss.; E.A. ANDERSON, *Out of the Closets and Into the Courts: Legal Opportunity Structure and Gay Rights Litigation*, Ann Arbor: University of Michigan Press, 2005.

analizar la cuestión trans, observamos cómo los asuntos que llegan al TEDH están muy claramente marcados por el sufrimiento personal de quienes recurren al Alto Tribunal. Efectivamente, en los asuntos que vamos a ver a continuación podremos asistir a la exigencia de reconocimiento de derechos estrechísimamente vinculados con situaciones personales de gran complejidad, exigencia por tanto de protección de la vertiente social que en el caso de la transexualidad resulta si cabe más urgente. Y ello porque las distintas situaciones a las que dan lugar las dificultades en la gestión de la identidad sexual de las personas son necesariamente públicas, ya que la identidad sexual en sí misma es un atributo que se ve, que se percibe. Así, asistiremos a reiterados intentos por parte de personas transexuales de acceder al reconocimiento de su cambio de identidad sexual, como fórmula por un lado, de aceptación social de esta identidad, pero también, y esto va a resultar fundamental en la vida diaria de estas personas, como fórmula de mantener en la intimidad la condición de transexual[188]. Las distintas sentencias que vamos a ver ahora, deben ser examinadas desde esta perspectiva, ya que solo así podemos comprender la trascendencia que para el colectivo tienen.

A pesar del relativo fracaso que supuso el caso *Rees* para las reclamaciones relacionadas con la transexualidad, que había generado grandes expectativas, sobre todo tras el impulso creado por el caso *Dudgeon*, siguieron llegando asuntos al TEDH. Seguramente tuvo que ver el que el propio TEDH dejara la puerta abierta en *Rees* a futuros cambios jurisprudenciales cuando aseguraba que

> «(...) it must for the time being be left to the respondent State to determine to what extent it can meet the remaining demands of transsexuals. However, the Court is conscious of the seriousness of the problems affecting these persons and the distress they suffer. The Convention has always to be interpreted and applied in the light of current circumstances (...). The need for appropriate legal measures should therefore be kept under review having regard particularly to scientific and societal developments»[189].

---

[188] En el sentido más limitado del término, como viene definido, por ejemplo, en L. GARCÍA SAN MIGUEL, «El Derecho a la Intimidad», R. SORIANO (coord.), *Diccionario Crítico de los Derechos Humanos*, Huelva: Universidad Internacional de Andalucía, 2000, págs. 257 ss.

[189] Sentencia *Rees*, *op. cit.*, nº 47.

En este contexto es en el que se inserta el asunto *Cossey v. Reino Unido*[190], que en 1990 intenta de nuevo obtener un fallo favorable a las pretensiones de acceso al cambio de sexo civil por parte de las personas transexuales. En este caso, una señora transexual, Caroline Cossey[191], recurre al TEDH por su imposibilidad de contraer matrimonio, al permanecer en su partida de nacimiento la anotación de sexo masculino que se le otorgó en el momento de nacer, y que el Reino Unido, debido a su particular sistema de registro, se niega a modificar. Aduce la señora Cossey la violación de los arts. 8 y 12 del CEDH. Sin embargo, el TEDH no se apartará en este caso de su sentencia en el asunto *Rees*, argumentando para ello que no ha habido una evolución científica significativa (términos éstos utilizados en *Rees, supra*). Y así,

> «[t]he Court has been informed of no significant scientific developments that have occurred in the meantime; in particular, it remains the case - as was not contested by the applicant - that gender reassignment surgery does not result in the acquisition of all the biological characteristics of the other sex»[192].

Más interesante va a resultar el análisis de si ha habido o no cambios sociales que permitan modificar la jurisprudencia anterior por cuanto este asunto se decide pocos meses después de que, por una parte, el Parlamento Europeo haya aprobado una resolución sobre la discriminación de las personas transexuales (analizada *infra*) y por otra, la Asamblea Parlamentaria del Consejo de Europa, haya aprobado una recomendación en el mismo sentido.

---

[190] Sentencia *Cossey v. Reino Unido*, de 27 de septiembre de 1990, Series A, nº 184.
[191] El caso de la señora Cossey fue un asunto con una notable repercusión mediática incluso antes de llegar al TEDH. La recurrente era una modelo con cierta relevancia pública, cuyo nombre profesional era Tula, que participó como extra en el rodaje de una de las películas de James Bond, *Solo para tus ojos*, y posó para la revista Playboy. Su carrera se vio seriamente afectada cuando la prensa inglesa aireó su condición de mujer transexual. Aun así, pudo seguir con su carrera de modelo y volvió a posar, en 1991 para Playboy. Un relato de la propia Cossey se puede encontrar en J. AMES (ed.) *Sexual Metamorphosis: An Anthology of Transsexual Memoirs*, New York: The Vintage Books, 2005, además de en sus dos autobiografías, C. COSSEY, *I Am a Woman*, London: Sphere, 1982 y *My Story*, London: Faber and Faber, 1991.
[192] Sentencia *Cossey, op. cit.*, nº 40.

Efectivamente, la Asamblea Parlamentaria del Consejo de Europa aprueba, el 29 de septiembre de 1989, la Recomendación 1117[193], que pide expresamente a los Estados miembros que hagan los cambios legislativos necesarios para que las personas transexuales puedan ver modificado su sexo en el registro de nacimiento, así como que permitan el cambio de nombre y protejan tanto su vida privada como su derecho a no ser discriminadas en el disfrute de los derechos garantizados por el CEDH, y esto último es especialmente relevante, por cuanto que la recomendación citada hace especial hincapié en el contenido de la cláusula antidiscriminatoria cuando afirma que «all discrimination in the enjoyment of fundamental rights and freedoms is prohibited in accordance with Article 14 of the European Convention on Human Rights»[194], pareciendo ya indicar que el listado abierto de motivos discriminatorios del artículo 14 incluye también la identidad de género.

Sin embargo, a pesar de los pasos que en favor de la consideración de las necesidades de las personas transexuales se estaban dando en otras instituciones europeas, el TEDH utiliza precisamente estos documentos para insistir en que

> «[t]here have been certain developments since 1986 in the law of some of the member States of the Council of Europe. However, the reports accompanying the resolution adopted by the European Parliament on 12 September 1989 (…) and Recommendation 1117 (1989) adopted by the Parliamentary Assembly of the Council of Europe on 29 September 1989 - both of which seek to encourage the harmonisation of laws and practices in this field - reveal, as the Government pointed out, the same diversity of practice as obtained at the time of the Rees judgment. Accordingly this is still, having regard to the existence of little common ground between the Contracting States, an area in which they enjoy a wide margin of appreciation (…). In particular, it cannot at present be said that a departure from the Court's earlier decision is warranted in order to ensure that the interpretation of Article 8 (art. 8) on the point at issue remains in line with present-day conditions (…)»[195]

---

[193] Recomendación 1117 de 29 de septiembre de 1989 de la Asamblea Parlamentaria del Consejo de Europa, relativa a la condición de los transexuales. Disponible en http://assembly.coe.int/main.asp? Link=/documents/adoptedtext/ta89/erec1117.htm (consultado el 14 de julio de 2014).

[194] *Ibidem*, recomendación d).

[195] *Idem*. Por otra parte, esta afirmación fue rebatida por algunos de los votos particulares, que señalaban la existencia de cambios sustanciales en una parte impor-

Puede aducirse que la diferencia de criterios de estas dos instituciones del Consejo de Europa es necesariamente fruto de su distinta
posición en el entramado del mismo. Por una parte, tenemos a la
Asamblea Parlamentaria, formada por representantes de todos los
Estados miembros, elegidos democráticamente, siquiera sea de forma muy indirecta, cuya misión es precisamente recomendar a los
Estados la toma en consideración de modificaciones o innovaciones
legislativas, recomendaciones éstas que no son vinculantes para los
mismos, teniendo por tanto una mayor importancia política que naturaleza jurídica. En este ámbito, el intento de transformación del
derecho europeo es consustancial a la naturaleza del órgano. Bien
distinta resulta esta posición de aquella que tiene atribuida el TEDH,
que como ya hemos dicho con anterioridad, debe su efectividad, si se
quiere, en términos generales, a la voluntad de los Estados de seguir
estando vinculados por sus sentencias, y por tanto, se encuentra en
una situación más débil para poder acometer innovaciones interpretativas, y que por otra parte, adolece de legitimidad democrática, de
nuevo, siquiera sea ésta mínima.

Sin embargo, ha habido también una importante crítica de la posición reiterada del TEDH en esta materia, por cuanto supone, de un
lado, reducir el contenido propio de los derechos reconocidos en el
CEDH, ya que éstos se hacen depender de la consolidación de realidades sociales, obviando la importante función de protección de las
minorías frente a las imposiciones de las mayorías que los derechos
humanos tienen en el juego democrático, y por otro, colocando al
propio TEDH en una situación harto cuestionable: la de convertirse
en un mero «notario» de las evoluciones sociales ocurridas en Europa, trasladando las mismas a pequeños reductos estáticos que no han
cedido a la transformación ocurrida en su entorno. La doctrina del
margen de apreciación estatal y el consenso europeo llega aquí a su
aplicación más radical.

---

tante de los Estados miembros, de modo que cabía afirmar que efectivamente se
estaban dando las transformaciones sociales necesarias para proceder a la protección del colectivo transexual en relación a la modificación del sexo registral.
En este sentido se pronuncia el voto particular parcialmente discrepante de los
jueces MacDonald y Spielmann, el voto discrepante del juez Martens, y el voto
discrepante de los jueces Palm, Foighel y Pekkanen.

En este mismo sentido se expresa el voto particular discrepante en este caso realizado por el juez Martens, y que por tratarse de una opinión que se adelanta a lo que más tarde va a ser la posición del propio TEDH, merece la pena estudiar con algo de detenimiento. Articula este Juez su postura en relación a dos aspectos fundamentales: por un lado, el contenido de auténticos derechos humanos que las reivindicaciones del colectivo respecto del cambio de sexo legal y el acceso al matrimonio tienen. Por otro, la interpretación de la doctrina del margen de apreciación estatal. Pues bien, respecto del primer asunto, el juez Martens profundiza en la idea de que lo que se está discutiendo es el disfrute de derechos humanos por parte de una parte de la población, las personas transexuales, y no, como parece querer indicar la sentencia, un mero requisito de cambio registral que solo afecta a la vida privada de estas personas en situaciones muy puntuales. Así, adquiere especial relevancia, y es la primera vez que lo vamos a ver en el TEDH, aun cuando sea en un voto particular, la intrínseca conexión que se hace entre los derechos humanos y la dignidad humana, concepto éste que irá adquiriendo gradualmente una importancia central en la jurisprudencia del TEDH, como veremos más adelante. En palabras del propio Juez

> «[t]he principle which is basic in human rights and which underlies the various specific rights spelled out in the Convention is respect for human dignity and human freedom. Human dignity and human freedom imply that a man should be free to shape himself and his fate in the way that he deems best fits his personality. A transsexual does use those very fundamental rights. He is prepared to shape himself and his fate. In doing so he goes through long, dangerous and painful medical treatment to have his sexual organs, as far as is humanly feasible, adapted to the sex he is convinced he belongs to. After these ordeals, as a post-operative transsexual, he turns to the law and asks it to recognise the fait accompli he has created. He demands to be recognised and to be treated by the law as a member of the sex he has won; he demands to be treated without discrimination (…)»[196]

Se insiste así en que el asunto central que el TEDH debería haber abordado es el del contenido del art. 8 y la legitimidad de la injerencia estatal, centrando la atención precisamente en la naturaleza del derecho humano de las pretensiones de la recurrente.

---

[196]   Sentencia *Cossey*, *op. cit.*, voto particular del juez Martens, n° 2.7.

Por otra parte, respecto de la cuestión del papel del propio TEDH en la interpretación del CEDH, en la aplicación de la doctrina del margen de apreciación, nos dice Martens que

> «(...) in my opinion States do not enjoy a margin of appreciation as a matter of right, but as a matter of judicial self-restraint. Saying that the Court will leave a certain margin of appreciation to the States is another way of saying that the Court - conscious that its position as an international tribunal having to develop the law in a sensitive area calls for caution - will not fully exercise its power to verify whether States have observed their engagements under the Convention, but will find a violation only if it cannot reasonably be doubted that the acts or omissions of the State in question are incompatible with those engagements»[197].

De este modo, el margen de apreciación estatal se concibe como un instrumento para impedir la intervención del Alto Tribunal en cómo los Estados llevan a cabo sus obligaciones derivadas del CEDH, pero en ningún caso implica esto que el TEDH deba otorgar un alto margen de apreciación estatal en cuanto a cuáles son esas obligaciones, algo que deriva necesariamente del contenido de los derechos humanos reconocidos, y este contenido debe ser interpretado por el TEDH. Se trata en última instancia de afianzar la técnica interpretativa de buscar siempre una interpretación acorde con el CEDH de los actos estatales, y solo en caso de que esta búsqueda sea infructuosa, declarar la violación del CEDH, en el mismo sentido en que los Tribunales Constitucionales nacionales intentan «salvar» la ley si existe alguna posibilidad de una interpretación acorde con la Constitución.

Finalmente, no encuentra este Juez otra explicación en la postura asumida por el TEDH en este asunto que

> «(...) behind these explicit arguments lie hidden policy arguments. From judgments such as those in the Marckx case, the Dudgeon case, the Rees case, the case of F.v. Switzerland and the Cossey case one gets the impression that the Court, at least as far as family law and sexuality are concerned, moves extremely cautiously when confronted with an evolution which has reached completion in some member States, is still in progress in others but has seemingly left yet others untouched. In such cases the Court's policy seems to be to adapt its interpretation to the relevant societal change only if almost all member States have adopted the new ideas.

---

[197]   *Ibidem*, nº 3.6.3.

> In my opinion this caution is in principle not consistent with the Court's mission to protect the individual against the collectivity and to do so by elaborating common standards (…). Caution is indeed called for, but in another direction: if a collectivity oppresses an individual because it does not want to recognise societal changes, the Court should take great care not to yield too readily to arguments based on a country's cultural and historical particularities» [198].

Se trata de una cautela especialmente relevante en esta materia, en la que la ampliación del número de miembros del Consejo de Europa que se han sometido a la acción del TEDH desde la caída del muro de Berlín, va a requerir del TEDH un arduo trabajo de interpretación en relación a la diversidad sexual y los derechos humanos, como veremos más adelante.

En este estado de cosas, y a pesar de las contundentes reacciones de parte del TEDH, expresadas en sus votos particulares, las reivindicaciones del colectivo, de nuevo, se vieron frenadas, con una nueva sentencia que repetía, casi literalmente, el pronunciamiento anterior. Es cierto que la recurrente hizo referencia, algo que no aparecía en *Rees*, a la violación del art. 8 en conjunción con el art. 14 del CEDH, introduciendo así en esta materia la noción de discriminación. Sin embargo, el TEDH, al igual que hizo en *Dudgeon*, no entra en el análisis de si hubo o no discriminación, por entender que las razones por las que se trae a colación ésta tienen más que ver con el concepto de proporcionalidad que se invoca, y que ha sido valorado en el estudio del art. 8, que con un asunto de discriminación en sentido estricto. Veremos más adelante lo paradójica que resulta esta afirmación cuando el Tribunal de Justicia de la Unión Europea [199] proteja por primera vez a una persona transexual precisamente por tratarse, ante todo, de un asunto de discriminación sexual.

Habrá que esperar hasta 1992 para ver, por fin, reconocida la negativa de registro del cambio de identidad sexual como una violación del

---

[198]   *Idem.*
[199]   Si bien este órgano ha ido cambiando de denominación a medida que se ha ido desarrollando el proceso de integración europea, reflejando los cambios de nombre de la propia organización, de manera convencional nos referiremos a éste como «Tribunal de Justicia de la Unión Europea», o por sus siglas TJUE; ello, siendo conscientes de que no era así como se le conocía en el momento de dictar algunas de las sentencias que aquí se estudian.

derecho a la vida privada protegido por el CEDH. Se trata del asunto *B v. France*[200], que permitirá un cambio de tendencia que, sin embargo, se verá amparada bajo el paraguas de la menor exigencia al Estado de modificaciones en su sistema registral, al tener Francia un registro civil susceptible de realizar anotaciones de este tipo sin necesidad de una transformación en profundidad del sistema, y no, como habría cabido esperar, por una interpretación del derecho a la vida privada en esta materia más acorde con la condición de derecho humano, como se venía reclamando incluso de parte de los miembros del TEDH[201].

B. nació y fue inscrita como hombre, aun cuando desde muy temprana edad fue consciente de su identidad femenina. Tras pasar por un proceso de cambio de sexo que incluyó tratamiento hormonal y quirúrgico, acudió a los tribunales franceses para obtener un cambio de sexo registral con intención de contraer matrimonio. Toda la instrucción ante los juzgados franceses se centró en la negativa de éstos a autorizar el cambio del asiento registral, no invocándose en ningún momento un derecho independiente a contraer matrimonio, razón por la cual en TEDH acepta solo el recurso en términos de la posible violación del art. 8, relativo al derecho a la vida privada, pero no así respecto de la vulneración del art. 12, que reconoce el derecho al matrimonio, al entenderse que no se habían agotado los recursos internos.

En primer lugar, conviene destacar que el TEDH no cambia en modo alguno su aproximación a esta cuestión respecto de las sentencias anteriores. De este modo, se mantiene un análisis consistente en considerar que lo que se está reclamando al Estado es una obligación positiva, cuyo no ejercicio no implica una injerencia en los términos del art. 8.2 del CEDH y cuya legitimidad se debe valorar en razón del justo equilibrio entre intereses privados y públicos que preside toda obligación de hacer exigible al Estado. Se pierde, de nuevo, la posibilidad de una interpretación en relación a la naturaleza de derecho humano del art. 8 en materia de identidad sexual, de forma que se tratan las reivindicaciones del colectivo como si éstas estuvieran referidas a cuestiones menores, y no a la violación de derechos protegidos por el CEDH. Fruto de esta aproximación es la extrema importancia que el

---

[200]   Sentencia *B v. Francia*, de 25 de marzo de 1992, Series A, nº 232-C.
[201]   Nos referimos al juez Martens en su voto particular en la sentencia *Cossey*, *op. cit.*

TEDH otorga, y ha otorgado en los casos anteriores ya vistos, a la existencia de un consenso social europeo especialmente consolidado. Así, se indica que

> «[t]he Court considers that it is undeniable that attitudes have changed, science has progressed and increasing importance is attached to the problem of transsexualism. (...) On these various points there is as yet no sufficiently broad consensus between the member States of the Council of Europe to persuade the Court to reach opposite conclusions to those in its Rees and Cossey judgments»[202].

Ya nos está indicando el Alto Tribunal, por un lado, que se trata de una materia en la que los Estados siguen teniendo un amplio margen de apreciación del contenido de los derechos reconocidos en el CEDH, y de otro, que la solución que se dé en el presente caso solo es predicable del mismo, por las particularidades que presenta, o a *contrario sensu*, no sería necesariamente de aplicación en el caso del Reino Unido. Así, el foco del análisis va a ser la diferente configuración de las respuestas dadas por los sistemas jurídicos británico y francés, y por tanto, por un lado, la diferente situación en que se coloca al colectivo en cada uno de los casos, y por otro, y en conexión con el anterior, el distinto grado de prestación que se exige a uno y a otro para responder a las demandas de las personas transexuales, porque

> «[t]he Court finds, to begin with, that there are noticeable differences between France and England with reference to their law and practice on civil status, change of forenames, the use of identity documents, etc»[203].

De este modo, el TEDH se coloca en una situación al menos llamativa, cuando procede al análisis de las dificultades con las que se encuentra una persona transexual en Francia, por cuanto va a proceder a contemplar las distintas alternativas que estas personas tienen para esconder u ocultar su condición de transexual, y si las mismas realmente funcionan. Se sucederán una serie de argumentos en relación a las condiciones de vida de las personas transexuales en Francia en los que las evidencias de situaciones de enorme dificultad en atención al nombre, los documentos identificativos, el registro civil, etc.,

---

[202] Sentencia *B v. Francia*, *op. cit.*, n° 48.
[203] *Ibidem*, n° 51.

serán contestadas por parte del Estado francés con posicionamientos que, a medida que se lee la sentencia, aparecen más rocambolescos y absurdos, y ello, seguramente, debido a iniciar una línea de análisis de este asunto que no casa de ninguna manera con la protección de derechos humanos. Desde el recurso a usar nombres que son válidos para hombres y mujeres, hasta la apreciación de que la identificación del sexo en el número de seguridad social no es un impedimento para encontrar trabajo, la posición de Francia en este asunto no deja de sorprender. Y este aspecto es interesante, ya que a medida que vamos indagando en las respuestas jurídicas respecto de la diversidad sexual que se van dando a lo largo del tiempo en diferentes espacios, vamos siendo más conscientes de las sutiles señales que nos indican un disgusto personal de los operadores jurídicos en esta materia. Buena prueba de ello es la respuesta que los tribunales franceses dieron a la señora B, y que el TEDH muy acertadamente señaló en los antecedentes de la sentencia (aunque no está claro que lo hiciera con intención de destacar este matiz). Así, la Cour de Cassation, Chambres Civiles, indicó, haciendo referencia a la sentencia de segunda instancia, que

> «[w]hereas, however, the court of second instance found that even after the hormone treatment and surgical operation which he underwent **Norbert [B.] continued to show the characteristics of a person of male sex**; whereas it considered that, contrary to the contentions of the person in question, his present state is not the result of elements which existed before the operation and of surgical intervention required by therapeutic necessities but indicates a deliberate intention on the part of the person concerned; whereas it thus justified its decision in law; whereas the ground of appeal can therefore not be upheld»[204].

---

[204] *Ibidem*, n°. 17 (resaltado de la autora). Este mismo párrafo es recogido por el voto particular del juez Pinheiro Farinha, n° 5, que se niega incluso a tratar a la recurrente en género femenino, por cuanto no reconoce «the right of a person to change sex at will», y declara que no es «a true transexual». Más llamativa aún resulta la posición de juez Pettiti en su voto particular discrepante en la misma sentencia, en la que incide en la necesidad de articular un mecanismo, basado en consideraciones y diagnósticos médicos, para identificar los casos de intersexualidad y transexualidad verdadera de aquellos que no lo son, refiriéndose también a la existencia de casos «of double personality and schizophrenia». Por último, los jueces Valticos y Loizou añaden, en su voto particular, su preocupación: «is there not thus a risk of encouraging such acts (and here it was even an operation performed without any supervision), and what is more, of seeing as a consequence half- feminised men claiming the right to marry normally constituted men, and then where would the line have to be drawn?»

Realmente, si algo denota la lectura de este párrafo, además de la asunción de que la transexualidad no es más que la adecuación de ciertas formas de intersexualidad a uno u otro sexo, denotando un profundo desconocimiento sobre este asunto, es la nula empatía de la Sala de segunda instancia y de la Cour de Cassation con la situación de la sra. B, ya que no parece que aportara nada a la argumentación jurídica el resultado estético del tratamiento hormonal y quirúrgico, y sin embargo se trataba de una apreciación que seguramente causó gran dolor y humillación a la recurrente. Como decía en juez Martens en su voto particular en el asunto Cossey

> «[t]he endeavours of transsexuals to obtain legal recognition of what they feel as their attaining the sex to which they have always belonged have, however, often met with a marked aversion on the part of the authorities. It seems that the transsexual's attempts to "change sex" infringe a deeply rooted taboo. At any rate, the first reactions of authorities as well as of courts have been almost instinctively hostile and negative»[205].

Finalmente, los elementos de análisis de la situación de B vendrán marcados por el nivel de exposición pública de su condición de transexual y si esa exposición debía ser soportada en atención al equilibrio entre intereses personales y colectivos que el TEDH aduce. Así las cosas, será la conjunción de los pocos mecanismos para «esconder» el sexo legal y la mayor flexibilidad del sistema registral francés lo que lleve al TEDH a declarar por primera vez que la negativa del Estado a proceder al cambio de sexo registrado es una violación del derecho a la vida privada protegido por el CEDH:

> «The Court thus reaches the conclusion, on the basis of the above-mentioned factors which distinguish the present case from the Rees and Cossey cases and without it being necessary to consider the applicant's other arguments, that she finds herself daily in a situation which, taken as a whole, is not compatible with the respect due to her private life. Consequently, even having regard to the State's margin of appreciation, the fair balance which has to be struck between the general interest and the interests of the individual (see paragraph 44 above) has not been attained, and there has thus been a violation of Article 8 (art. 8)»[206].

---

[205] Voto particular discrepante del juez Martens, sentencia *Cossey*, *op. cit.*, n° 2.5.
[206] Sentencia *B v. Francia*, *op. cit.*, n° 63.

Definitivamente, la sentencia B. v. France abrirá la posibilidad de confrontar legalmente las negativas de los Estados miembros a proceder a la modificación del sexo civil de las personas transexuales, convirtiéndose así en el primer éxito notorio en materia de reconocimiento del derecho a la identidad sexual (y eventualmente, a la elección de ésta), aun cuando la puesta en práctica por parte de algunos de los Estados miembros tardará en materializarse, como veremos más adelante.

Pero mientras esto está ocurriendo en el seno del Consejo de Europa, también en el ámbito de la Unión Europea se está procediendo, a través de la acción política y la litigación estratégica, a impulsar el reconocimiento de los derechos vinculados a la diversidad sexual.

2.2. LOS PRIMEROS INSTRUMENTOS COMUNITARIOS DE PROTECCIÓN DE LA DIVERSIDAD SEXUAL

Efectivamente, la estrategia de acción, bien que no totalmente coordinada, se centra en instar a las instituciones europeas de distintos ámbitos a protagonizar el cambio de percepción política y jurídica de la realidad LGBTI, y para ello, los colectivos actuarán en aquellos organismos que resulten más permeables a su acción, bien por el acceso a través de los recursos interpuestos, como es el caso de los Altos Tribunales, o bien a través de la acción política, del lobby, en aquellos ámbitos en los que éste resulte más accesible.

En este sentido, el Parlamento Europeo va a ser un gran aliado de la acción reivindicativa LGBTI. Y es que, además de la apertura de los miembros de dicho órgano a escuchar las peticiones de muy diversos colectivos, en el caso de la diversidad sexual, algunos de los parlamentarios, vinculados directamente con esta causa, llegarán a formar el Intergrupo de derechos LGBTI comentado *supra*.

2.2.1. *Primeras iniciativas*

No será hasta 1984 cuando encontremos el primer documento de una institución comunitaria que haga un expreso reconocimiento de los derechos de las personas homosexuales, en una resolución del Parlamento Europeo[207] que, a pesar de que su contenido está dirigido casi exclusivamente a la protección de la homosexualidad, recibe un título en el que no se hace ninguna referencia ni a la homosexualidad ni a la orientación sexual, utilizando un genérico «on sexual discrimination at the workplace», ampliando de modo tácito el concepto de discriminación sexual a la orientación sexual del trabajador, tendencia ésta que, a pesar de intentos posteriores como se verá *infra*, no terminará de consolidarse. Resulta relevante además el título de la resolución porque a pesar de que circunscribe su ámbito de aplicación al mundo del trabajo, se trata de un documento que abordará materias ajenas al entorno laboral. Estas peculiaridades del título dan lugar a dos reflexiones: por un lado, la no mención de la homosexualidad puede deberse a un primer intento de afirmar la característica de la preferencia sexual como un elemento más del concepto de sexo, por lo que la finalidad última sería la de la aplicación de la legislación comunitaria en materia de discriminación sexual al caso de la homosexualidad; y esta primera reflexión conecta con la segunda, la limitación al entorno laboral, que no casa con el contenido de la resolución. Esto puede deberse a la dificultad para encontrar una base competencial del Derecho Comunitario para pronunciarse sobre asuntos que recaen en el ámbito de soberanía de los Estados, a no ser que se trate de discriminación sexual en el trabajo, cuestión que por su trascendencia en términos de regulación del mercado común ha sido en este momento plenamente aceptada como competencia legítima comunitaria, soportada por el entonces artículo 119 del Tratado de Roma. Por último, resulta interesante comprobar cómo la terminología de la orientación sexual aún no se ha popularizado, y se utiliza el término homosexualidad.

Es fruto esta primera resolución de varios elementos anteriores, entre ellos los trabajos que en este sentido está realizando el Consejo de Europa, como acabamos de ver, y que se citan expresamente en la resolución del Parlamento Europeo, entre los que se encuentra la importante sentencia del TEDH en el caso *Dudgeon*. Pero también es consecuencia de determinados impulsos legislativos que tienen como protagonistas a los colectivos LGBTI.

---

[207] *Resolution on Sexual Discrimination at the Workplace*, Committee on Employment and Social Affairs, European Parliament, 1984.

En efecto, en los trabajos preparatorios de la resolución que estamos comentando se puede ver la importante influencia de los colectivos, así como la permeable estructura de las instituciones comunitarias, y en este caso, del Parlamento, a las acciones de los agentes sociales. Así, tanto la ponente como el Comité de Asuntos Sociales y Empleo del Parlamento Europeo estuvieron en contacto, durante los trabajos preparatorios de esta resolución, con un total de 24 colectivos representativos de las personas homosexuales, de distintas partes de Europa[208]. Por otro lado, uno de estos colectivos, la *PvdA Homogroep*[209], presentó su propia petición de resolución.

Este primer documento comunitario de reconocimiento de los derechos de las personas homosexuales[210], se parece mucho en su contenido a las reclamaciones hechas por el Consejo de Europa. Resulta interesante, sin embargo, la conexión que hace esta resolución entre el derecho originario comunitario, y la protección de las personas homosexuales, indicando que la lucha contra toda forma de discriminación forma parte de los objetivos comunitarios de mejorar las condiciones de vida y trabajo de los europeos, así como llenando de contenido el derecho de libre circulación de los ciudadanos de la Comunidad, que no viene solo referido a la prohibición de la discriminación por nacionalidad, sino que se constituye en un derecho importante con validez propia.

Y así, el Parlamento Europeo urge a los Estados miembros a despenalizar las prácticas homosexuales entre adultos que consienten, la igualación de la edad de consentimiento con la exigida para las prácticas sexuales heterosexuales[211], la destrucción de los archivos policiales de homosexuales y la depuración de sus respectivos orde-

---

[208] European Parliament Working Documents, n° 1-13b58/83, pág. 18.
[209] *Ibidem*, pág. 23. Surge este colectivo como una rama del Partido Laboralista neerlandés.
[210] Hubo una referencia anterior, en la *Resolución de 17 de mayo de 1983, sobre los derechos humanos en la Unión Soviética,* que sin embargo toca solo tangencialmente el asunto, para condenar la sistemática estrategia de acusar a los disidentes políticos de homosexuales como fórmula para justificar el arresto, y para condenar la persecución de homosexuales.
[211] En ese momento cinco Estados miembros establecen diferentes edades de consentimiento: Bélgica, Alemania, Grecia, Gran Bretaña y Luxemburgo. Irlanda aún no ha modificado su legislación penalizadora de la homosexualidad masculina en aplicación de la sentencia *Dudgeon.*

namientos jurídicos de normas que puedan suponer discriminaciones basadas en las preferencias sexuales de los individuos. Se solicita además a la Organización Mundial de la Salud la desmedicalización de la homosexualidad, y se añade, y esto es de especial importancia, la instrucción al Comité de Asuntos Legales, para que analice cómo estas legislaciones nacionales pueden estar impidiendo la libre circulación y establecimiento de personas, como elemento a través del que el Derecho Comunitario puede intervenir en los respectivos ordenes domésticos y provocar cambios legislativos significativos.

La situación no cambia a partir de este momento y hasta 1989, año en que de nuevo el Parlamento Europeo toma la iniciativa. Y ello a pesar de que las instituciones comunitarias tienen una ocasión de oro para introducir la prohibición expresa de discriminación por orientación sexual. Se trata de la Carta de Derechos Sociales Fundamentales de los Trabajadores de 1989[212], un documento solemne, sin carácter vinculante, en el que por tanto habría cabido esperar un cierto avance en esta materia. Sin embargo, se trata de un texto que no reconoce derechos nuevos, sino que solo aglutina derechos ya reconocidos en derecho originario y derivado, y que pierde la oportunidad de introducir un debate más consistente acerca de la prohibición de discriminación por motivos distintos de los ya contenidos, y no solo estamos hablando de la orientación sexual, sino que se puede aplicar también, a la discriminación por edad o por características genéticas, por poner solo dos ejemplos.

Y sin embargo, será en ese mismo año, 1989, cuando el Parlamento Europeo apruebe la *Resolución sobre la discriminación de los*

---

[212]   Sobre el contenido y alcance de este documento, ver F. VALDÉS DAL-RE, «Los Derechos Sociales Fundamentales», en AA.VV., *El Espacio Social Europeo*, Valladolid: Lex Nova, 1991, pág. 7 ss.; M. RODRÍGUEZ-PIÑERO BRAVO-FERRER, «La Declaración de los Derechos Sociales Comunitarios», *Relaciones Laborales*, n° 23, 1989, págs. 2 ss.; J.L. MONEREO PÉREZ, «La Carta Comunitaria de Derechos Sociales Fundamentales de los Trabajadores. Caracterización Técnica y Significación Jurídica y Política», en AA.VV., *IX Jornadas Universitarias Andaluzas de Derecho del Trabajo y Relaciones Laborales*, Málaga: Consejo Andaluz de Relaciones Laborales, 1992, págs. 261ss.; J.L. MONEREO PÉREZ, «La Carta Comunitaria de Derechos Sociales Fundamentales de los Trabajadores de la Unión Europea «, *Revista Española de Derecho del Trabajo*, n° 57, 1993, págs. 75 ss.

transexuales[213], continuando así con su labor de promoción de los derechos de los colectivos LGBTI. Tiene esta resolución como prioridad el reconocimiento de los derechos que permitan el cambio de sexo de las personas transexuales, incidiendo en todas las fases del proceso y en las consecuencias que el propio proceso acarrea. Así, desde la exigencia a los Estados de cubrir como prestación de seguridad social el coste de las operaciones quirúrgicas y el apoyo psicológico necesarios, hasta la necesidad de activar políticas de empleo para las personas que se encuentran en pleno proceso de cambio (habida cuenta del altísimo porcentaje de desempleo que se da en ese momento vital), la resolución pretende abarcar todas las fases del cambio de identidad sexual, que en algunos casos puede prolongarse durante años, incluyendo la necesidad de adaptar los registros civiles para hacer frente a esta situación. No es tampoco una iniciativa ésta que surja del Parlamento Europeo sin más, la Asamblea Parlamentaria del Consejo de Europa está trabajando en una recomendación de verá la luz casi a la vez (ver *supra*), y además ya hay en ese momento un debate muy importante en el seno del TEDH[214] acerca de la obligación de los Estados, respecto de los derechos establecidos en el CEDH (sobre todo del art. 8 relativo a la vida privada y familiar), de asumir y procurar los mecanismos necesarios para facilitar el cambio de identidad sexual jurídico y médico de las personas transexuales, que no se materializará, sin embargo, en una condena a un Estado hasta 1992[215], como se ha visto *supra*. Quizás el elemento más reseñable de esta resolución es el establecimiento de una relación intrínseca entre identidad sexual y dignidad humana, constituyéndose este último concepto en el principio esencial en el que descansa la necesidad de actuación por parte de los Estados, afirmando el Parlamento Europeo que «*la dignidad y el derecho al libre desarrollo de la personalidad deba abarcar el derecho a vivir de acuerdo con la identidad sexual*»[216].

---

[213] D.O.C.E. serie C, nº 256, de 9 de octubre de 1989.
[214] La sentencia *Rees v. United Kingdom*, de 17 de octubre de 1986, *op. cit.* ha suscitado ya un gran debate, y se espera la resolución de otro asunto planteado: *Cossey v. United Kingdom*, de 27 de septiembre de 1990, *op. cit.*
[215] Sentencia *B v. France*, de 25 de marzo de 1992, *op. cit.*
[216] D.O.C.E. serie C, nº 256, de 9 de octubre de 1989, punto 1.

No será hasta el año 1991 cuando encontremos en Derecho Comunitario el primer gran avance en materia de reconocimiento y protección de la diversidad sexual. Se trata de la Recomendación de la Comisión de 27 de noviembre de 1991, relativa a la protección de la dignidad de la mujer y del hombre en el trabajo[217]. Establece la misma una conexión directa entre dignidad y orientación sexual[218], que va a resultar muy operativa a la hora de articular jurídicamente una protección contra la discriminación de los homosexuales, bien que limitada al ámbito laboral. Este texto comunitario se configura como un instrumento de primer orden para la lucha contra el acoso sexual en el trabajo[219], incluyendo un Código de Conducta sobre las medidas para combatir éste. En él se parte de que «*algunos grupos específicos son particularmente vulnerables al acoso sexual*», entre los que se señalan expresamente a las lesbianas y a los gays, lo que les hace merecedores de una protección especial; y, lo que es más importante, se afirma que «*no se puede negar que el acoso sexual motivado por la inclinación sexual mina la dignidad laboral de las personas afectadas*

---

[217] D.O.C.E. n° L 49, de 24 de febrero de 1992; puede encontrarse en la dirección http://europea.eu.int/eur-lex/es/lif/dat/1992/es-392X0131.html.

[218] En general R. BERTOLINO, «La Cultura Moderna de los Derechos y la Dignidad del Hombre», *Derechos y Libertades*, n° 7, 1999, págs. 131 ss.; En relación al concepto de dignidad en su conexión con los derechos de LGBTI, A. CLAPHAM y J.H.H. WEILER, «Human Dignity Shall Be Inviolable: the Human Rights of Lesbians and Gay Men in the European Community Legal Order», *Collected Courses of the Academy of European Law*, vol. III, Libro 2, 1994, págs. 237 ss. La base jurídica para esta vía de acción es la propia noción de dignidad, que el TJUE ha reconocido ya desde la sentencia *Casagrande* de 1974, como uno de los derechos fundamentales que forman parte de los principios generales del Derecho que él mismo debía preservar. En general, la dignidad de la persona ha sido utilizada como argumento central para justificar la protección de los derechos fundamentales en el orden internacional. Para un estudio completo de la utilización del concepto de dignidad en Derecho Comunitario, ver GÓMEZ SÁNCHEZ, Y. *Dignidad y Ordenamiento Comunitario*, accesible en http://www.ugr.es/~redce/REDCE4/articulos/09yolanda.htm.

[219] Para la definición y el análisis del acoso sexual es forzoso citar el trabajo seminal de K. MACKINNON, *The Sexual Harassment of Working Women*, New Haven: Yale University Press, 1979. En España se dispone de una cierta bibliografía al respecto. Ver, por todos, T. PÉREZ DEL RIO, «El Acoso Sexual en el Trabajo», *Relaciones Laborales*, Tomo II, 1993; E. SÁNCHEZ y E. LARRAURI, *El Nuevo Delito de Acoso Sexual y su Sanción Administrativa en el Ámbito Laboral*. Valencia: Tirant lo Blanch, 2000.

y que resulta imposible considerar dicho fenómeno como un comportamiento laboral aceptable». La conexión entre acoso por orientación sexual y dignidad del trabajador se hace explícita[220].

La Recomendación tiene como principal objetivo la lucha contra el acoso sexual, pero no tanto estableciendo instrumentos específicos para ello, sino utilizando los ya existentes, en concreto la normativa comunitaria sobre no discriminación por razón de sexo; el acoso sexual se presenta así como una conducta discriminatoria, contraria al Derecho Comunitario, actuando la Recomendación a modo de interpretación auténtica del ámbito de éste. Ésta es una de las grandes particularidades de esta Recomendación: a pesar de su carácter de *soft law*, consecuencia del tipo de norma en que se incorpora[221], en la medida en que se apoya en normativa preexistente de carácter vinculante (todo el Derecho Comunitario de la no discriminación por razón de sexo), en la práctica su valor jurídico va a quedar sumamente realzado. El acoso sexual, definido en una Recomendación no vinculante, se equipara así a una forma de discriminación por razón de sexo, prohibida por normas de naturaleza claramente obligatorias, con lo que la lucha contra éste acaba vinculando y obligando plenamente a los Estados miembros.

Hay que determinar qué posición juega la orientación sexual en la definición europea de acoso sexual; ésta, como es sabido, incluye dos tipos de situaciones, el chantaje sexual y el medio ambiente hostil. En el primer caso, si el trabajador es presionado para aceptar determinados favores sexuales por sus superiores o compañeros del mismo sexo, no cabría dudar de que nos encontramos ante un supuesto de

---

[220]   El trabajo que sirvió de base para el desarrollo de toda la acción de la Comunidad Europea en este campo es el informe de M. RUBENSTEIN, *The Dignity of Women at Work. A Report on the Problem of Sexual Harassment in the Member States of the European Communities*, Luxembourg: Office for Official Publications of the European Communities, 1988. Un resumen de toda esta política en E. COLLINS, «European Union Sexual Harassment Policy», en R. HELMAN (coord.), *Sexual Politics and the European Union: the New Feminist Challenge*, Oxford: Berghan Books, 1996.

[221]   Para un análisis de esta normativa comunitaria, desde el punto de vista de su naturaleza jurídica de *soft law*, véase F. BEVERIDGE y S. NOTT, «A Hard Look at Soft Law», en P. CRAIG & C. HARLOW, *Lawmaking in the European Union*, London: Institute of Advanced Legal Studies, 1995, págs. 285 ss.; así como A. MAZUELOS, *Soft Law in the European Union*, Florencia: Instituto Universitario Europeo, 1999.

acoso sexual; a nuestro juicio, lo determinante no es el sexo de acosador y de víctima, sino el contenido sexual de la conducta del primero. No se trata de una cuestión tan clara, con todo. En Estados Unidos, donde la protección jurídica contra el acoso sexual se encuentra sumamente desarrollada, no fue hasta una sentencia del Tribunal Supremo cuando se ha aceptado indubitada y definitivamente la existencia de un acoso sexual también entre personas del mismo sexo[222].

El segundo supuesto abre muchas más posibilidades de protección de la persona homosexual en su entorno de trabajo. Se produce una situación de acoso sexual cuando la conducta del agresor *«crea un entorno laboral intimidatorio, hostil y humillante para la persona que es objeto de la misma»*, sin que sea necesario exigir contraprestación sexual alguna. Los supuestos en los que cabe pensar son múltiples: las bromas, comentarios de contenido sexual, pintadas, exposición de fotografías…, cualquier comportamiento que incomode al trabajador en su libertad sexual. Es un concepto muy amplio, y fue sumamente novedoso, ya que por lo general se suele limitar el acoso sexual al chantaje sexual, excluyendo este tipo de prácticas. En la conciencia social se considera que estas conductas son inadecuadas, pero no que son también antijurídicas.

En el caso de los trabajadores homosexuales, sometidos por lo general a la presión de sus compañeros, podríamos encontrarnos frente a un supuesto de acoso sexual medioambiental; la actitud de rechazo explícita y militante contra la opción sexual del trabajador sería un caso de acoso sexual, y por tanto una discriminación por razón de sexo[223]. Por esta vía el trabajador homosexual podría asegurarse al menos dos cosas: de un lado, el respeto a sus preferencias sexuales, como parte de su dignidad personal, sin que el rechazo de sus compañeros de trabajo pueda justificar en modo alguno un trato vejatorio;

---

[222]   En detalle sobre esta cuestión R. L. TOCKER, «Multiple Masculinities: a New Vision for Same Sex Harassment Law», *Harvard Civil Rights-Civil Liberties Law Review*, vol. 34, nº 2, 1999, págs. 577 ss. Un análisis de la jurisprudencia norteamericana en D. BENNETT-ALEXANDER, «Same-gender Sexual Harassment: the Supreme Court Allows Coverage under Title VII», *Labor Law Journal*, abril 1998, págs. 3 ss.

[223]   En el mismo sentido, A.M. HUNTER, *Harassment in the Workplace. The Case for Community Intervention*, LLM Dissertation, Florencia: European University Institute, 1997.

de otro, la protección de todo el conjunto normativo articulado para luchar contra la discriminación por razón de sexo en el caso de producirse conductas de este tipo.

Esta inclusión de la protección contra la discriminación por orientación sexual en un conjunto de normas destinadas en un inicio a la prohibición de la discriminación por género inspirará una estrategia de los colectivos LGTBI que se plasmará sobre todo en un intento de forzar jurisprudencia del Tribunal de Justicia, como veremos más adelante. Así, comenzaremos a asistir a una doble vía de intento de transformación del derecho en relación con la orientación sexual: por un lado, como seguidamente vamos a ver, la creación de normas específicas para la inclusión de la orientación sexual en la protección antidiscriminatoria; por otro, la búsqueda de una nueva interpretación del derecho existente, sobre todo de la ampliamente desarrollada prohibición de la discriminación por género en Derecho Comunitario, para la inclusión de la orientación sexual en su ámbito de aplicación.

2.2.2. *El protagonismo del Parlamento Europeo: la Resolución Roth*

En los inicios de 1994, el Parlamento Europeo aprueba la *Resolución sobre la igualdad de derechos de los homosexuales y de las lesbianas en la Comunidad Europea*[224], que tiene su origen en un informe del Comité de Libertades Civiles y Asuntos Internos del Parlamento Europeo, conocido generalmente como *Informe Roth* en atención a la presidenta del Comité, y que está dedicado de forma monográfica a cuestiones relacionadas con la discriminación por orientación sexual. Este documento marcará de forma contundente la postura de esta institución en materia de orientación sexual a partir de este momento. Varios son los elementos que merecen ser remarcados respecto de esta Resolución. Por un lado la referencia continuada a las organizaciones sociales de gays y lesbianas: se apela a las mismas para basar en parte el contenido de la Resolución, hablando incluso de organizaciones concretas, como la German Gay Union (SVD), que presentó

---

[224]   Resolución sobre la Igualdad de Derechos de los Homosexuales y de las Lesbianas en la Comunidad Europea, A3-0028/94; D.O.C.E. n°C61, de 28 de febrero de 1994.

un proyecto de directiva para combatir la discriminación basada en la orientación sexual en el trabajo y en otras áreas legales; y se hace especial hincapié en ellas al recomendar a los Estados miembros, por un lado, la colaboración con estas asociaciones para tomar medidas e iniciar campañas para combatir todas las formas de discriminación contra las personas homosexuales, así como luchar contra el creciente número de actos violentos contra los homosexuales, asegurando la persecución penal de los agresores; y por otro, permitir el acceso de las organizaciones de gays y lesbianas a los fondos públicos nacionales en igualdad de condiciones con otras asociaciones sociales y culturales, evitando posibles repercusiones negativas en la baremación de las mismas como consecuencia de su carácter de representación de colectivos homosexuales.

Como venimos diciendo, esta resolución marcará la tendencia de los objetivos estratégicos que a lo largo del tiempo se irán desarrollando por parte de las instituciones europeas, si bien no como consecuencia directa de la aprobación de este documento, como veremos más adelante. Aun así, el Parlamento Europeo propone a la Comisión la redacción de una recomendación sobre igualdad de derechos de gays y lesbianas, atendiendo a unas líneas programáticas que se resumen en los siguientes puntos:

– La aplicación del concepto de igualdad y no discriminación por orientación sexual como elemento vertebrador de la política comunitaria en esta materia. Aun cuando ya hemos visto continuas llamadas a la aplicación del principio general de igualdad en relación con la homosexualidad, no hay que olvidar que en esta fecha tenemos escasos apoyos normativos que establezcan criterios de no discriminación e igualdad aplicados a la orientación sexual, con la excepción del acoso sexual en el trabajo. Ni tan siquiera la jurisprudencia del TEDH interpreta aún la cláusula contenida en su artículo 14 en el sentido de la inclusión de la orientación sexual como factor de no discriminación[225]. Por ello, resulta particularmente relevante la llamada del Parlamento Eu-

---

[225] No será hasta el año 2000 cuando el TEDH, en la sentencia *Da Silva Mouta v. Portugal*, afirme indubitadamente que la orientación sexual constituye una causa de discriminación prohibida por el Convenio Europeo de Derechos Humanos. Ver *infra*.

ropeo al principio general de igualdad en este caso, llamada que se repite afirmando que la aplicación de cláusulas discriminatorias en el campo de competencia de la legislación comunitaria constituye una violación de los principios fundamentales de los Tratados e indicando la necesidad de que los citados tratados establezcan medidas más contundentes para la defensa de los derechos humanos, vinculando así también la protección de las personas homosexuales con los derechos humanos en un sentido amplio.

— La prohibición del establecimiento de edades de consentimiento para la realización de actividades sexuales distintas y discriminatorias entre actos homosexuales y heterosexuales, situación aún muy extendida en ese momento en un importante número de Estados miembros.

— La finalización de la persecución de la homosexualidad en su consideración como escándalo público o atentado contra la moral pública.

— La remoción de todas las formas de discriminación por orientación sexual en relación con ámbitos legislativos como el trabajo, la función pública, el derecho penal, civil, o mercantil, ampliando así de forma expresa los espacios legislativos en los que la diferencia de trato injustificada por orientación sexual se constituye en un acto discriminatorio, no quedando reducido al problema del acoso sexual laboral.

— La prohibición de crear bases de datos electrónicas acerca de la orientación sexual de las personas sin su consentimiento, y de la publicidad y el uso incorrecto de estos datos.

— El acceso de las parejas homosexuales al matrimonio o a un estatus jurídico equivalente que garantice los mismos derechos y beneficios que el matrimonio, permitiendo el registro de estas parejas en igualdad de condiciones con las heterosexuales.

— La remoción de cualquier restricción de los derechos de gays y lesbianas para ser padres o para adoptar o acoger niños y niñas.

— La modificación de la regulación aplicable a todo el personal al servicio de la propia Comunidad Europea para incluir medidas de lucha contra la discriminación por orientación sexual en su propio seno.

Como se puede ver, los objetivos de esta resolución del Parlamento Europeo, ampliamente apoyados e impulsados por las organizaciones homosexuales de toda Europa, son inmensamente ambiciosos, quizás tanto que será un documento que caerá en el olvido durante mucho tiempo, de forma que algunas de sus propuestas siguen sin ser asumidas al día de hoy. Sin embargo, y aunque no se han traducido en la aprobación de normas de carácter vinculante para los Estados, sí han servido para suscitar el debate social en torno a este grupo de población y la desaparición de algunos estereotipos tremendamente arraigados socialmente en relación con las personas homosexuales[226].

Los intentos por lograr el reconocimiento jurídico, en normas de carácter plenamente vinculante, y no solo en declaraciones de intereses e interpretaciones, siguen produciéndose, aunque con escaso éxito. Así, se intentó incluir una cláusula general de no discriminación en la Directiva 96/34, sobre el permiso parental[227]. Esta cláusula desapareció durante el proceso legislativo, sin que quedara más mención a esta materia que una referencia a la lucha contra la discriminación en su Exposición de Motivos, que ignora entre las posibles causas a la orientación sexual. También en la Directiva 97/81, sobre trabajo a tiempo parcial[228], se vivió un proceso similar: la cláusula general de prohibición de discriminación cayó del articulado hasta la Exposición de Motivos, y de su contenido desapareció la mención a la orientación sexual.

Debido a las enormes dificultades para conseguir avances significativos en la protección jurídica de la orientación sexual, y tal vez inspirados en los logros que se habían ido produciendo en el ámbito

---

[226]   En cualquier caso, el Parlamento Europeo continuó su actividad de apoyo al colectivo LGBTI. Así, y a modo de ejemplo, en la *Resolución del Parlamento Europeo de 1997 sobre el respeto de los derechos humanos en la Unión Europea* se siguen conteniendo menciones la orientación sexual, pidiéndose a los Estados miembros *«la eliminación de cualquier trato injusto de los homosexuales y lesbianas, en particular en lo que se refiere a la mayoría de edad sexual, los derechos civiles, el derecho al trabajo, los derechos sociales y económicos, etc…»* (punto 54).

[227]   Directiva 96/34/CE del Consejo, de 3 de junio de 1996, relativa al Acuerdo Marco sobre el permiso parental; D.O.C.E. de 19 de junio de 1996.

[228]   Directiva 97/81/CE del Consejo, de 15 de diciembre de 1997, relativa al Acuerdo Marco sobre el Trabajo a Tiempo Parcial; D.O.C.E. de 20 de enero de 1998.

del Consejo de Europa[229], la estrategia de los grupos LGBTI cambiará de rumbo, y junto con el mantenimiento de la presión a las instituciones legislativas europeas[230], dirigirá parte de su acción a la litigación estratégica ante el Tribunal de Justicia de la Unión Europea, con resultados dispares, como vamos a ver enseguida.

2.2.3. La estrategia litigadora en la Unión Europea: orientación sexual y no discriminación por razón de sexo

Una segunda estrategia, junto con la de intervención en la acción legislativa, para la consecución de los objetivos de integración social de los homosexuales y de reconocimiento de sus derechos seguida por los lobbies de gays y lesbianas en relación con el Derecho Comunitario, ha sido la de forzar la presentación de cuestiones prejudiciales al TJUE en busca de sentencias que favorecieran una interpretación de las cláusulas de discriminación por razón de sexo suficientemente amplia como para incluir al colectivo homosexual[231]. La consideración de la homosexualidad como un rasgo que se identifica con la atracción sexual hacia personas del mismo sexo biológico no ayuda a resolver la cuestión. De lo que aquí se trata es de determinar si este

---

[229] Para un análisis de la labor del Consejo de Europa en relación a la orientación sexual, ver CONSEJO DE EUROPEA, *Combattre la Discrimination Fondée sur l'Orientation Sexuelle ou l'Identité de Genre: Les Normes du Conseil de l'Europe*, Estrasburgo: Publicaciones del Consejo de Europa, 2011; E. HEINZE, *Sexual Orientation: a Human Right. An Essay on International Human Rights Law*, Dordrecht: M. Nijhoff Publisher, 1995; M. A. PRESNO LINER, «La Consolidación Europea del Derecho a No Ser Discriminado por Motivos de Orientación Sexual en la Aplicación de Disposiciones Nacionales (A propósito de la sentencia E. B. c. Francia, del Tribunal Europeo de Derechos Humanos de 22 de enero de 2008)», *Repertorio Aranzadi del Tribunal Constitucional*, n° 1, 2008, págs. 13 ss.

[230] Sobre las dificultades en encontrar el reconocimiento de los derechos LGBTI en la UE, ver K. ARMASTRONG, «Tales of the Community: Sexual Orientation Discrimination and EC Law», *Journal of Social Welfare and Family Law*, n° 10, 1998, págs. 455 ss.

[231] Sobre el potencial de la litigación estratégica y los resultados ambivalentes que se han obtenido en la UE, ver J. BEGER, «Queer Readings of Europe: Gende Identity, Sexual Orientation and the (im)potency of Rights Politics at the European Court of Justice», *Social and Legal Studies*, vol. 9, n° 2, 2000, págs. 124 ss.

rasgo debe ser definido como orientación sexual, o si por el contrario se considera que es una característica más de la identidad sexual.

Como se ha señalado más arriba, la Unión Europea, aun cuando motivada principalmente por razones de tipo económico (la remoción de barreras para la libre competencia en el mercado común), ha establecido un completo marco jurídico para sostener la prohibición de la discriminación por razón de sexo en el ámbito de las relaciones laborales. El aparato normativo del que la Unión se ha dotado para poner en práctica esta política es muy completo y efectivo, habiendo constituido un auténtico motor de cambio de la situación de la mujer trabajadora en Europa, y siendo también uno de los principales argumentos con que cuenta para justificar su dimensión social[232]. Si se pudiera utilizar este aparato para condenar las discriminaciones por razón de orientación sexual se conseguiría un avance de primer orden en la construcción de este estatuto jurídico[233].

Y ésta es precisamente una de las estrategias seguidas por los colectivos LGBTI en su reivindicación de reconocimiento y protección jurídica. En la medida en que estos grupos de presión han intentado utilizar los recursos jurídicos existentes en Derecho Comunitario en favor de la protección de gays y lesbianas contra la discriminación en diferentes ámbitos de la vida, destacando el laboral, el concepto de discriminación por razón de sexo se ha visto afectado hasta el punto de constituir hoy día un interesante objeto de discusión que abre la puerta a una concepción de la idea de sexo que escapa, en la práctica jurídica, de la tradicional definición biológica.

---

[232] Sobre esta política comunitaria, A. DASHWOOD y S. O'LEARY (coords.), *The Principle of Equal Treatment in EC Law*, London: Sweet & Maxwell, 1997; T. HERVEY y D. O'KEEFE, *Sex Equality Law in the European Union*, London: Wiley & Sons, 1996; J. CRUZ VILLALON (coord.), *La Igualdad de Trato en el Derecho Comunitario Laboral*, Pamplona: Aranzadi, 1997; E.C. LANDAU, *The Rights of Working Women in the European Community*, Bruselas: Servicio de Publicaciones de la Comisión Europea, 1985.

[233] Un estudio general de estos esfuerzos en BELL, M., «Sexual Orientation and Anti-discrimination Policy: the European Community», en T. CARVER y V. MOTTIER (eds.), *The Politics of Sexuality*, London: Routledge, 1998; también R. WINTEMUTE, «Libertés et Droits Fondamentaux des Personnes Gays, Lesbiennes et Bisexuelles en Europe», en D. BORILLO (ed.), *Homosexualité et Droit. De la Tolérance à la Reconnaissance Juridique*, Paris: PUF, 1997, págs. 180 ss.

Y ello no sólo en relación con las posibles situaciones de discriminación que el concepto de sexo ampara, habiendo éste empezado a ser motivo de protección no sólo en la medida en que la causa del diferente trato fuera biológica, sino también para atender ahora a factores culturales y sociales que en principio no tienen que ver con el sexo de las personas involucradas, pero que en la realidad social afectan más a un sexo que a otro. Esto es, la discusión sobre el concepto de sexo no se centra ya sólo en la posibilidad de inclusión en el mismo de la faceta social (y no sólo biológica) asociada al componente sexual y de la interpretación teleológica de las cláusulas de no discriminación por razón de sexo sino que, y esto es lo novedoso, amplia el debate a las propias manifestaciones sexuales, a la idea misma de qué es el sexo, de la definición, para fines jurídicos de la expresión «discriminación sexual». Así, el colectivo LGTBI estableció entre sus estrategias políticas y jurídicas la exigencia de la interpretación de lo que se debe entender por sexo en materia de no discriminación, en el sentido de toda manifestación de la propia identidad sexual, además de las cuestiones asociadas a ésta en el nivel social.

Los grupos de gays y lesbianas han abierto este interesante debate como marco estratégico fundamental para la consecución de las demandas que este grupo de población exige en su intento de normalización en todos los ámbitos de la vida social. Pero, ¿en qué consiste esta estrategia exactamente? De lo que se trataba es de lograr la aplicación de un conjunto normativo, el de la discriminación por sexo, inicialmente pensado para otro tipo de situaciones, a los supuestos de discriminación por motivos de orientación sexual. Esto es, de determinar que ésta es una forma de discriminación por razón de sexo para poder así oponerle todos sus mecanismos de protección jurídica, a falta de mecanismos propios; como, por otra parte, ya se ha hecho en varias jurisdicciones nacionales. Ésta ha sido una línea de actuación prioritaria de los colectivos homosexuales, y para ello han utilizado la litigación estratégica como fórmula para forzar al TJUE a declarar que la discriminación por orientación sexual lo es por razón de sexo, preparando casos *ad hoc* ante las jurisdicciones nacionales para asegurar que el asunto llegara ante la comunitaria.

Tenían algunos datos para poder pensar que esta pretensión tendría éxito ante el Tribunal comunitario: de un lado, la mención expresa a la orientación sexual en una recomendación de la Comisión para la lucha contra el acoso sexual, como ya hemos señalado *supra*, en la que se venía a equiparar el acoso por este motivo a una forma de discriminación por razón de sexo; de otro, una sentencia del mismo Tribunal de Justicia, dictada en el caso *P v. S and Cornwall County Council*, de 30 de abril de 1996, en la que afirmaba que la discriminación en el empleo de un transexual era contraria al Derecho europeo, precisamente por ser un tratamiento diferenciado basado en el sexo del trabajador[234].

Con estos elementos, todos los interesados en esta cuestión tenían grandes esperanzas depositadas en el TJUE, al que iban a llegar varios asuntos relacionados con la discriminación por orientación sexual. El Tribunal de Justicia, sin embargo, defraudó estas expectativas, rechazando que una discriminación por este motivo pueda ser considerada un supuesto de discriminación por razón de sexo prohibido por el Derecho Comunitario.

El TJUE, como venimos diciendo, en su sentencia en *P v. S y Cornwall County Council*[235], abordó esta controversia inclinándose por la inclusión de la transexualidad en el concepto jurídico de discriminación sexual. Es *P v. S* un caso en el que una transexual, al iniciar el proceso de cambio de sexo, de hombre a mujer, recibe un preaviso de despido, despido que se hace efectivo una vez la operación de cambio de sexo

---

[234] Esta sentencia llamó poderosamente la atención de los estudiosos del Derecho del Trabajo en toda Europa. Así, en España M. ALONSO OLEA, «El Despido de un Transexual», *Actas de la Real Academia de Ciencias Morales y Políticas*, 1997, págs. 237 ss.; M. MARISCAL DE GANTE y E. LÓPEZ PASARO, «Transexualidad y Discriminación», *Revista Española de Derecho del Trabajo*, n° 97, 1999, págs. 60 ss.; J.M. MORALES ORTEGA, «Nuevos Fenómenos Discriminatorios: Homosexualidad y Transexualidad», *Relaciones Laborales*, n° 18, 1999, págs. 55 ss.; M.A. VICENTE PALACIO, «Transexualidad y Contrato de Trabajo», *Tribuna Social*, n° 67, 1996, págs. 55 ss. Fuera de nuestro país, C. BARNARD, «P v. S: Kite Flying or a New Constitutional Approach?», A. DASHWOOD y S. O'LEARY, *The Principle of Equal Treatment in EC Law*, London: Sweet & Maxwell, 1997, págs. 59 ss.; *Idem*, «The Principle of Equality in the Community Context: P, Grant, Kalanke and Marshall: Four Uneasy Bedfellows?», *Cambridge Law Journal*, n° 57, 1998, págs. 352 ss.; A. C. LOUX, "Is He Our Sister? Sex, Gender, and Transsexuals under European Law', *Web Journal of Current Legal Issues*, vol. 3, 1997; R. WINTEMUTE, «Recognizing New Kinds of Direct Sex Discrimination: Transsexualism, Sexual Orientation and Dress Code», *Modern Law Review*, vol. 60, 1997, págs. 335 ss.; P. SKIDMORE, «Sex, Gender and Comparators in Employment and Discrimination», *Industrial Law Journal*, vol. 26, 1997, págs. 51 ss.

[235] Sentencia *P v. S. y Cornwall County Council*, de 30 de abril de 1996, asunto C-13/94.

ha sido realizada. Habiendo acudido la señora P al *Truro Industrial Tribunal*, para impugnar su despido, este tribunal plantea una cuestión prejudicial ante el TJUE, sobre la posibilidad de inclusión en el concepto de no discriminación por razón de sexo de la Directiva 76/207/CEE[236], de la discriminación debida no ya al sexo del trabajador, sino al hecho del cambio de sexo del mismo. La Directiva de la que se trata es uno de los pilares fundamentales en los que se ha basado la política de igualdad de sexos tan importante en la Comunidad Europea, no sólo en la solución de conflictos económicos de la que es fruto, sino también en el papel legitimador de la propia Comunidad al establecer una política social que ha resultado de absoluta relevancia en la consecución de la igualdad social y jurídica entre los sexos[237]. El TJUE en esta sentencia establece que la Directiva es aplicable a la situación de cambio de sexo del trabajador, y que la idea de no discriminación por razón de sexo de esta Directiva, aplicando una óptica evolutiva, incluye la prohibición de despedir a un trabajador basándose tal despido fundamentalmente en el hecho del cambio de sexo del mismo.

El análisis de esta sentencia, que resulta de crucial importancia para la comprensión de la concepción que la discriminación por razón de sexo tiene en la jurisprudencia del TJUE, será llevada a cabo de forma conjunta con el análisis de la segunda sentencia relevante en este contexto y que es fruto del entusiasmo provocado por la jurisprudencia de *P v. S*[238]. Se trata de la sentencia en el caso *Grant v. South-West Trains Ltd*[239]. (en adelante *Grant*), en la que el TJUE cambia radicalmente, como veremos, la forma de análisis de la prohibición de discrimina-

---

[236] Directiva 76/207/CEE del Consejo, de 9 de febrero de 1976, relativa a la aplicación del principio de igualdad de trato entre hombres y mujeres en lo que se refiere al acceso al empleo, a la formación y a la promoción profesionales, y a las condiciones de trabajo, JOCE de 14 de febrero de 1976.

[237] Sobre esta política comunitaria, DASHWOOD, A. y O'LEARY, S. (coords.), *The principle of Equal...*, *op. cit.*; T. HERVEY y D. O'KEEFE, *Sex Equality Law in the...*, *op. cit.*; J. CRUZ VILLALON (coord.), *La Igualdad de Trato en el...*, *op. cit.*; E.C. LANDAU, *The Rights of Working Women...*, *op. cit.*

[238] La asociación de gays y lesbianas del Reino Unido *Stonewall* en este caso cometió un error de cálculo y se precipitó forzando al TJUE a pronunciarse tan pronto después de *P. v. S.*, error por el que ha sido ya duramente criticada. Sobre esta iniciativa ver, L. HODSON, *NGOs and the Struggle for Human...*, *op. cit.*, pág. 135.

[239] Sentencia *Grant v. South-West Trains Ltd*, de 17 de febrero de 1998, asunto C-249/96.

ción, denegando en este caso la inclusión de la orientación sexual en el concepto de discriminación por razón de sexo[240]. La señora Grant, trabajadora de la compañía South-West Trains Ltd. (en adelante SWT), pide que se le otorgue el derecho a la reducción del precio de los transportes que los demás trabajadores disfrutan en favor de sus familias. Los requisitos exigidos por la compañía para otorgar las reducciones a las parejas de los trabajadores son que éstos se encuentren casados o que tengan una relación significativa con una persona del sexo opuesto durante al menos dos años. La señora Grant tiene una relación significativa desde hace más de dos años con otra mujer. Este es el motivo por el que la compañía le deniega la reducción en el precio de los transportes, el que la relación sea con otra mujer y no con un hombre, siendo considerada esta reducción, por otro lado, como parte integrante del salario. El *Industrial Tribunal, Southampton* plantea una cuestión prejudicial sobre la interpretación del artículo 119 del Tratado CE, de la Directiva 75/117/CEE[241] y de la Directiva que resultó esencial en el ca-

---

[240] Este fallo ha dado lugar a numerosos comentarios; entre otros, M. BELL, «Shifting Conceptions of Sexual Discrimination at the Court of Justice: from P v. S to Grant v. SWT», *European Law Journal*, vol. 5, 1999, págs. 63 ss; C. BARNARD, «Some Are More Equal Than Others: the Decision of the Court of Justice in Grant vs. South-West Trains», *Cambridge Journal of European Law*, 1999, págs. 147 ss.; P. SPACKMAN, «Grant vs South-West Trains: Equality for Same-sex Partners in the European Community», *American University Journal of International Law*, n° 12, 1997, págs. 1063 ss.; T. CONNOR, «European Community Discrimination Law: No Right to Equal Treatment in Employment in Respect of Same Sex Partner», *European Law Review*, n° 4, 1998, págs. 378 ss; L.R. HELFER, «European Court of Justice Decision Regarding Employment Discrimination on the Basis of Sexual Orientation», *American Journal of International Law*, vol. 93, n° 1, 1999, págs. 195 ss.; y K BERTHOU y A. MASSELO, «La CJE et les Couples Homosexuels», *Droit Social*, n° 1, 1998, págs. 20 ss. En España Y. SÁNCHEZ-URAN AZAÑA, «El Principio de No Discriminación Sexual en el Derecho Social Comunitario: ¿Avance Sustancial del Tratado de Ámsterdam?», en AA.VV., *Estudios de Derecho del Trabajo y de la Seguridad Social en Homenaje al Profesor Juan Antonio Sagardoy Bengoechea*, Madrid: Servicio de Publicaciones de la Facultad de Derecho de la Universidad Complutense, 1999, págs. 363 ss; J.M. MORALES ORTEGA, «Nuevos Fenómenos Discriminatorios: Homosexualidad ...» *op. cit.*, y J. GONZÁLEZ VEGA, «Buscando en la Caja de Pandora: el Derecho Comunitario ante la Discriminación por Razones de Orientación Sexual», *La Ley-Unión Europea*, n°. 4522, 1998.

[241] Directiva 75/117/CEE del Consejo, de 10 de febrero de 1975, relativa a la aproximación de las legislaciones de los Estados miembros que se refieren a

so *P v. S* y citada con anterioridad 76/207/CEE. Se trataba, pues, de un caso de tratamiento desigual por razón de la orientación sexual, dado que lo relevante no parecía ser el estado matrimonial (pues se reconocía la reducción a las parejas de hecho heterosexuales) sino el sexo de los integrantes de la pareja; y que afectaba a un elemento de la relación laboral que el Tribunal ya había calificado como parte de la retribución del trabajador[242]. Una situación ideal para poner a prueba al órgano comunitario, si bien el contenido material discutido, un componente marginal de la retribución de la trabajadora, quizás no fuera el más adecuado para asegurarse su apoyo[243].

Importante es señalar que la característica común que más nos interesa en estos dos casos, es la importancia de la forma de análisis de la cláusula de no discriminación, que va a ser determinante en el resultado final, y cuya elección, como ahora detallaremos, no es en absoluto ideológicamente neutra.

En *P v. S*, el TJUE hace una interpretación de la Directiva 76/207/ CEE, que resulta íntimamente ligada a la metodología de aplicación de la prohibición de discriminación por razón de sexo. El TJUE hace primero una interpretación literal de la Directiva, resultando así que los artículos 2.1. y 3.1., definen la igualdad de trato como la ausencia de toda discriminación basada en el sexo[244]. Esta consideración viene

---

la aplicación del principio de igualdad de retribución entre los trabajadores masculinos y femeninos.

[242]   En la sentencia *Gillespie y Otros*, de 13 de febrero de 1996, asunto C-342/93.

[243]   Así lo han reconocido distintos expertos en la cuestión, en el sentido de que el Tribunal hubiera estado más dispuesto a fallar en beneficio de la trabajadora si ésta se hubiera jugado algo más importante en el asunto, como su propia continuidad en el empleo (como en el caso de la sentencia *P.v.S.*).

[244]   Sentencia *P v. S., op. cit.*, nº 17. La utilización de la técnica interpretativa de análisis del sentido de las palabras y expresiones utilizadas en una determinada norma (interpretación literal) resulta de particular importancia en el caso del Derecho Comunitario, ya que dadas las características de la norma comunitaria, fundamentalmente la existencia de versiones oficiales en las distintas lenguas oficiales de la Unión, y la disparidad en muchos casos de los términos jurídicos empleados en los distintos sistemas nacionales (con los problemas de traducción que plantea, ya que en una multitud de ocasiones no existe un vocabulario técnico equiparable entre distintos sistemas jurídicos), es no sólo deseable, sino necesaria la clarificación del sentido de las palabras. Afortunadamente el TJUE ha asumido esta función, pero en los asuntos en los que no ha tenido ocasión

a apoyar la interpretación sistemática de la Directiva que lleva a la concepción de la misma como la expresión, en su ámbito de aplicación, del principio de igualdad, principio fundamental en Derecho Comunitario[245]. Siendo además el derecho a no ser discriminado por razón de sexo un derecho fundamental del ser humano, esto permite pensar, si bien esto el TJUE en ningún momento lo dice, que se le otorga a esta Directiva, como expresión de un principio fundamental de Derecho Comunitario, y como configuración concreta de un derecho fundamental, una especial relevancia en el entramado jurídico comunitario, cuyo respeto, por tanto adquiere particular importancia.

Sea como fuere, lo cierto es que la idea de que esta Directiva es la aplicación en el ámbito de que se trata del principio general de igualdad, forma parte de la argumentación básica que sustenta la interpretación de la prohibición de discriminación por razón de sexo de la Directiva 76/207/CEE, que incluye en su contenido la prohibición de discriminación por cambio de sexo, y que por tanto protege a la minoría transexual de las posibles discriminaciones de las que, al menos en el ámbito laboral, puedan ser objeto. Esto, en cuanto al razonamiento que apoya una interpretación de este tipo, pero no en cuanto a la metodología utilizada para llegar a tal conclusión. Se trata aquí de analizar cuál es la fórmula de aplicación de la cláusula de no discriminación por razón de sexo que el TJUE ha utilizado y que le ha permitido proteger a los transexuales contra la discriminación.

El TJUE ha utilizado como fórmula de aproximación a la prohibición de discriminación por razón de sexo en este caso la metodología de la interpretación teleológica de la norma. Lo que el TJUE ha hecho no es ni más ni menos que buscar cuál es el fin último que la norma

---

de pronunciarse, el problema idiomático es evidente. Ejemplo de lo dicho es la discusión mantenida en la doctrina anglosajona acerca del significado de la palabra «powers» en relación con el artículo 13 del Tratado de Ámsterdam, discusión inexistente en otros entornos lingüísticos en los que la palabra empleada es «competencias», concepto jurídico bien determinado en Derecho Comunitario por el propio TJUE en su sentencia en *Sandro Forcheri y Marisa Marino v. Etat belge y Asbl Institut supérieur de sciences humaines appliquées*, de 13 de julio de 1983, asunto C-152/82. Sobre esta controversia ver BELL, M., «A Sound Basis for European Anti-Discrimination Law?», *Maastricht Journal of European and Comparative Law*, vol. 6, no. 1, 1999, págs. 5 ss., en págs. 8-14.
[245] Sentencia *P v. S., op. cit.*, nº 18.

persigue, y una vez señalado éste, lo ha aplicado al caso concreto. Para el TJUE la Directiva 76/207/CEE, como expresión, como ya hemos dicho, del principio de igualdad, tiene como finalidad que el sexo del trabajador no sea un factor relevante en ningún caso en el disfrute de los derechos que como tal tiene reconocidos. Y esta manera de interpretación de la discriminación sexual es cuanto menos excepcional, ya que altera, en la aplicación concreta, la propia evaluación de cuándo se ha producido una diferencia de trato, de manera que incluso la determinación de la norma aplicable se puede ver comprometida. Es también excepcional en cuanto ha sido aplicada por el TJUE en muy raras ocasiones, siendo el método dominante en la aplicación de la cláusula de no discriminación por razón de sexo el comparativo, esto es, el que impone comparar la situación de mujer y hombre en el caso concreto, y si las diferencias se basan en el sexo del trabajador, se establece la existencia de discriminación.

Este método de interpretación es precisamente el utilizado en el caso *Grant*, en el que la discusión se centra en los términos de comparación elegidos. En efecto, en esta sentencia el TJUE pone en práctica la fórmula tradicional de aplicación de la prohibición de discriminación por razón de sexo, utilizando parámetros de comparación que dan como resultado la exclusión del colectivo homosexual de la protección que la cláusula de no discriminación otorga. Comienza el TJUE delimitando la normativa aplicable al caso concreto, de manera que se trata éste de un caso comprendido en el ámbito de aplicación del artículo 119 del Tratado de la CE, y por tanto la Directiva 76/207/CEE no se considera de aplicación, siendo la interpretación de esta Directiva en el caso *P v. S*, sin embargo, la que lleva al Tribunal nacional a plantear la cuestión prejudicial. La Directiva aplicable es en este caso la 75/117/CEE, sobre igualdad de retribución de los trabajadores masculinos y femeninos. Y el TJUE hace una aplicación de la misma en el sentido de comparar a un trabajador viviendo con un hombre con una trabajadora viviendo con una mujer. Establecidos así los parámetros de comparación, el TJUE concluye que tanto en un caso como en el otro la empresa habría denegado la reducción en el precio de los billetes al compañero/a del trabajador/a. En palabras del propio TJUE: «[e]ste último requisito, [el de estar viviendo con un cónyuge o con una persona del otro sexo] del que resulta que el trabajador debe vivir de manera estable con una persona del otro sexo para poder disfrutar de las reducciones en el precio de los transportes, es, igual que los demás requisitos alternativos previstos por el reglamento de la empresa, aplicado con independencia del sexo del trabajador de que se trate. Así pues, las reducciones en el precio de los transportes son denegadas a un trabajador de sexo masculino que viva con otro hombre, del mismo modo que se le deniegan a una trabajadora que viva con otra mujer»[246].

En efecto, el método de análisis utilizado en este caso es el más tradicional de la comparación entre la situación de uno y otro sexo, de la que cabe extraer que ha habido diferencia de trato injustificada si ambos sexos son tratados de forma distinta y esta diferencia se basa fundamentalmente en el sexo del trabajador. En realidad se dio una situación de argumentación absurda en torno a si se debían utilizar unos u otros parámetros para comparar las situaciones de las parejas homosexuales y las heterosexuales, lo que llevó a crear un discurso algo vacío e inútil en relación a este caso que pone de manifiesto la falta de contenido de un mandato de no discriminación si éste no viene acompañado de claras referencias normativas, de principios en los que sustentarlo.

Así, mientras las alegaciones de la Sra. Grant hacían referencia al «criterio del factor distintivo único» —«but for test»— de manera que su argumentación se basaba en que si ella hubiera sido un hombre se le habrían otorgado los beneficios salariales que se pedían, esto es, lo único que cambiaba era el sexo del trabajador[247], el Tribunal de Justicia comparaba su situación con la de un trabajador masculino que estuviera viviendo con otro hombre, y llegaba a la conclusión de que en ambos casos el tratamiento recibido por parte de la empresa habría sido el mismo, de manera que no se puede hablar de discriminación por razón de sexo[248].

En realidad, de lo que se debía haber tratado es de la importancia de un concepto como la discriminación por razón de sexo, del alcance que tal concepto tiene en Derecho Comunitario, y de la posibilidad de decisión del Tribunal de Justicia en un asunto de estas características. Y ello debido a que estamos hablando de una ampliación de la idea de

---

[246] Sentencia *Grant, op. cit.*, n° 27.
[247] *Ibidem*, n° 17.
[248] *Ibidem*, n° 27 y 28.

sexo, y por tanto del principio de no discriminación por razón de sexo, que es del todo novedosa, y que podría considerarse como ajena a la intención del legislador, así como una intrusión por parte del Tribunal en asuntos que se encuentran fuera de la esfera de sus competencias.

Porque de lo que se trataba era de seguir el razonamiento que se estableció en torno al caso *P.v.S.*, esto es, que el sexo no es tan solo un atributo biológico cuyas características particulares no deben obstaculizar el reconocimiento de los mismos derechos para todos, sino que también se trata de un atributo de la personalidad, de una característica psicológica cuyas manifestaciones deben ser protegidas. Lo que las asociaciones de gays y lesbianas trataron de forzar con el caso *Grant*[249] no es otra cosa que la ampliación del concepto que el Tribunal de Justicia ya había reconocido en *P.v.S.* para incluir la orientación sexual como forma de manifestación de esa caracterís-tica de la personalidad que es el sexo. Evidentemente, detrás de esta conceptuación hay un interés político claro, el hacer extensivo al colectivo homosexual todo el aparato de protección ya establecido para la lucha contra la discriminación por razón de sexo en Derecho Comunitario, sin tener que pasar por la vía legislativa, que en un asunto como éste puede suponer encontrarse con obstáculos fruto de las reticencias morales de los Estados a proteger a los homosexuales.

El método interpretativo utilizado en *Grant* bien podría haber sido el elegido en el caso *P. v. S.*, y de la comparación entre un transexual que cambia de sexo de hombre a mujer, y uno que lo hace de mujer a hombre se habría podido llegar a la conclusión de que los dos habrían sido igualmente despedidos y por tanto no hay discriminación por razón de sexo. Afortunadamente, el TJUE no adoptó este criterio de aplicación de la norma en relación con la transexualidad.

Cabe preguntarse la razón de la elección de uno u otro método de interpretación normativa. Pues bien, esta elección no es en absoluto neutra, esto es, no responde a exigencias técnicas de interpretación, si-no que está ideológicamente determinada. En el caso de lo que hemos llamado el criterio comparativo, esto es, el método utilizado en el caso

---

[249] En concreto fue la organización británica *Stonewall* la que apoyó la presentación de la cuestión prejudicial que dio lugar a la sentencia *Grant*. Sobre los detalles de esta estrategia, M.BELL, «Shifting Conceptions of …», *op. cit.*, en pág. 77.

Grant, se trata de una metodología que no pretende abarcar la complejidad de situaciones asociadas con el sexo. Bien al contrario, es una forma de entender la discriminación por razón de sexo desde, al menos al inicio de su utilización, una concepción patriarcal de la sociedad.

Y ello porque el modelo sobre el que se establece la comparación es la situación del hombre, de la que se extrae que si la mujer está en igualdad de condiciones no ha habido discriminación sexual. En inicio, y dado que la situación del hombre ha sido históricamente mejor que la de la mujer, una aproximación a la discriminación de este tipo ha favorecido y ayudado mucho a la integración de la mujer en el mundo laboral en igualdad de condiciones. Sin embargo, esta metodología comparativista ha ignorado las diferentes necesidades y rasgos que caracterizan a la identidad sexual. Ejemplo claro de lo dicho es el caso del embarazo y la lactancia. Al no encontrarse el hombre en una situación parecida, no se podía concluir que había diferencia de trato entre hombre y mujer, y por tanto un trato desfavorable basado en la situación de embarazo o periodo de lactancia de la mujer no se consideraba como una discriminación basada en el sexo. Es el criterio comparativo la forma de aproximación mínima a la discriminación sexual, esto es, es la que más relevancia otorga al factor sexual definido como la adscripción biológica a un sexo determinado, hasta el punto de convertirlo en criterio de comparación sin otorgar ningún valor a la forma en que ese factor construye una identidad social.

Pues bien, en la materia que aquí nos ocupa nos encontramos con dos sentencias distintas que exponen muy bien cuáles son las dos formas fundamentales de aproximación a la discriminación por razón de sexo. El criterio comparativo del que hemos hablado y que ha sido utilizado en *Grant* elude la apreciación de las características sexuales que no se enmarcan en el modelo heterosexual patriarcal. Es por esto por lo que decimos que la elección de la metodología en relación con la discriminación sexual no es neutra, porque cualquiera de las dos formas de análisis citadas de la cláusula de no discriminación por razón de sexo, presupone una forma concreta de entender la misma. En el caso *P. v. S.*, el TJUE adopta un modelo de acercamiento a la discriminación que engloba de una manera consistente las particularidades y las formas minoritarias que configuran la identidad sexual. Lo relevante para el TJUE en este caso es que el sexo es un factor al que la ley niega trascendencia en el ámbito laboral. Estableciendo este criterio como punto de partida, las diferencias sexuales se engloban en el ámbito de protección de la norma, sin que ello signifique forzar la interpretación de la misma. Este método de interpretación de la cláusula de no discriminación no es tampoco, como ya hemos dicho, neutro ideológicamente, ya que como en el caso anterior, supone una posición concreta en relación con la relevancia que se le quiere dar al sexo, en este caso, en el ámbito laboral. Se puede concluir aún así, que ésta es la forma de acercamiento al sexo como factor de discriminación que ofrece una mayor protección en relación con el mismo, ya que, lejos de buscar modelos de comparación, asume que el sexo, cualquiera que sea la manifestación del mismo en el caso concreto, incluyendo aquí las consecuencias sociales de la identidad sexual, es irrelevante como factor justificativo de una diferencia de trato.

Esta segunda metodología de aplicación de la discriminación por razón de sexo resulta de mayor complejidad tanto en niveles teóricos como prácticos, ya que supone la necesidad de establecer lo que entendemos por sexo. Se trata aquí de definir a efectos legales lo que es el sexo, esto es, de saber que comportamientos consideramos se incluyen dentro de lo que la ley protege contra discriminación y cuya esencia se encuentra ligada al sexo. Pues bien, éste no es lugar para iniciar un estudio de semejantes dimensiones, que puede abarcar multitud de situaciones y comportamientos, desde la identidad sexual, la superación de la concepción biológica del sexo, la orientación sexual, los rasgos de la personalidad asociados al sexo, etc. y que han sido someramente expuestos *supra*. Lo que aquí interesa es evidenciar que el método de interpretación de la discriminación sexual utilizado en *P. v. S.* asume ese debate y supone la puesta en práctica de determinados principios de una manera más clara, supone la apertura del concepto jurídico de sexo a situaciones sobre las que una gran carga de controversias de carácter moral obstaculizan su protección. Siendo la homosexualidad, al igual que la transexualidad, una situación de este tipo, el TJUE decidió proteger a la segunda y no a la primera, pudiendo, sin embargo, haber protegido a ambas. El no haberlo hecho pone de manifiesto el contenido moral o de principios que se encuentra detrás de las decisiones judiciales en este tipo de casos, y crea dos tipos de jurisprudencia distintos en cuanto al método de aproximación a la discriminación sexual.

El Tribunal de Justicia basó parte de su argumentación del caso *Grant* (en una sentencia sorprendentemente escueta para la complicación del asunto) en distintos elementos: la jurisprudencia del Tribunal Europeo de Derechos Humanos, que no reconocerá a la orientación sexual como elemento de discriminación contrario al artículo 14 del Convenio Europeo de Derechos Humanos hasta el año 2000[250]; la situación normativa en los Estados miembros[251], en muchos de los cuales las relaciones homosexuales seguían constituyéndose como una actividad indeseable contra la que es lícito, con las limitaciones impuestas por el propio TEDH, establecer políticas públicas[252]; y, sobre todo, una interpretación literal e histórica del antiguo artículo 119 del Tratado de Roma, que le lleva a concluir que «en su estado actual el Derecho comunitario no se aplica a una discriminación basada en la orientación sexual»[253]. Conclusión que rechaza frontalmente la pretensión de cobijar la discriminación por orientación sexual bajo el paraguas normativo de la no discriminación por razón de sexo, y que deja a aquélla huérfana de toda protección en el Derecho Comunitario.

Es interesante apuntar tan solo la situación de la jurisprudencia del TEDH en este momento[254]. Sabemos ya que en el año 1981 este Tribunal declara la criminalización de prácticas homosexuales masculinas entre adultos que consienten en privado como contraria al artículo 8 del CEDH[255]. Sin embargo, tal jurisprudencia no ha protegido

---

[250] Sentencia *Da Silva Mouta v. Portugal, op. cit.*
[251] Según el Tribunal, «en el estado actual del Derecho en el seno de la Comunidad, las relaciones estables entre dos personas del mismo sexo no se equiparan a las relaciones entre personas casadas o a las relaciones estables sin vínculo matrimonial entre las personas de distinto sexo» (punto 35). Se acerca así el TJUE en este punto a la posición adoptada por el TEDH respecto de la necesidad de consenso europeo, y que ha tenido efectos dispares.
[252] Sobre la situación de los homosexuales en el ámbito europeo, anterior a la entrada en vigor del Tratado de Ámsterdam y a importante jurisprudencia del Tribunal Europeo de Derechos Humanos, ver K. WAALDIJK, «The Legal Situation in the Member States», en A. CLAPHAM y K. WAALDIJK (coord.), *Homosexuality: a European Community Issue... op. cit.*, págs. 70 ss.
[253] Sentencia *Grant, op. cit.*, nº 47.
[254] Un estudio detallado de esta jurisprudencia se encuentra en A. RIVAS VAÑÓ, «Homosexualidad, Privacidad y Discriminación en el Convenio Europeo de Derechos Humanos». *Orientaciones*, nº 1, 2000, págs. 13 ss.
[255] Sentencia *Dudgeon, op. cit.*

al colectivo homosexual de tratos desfavorables, como por ejemplo la diferente edad de consentimiento para realizar prácticas heterosexuales y homosexuales, e incluso para realizar prácticas lésbicas o gays. Por otro lado, tampoco ha sido útil para la equiparación de las parejas homosexuales con las heterosexuales, ni en general ha sido un instrumento que permitiera la protección de los homosexuales contra la discriminación por ese motivo[256]. La particular naturaleza del artículo 14 del CEDH, tal y como ha sido entendido por el TEDH, es la causante de la prolongación en el tiempo de tal situación. Y ello porque se trata de un artículo que ha sido interpretado de una manera bastante restrictiva por el Alto Tribunal, de modo que su naturaleza de por sí subsidiaria, en cuanto la prohibición de discriminación en el Convenio se encuentra intrínsecamente ligada a los derechos reconocidos por el mismo, no teniendo entidad ni naturaleza propia, ha sido amplificada en la jurisprudencia del TEDH[257]. Así establece el Tribunal que no existe necesidad de pronunciarse sobre la posibilidad de violación del artículo 14 cuando ya se haya constatado violación de alguno de los derechos sustantivos del Convenio, y que solo cuando resulte un elemento fundamental en la violación de alguno de estos derechos, se analizará la posible violación de tal derecho en conjunción con el artículo 14. Tampoco establece el Tribunal, por otro lado, un perfil claro de cuándo se entiende que la posibilidad de discriminación es un elemento fundamental de la violación de uno de los derechos sustantivos del Convenio. Así, en definitiva, la interpretación del artículo 14 del Convenio dada por el Tribunal ha permitido a éste decidir de un modo más que arbitrario cuándo y cuándo no pronunciarse sobre la prohibición de discriminación en relación a los demás derechos

---

[256] Para una visión crítica de la jurisprudencia desarrollada por el Tribunal en relación a la orientación sexual y la vida privada y familiar, ver: L.R. HELFER, «Consensus, Coherence and the...» op. cit.

[257] El Tribunal ha recibido duras críticas por el desarrollo de una jurisprudencia limitativa de los efectos del artículo 14. Es muy amplia la bibliografía al respecto, H. SURREL (Dir.) *Le Droit à la Non-Discrimination au Sens de la Convention Européenne des Droits de l'Homme*, Actes du Colloque des 9 et 10 novembre 2007 organisé par l'Institut de Droit Européen des Droits de l'Homme, Faculté de Droit, Université Montpellier, Bruselas: Bruylant Nemesis, 2008; O.M. ARNARDÓTTIR, *Equality and Non-Discrimination under the European Convention on Human Rights*, The Hague: Martinus Nijhoff Publishers, 2002.

reconocidos en el Convenio. Y ello ha afectado de una manera más que adversa a los derechos de los homosexuales europeos, por cuanto han visto confinada la protección ofrecida por el Convenio a la tutela del derecho a la vida privada, no habiéndose extendido tal protección, por medio de la prohibición de discriminación, a los aspectos públicos de la homosexualidad[258]. Sobre esto volveremos *infra*.

Sin embargo en el año 2000 tal situación fue subsanada por el TEDH, en la sentencia *Da Silva Mouta*[259], en la que por primera vez el Alto Tribunal establece la prohibición de discriminación por orientación sexual. Y lo hace en unos términos tan rotundos y escuetos que sorprende bastante, además de hacerse necesaria una mayor aportación de argumentos de la que se ofrece[260]. Dispone el TEDH en esta sentencia, en la que se trataba de decidir si se podía denegar la tutela de una niña a su padre sólo por el hecho de que éste fuera homosexual, que el artículo 14 del Convenio Europeo de Derechos Humanos establece, sin ninguna duda, la prohibición de discriminación por orientación sexual. Semejante novísima jurisprudencia se ofrece sin más explicaciones[261]. Nos detendremos en esta sentencia *infra*.

La invocación de la jurisprudencia de Estrasburgo por el Tribunal Europeo de Justicia en el caso *Grant* parece, desde esta perspectiva, al

---

[258] En relación con los límites que la protección del derecho a la vida privada ofrece al colectivo homosexual, ver G. SELVANERA, «Gays In Private: The Problems with the Privacy Analysis in Furthering Human Rights». *Adelaide Law Review*, vol. 16, 1994, pág. 331 ss.

[259] Sentencia *Da Silva Mouta v. Portugal*, de 21 de diciembre de 1999, Reports of Judgments and Decisions 1999-IX.

[260] Y habría resultado necesaria una mayor aportación de argumentos por cuanto poco antes, en la ahora desaparecida Comisión Europea de Derechos Humanos, la discusión acerca de la aplicación del artículo 14 al colectivo homosexual encontró posturas muy enfrentadas, en particular en el caso *Sutherland v. Reino Unido* (demanda nº 25186/94, decisión de la Comisión de 1 de julio de 1997), que trataba sobre la diferente edad de consentimiento, siendo la primera vez que se analiza y se concluye que ha habido discriminación por orientación sexual, si bien el caso no llegó al Tribunal, al cambiar el Reino Unido la ley y equiparar la edad de consentimiento.

[261] En palabras del Tribunal, «la Cour ne peut dès lors que conclure qu'il y a eu une différence de traitement entre le requérant et la mère de M., qui reposait sur l'orientation sexuelle du requérant, notion qui est couverte, à n'en pas douter, par l'article 14 de la Convention. La Cour rappelle à cet égard que la liste que renferme cette disposition revêt un caractère indicatif, et non limitatif (...)» Sentencia *Da Silva Mouta v. Portugal*, *op. cit.*, nº 28.

menos desafortunada[262], por cuanto, si bien aún no se había pronunciado la sentencia del caso *Da Silva Mouta*, si resultaba evidente que un cambio de actitud hacia el colectivo homosexual se estaba produciendo[263], entre otras cosas, porque el propio Parlamento Europeo acaba de aprobar en ese momento una resolución sobre la igualdad de derechos para el colectivo[264].

Los motivos por los que el TJUE ha reaccionado de manera tan dispar en los casos de homosexualidad y transexualidad pueden ser de distinta índole. En primer lugar, se puede pensar en razones de carácter económico ligadas a la obligación de self-restraint que todo tribunal tiene. En el caso de la transexualidad, los estudios más recientes en ese momento afirman que tan sólo uno de cada treinta mil hombres y una de cada cien mil mujeres buscan la realización de un cambio de sexo por medio de la cirugía[265]. Ello permite predecir que la incidencia económica de la protección jurídica de la transexualidad va a ser poco significativa. En el caso de la homosexualidad, sin embargo, la estima-

---

[262] Y será objeto de importantes críticas, como por ejemplo en C.C. STYCHIN, «Grant-ing Rights: the Politics of Rights, Sexuality and European Union», *Northern Ireland Legal Quarterly*, nº 51 (2), 2000, págs. 281 ss; L. PERAL FERNÁNDEZ, «Concepto de Sexo y Discriminación por razón de Sexo en el Derecho Social Comunitario Europeo: la Contradictoria Sentencia del Tribunal de Justicia de las Comunidades Europeas en el Asunto Grant Respecto de su Jurisprudencia en el Asunto P./S», *Derechos y Libertades*, nº 8, 2000, págs. 393 ss.

[263] El Tribunal de Justicia hace uso de la jurisprudencia establecida por la Comisión y el Tribunal Europeo de Derechos Humanos para apoyar su afirmación de que no hay un consenso europeo acerca del reconocimiento en igualdad de condiciones que los heterosexuales de los derechos de gays y lesbianas, nº 33 y 34 de la sentencia *Grant*, *op. cit.*

[264] Resolución del Parlamento Europeo, de 17 de septiembre de 1998, sobre la igualdad de derechos para los homosexuales y las lesbianas en la CE, nº B4-0824 y 0852/98.

[265] Datos ofrecidos por el demandante en *P. v. S.*, y utilizados por el Abogado General Tesauro en su opinión en el mismo caso. Es posible disentir, sobre todo en la medida en que sólo se consideran los casos de transexuales que se someten a operaciones quirúrgicas. En cualquier caso, la proporción varía poco si incluimos a los transexuales que no están dispuestos a pasar por el quirófano. Un estudio en mayor profundidad sobre el fenómeno transsexual, aunque controvertido, en, R.F. DOCTER, *Transvestites and Transsexuals: Toward a Theory of Cross-Gender Behavior*, New York: Plenum Press, 1988; A. WOODHOUSE, *Fantastic Women: Sex, Gender and Transvestism*, New Brunswick, N.J.: Rutgers University Press 1989.

ción de que en torno al 10 por ciento[266] de la población tiene tendencias homosexuales, hace que la decisión sobre la protección de la homosexualidad en el trabajo traiga consecuencias de carácter económico de mucha mayor envergadura, que el TJUE parece no estar dispuesto a exigir a los Estados miembros, teniendo en cuenta, además, que se trata, en el caso de la homosexualidad, de asumir el coste económico del reconocimiento de lazos familiares que de otro modo no supondrían gasto alguno, ni para las empresas, ni para los Estados.

Además de lo dicho, otro tipo de razones parece encontrarse también en la base de un trato tan desigual entre homosexualidad y transexualidad. El mismo lenguaje de las sentencias *P. v. S.* y *Grant* así parece indicarlo. La transexualidad parece ser valorada por el TJUE con mayor comprensión que la homosexualidad, para la que el lenguaje utilizado es cuanto menos más frío. No es ésta una posición única del TJUE. El TEDH parece compartir esta diferencia en el grado de comprensión hacia uno y otro fenómeno, algo a lo que ya nos hemos referido.

Por último, y éste es un inesperado resultado de la puesta en práctica en paralelo de dos estrategias distintas para la consecución del reconocimiento y respeto de la orientación sexual en Europa, el hecho de la inclusión en el artículo 13 del Tratado de Ámsterdam de la orientación sexual como motivo por el que no se puede discriminar, y que vamos a analizar más adelante, ha llevado al TJUE a no considerar que la discriminación por razón de sexo englobe a la homosexualidad. Y ello no, como pudiera parecer, porque el artículo 13 recoge como motivos distintos el sexo y la orientación sexual, sino por las limitaciones que el propio artículo 13 impone a la protección de los colectivos que enumera, limitaciones que veremos *infra*. Así el TJUE ha entendido, no sin cierta razón, que si el Tratado de Ámsterdam limita de una manera notable el poder de otras instituciones comunitarias y exige un alto grado de acuerdo entre las mismas para la protección de los colectivos incluidos en el artículo 13, sería un exceso de activismo judicial otorgar tal protección por parte del TJUE. Sería, en resumen, una actuación judicial ilegítima. Y tal resultado es cuanto menos paradójico, porque supone el reconocimiento del derecho a la protección contra la discriminación de un colectivo que, sin embargo,

---

[266] Aun cuando no hay acuerdo en la comunidad científica acerca de esta estimación.

y por tratarse de un reconocimiento sin eficacia directa, no puede recibir tal protección por parte de los tribunales todavía. A pesar de esto, muchas son las ventajas para el colectivo homosexual de la inclusión en el artículo 13 del Tratado de Ámsterdam de la orientación sexual como motivo por el que no se puede discriminar, y como ahora veremos, una de ellas es que esta protección contra la discriminación se concrete en instrumentos jurídicos de eficacia directa.

Para los colectivos de defensa de los derechos de los homosexuales el fallo del Tribunal en *Grant* fue un auténtico mazazo, inesperado e injustificado; como se llegó a decir, el reconocimiento de la no discriminación por motivos de orientación sexual había sido un objetivo demasiado ambicioso, «un puente demasiado lejano»[267]. Paradójicamente, esta decepción para los colectivos homosexuales supuso una revitalización de sus expectativas ante las instituciones comunitarias. Al quedar descartada su protección a través del Derecho europeo de la no discriminación por razón de sexo, que en este aspecto puso de manifiesto sus limitaciones[268], quedo demostrada la necesidad de un tratamiento especial para asegurar la situación del colectivo homosexual en Europa. El mismo Tribunal lo señalaba en su sentencia, al subrayar cómo el Tratado de Ámsterdam abre la vía para una intervención comunitaria en esta dirección[269]. La orientación sexual debía ver reconocido así su estatus como una causa de discriminación *per se*, y cerrada la vía jurisprudencial, se imponía una intervención legislativa comunitaria para asegurarlo; sólo así encontraría su lugar en el ordenamiento jurídico comunitario[270].

---

[267] En palabras de S. TERRET, «A Bridge Too Far? Non Discrimination and Homosexuality in European Community Law», *European Public Law*, vol. 4, n° 4, 1998, págs. 487 ss.

[268] N. BURROWS, «Sex and Sexuality in the European Court», The International Journal of Comparative Labor Law and Industrial Relations, vol. 14, n° 2, págs. 153 ss.

[269] Sentencia *Grant, op. cit.*, n° 48.

[270] En general, ver G.F. MANCINI, «The New Frontiers of Sex Equality Law in the European Union», AA.VV., *Scritti in Onore di Gino Giugni*, Bari: Cacucci Editore, 1999, págs. 627 ss. Y sobre la situación del colectivo LGBTI en ese momento, ver E. HEINZE, «Sexual Orientation and International Law: a Study in the Manufacture of Cross-Cultural "Sensitivity"», *Michigan Journal of International Law*, n° 22, 2001, págs. 283 ss.

Capítulo III
El reconocimiento jurídico de la orientación sexual como motivo de discriminación

El inicio del nuevo siglo va a coincidir con la afirmación de nuevos avances en la protección jurídica de la diversidad sexual. Pareciera que empiezan realmente a dar frutos los esfuerzos colectivos y personales de la comunidad LGBTI por encontrar su posición como ciudadanos de pleno derecho, y ello tiene que venir necesariamente acompañado del reconocimiento de la necesidad de protección frente a la discriminación. Veremos en las siguientes páginas, por qué es necesaria esta nueva fórmula de reconocimiento, y cómo se articula la misma tanto en el Consejo de Europa como en la Unión Europea.

3.1. EL TEDH Y LAS LIMITACIONES DEL RECONOCIMIENTO DEL RESPETO A LA VIDA PRIVADA Y FAMILIAR

Los distintos impulsos dados por el TEDH en materia de diversidad sexual, sobre todo a través de las sentencias *Dudgeon* y *B v. France*, que reconocen la inclusión en el campo de protección del derecho a la vida privada reconocido en el art. 8 del CEDH tanto de la homosexualidad como de la identidad sexual de las personas transexuales, supusieron una importante apuesta de los grupos LGBTI por la litigación estratégica en este foro. La década de los noventa va a ser una continua apelación al TEDH para que, en distintos ámbitos, reconozca los derechos del colectivo. Vamos a centrarnos en esta sección en el estudio de estas sentencias.

El primer asunto que llega al TEDH, tras el éxito de *B v. France*, va a ser un caso relacionado con la orientación sexual, y no con una cuestión de identidad sexual. Se trata de la sentencia *Modinos v. Cyprus*[271], en la que se vuelve a cuestionar la validez de la criminalización de determinadas prácticas sexuales entre hombres adultos, en base al derecho a la vida privada.

---

[271] Sentencia *Modinos v. Chipre*, de 22 de abril de 1993, Series A, nº 259.

153

Aleco Modinos, el recurrente, es el fundador y presidente en ese momento de The Gay Liberation Movement of Cyprus[272], una ONG chipriota integrada en la International Gays and Lesbians Association, ILGA, organización internacional de gran prestigio y con presencia en prácticamente todo el mundo, a través de las distintas entidades nacionales, como ya se ha comentado *supra*. De hecho, ILGA intentó comparecer en este asunto, aunque tal posibilidad fue rechazada por el Presidente del TEDH[273].

El Código Penal chipriota contiene en esos momentos una serie de artículos que tipifican como delito punible con penas de hasta 15 años de prisión las relaciones carnales «against the order of nature»[274]. La decisión del TEDH no genera posibilidad de duda, habiendo resuelto esta causa en el caso *Dudgeon* y posteriormente habiendo sido ratificada en *Norris*, la posición del TEDH no varía cuando se trata de Chipre: la criminalización de prácticas sexuales entre personas del mismo sexo es contraria al derecho a la vida privada del CEDH. Quizás lo único notorio de este asunto es que el recurrente no invocó la violación del art. 8 en conjunción con el art. 14.

Y quizás uno de los motivos que llevaron al demandante a no incluir referencia alguna a la prohibición de discriminación pudo ser la situación de la legislación penal en Chipre en el momento de presentación del recurso al TEDH por parte del señor Modinos. En efecto, lo cierto es que no se habían derogado las disposiciones del Código Penal chipriota que criminalizaban las relaciones homosexuales, aun cuando la Fiscalía había dado instrucciones a las fuerzas y cuerpos de seguridad del Estado de no perseguir tales actos. Sin embargo, el Tribunal Supremo chipriota, en una decisión tomada después de la adopción de la sentencia *Dudgeon*, en 1982, inaplicaba la jurisprudencia emanada de este asunto, y condenaba a un homosexual por tener relaciones sexuales con otro hombre en presencia de un tercero[275]. Si bien es cierto que gran parte de la decisión del citado Tribunal Supremo se basaba en

---

[272] Puede consultarse en http://www.acceptcy.org/el/node/568 (consultada el 14 de agosto de 2013).
[273] Sentencia *Modinus, op. cit.*, nº 4.
[274] *Ibidem*, nº 8.
[275] *Costa v. The Republic* (2 Cyprus Law Reports, págs. 120-133 [1982]), referenciada en los antecedentes de la sentencia *Modinos, op. cit.*, nº 11.

la constatación de que no se trataba de actividades sexuales realizadas en privado, por cuanto se desarrollaron en presencia de otra persona, también lo es que uno de los argumentos que se esgrimió apoyando la decisión del referido Tribunal fue precisamente aquello sobre lo que más tarde incidiría el juez Martens en su voto particular en *Cossey*[276]: para el Tribunal Supremo chipriota, la valoración de la naturaleza y finalidad de la moral imperante en una sociedad es una cuestión que, dado que varía a lo largo del tiempo y es diferente en cada Estado, de manera que no hay una moral europea uniforme, debe decidirse con más rigor por parte de los Tribunales nacionales, que en esta materia tienen un conocimiento más profundo de la realidad social y moral de sus respectivos Estados. Se arroga así el Tribunal Supremo chipriota la facultad de analizar, por encima de la competencia del TEDH, y siguiendo precisamente el camino marcado por la jurisprudencia de este último, si las condiciones sociales y morales de Chipre en ese momento sustentan un reconocimiento del derecho a la vida privada para la realización de prácticas sexuales entre personas del mismo sexo, o si por el contrario, la legitimidad de la injerencia consistente en el sostenimiento de una moral sexual contraria a la homosexualidad, permite entender que la persecución penal es conforme con el CEDH. En otros términos, se trata de aplicar, hasta sus últimas consecuencias, una doctrina del margen de apreciación estatal que, lejos de otorgar contenido específico propio e irrenunciable a los derechos humanos, convierte a los mismos en instrumentos extremadamente flexibles que deben adaptarse a las posiciones mayoritarias en cada uno de los Estados.

Y así, el Tribunal Supremo de Chipre decide asumir como propia la postura mantenida en el caso *Dudgeon*, por precisamente el juez chipriota Zekia en su voto particular discrepante[277], y considerar que la moral mayoritaria en Chipre legitima la no despenalización de las prácticas sexuales entre personas del mismo sexo. Es de entender en este contexto que los esfuerzos de los colectivos LGBTI chipriotas, en ese momento, estén focalizados en obtener una respuesta firme a esta cuestión, como de hecho sucede en la sentencia *Modinos*, y aparquen en buena medida la exigencia del reconocimiento de otros derechos, como pueda ser el

---

[276] Sentencia *Cossey*, *op. cit.*, voto particular del juez Martens, n° 3.6.3.
[277] Sentencia *Dudgeon*, *op. cit.*, voto particular del Juez Zekia.

de la no discriminación por orientación sexual, que como veremos más adelante, resultarán esenciales para consolidar avances en esta materia.

Y así, el TEDH se ve compelido a afirmar con rotundidad su competencia jurisdiccional como intérprete máximo del CEDH, y declara que, aun cuando haya una política de la fiscalía de no perseguir estos delitos, y aun cuando se entiendan tácitamente derogados los artículos del Código Penal chipriota sobre esta materia, por aplicación de la cláusula de derogación general que incluye la Constitución de Chipre de toda norma preconstitucional contraria[278], la mera existencia de la penalización de las prácticas sexuales entre personas del mismo sexo supone, de hecho, una violación del artículo 8 del CEDH.

En 1997 se vuelve a realizar un intento de obtención de protección por parte, esta vez, de una persona transexual y su familia[279].En esta ocasión será la organización Rights International[280] quien se persone en la causa en calidad de *amicus curiae*, apoyando las reclamaciones de los recurrentes. Se trata éste de un asunto que concierne al reconocimiento legal del vínculo de un padre transexual y su hijo, nacido de un proceso de inseminación artificial a través de donante anónimo, al que su pareja se sometió por acuerdo de ambos. Del relato de los hechos que dan lugar al recurso ante el TEDH se evidencian las tremendas dificultades que las divergentes posiciones de los agentes implicados en todo el proceso suponen para una persona transexual, perpetuando el estatus jurídico de «tercer sexo» que acompaña a las personas en esta situación.

En efecto, tanto la obtención de la autorización para realizar el tratamiento de fertilidad por parte de esta pareja, como la posibilidad de inscripción del hijo nacido en el registro civil fueron denegados por parte de las diferentes autoridades implicadas. Y no obstante esto, finalmente pudo hacerse la inseminación, como resultado de un recurso que presentó la pareja, con la previa exigencia procedimental de reconocimiento por parte de X de su condición de padre legal del futuro hijo y su implicación y presencia a lo largo de todo el proceso. Además, y a pesar de la denegación de su inscripción como padre de

---

[278] Tal y como argumenta el juez chipriota Pikis en su voto particular discrepante en la misma sentencia *Modinos, op. cit.*
[279] Sentencia *X, Y y Z v. Reino Unido*, de 22 de abril de 1997, Reports of Judgments and Decisions 1997-II.
[280] Se trata de una organización que actualmente no sigue funcionando.

Z a efectos registrales, sí se permitió que el menor llevara los apellidos de X[281]. En definitiva, tras exigirle el reconocimiento de paternidad en relación al procedimiento médico de inseminación, se le niega dicho reconocimiento por parte del registro civil, que sin embargo accede a otorgar al menor el apellido del recurrente. Difícilmente podemos encontrar una situación de mayor disparidad e incoherencia en el tratamiento jurídico de vínculos familiares que la que aquí nos ocupa[282].

Los recurrentes acuden al TEDH alegando la violación del artículo 8 del CEDH y de este artículo en conjunción con el derecho a la no discriminación reconocido en el artículo 14 del mismo Convenio. La primera cuestión a la que tiene que hacer frente el TEDH es la de la propia existencia de relación familiar en este caso, y consecuentemente, la aplicabilidad del artículo 8 del CEDH. A pesar de la posición contraria del Reino Unido, y de la curiosa y expresa diferenciación que en este caso se hace respecto de parejas lesbianas (de modo que el TEDH se esfuerza en establecer una notable distinción entre la pareja recurrente, en la que la persona transexual vive como un hombre, y no puede diferenciarse aparentemente de otros hombres, y aquellas parejas formadas por dos mujeres[283]) el TEDH afirma claramente que en este asunto la existencia de lazos familiares, atendiendo a la realidad de las relaciones establecidas[284], es innegable.

---

[281] En el sistema registral británico en ese momento esto no resulta una excepción, ya que se permite a los progenitores elegir tanto el nombre como los apellidos de sus hijos, pudiendo incluso cambiarlos en cualquier momento sin restricción.

[282] Como acertadamente señala el voto particular del Juez Casadevall, al que se adhieren los Jueces Russo y Makarczyk, «(...) —having regard to the facts of the case and the principle of legal certainty and even foreseeability— (…) since the State permitted X to undergo hormone treatment and then, after he had gone through the required procedure and undergone psychological tests, permitted and even financed irreversible surgery, issued documents mentioning his new sexual identity and authorized Y (after an acknowledgment of paternity prescribed by law had been obtained from X) to undergo artificial insemination which led to the birth of Z and a second child since, it must accept the consequences and take all the measures needed to enable the applicants to live normal lives, without discrimination, under their new identity and with respect for their right to private and family life». Sentencia *X, Y y Z v. Reino Unido*, *op. cit.*, voto particular del Juez Casadevall al que se adhieren los Jueces Russo y Makarczyk, nº 6 *in fine*.

[283] Sentencia *X, Y y Z v. Reino Unido*, *op. cit.*, nº 35.

[284] Hace el TEDH especial hincapié en la duración de la relación, el hecho de que se trate de una relación que es «aparentemente» de carácter heterosexual, y especial-

Establecido así que el derecho a la vida familiar es aplicable al presente asunto, el TEDH entra de lleno en el análisis de la posible violación del art. 8 siguiendo el mismo esquema que ya se ha estudiado *supra*. Y de este modo, la fórmula de acercamiento a esta cuestión volverá a consistir en la necesidad de búsqueda de equilibrio entre el respeto de los derechos del recurrente y el interés general de la comunidad, volviendo de nuevo a vaciar de contenido la naturaleza jurídica de los derechos humanos protegidos por el CEDH, para convertirlos en prestaciones que el Estado puede o no otorgar dependiendo del coste, económico o cultural, que le suponga. Y ello a pesar del reconocimiento expreso que se hace en relación a la doble condición de derecho de libertad y derecho de prestación del derecho a la vida privada y familiar (incidiendo más en esta última vertiente), por cuanto que se aleja el Alto Tribunal de su jurisprudencia en casos anteriores, y admite que una correcta interpretación del art. 8 supone para los Estados, de hecho, la necesidad de no interferencia en algunos casos, pero también la obligación de actuación para preservar el contenido del derecho en otros[285]. Y así, los límites recogidos en el propio CEDH respecto del disfrute del derecho a la vida privada y familiar se aplican de modo igual, independientemente de que estemos exigiendo al Estado una no intervención o una acción determinada, y sin embargo no formarán parte del posterior análisis de la negación del reconocimiento del vínculo entre X y Z, por cuanto nada se indicará en relación a las injerencias necesarias en una sociedad democrática[286].

En efecto, la argumentación del TEDH se fundamentará en el mayor o menor margen de apreciación que los Estados deben tener en un asunto como éste. Y ello se explica en parte por las diferencias en el reconocimiento de derechos que X pide respecto de los asuntos relacionados con la transexualidad que habían llegado con anterioridad al TEDH y que hemos tenido la ocasión de analizar *supra*[287], ya que lo

---

mente en la exigencia por parte de las autoridades médicas del reconocimiento de X de su condición de padre de Z. Sentencia *X, Y y Z v. Reino Unido, op. cit.*, nº 36.

[285] Se separa así del análisis en términos de la naturaleza del art. 8 como derecho de libertad o como derecho de prestación que se hacía en la sentencia *Rees*, analizada *supra*.

[286] Art. 8.2 del CEDH.

[287] Tendentes todas ellas a lograr el cambio de sexo registral como consecuencia de la adaptación de las personas transexuales a su identidad sexual real.

que aquí se persigue es el reconocimiento de lazos de filiación entre un niño y un hombre transexual. La distinta reclamación que se hace permite al TEDH volver a trazar una línea jurisprudencial más favorable a un amplio margen de apreciación estatal. No debemos olvidar que en el momento en que nos encontramos, se han sucedido importantes avances en materia de reconocimiento de los derechos trans, tanto por parte de muchos de los Estados miembros, como reconoce el propio TEDH, como en sede internacional europea, algunos de ellos propiciados por las propias sentencias del TEDH, y también, de manera muy importante, por la actividad del Tribunal de Justicia de la Unión Europea, que ha protegido a una persona transexual en base a la prohibición de discriminación por género[288]. Y aun así, insiste en TEDH en varios elementos importantes:

1. Por un lado, el TEDH se resiste a reconocer los cambios importantes que en esta materia se están produciendo tanto a nivel nacional como internacional, negando así que los avances científicos y sociales que exponen tanto los recurrentes como la CoEDH sean suficientes como para poder admitir la existencia de un consenso social europeo.

2. En segundo lugar, se toma en consideración como elemento esencial del asunto la necesidad de protección del menor implicado, pero esto se realiza desde una perspectiva al menos llamativa. Lejos de indicar que el reconocimiento jurídico de las relaciones de facto padre-hijo de los recurrentes puede menoscabar el bienestar del menor, lo que el TEDH hace es, por un lado, reconocer su consolidada jurisprudencia en relación a los beneficios que para los niños tiene el reconocimiento jurídico y el desarrollo de los vínculos afectivos establecidos con sus progenitores, y por otro, afirmar que no está claro que la ausencia del reconocimiento jurídico de este vínculo pueda suponer un perjuicio para el menor[289]. De este modo, no se afirma que el hecho de que X tenga una relación de hecho de padre de Z y actúe como tal, sea perjudicial en ningún sentido para este último,

---

[288] Sentencia *P v. S, op. cit.*
[289] Sentencia *X, Y y Z v. Reino Unido, op. cit.*, n° 47.

pero tampoco se afirma que el reconocimiento jurídico de esta realidad sea en ningún sentido beneficioso para el menor[290].

3. Y ello nos lleva al tercer argumento, en el que el TEDH en base a lo anterior, desarrolla lo que ya podemos empezar a definir como «la solución del camuflaje», que ya ha aplicado, como hemos visto, en casos anteriores en relación a la transexualidad, y que consistirá básicamente en analizar cuáles pueden ser los posibles perjuicios en el día a día de esta situación y encontrar alternativas para camuflar la realidad y evitar estos efectos adversos. De este modo, vuelve el TEDH a sugerir distintos modos de compensar los problemas a los que esta familia se enfrenta como consecuencia de la situación denunciada, y ante las dificultades señaladas en el recurso, ofrece distintos modos de camuflaje: frente a la imposibilidad por parte de X de otorgar la nacionalidad británica a Z, el Alto Tribunal arguye que la madre de Z tiene la misma nacionalidad y la transmite a su descendencia; frente a los problemas de sucesión en el caso de que X muriera intestado, el TEDH ofrece la solución de que haga testamento (indicando además que X no tiene otros derechos reales sobre los cuales la sucesión esté reservada sólo a la línea descendente, por lo que este problema no se plantea en la realidad); en relación a las dificultades que para Z pueda suponer la necesidad de presentación de un certificado de nacimiento en el que X no aparezca como padre, el TEDH opone que la no indicación de la paternidad no implica que alguien tenga que saber que se debe a la transexualidad de X y además, este tipo de certificados literales no se exigen de forma habitual en el Reino Unido, siendo válido un extracto en el que no se refleja

---

[290]   Critica el Juez Foighel esta posición en su voto particular, afirmando que «[t]he central issue here is that the law should fully take account of his [the recurrent] gender reassignment. This is not primarily a case concerning the welfare of a child; instead, it is about the respect to be afforded to a transsexual taking part in family life.
I cannot therefore accept the majority's argument in paragraphs 47 and 51 that the recognition of X as father could be harmful to the child, especially since it is stated in paragraph 47 that it is «not clear» whether this recognition would be to the advantage of the child or would instead be harmful to her». Sentencia *X, Y y Z v. Reino Unido*, *op. cit.*, voto particular del Juez Foighel, n° 4.

la filiación; por último, ante la preocupación expresada por X respecto de los perjuicios para su sentido de identidad personal y su seguridad que pueda sufrir Z, el TEDH indica que nada impide a X comportarse como padre de Z y ofrecerle seguridad afectiva y económica y que además X, con el consentimiento de Y, puede solicitar el acogimiento permanente de Z, de modo que el recurrente pueda tener plenas responsabilidades parentales en relación a su hijo[291].

Y de esta manera, tras esta particular forma de análisis de las relaciones familiares de las personas transexuales en el contexto de los derechos humanos protegidos por el CEDH, el TEDH llega a una conclusión basada, de nuevo, en la necesidad de encontrar un consenso europeo en la materia, de modo que «(…) given that transsexuality raises complex scientific, legal, moral and social issues, in respect of which there is no generally shared approach among the Contracting States, the Court is of the opinion that Article 8 (art. 8) cannot, in this context, be taken to imply an obligation for the respondent State formally to recognise as the father of a child a person who is not the biological father. That being so, the fact that the law of the United Kingdom does not allow special legal recognition of the relationship between X and Z does not amount to a failure to respect family life within the meaning of that provision (art. 8)»[292].

Serán varios los votos particulares en esta sentencia en los que se refleje el desacuerdo por el tipo de aproximación a este asunto que finalmente el TEDH ha adoptado, siendo objeto de crítica, incluso en algún voto concurrente[293], la excesiva concreción de la sentencia, demasiado centrada en la particular situación de los recurrentes y como minimizar los efectos adversos de la propia decisión del TEDH, y muy poco orientada hacia el desarrollo de una jurisprudencia con

---

[291] Sentencia X, Y y Z v. Reino Unido, op. cit., nº 49 y 50.
[292] Ibidem, nº 52.
[293] Sentencia X, Y y Z v. Reino Unido, op. cit., voto particular del Juez Pettiti, segundo párrafo, en el que incide en que «[t]he text adopted seems to me to be based too much on the personal demands of X and Y alone, which are specific to their individual situations, and on a weighing of the practical and social advantages and disadvantages which might result from changing, or not changing, Z's civil status (…)».

un contenido más abstracto, que pueda sustentar la posición del Alto Tribunal en bases teóricas más sólidas.

Especial importancia tiene en este asunto, aun cuando prácticamente se pasa de puntillas por el mismo en la sentencia que estamos estudiando, la cuestión de la posible discriminación por razón de sexo[294]. Efectivamente, como ya hemos comentado *supra*, nos encontramos en un momento en el que apenas dos años antes se ha publicado, y ha generado posiciones doctrinales muy diversas, la sentencia del TJUE en el asunto *P v. S*[295], en el que se protege, frente al despido por su condición de transexual, a una persona sobre la que se considera que se ha actuado de forma discriminatoria en razón de su sexo. Pues bien, como vamos a estudiar con mayor detenimiento *infra*, el TEDH en relación a la aplicación del art. 14 del CEDH[296], va a mantener una posición que ha sido objeto de importantes críticas como se verá, y que, por un lado, no otorga un carácter independiente al contenido de la prohibición de discriminación del Convenio, siendo por tanto necesario aducir la vulneración de otro derecho «sustantivo» del CEDH para poder hacer un juicio por discriminación, y por otro lado, será objeto de análisis sólo cuando el TEDH considere que esta perspectiva aporta a la solución de la situación concreta algo más y distinto de

---

[294]   Siguiendo el mismo tipo de argumentación que en *P v. S*, aduce el recurrente que si hubiera nacido biológicamente hombre, el Reino Unido no habría negado la inscripción como padre de Z.

[295]   Sentencia *P v. S, op. cit.*

[296]   El art. 14 del CEDH reza como sigue:
«*The enjoyment of the rights and freedoms set forth in this Convention shall be secured without discrimination on any ground such as sex, race, color, language, religion, political or other opinion, national or social origin, association with a national minority, property, birth or other status*».
De este modo, además de vincular la protección frente a la discriminación a que se trate de una diferencia de trato en el ejercicio de otro derecho reconocido por el CEDH (y no se concibe como un derecho genérico de prohibición de discriminación) utiliza una fórmula ampliamente extendida en nuestro entorno cultural, señalando motivos concretos por los que no se puede realizar un trato diferente perjudicial, dejando abierta la posibilidad de considerar otros motivos no expresamente indicados. El protocolo adicional nº 12, que se encuentra en fase de ratificación, modifica esta situación y amplía el ámbito de protección de la prohibición de discriminación, que se convierte así en un derecho independiente, no sujeto de este modo, a la necesidad de que el trato discriminatorio se esté produciendo respecto del disfrute de otro derecho reconocido por el CEDH.

lo que supone la protección del derecho sustantivo que se aduce. El TEDH no ha desarrollado, hasta el momento en que se produce esta sentencia, una jurisprudencia sólida desde un punto de vista teórico en torno a las condiciones según las cuales es relevante o no realizar el análisis de discriminación en una situación concreta, limitándose en todos los casos a afirmar con rotundidad que el análisis discriminatorio es o no es necesario, sin otorgar más explicaciones acerca de los motivos que le llevan a una u otra conclusión[297]. Veremos en el siguiente epígrafe las consecuencias que una tal interpretación del art. 14 del CEDH tiene, tanto respecto de la solución concreta que se ofrece a los problemas de vulneración de derechos humanos que se le plantean, como respecto de la general virtualidad y eficacia de la cláusula antidiscriminatoria del CEDH.

Y será precisamente esta cuestión uno de los asuntos principales que se señalen en los votos particulares discrepantes de esta sentencia. En concreto, el Juez Thór Vilhjálmsson será especialmente crítico con la posición mayoritaria del TEDH, al afirmar que

> «[i]n a country where it is laid down by legislation that the partner of a mother who gives birth to a child as a result of AID can be registered as the father, it is obviously accepted that the family ties between all concerned are of importance. I fail to see why this should be otherwise in the case before the Court, where the partner is a transsexual. Accordingly, I have come to the conclusion that there has been a violation of Article 8 (art. 8).
>
> As already stated, X was not in the same position as other partners who had the right to be registered as fathers. This is in my opinion discrimination on the ground of sex. Accordingly, I find that there was a violation of Article 14 taken in conjunction with Article 8 (art. 14+8)»[298].

---

[297] Todo lo que dice el TEDH en relación a esta cuestión es que «[t]he Court considers that the complaint under Article 14 (art. 14) is tantamount to a restatement of the complaint under Article 8 (art. 8), and raises no separate issue. In view of its finding in respect of the latter provision (art. 8) (…), there is no need to examine the issue again in the context of Article 14 (art. 14). Accordingly, it is not necessary to consider this complaint». Sentencia *X, Y y Z v. Reino Unido, op. cit.*, nº 56.

[298] Sentencia *X, Y y Z v. Reino Unido, op. cit.*, voto particular del Juez Thór Vilhjálmsson. Por otra parte, el Juez Foighel insistirá en la misma posición, en su voto particular, al indicar que «[t]he Human Fertility and Embryology Act 1990 provides that where an unmarried woman gives birth as a result of AID with the involvement of her male partner, the latter, rather than the donor of the sperm, shall be treated for legal purposes as the father of the child (section 28 (3) - see

Resulta especialmente interesante cómo el siguiente asunto relacionado con la transexualidad que llegue al TEDH versará sobre los
dos aspectos principales tratados hasta ahora en esta materia, la cuestión de las dificultades de inscripción del cambio de sexo registral y el
reconocimiento de las relaciones familiares de las personas transexuales. En efecto, en el asunto *Sheffield and Horsham v. Reino Unido*[299],
encontraremos la petición de reconocimiento de estas dos importantes
reclamaciones llevada a cabo por dos mujeres transexuales. Se trata
de una sentencia en la que el TEDH acumula dos recursos diferentes
presentados por las demandantes que, debido a la sustancial similitud
de sus peticiones, serán decididas en una única sentencia.

La señora Sheffield es una mujer transexual que acude al TEDH
por las consecuencias personales y familiares que su cambio de sexo
le ha supuesto. Antes de producirse el mismo, esta recurrente estuvo
casada con una mujer, y fruto de su relación nació un hijo. Cuando
tomó la decisión de cambiar de sexo, tanto su psiquiatra como su
cirujano le informaron de la necesidad de obtener el divorcio antes de
someterse al proceso quirúrgico de reasignación sexual. Su exmujer
pidió en el proceso de divorcio que no se le permitiera tener contacto,
por su condición de transexual, con la hija común, algo a lo que el
juzgado de familia accedió, por lo que en el momento de presentación

---

paragraph 21 of the judgment). According to the Births and Deaths Registration
Act 1953, the child's father (or the person regarded by law as the father) can
have his name entered in the register if he and the mother jointly request that
this be done (section 10 of the 1953 Act, as amended by the Family Law Reform
Act 1987 - see paragraph 23 of the judgment). Had the present applicant been a
biological man from birth, albeit not the biological father of the child, this rule
would certainly have been applied. X, however, because he was a transsexual,
was denied this right.
Article 14 (art. 14) says "… without discrimination on any ground such as sex,
race, colour… birth or other status". These characteristics are all "nature-given".
A transsexual is someone who has been born different from others, someone
who has been born with a "defect". The English law puts transsexuals in a special category and discriminates against them.
This, I find, is a clear violation of Article 14 taken in conjunction with Article 8
(art. 14+8)». Sentencia *X, Y y Z v. Reino Unido*, *op. cit.*, voto particular del Juez
Foighel, nº 9 y 10. Es de la misma opinión el Juez Gotchev en su voto particular,
sentencia *X, Y y Z v. Reino Unido*, *op. cit.*, voto particular del Juez Gotchev.
[299] Sentencia *Sheffield and Horsham v. Reino Unido*, de 30 de julio de 1998, Reports of Judgments and Decisions 1998-V.

del recurso ante el TEDH, esta señora llevaba 12 años sin ver a su hija. Además, la imposibilidad de cambio de sexo registral ha acarreado importantes dificultades en su vida, argumentando además, que ha sufrido discriminación en el empleo como consecuencia de su condición de persona transexual. En efecto, por un lado, alega situaciones en las que se ha visto obligada a indicar su sexo registral y su anterior nombre, como por ejemplo, ocasiones en las que ha tenido que acudir a un tribunal de justicia, o una circunstancia concreta en la que fue detenida y la policía tuvo acceso a la información acerca de su condición de mujer transexual, y por otro lado, el despido de su trabajo como piloto tras someterse al cambio de sexo, profesión en la que no ha vuelto a poder conseguir un empleo, y razón por la que aduce que ha sufrido discriminación en el empleo y en el acceso al empleo.

Por su parte, la señora Horsham arguye que, habiendo nacido en el Reino Unido, Estado del que es nacional, tuvo que emigrar a Holanda debido a su transexualidad, en donde obtiene la nacionalidad, manteniendo en el momento del recurso la doble nacionalidad. El motivo de su traslado es la imposibilidad de obtención del reconocimiento registral de su identidad sexual en el Reino Unido, algo que sí ha logrado en Holanda, tras someterse a la reasignación sexual quirúrgica. Cuando pretende el cambio registral en el Reino Unido, éste le es denegado, indicándole además que en caso de que se case, algo que pretende hacer, el matrimonio no se considerará válido en este Estado, de forma que esta señora se ve obligada a vivir en el extranjero, ante la imposibilidad de ver reconocida su nueva situación de mujer casada en su país de origen. Y ello aun cuando el Consulado del Reino Unido en Holanda le expidió un nuevo pasaporte con una fotografía acorde a su identidad sexual y reflejando el sexo femenino como consecuencia de la expedición de un certificado de nacimiento en Holanda, en el que se determina la condición de mujer de la recurrente, de acuerdo con la orden dada por parte del Tribunal Regional de Amsterdam, orden que había sido requerida por el propio Consulado para proceder a la modificación del pasaporte británico.

En este asunto intervendrá la organización no gubernamental *Liberty*, que presentará observaciones escritas. Se trata de una organización de defensa de derechos humanos, también conocida en sus inicios como *The National Council for Civil Liberties*, que se constituyó en 1934, momento desde el cual no ha dejado de trabajar, por una parte ejerciendo una función de lobby en defensa de los derechos humanos, y por otra, a través de la litigación estratégica, poniendo a disposición de los asuntos en los que los derechos humanos se ven comprometidos a sus abogados, tanto para la defensa particular de los intereses de las partes, como personándose para la presentación de alegaciones, como ocurre en el caso que ahora nos ocupa.

No obstante, será un asunto que no constituirá ningún cambio en la tendencia jurisprudencial vista hasta ahora en el TEDH, y que sin embargo, anuncia ya que va a ser complicado sostener por mucho más tiempo la interpretación que del art. 8 del CEDH se ha dado en relación a esta cuestión. Y ello por varios motivos, para empezar porque asistimos (al igual que ocurría en *X, Y y Z v. Reino Unido*, analizado *supra*) a una evolución ya difícil de negar de las sociedades europeas hacia un modelo de inclusión de la diversidad sexual, como puede deducirse de varios cambios legislativos y jurisprudenciales a nivel nacional y europeo. Como bien apunta Liberty en sus observaciones, y recoge la sentencia[300], de 37 países europeos estudiados, solo 4, entre los que se encuentra el Reino Unido, no han tomado medidas en los últimos años para garantizar la posibilidad de cambio de sexo registral a las personas transexuales. Además, conocemos ya la importante jurisprudencia del TJUE en relación a la protección que las personas transexuales deben tener reconocida frente a tratos discriminatorios (en este caso en materia de empleo)[301]. En este asunto, además, el TEDH no puede apelar a la distinta naturaleza de la reclamación de las recurrentes, ya que no se trata, como ocurría en *X, Y y Z v. Reino Unido*, de la exigencia de reconocimiento de relaciones familiares, sino que asistimos a la ya clásica reivindicación del colectivo a favor de un cambio de sistema registral en el Reino Unido que les permita culminar el proceso de reasignación sexual, y en esta materia, los avances nacionales son incontestables. A pesar de ello, el TEDH sigue estimando que los Estados gozan de un importante margen de apreciación, al no existir en la materia un consenso europeo. En este

---

[300] Sentencia *Sheffield and Horsham v. Reino Unido, op. cit.*, nº 35.
[301] Nos referimos a la sentencia *P. y S. v. Reino Unido, op. cit.*

asunto, la técnica de la interpretación dinámica del CEDH[302], parece haber quedado bastante estancada.

Pero por otro lado, observamos también como la mayoría de miembros del TEDH a favor de esta restricción interpretativa del artículo 8 del CEDH es mínima, y así, serán 11 de los 20 magistrados del caso los que sustenten que no ha habido vulneración del derecho a la vida privada. Resulta sorprendente, no obstante, en un asunto en el que una de las recurrentes fue precisamente despedida por su condición de transexual, y después no ha podido encontrar trabajo en su profesión, por el mismo motivo, que en relación a la posible vulneración del art. 8 en conjunción con la cláusula de no discriminación haya habido unanimidad respecto de la inexistencia de tal vulneración.

Quizás lo más interesante de esta sentencia, que como decimos, repite los argumentos ya dados en sentencias anteriores respecto del margen de apreciación estatal, la falta de consenso europeo en la materia, el carácter de no restricción de la omisión por parte de los Estados de las obligaciones de hacer en relación a la vida privada, y la ponderación entre derechos individuales e intereses generales, es su referencia a dos conceptos que van a resultar importantes en la transformación de la concepción de la diversidad sexual por parte del mundo del Derecho. Así, por un lado, será particularmente interesante el argumento expuesto por las recurrentes en referencia al sexo desde el punto de vista psicológico, o en otras palabras, a una concepción de la idea de sexo que trasciende de su origen puramente biológico para transformarse en un rol social, en el que el entendi-

---

[302] En realidad, esta idea de interpretación evolutiva del Derecho en la jurisprudencia del TEDH, sin ser lo mismo, está estrechamente ligada a la realización del test de consenso europeo, que se utiliza como argumento para promover precisamente un cambio jurisprudencial acorde con los nuevos tiempos. Por ello, va a ser estudiada en ese contexto, sin dedicarle un apartado particularizado. Sobre esto ver E. BJØRGE, *A History of Sexuality in Europe: LGBTI Rights and Dynamic Interpretation of the ECHR*, 2010, accesible en http://dx.doi.org/10.2139/ssrn.1554901 (consultado el 13 de enero de 2014); C. MORTE GÓMEZ y G. CANO PALOMARES, «La Interpretación Evolutiva y Dinámica del Convenio Europeo de Derechos Humanos en la Jurisprudencia Reciente del Tribunal de Estrasburgo», *Revista General de Derecho Constitucional*, nº 10, 2010, págs. 14 ss; K. DZEHTSIAROU, «European Consensus and the Evolutive Interpretation of the European Convention on Human Rights», *German Law Journal*, nº 12, 2011, págs. 1730 ss.

miento de la propia identidad tiene una importancia extrema. Si se quiere, se apela a un concepto de género en el sentido expuesto en *P*. Y ello es extraordinariamente relevante si lo conectamos con el segundo concepto fundamental en este asunto, la dignidad humana, a la que hace mención la sentencia. Habría sido interesante asistir a las posibilidades interpretativas que una tal conexión habría abierto, en el sentido de que esta dignidad no se encuentra reconocida si la persona no tiene garantizado el libre desarrollo de la personalidad, y sin embargo, el TEDH se refiere a este concepto en una vertiente mucho más clásica de exposición pública de aspectos personales e íntimos a la que la persona no debe estar sometida. Volveremos sobre esto *infra*.

A pesar de la limitada respuesta que el TEDH ofrece en relación a las expectativas y reclamaciones de la comunidad LGBTI, seguirán llegando asuntos a esta institución, por cuanto, por más que limitadas, parece al menos que el Alto Tribunal responde con mayor reconocimiento que los Estados miembros a las demandas del colectivo. La siguiente cuestión que se verá en esta sede tendrá relación con la difícil situación de las personas homosexuales en las Fuerzas Armadas, y éste es un asunto en el que debemos detenernos algo más, para contextualizar el momento en que se presentan los recursos que seguidamente vamos a tratar.

Estamos refiriéndonos a una serie de recursos que llegan al TEDH en un breve espacio de tiempo y afectan a la situación de las personas homosexuales en el Ejército. Se trata de los asuntos *Smith y Grady v. Reino Unido*[303] y *Lusting-Prean and Beckett v. Reino Unido*[304], todos ellos relacionados con el despido de militares a causa de la investigación acerca de su homosexualidad. El hecho de que la situación de estas cuatro personas llegue al TEDH casi contemporáneamente, que se trate de asuntos muy parecidos, y que gran parte de ellos estén asistidos legalmente por la misma ONG, hacen pensar de manera más que razonable, que nos encontramos ante una nueva estrategia litigadora cuya finalidad es revocar la prohibición de la presencia de personas homosexuales en las Fuerzas Armadas en el Reino Unido.

---

[303] Sentencia *Smith and Grady v. Reino Unido*, de 27 de septiembre de 1999, Reports of Judgments and Decisions 1999-VI.

[304] Sentencia *Lustig-Prean and Beckett v. Reino Unido*, de 27 de septiembre de 1999, ap. nº 31417/96 y 32377/96.

Así parece indicarlo, efectivamente, el hecho de que la organización pro derechos humanos Liberty se ocupe de la asistencia legal en las demandas tanto de Smith como de Grady[305], que fueron, en razón de la enorme similitud tanto de las situaciones que denuncian como del respeto de los derechos que reclaman, acumulados por el TEDH. Otro tanto cabe decir de la construcción litigadora en los casos de Lustig-Prean y de Beckett. Tal es la similitud de la situación de estos cuatro recurrentes, que se planteó por parte del TEDH la acumulación de todos en una sola sentencia, lo que finalmente se descartó a favor de dos acumulaciones parciales, por cuestiones relacionadas con la posible reclamación por daños y perjuicios. En cualquier caso, ambas sentencias son prácticamente idénticas en aquello que aquí nos interesa, la interpretación de los artículos 8 y 14 del CEDH respecto de la situación de separación del Ejército de cuatro personas por causa de su homosexualidad.

Y esta campaña coincide también, en buena medida, con los intentos que en el mismo sentido se están llevando a cabo por organizaciones LGBTI y defensoras de los derechos humanos en otros lugares. En efecto, durante la década de los noventa del siglo XX, en diferentes ámbitos geográficos, será motivo de discusión y tomará fuerza la reivindicación homosexual de poder formar parte de los Ejércitos de distintos países sin tener por ello que ocultar la orientación sexual homosexual. Así, asistiremos en Estados Unidos a un cambio de política gubernativa en atención a la creciente presión de los grupos LGBTI en relación a su complicado[306] encaje en las Fuerzas Armadas. Será en 1993 cuando el presidente Clinton iniciará la modificación de la hasta ese momento vigente prohibición absoluta para las personas homosexuales de formar parte del Ejército de Estados Unidos, planteando la controvertida política del «don't ask,

---

[305]   Ambos representados por el abogado P. Leach, Director legal de Liberty. Además, contaron con el apoyo en calidad de *Advisor* de Andrew Clapham, representante de Amnistía Internacional en la ONU durante muchos años, y que curiosamente fue *Special Advisor* para la Alta Comisionada para los Derechos Humanos, Mary Robinson, de cuya intervención legal en los primeros asuntos que llegan en materia de orientación sexual al TEDH ya hemos tenido ocasión de hablar *supra*.

[306]   Complicado por cuanto tuvo que hacerse con importantes resistencias dentro del propio Ejército. Una completa selección bibliográfica sobre este asunto se puede encontrar en http://www.palmcenter.org (consultado el 7 de mayo de 2014).

don't tell» (DADT)[307]. Esta política impedía por parte del Ejército americano preguntar, o iniciar cualquier tipo de indagación o investigación,
ya fuera durante el proceso de reclutamiento, como con posterioridad,
acerca de la vida sexual de quienes integran el Ejército, resultando como
obligación de los miembros de las Fuerzas Armadas no hacer nada que
pudiese dar a conocer su condición de homosexual, ni mantener relaciones sexuales homosexuales, ni tan siquiera llevar una vida familiar de la
que se pudiera extraer la consecuencia de la homosexualidad de quien se
tratara[308]. En caso de incumplimiento de estas obligaciones, la persona
homosexual era expulsada. Se trataba ésta de una fórmula de aceptación
de la homosexualidad basada en el criterio de privacidad, protegiendo
por tanto la diversidad sexual en cuanto que sólo implicar la protección de la vida privada. Las razones por las que decimos que se trató de
una política controvertida tienen que ver con el sentido y finalidad de
esta norma. Por un lado porque se trataba de una solución intermedia
que distaba mucho de ver satisfechas las demandas del colectivo LGB-
TI, creando por otra parte una gran oposición de quienes se negaban
a la posibilidad de apertura del Ejército a la diversidad sexual. Y por
otro, porque suponía para la comunidad homosexual una nueva forma
de humillación, ya que, en un contexto de apertura y reconocimiento de
la condición homosexual, de «salida del armario», esta política suponía
volver a esconder la orientación sexual, a disimular, a protegerse en el silencio. No será hasta 2010 cuando Barak Obama derogue esta política y
permita la plena integración de las personas homosexuales en el Ejército
de los Estados Unidos[309].

---

[307] Entró en vigor el 28 de febrero de 1994 a través de la Directiva del Departa-
       mento de Defensa 1304.26, en desarrollo de la Ley Federal Pub. L. 103-160
       (10 U.S.C. § 654) aprobada el 21 de diciembre de 1993, después de una fuerte
       controversia que hizo que Clinton diera marcha atrás en su compromiso inicial
       de retirar todos los obstáculos para que la integración de las personas LGBTI en
       las Fuerzas Armadas norteamericanas fuera total.
[308] Sobre esto ver G.M. HEREK, J.B. JOBE y R. CARNEY (eds.), *Out in Force:
       Sexual Orientation and the Military*, Chicago: University of Chicago Press,
       1996; R.D. RAY (ed.), *Gays: In or Out? The US Military and Homosexuals: a
       Sourcebook*, New York: Brassey's, 1993; L.R. MURPHY, *Perverts by Official
       Order: the Campaign against Homosexuals by the United States Navy*, New
       York: Haworth, 1988.
[309] Barak Obama promulgó la anulación de la política del «don't ask, don't tell» el
       22 de diciembre de 2010.

En este contexto, cobra especial relevancia la posición que el TE-DH tomará en relación a esta cuestión, y que supondrá en buena medida, al menos en relación a la perspectiva desde la que se trata esta controversia, un respaldo implícito de precisamente la opción norteamericana, por cuanto protege al colectivo homosexual de investigaciones en su vida privada y sexual, pero no apoya un reconocimiento de la faceta pública, social, de las relaciones homosexuales al negarse, de nuevo, a internarse en la perspectiva de la posible vulneración del CEDH respecto de la prohibición de discriminación por orientación sexual.

Todos los recurrentes en los dos asuntos de los que nos ocupamos, relatan una historia parecida. Se trata de personas con un expediente militar ejemplar, con carreras profesionales muy prometedoras, con informes acerca de su valía por parte de sus superiores muy positivos y que en un momento determinado sufren la denuncia (en algunos casos, anónima) acerca de su condición homosexual. Especialmente impactante es la manera en la que el Ejército británico lleva a cabo las investigaciones: interrogatorios intensos y largos, en los que se amenaza a los recurrentes en hacer pública su condición si no colaboran; interrogatorios a las parejas acerca de su orientación sexual; preguntas relacionadas con sus prácticas sexuales exigiendo todo tipo de detalles; preguntas acerca de si se mantuvieron relaciones sexuales con los hijos adoptivos; separación de sus familias y traslados a complejos militares en régimen de aislamiento; búsqueda en sus objetos personales, incluyendo agendas con datos de familiares y amigos; investigaciones, en fin, extremadamente intrusivas en la vida privada, incluso humillantes, hasta tal punto que los recurrentes denunciaron esta situación como constitutiva de un trato degradante proscrito por el artículo 3 del CEDH, posición que finalmente no fue corroborada por el TEDH, aún cuando reconoció el carácter humillante de las investigaciones llevadas a cabo[310].

---

[310]   Indica el TEDH que «(...) while accepting that the policy, together with the investigation and discharge which ensued, were undoubtedly distressing and humiliating for each of the applicants, the Court does not consider, having regard to all the circumstances of the case, that the treatment reached the minimum level of severity which would bring it within the scope of Article 3 of the Convention». Sentencia *Smith and Grady v. Reino Unido, op. cit.*, nº 122.

En relación a la interpretación que el TEDH realiza respecto de la vulneración del derecho a la vida privada, volvemos a encontrar la misma estructura de análisis que en anteriores sentencias respecto de esta cuestión, y que ya hemos estudiado *supra*. Tras sostener el Alto Tribunal que ha habido una interferencia[311] en la vida privada de los demandantes, tanto respecto de la investigación acerca de su vida sexual a la que fueron sometidos, como en relación a la expulsión del Ejército británico por su orientación sexual, se procede a analizar si tal intromisión se encuentra justificada, esto es, si es conforme a derecho, persigue una finalidad legítima y es necesaria en una sociedad democrática. Respecto de los dos primeros elementos que constituyen una justificación de la injerencia, el TEDH acepta la posición del Gobierno británico, y determina que efectivamente existía legislación, previa a los asuntos que se juzgan y en vigor, y que la finalidad perseguida no era otra que la de actuar en el interés de la seguridad nacional y prevenir el desorden[312].

Vuelve a centrarse el TEDH en la condición de que se trate de una injerencia necesaria en una sociedad democrática para concluir que, en los asuntos que nos ocupan, tal requisito no se cumple. Y lo hace afirmando, primero, que el proceso de investigación tuvo un carácter excepcionalmente intrusivo; que la expulsión del Ejército de los demandante tuvo un profundo efecto en sus carreras y perspectivas de futuro; y que la política general de expulsión afecta a toda persona de la que se conozca su homosexualidad, sin tener en cuenta su conducta individual o su hoja de servicios. En este contexto, para poder aceptar que se trata de una injerencia necesaria en una sociedad democrática,

---

[311] No incorporando aquí, por la naturaleza del conflicto a tratar, ninguna mención acerca de la consideración como interferencia de la omisión de las obligaciones positivas de los Estados miembros para garantizar la efectividad del disfrute del derecho a la vida privada por parte de sus ciudadanos.

[312] Sentencia *Smith and Grady v. Reino Unido, op. cit.*, nº 73 y 74. Y sin embargo, ya apunta aquí el TEDH su desagrado respecto de los métodos de investigación de la orientación sexual de los demandantes cuando añade, en el nº 74 que «[t]he Court has more doubt as to whether the investigations continued to serve any such legitimate aim once the applicants had admitted their homosexuality», al quedar acreditado en los antecedentes de la sentencia que todos los demandantes tuvieron que seguir soportando la investigación incluso cuando ya habían confesado que eran homosexuales.

ésta debe estar sostenida por motivos particularmente relevantes y serios, y el TEDH no los encuentra.

El Gobierno británico apoya su afirmación de que la aceptación de personas homosexuales en el Ejército supondría un daño en la moral y la potencia de combate, en un informe encargado por el Ministerio de Defensa del Reino Unido y publicado en febrero de 1996, el *HPAT report*[313]. Y sin embargo la decisión del TEDH se sustenta en el convencimiento de que las resistencias y los argumentos aportados para rechazar la incorporación de las personas homosexuales al Ejército están basadas en la asunción de prejuicios y estereotipos, que no son suficientes para justificar una interferencia del calibre de la observada, en la vida privada de las personas, de manera que

> «(…) These attitudes (…) ranged from stereotypical expressions of hostility to those of homosexual orientation, to vague expressions of unease about the presence of homosexual colleagues. To the extent that they represent a predisposed bias on the part of a heterosexual majority against a homosexual minority, these negative attitudes cannot, of themselves, be considered by the Court to amount to sufficient justification for the interferences with the applicants' rights outlined above any more than similar negative attitudes towards those of a different race, origin of colour»[314].

Lo más llamativo de esta sentencia, en relación al análisis del derecho a la vida privada, es quizás el cambio de lenguaje que se percibe. Por primera vez irrumpe en una sentencia del TEDH sobre orientación sexual el discurso de las minorías, la consideración de la homosexualidad como un atributo personal cuyas consecuencias sociales hace que las personas que lo poseen sean consideradas como un grupo social con necesidad de reconocimiento y respeto.

Por otra parte, volvemos a ver la reticencia del TEDH a entrar en el análisis de la posible discriminación por orientación sexual, a pesar de que, recordemos, el propio TJUE[315] ya había analizado un asun-

---

[313]   Informe de *Homosexuality Policy Assessment Team*. Un resumen sobre el contenido del informe puede encontrarse en los antecedentes de la sentencia *Smith and Grady v. Reino Unido, op. cit.*, letra D.

[314]   Sentencia *Smith and Grady v. Reino Unido, op. cit.*, nº 97.

[315]   Nos referiremos al Tribunal de Justicia de la Unión Europea (TJUE) con esta denominación, la actual, aun cuando haya recibido este órgano otras denominaciones en el pasado.

to relativo al despido de una trabajadora por su condición de mujer transexual, y que hemos comentado *supra*, aplicando precisamente la perspectiva de la discriminación (aunque en aquel caso se adujo discriminación por sexo, y no por orientación sexual). Reitera el TEDH que una vez encontrada una vulneración respecto del derecho a la vida privada, no es necesario entrar en el análisis discriminatorio, y aplica este mismo criterio a la valoración de la posible vulneración del derecho a la libertad de expresión reconocido en el artículo 10 del CEDH.

De la revisión de los distintos asuntos que van llegando al TEDH durante toda la década de los noventa, tras los importantes avances observados con anterioridad, tanto en la protección jurídica de la homosexualidad como de la transexualidad, podemos inferir que en este momento nos encontramos en una situación de *impasse*, en el sentido de que las perspectivas desde las que se interpreta el CEDH en relación a las aspiraciones del colectivo parecen no poder llegar a satisfacer sus reclamaciones. El derecho a la vida privada, elemento sobre el que se estructura la protección de la diversidad sexual en todas las sentencias analizadas hasta ahora, parece no poder ofrecer más cauces de progreso. El TEDH, una y otra vez, niega la relevancia de un análisis que introduzca la posibilidad de discriminación por orientación sexual como uno de los pilares sobre el que hacer pivotar la interpretación del CEDH en materia de diversidad sexual, y ello a pesar de que, como ya hemos visto, el TJUE ha introducido ya este parámetro en el tratamiento jurídico de la transexualidad. Y esta negativa se estructura en base a un argumento, sobre el que volveremos enseguida, tan difícil de mantener como de cuestionar, precisamente por su poca consistencia, por tratarse más de una posición de partida que de una conclusión lógica fruto de un razonamiento jurídico: una vez protegida la situación que se denuncia a través del derecho a la vida privada, no es necesario entrar en el análisis de la posible vulneración del derecho a la no discriminación. La cuestión que debemos plantearnos entonces es la razón de esta resistencia del TEDH a esta posibilidad.

Podríamos pensar que se trata tan solo de una posición del Alto Tribunal basada en la conciencia de su condición de tribunal internacional llamado a la auto-restricción, en un intento de no influir en las políticas internas de los Estados miembros de forma excesiva, y menos en asuntos de tanta sensibilidad y trascendencia moral. Y sin embargo, es un Tribunal que está marcando un camino de transformación social innegable en otros ámbitos igualmente sensibles[316]. En nuestra opinión, aun cuando pueda haber elementos de los ya mencionados que indudablemente marcan el sentido de la jurisprudencia del TEDH, también tenemos otros factores que van a contribuir a que su posición resulte tan difícil de modificar durante el periodo que acabamos de analizar. Y en este punto tenemos, de nuevo, que diferenciar la respuesta dada en materia de homosexualidad de aquella que mantiene el TEDH respecto de la transexualidad.

Consideramos que nos encontramos, cuando de la homosexualidad se trata, ante un punto de partida por parte del TEDH que otorga una importante coherencia a su postura en esta materia. Lo que hace este Tribunal no es más que la constatación de una particular manera de acercarse a la realidad homosexual: la homosexualidad es una conducta sexual. Esta afirmación marca la forma en la que la protección del colectivo se va a desarrollar durante todo el periodo estudiado, y resulta tan restrictiva y limitada como precisamente esa misma protección. Desde el momento en que se protege *solo* una conducta sexual, lo lógico, al menos en nuestro entorno cultural, es precisamente otorgar esa protección a través del derecho a la vida privada[317]. Pero de igual manera, no podrá extenderse ésta a ninguna manifestación externa, social, de la relación de carácter exclusivamente sexual. Resulta particularmente paradójico que la celebración de la famosa afirmación en *Dudgeon* de que «[t]he present case concerns a most intimate aspect of private life»[318] se convierta finalmente en su mayor limitación. Efectivamente, será esta concepción de la homosexualidad, entendida exclusivamente como la voluntad y acción de mantener relaciones sexuales con personas del mismo sexo, la que no permita una ampliación de los niveles de protección hacia el colectivo homosexual. O si se quiere en otros términos, solo concibiendo la orientación sexual homosexual como una forma de relación íntima

---

[316]   En concreto, la interpretación extensiva que ha llevado a cabo en relación con el artículo 8 del CEDH, ha permitido una importante jurisprudencia innovadora en derecho de familia, por ejemplo.

[317]   En este sentido, ver P. JOHNSON, «An Essentially Private Manifestation of Human Personality: Constructions of Homosexuality in the European Court of Human Rights», *Human Rights Law Review*, n° 10, 2010, págs. 67 ss.

[318]   Sentencia *Dudgeon*, *op. cit.*, n° 52.

entre personas del mismo sexo que no tiene exclusivamente un contenido sexual, sino que se extiende a la creación de importantes lazos sentimentales y familiares, tendrá sentido introducir otros elementos de protección como puede ser el derecho a la no discriminación por orientación sexual.

Y es que el contenido de la protección frente a la discriminación, a diferencia de lo que ocurre respecto del derecho a la vida privada, está fundamentalmente orientado a la protección de las personas en su relación con el medio social, no en relación a otras personas con las que tienen lazos de unión (léase amistad, amor, familia), sino precisamente con las personas con las que estos vínculos no existen. La prohibición de discriminación es el elemento central de protección de la diversidad, en este caso diversidad sexual, que garantiza el normal desarrollo de la vida en sociedad sin por ello tener que renunciar a los elementos identitarios que constituyen esa diversidad. Evidentemente, solo los aspectos personales que se ven afectados por esa vida en sociedad son los que deben ser protegidos frente a discriminaciones. De modo que, solo en la concepción de la homosexualidad como una realidad con consecuencias sociales, tiene sentido una protección en términos de no discriminación.

La posición del TEDH en relación a la transexualidad tiene un contenido distinto. En este caso, nos encontramos ante una situación con innegables elementos sociales, la identidad de género se evidencia, se trata de un atributo social, visible. Con esta premisa, resulta más difícil entender la negativa del TEDH a la introducción del artículo 14 del CEDH. Y sin embargo, va a tener sentido si como parece, se trata de una confusión en la interpretación de lo que es la transexualidad, al igual que ocurre respecto de la homosexualidad. Resultan así llamativas las afirmaciones que encontramos a lo largo de las sentencias estudiadas en relación a las dificultades que las personas transexuales tienen que afrontar, la especial empatía que el Alto Tribunal expresa y de la que ya hemos hablado, e incluso alguna alusión de algunos votos particulares al hecho de ser o no un auténtico transexual[319]. Parece que, en buena medida, se confunde la transexualidad con la

---

[319]   Sentencia *B v. Francia, op. cit.*, votos particulares de los Jueces Pinheiro Farinha y Pettiti.

intersexualidad[320], y se procura dar una solución jurídica razonable a un problema médico que hay que afrontar. Tiene sentido por tanto, en esta particular visión de la transexualidad, que lo que se intente sea esconder la realidad del cambio de identidad sexual como una solución extrema ante una situación impuesta por una excepción biológica, pero cuyas consecuencias hay que limitar precisamente en base a la realidad biológica. De este modo, y solo así, se entiende una protección exclusiva en términos de vida privada, que solo se dará si no resulta especialmente disturbadora de las reglas organizativas de los Estados miembros en materia de registro civil. Se tratará, en definitiva, de permitir una manera de camuflar el cambio de identidad sexual, pero en ningún caso de reconocer la complejidad y las consecuencias sociales de tal cambio.

Sin embargo, incluso en relación al lenguaje utilizado, sobre todo en las últimas sentencias vistas[321], observamos una evolución en la concepción tanto de la homosexualidad como de la transexualidad por parte del TEDH, una transformación paulatina y continuada en el tiempo que dará lugar a un cambio jurisprudencial de enorme trascendencia para ambos colectivos y que pasamos a estudiar en la siguiente sección.

3.2. EL TEDH Y EL RECONOCIMIENTO DE LA PROHIBICIÓN DE DISCRIMINACIÓN POR ORIENTACIÓN SEXUAL

En efecto, el final de la década de los noventa vendrá acompañado de un salto cualitativo en la protección ofrecida por parte del TEDH hacia el colectivo LGBTI, a través de una importantísima sentencia que sin embargo no obtuvo (y ni siquiera ahora parece recibir), en nuestra opinión, la atención debida, a pesar de que el TEDH aprove-

---

[320] Esta medicalización de la realidad de las personas intersexuales está teniendo consecuencias para sus vidas, como se encargará de subrayar el Consejo de Europa y que veremos *infra*.

[321] No hemos incluido la sentencia *Laskey, Jaggard y Brown v. Reino Unido*, de 19 de febrero de 1997, Reports of Judgments and Decisions 1997-I, por tratarse de un asunto concerniente a prácticas sadomasoquistas en grupo, en el que la homosexualidad aparece sólo como un elemento accesorio.

cha la oportunidad que se le brinda para incorporar al análisis de la situación de una persona homosexual, por primera vez, la prohibición de discriminación por razón de orientación sexual[322].

3.2.1. La sentencia Da Silva Mouta

Se trata de la sentencia en el asunto *Salgueiro Da Silva Mouta v. Portugal*[323], en la que por primera vez el TEDH afirma categóricamente que el art. 14 del CEDH incluye entre los motivos de protección antidiscriminatoria a la orientación sexual. Y lo hace en un asunto que afecta de lleno a la vida familiar de una persona homosexual. Joáo Manuel Salgueiro Da Silva Mouta es un señor que acude al TEDH tras años de litigación en Portugal debido a la complicada situación familiar creada, tras haber contraído matrimonio con una mujer, haber tenido una hija con ella, y haberse divorciado al reconocer su homosexualidad, e iniciar una relación sentimental con otro hombre. Varias son las cuestiones previas que conviene resaltar respecto de este asunto. Por un lado, se trata de una situación en la que entran en confrontación diferentes elementos que hacen que se trate de una controversia complicada en su resolución. Efectivamente, el origen del problema que llega al TEDH radica en un conflicto familiar que ha resultado difícil de gestionar: la homosexualidad del recurrente es el detonante que rompe la convivencia familiar, acaba con el matrimonio y crea una situación de rechazo importante, no tanto por parte de la exmujer como por parte de la familia de ésta, especialmente de su madre, que en razón de su religión (es testigo de Jehová), considera al padre como un elemento perturbador y no recomendable para la niña. Por tanto, nos encontramos ante una situación en la que las más tradicionales posturas en relación a la homosexualidad chocan frontalmente con una realidad familiar en la que la persona homosexual es padre de una niña a la que desea educar y criar.

Pero además, se trata de un asunto en el que las organizaciones LGBTI nada dicen, no encontramos rastro alguno de su intervención (ni siquiera de haberlo intentado) en el litigio, no es un caso prepa-

---

[322] Resulta esencial en esta materia, J.H. GERARDS, *Judicial Review in Equal Treatment Cases*, Leiden: Martinuss Nijhofh Publishers, 2005.
[323] Sentencia *Da Silva Mouta v. Portugal, op. cit.*

rado para lograr llegar al TEDH. Paradójicamente, una de las sentencias que mayor impacto va a tener en la vida de los homosexuales europeos es aquella en la que, tras muchos años de litigación estratégica, no intervienen los grupos LGBTI. Aún así, no debemos obviar la importancia de todo este trabajo previo, que ha permitido llegar al momento en el que el TEDH, debido a las transformaciones que sus propias decisiones en muchos casos, unido al intenso debate político y social, provocaban, y debido también a la labor de creación de una nueva y más abierta percepción de la homosexualidad por todas las campañas impulsadas por los colectivos LGBTI, ha finalmente admitido que el CEDH incluye entre los motivos por los que está prohibido discriminar, a la orientación sexual.

Y lo hace de una manera no exenta de controversia, como enseguida vamos a ver[324]. Efectivamente, la metodología utilizada en el análisis de este asunto no deja de sorprender. Lo primero que llama la atención es que se aborda antes el análisis de la posible vulneración de la conjunción de los arts. 8 y 14, que el relativo al art. 8 solamente. Hasta ahora hemos observado cómo todos los asuntos que sobre esta materia ha decidido el TEDH han sido analizados desde la posible violación del derecho a la vida privada y familiar (entre otros), para, sólo después, aducir en todos ellos que no era necesario iniciar el análisis acerca de si se ha podido infringir el art. 8 leído junto al 14, sin motivar el porqué de semejante afirmación. Pues bien, en el caso que nos ocupa ocurre exactamente lo contrario. Tras negar la argumentación del Gobierno portugués de que no ha habido interferencia con el derecho a la vida familiar, y afirmar rotundamente que siempre que se producen decisiones judiciales acerca de la familia o el matrimonio hay injerencia en el disfrute del art. 8[325], decide el TEDH ocuparse de la cuestión leyendo conjuntamente el derecho a la vida familiar con la prohibición de discriminación.

Lo relevante de esto es que el TEDH denota en este asunto una inconsistencia inmotivada respecto de lo que ha venido siendo su fórmula de análisis de este tipo de cuestiones, basada en afrontar primero el estudio de la posible vulneración del derecho sustantivo y solo

---

[324]   Para un análisis en profundidad de esta sentencia ver, J.H. GERARDS, *Judicial Review in…*, *op. cit.*, pág. 111 ss.
[325]   *Ibidem*, n°. 22.

después, sin atender a un criterio exacto (o al menos expreso, ya que no dice el TEDH cuándo ni por qué) se decide si insistir en el análisis desde la perspectiva de la posible violación del derecho sustantivo a través de un trato discriminatorio o si por el contrario, no es necesario entrar en esa cuestión[326]. Y sin embargo, no va a ser la única sorpresa metodológica que nos depare esta sentencia, en concreto:

1. Por una parte, como ya hemos visto, se procede primero al análisis de los arts. 8 y 14 leídos conjuntamente, subvirtiendo así la clásica fórmula de valorar primero la posible vulneración del derecho sustantivo y solo después, si el TEDH entiende que procede, hacer el estudio de la vertiente discriminatoria.

2. Pero es que además, y como consecuencia de lo anterior, no se entra en el análisis de la vulneración del art. 8, lo que habría sido una posibilidad, en el sentido de ir afrontando los distintos parámetros de interpretación incluyendo en su valoración la posibilidad de discriminación por orientación sexual, esto es, incluir este elemento de discriminación en el estudio de si se trata de una injerencia que busca un fin legítimo, y también en la valoración de si se trata de una medida necesaria en una sociedad democrática, o en otros términos, si la medida, incluida aquí la perspectiva de la posible discriminación, soporta un juicio de proporcionalidad entre los fines perseguidos y los medios utilizados para ello. Y sin embargo nada de esto sucede, lo que crea una situación ciertamente extraña respecto de la posición del Gobierno portugués que, lógicamente (en base a toda la jurisprudencia anterior) había argumentado su postura en relación a los elementos de análisis de los límites explícitos que el art. 8.2 del CEDH reconoce al derecho a la vida privada y familiar[327].

3. En lugar de eso, el TEDH se centra directamente en el estudio de la vulneración de los arts. 8 y 14 leídos conjuntamente, sin, como ya hemos dicho, aportar ningún tipo de argumentación acerca

[326] En este sentido, hemos visto *supra* como todos los intentos de lograr una afirmación de la prohibición de discriminación por orientación sexual han recibido la misma respuesta por parte del TEDH: no era un aspecto relevante del caso de que se tratara, sin aportar ninguna motivación acerca de la negativa a valorar la posible vulneración de la prohibición de discriminación.
[327] Sentencia *Da Silva Mouta v. Portugal, op. cit.*, n°. 25.

de por qué se ha decidido a iniciar este análisis antes que ningún otro. Y además realiza éste en función sobre todo del contenido del art. 14, de la metodología que este artículo precisa, lo que a nuestro entender permite, al menos en este aspecto, conferir de cierta importancia, de cierto contenido propio a la cláusula antidiscriminatoria del CEDH. Efectivamente, cuando se aborda la cuestión de la posible discriminación producida en el disfrute de uno de los derechos sustantivos del CEDH, se hace analizando varias cuestiones que veremos *infra* con más detalle, pero que conviene al menos señalar aquí: una diferencia de trato es discriminatoria cuando no hay justificación objetiva y razonable para la misma, esto es, que no persigue una finalidad legítima, o cuando, aun existiendo ésta, no hay una razonable proporcionalidad entre los medios empleados y la finalidad buscada[328].

4. Y sin embargo, resulta sorprendente cómo el análisis en base a la metodología propia del art. 14 se desarrolla de una manera cuanto menos confusa. Para empezar, el TEDH considera que cuando el Tribunal de Apelación portugués deniega la custodia al padre (y ahora recurrente), revocando así las medidas adoptadas en primera instancia, introduce el factor de la orientación sexual de éste (algo que no se tiene en cuenta en la instancia), y que es precisamente este elemento el que indica que ha habido una diferencia de trato, más aún «[t]he Court is accordingly forced to conclude that there was a difference of treatment between the applicant and M.'s mother which was based on the applicant's sexual orientation, a concept which is undoubtedly covered by Article 14 of the Convention»[329]. La afirmación que, a través de la litigación estratégica, había costado tantos esfuerzos e intentos por parte de la comunidad LGBTI, aparece así, en forma casi de aclaración de una obviedad, en la sentencia que nos ocupa, y sin embargo se trata de una afirmación especialmente relevante, es la primera vez que el TEDH establece que entre las causas de prohibición de discriminación que sanciona el CEDH se encuentra la orientación sexual. Y además se trata de una nueva posición

---

[328] *Ibidem*, n°. 29. Analizaremos estos aspectos en profundidad, con indicación de la extensa jurisprudencia a este respecto *infra*.

[329] Sentencia *Da Silva Mouta v. Portugal*, *op. cit.*, n°. 28.

del TEDH que se produce en el marco de una argumentación no exenta de controversia, para empezar porque parece que se utiliza el criterio de los «suspect grounds», motivos que cuando se introducen en un trato diferencial hacen recaer la presunción de discriminación sobre el mismo. De otro modo no se puede entender este argumento, ya que no se detiene el TEDH a valorar si el factor de la orientación sexual es el desencadenante de la existencia de esa diferencia de trato, o si ésta se habría podido producir si no existiera este factor, aun cuando más adelante se hace referencia a esto, pero en un momento metodológicamente incorrecto, desde nuestro punto de vista[330].

5. Afirmada la existencia de una diferencia de trato en base a la orientación sexual, reconoce el TEDH la legitimidad de la finalidad perseguida[331] por el Tribunal de Apelación portugués, esto es, la protección de la menor implicada, y aquí es donde se produce, a nuestro entender, otro grave error. Y ello porque se aleja el TEDH de su consolidada jurisprudencia en torno a la valoración de cuándo nos encontramos ante una finalidad legítima, valoración que tiene que entroncarse en los principios de imperan en las sociedades democráticas. Considerar que la finalidad del Tribunal de Apelación era proteger a la niña, es tanto como decir que la finalidad era proteger a la niña de los efectos perniciosos de la condición de persona homosexual de su padre, y esto es una afirmación que difícilmente es encardinable en los valores de una sociedad democrática, cuando a la vez estamos estableciendo que la protección antidiscriminatoria se predica también respecto de la orientación sexual de las personas y estamos considerando a este motivo como un «suspect ground»[332].

---

[330] *Ibidem*, nº. 34. Se hace esta apreciación en el análisis de la concurrencia o no de la proporcionalidad.

[331] *Ibidem*, nº. 30.

[332] Para un resumen del significado del término en la jurisprudencia del TEDH, ver el informe «The Prohibition of Discrimination under European Human Rights Law», 2011, pág. 14 a 21, accesible en http://ec.europa.eu/justice/discrimination/files/the_prohibition_of_discrimination_under_european_human_rights_law_update_2011__en.pdf (consultado el 18 de noviembre de 2014).

6. De la afirmación ahora hecha, cabe deducir nuestra disconformidad con el último elemento de análisis, el juicio de proporcionalidad, que es precisamente en donde encuentra el TEDH el trato discriminatorio, argumentando que la protección de la menor a través de la negación de la custodia al padre homosexual es una medida desproporcionada con la legítima finalidad que se busca[333]. Creemos que debía precisamente ser en el elemento de la legitimidad de la finalidad en el que se negara que la protección de una menor frente a la homosexualidad de uno de sus progenitores esté permitida por la prohibición de discriminación del art. 14 del CEDH.

Por último, resulta relevante observar la importancia que el TEDH otorga al tipo de expresiones que usa el Tribunal de Apelación portugués, y que finalmente parece que son un elemento clave en la consideración por parte de aquel de que efectivamente se ha producido un trato discriminatorio en la actuación de éste. Así, se señalan extractos de la sentencia enjuiciada por el TEDH como «The child should live in… a traditional Portuguese family» y «It is not our task here to determine whether homosexuality is or is not an illness or whether it is a sexual orientation towards persons of the same sex. In both cases it is an abnormality and children should not grow up in the shadow of abnormal situations»[334], que denotan el disgusto por parte del TEDH y su consideración de que nos encontramos ante una concepción de la homosexualidad que ha determinado el contenido de la sentencia nacional. Es cuanto menos interesante comprobar cómo ha cambiado la actitud de este Alto Tribunal cuando veinte años atrás, era él mismo el que utilizaba expresiones de este tipo para referirse precisamente a la homosexualidad[335].

A pesar de los posibles desacuerdo que hemos manifestado respecto de la forma en la que el TEDH afronta la aplicación de la prohibición de discriminación en este asunto, ésta será una sentencia esencial en el camino de búsqueda del reconocimiento de derechos para el colectivo LGBTI, que ve de esta manera cómo el corsé de la

---

[333] *Ibidem*, n°. 36.
[334] *Ibidem*, n°. 34.
[335] Ver sentencia *Dudgeon v. Reino Unido, op. cit.*, comentada *supra*.

protección a través de la vida privada se empieza a romper, gracias al reconocimiento de la no discriminación por orientación sexual. Sin embargo aún tardaremos en observar las posibilidades que este nuevo reconocimiento brinda, y para entender por qué, debemos analizar la posición del TEDH respecto del art. 14 del CEDH.

3.2.2. *El derecho a la no discriminación en la jurisprudencia del TEDH*

A diferencia de lo que ocurre en otros instrumentos de carácter internacional, como el Pacto Internacional de Derechos Civiles y Políticos, el Pacto Internacional de Derechos Económicos, Sociales y Culturales, la Declaración Universal de Derechos Humanos o la Carta de Naciones Unidas, el CEDH no establece una prohibición general de discriminación. La letra de su artículo 14 es muy clara en este sentido: *The enjoyment of the rights and freedoms set forth in this Convention shall be secured without discrimination...*

No será hasta la entrada en vigor del Protocolo adicional nº 12, el uno de abril de 2005[336], cuando se incorpore al conjunto normativo del CEDH una cláusula general de no discriminación, en concordancia con la importancia reconocida por la mayoría de tratados internacionales al derecho a la igualdad y su correspondiente instrumento de lucha contra la discriminación, dando así también la razón a la multitud de críticas expresadas tanto por parte de los órganos del propio Consejo de Europa[337] como por buena parte de la doctrina, respecto de las limitaciones que el artículo 14 suponía para un pleno reconocimiento de los derechos humanos[338]. Volveremos al análisis

---

[336] Este protocolo adicional exige para su entrada en vigor la ratificación de al menos diez Estados. En la actualidad son 20 los que han procedido a su ratificación, entre los que se encuentra España. Para acceder al listado completo de Estados firmantes ver http://www.conventions.coe.int/Treaty/Commun/ChercheSig.asp?NT=177&C M=8&DF=15/07/2014&CL=ENG (consultado el 18 de mayo de 2018).

[337] Para un completo resumen de los órganos del Consejo de Europa involucrados en el impulso hacia la aprobación de este protocolo, ver la introducción de la memoria explicativa del mismo, que puede consultarse en http://www.conventions. coe.int/Treaty/en/Reports/Html/177.htm (consultado el 15 de julio de 2014).

[338] Por ejemplo, L.R. HELFER, «Finding a Consensus of Equality: The Homosexual Age of Consent and the European Convention on Humn Rights», *New York Uni-*

de las consecuencias que la entrada en vigor de este protocolo tiene para las materias relacionadas con la diversidad sexual al final de este apartado, pero por ahora debemos centrarnos en el contenido del artículo 14 del CEDH, y ello porque el Protocolo adicional n° 12 no supone una reforma del CEDH, solo es vinculante para los Estados miembros del Consejo de Europa que habiéndose adherido al CEDH, lo han ratificado, lo que en la actualidad supone sólo el 45% de un total de 45 Estados. En estas circunstancias, el artículo 14 del CEDH, en su redacción original y su interpretación jurisprudencial por parte del TEDH sigue teniendo una enorme importancia a efectos de las posibilidades de protección que ofrece al colectivo LGBTI[339].

Uno de los asuntos a los que se ha dedicado mayor interés en el estudio del CEDH ha sido precisamente el relacionado con el carácter dependiente que la cláusula antidiscriminatoria tiene respecto del resto de derechos reconocidos en este Tratado internacional[340]. Así, el TEDH ha declarado en reiterada jurisprudencia que el derecho a la no discriminación del artículo 14 solo entra en juego respecto de la posible vulneración de otros derechos reconocidos en el CEDH, esto es, que no tiene un carácter independiente, no se trata de un derecho autónomo a la no discriminación en cualquier situación con relevancia jurídica[341]. La aplicación escrupulosa de esta característica del artículo 14 del CEDH ha llevado al TEDH a rechazar en muchos asuntos, como los que hemos comentado

---

versity Law Review, n° 65, 1990, págs. 1044 ss.; R. WINTEMUTE, «"Within the Ambit": How Big is the "Gap" in Article 14 of the European Convention on Human Rights?», European Human Rights Law Review, n° 4, 2004, págs. 366 ss.

[339] No debemos olvidar que una serie de Estados, entre los que se encuentran buena parte de los países del este de Europa, son especialmente reacios a la consideración de la homosexualidad como una realidad que requiere de protección por parte del Derecho. Más adelante tendremos la ocasión de analizar algunas actitudes en este sentido, en asuntos que han llegado al TEDH. Por ahora, baste apuntar que por ejemplo Polonia no ha siquiera firmado el protocolo, y que Rusia, aun cuando lo ha hecho, no lo ha ratificado. Interesante es, por otra parte, observar cómo países como Francia, Dinamarca, Suecia o Reino Unido, a pesar de sostener una posición mucho más respetuosa con la diversidad sexual entre otras cuestiones, no han procedido a su firma, y por tanto, tampoco a su ratificación.

[340] Sobre el concepto de discriminación en general, ver N. BAMFORTH, M. MALIK y C. O'CINNEIDE, Discrimination Law: Theory and Context, Text and Materials, Londres: Sweet and Maxwell, 2008.

[341] Sobre la interpretación dada por la desaparecida CoEDH en relación a la aplicación del art. 14, ver J.H. GERARDS, Judicial Review in…op, cit., pág. 103 ss.

supra, siquiera el análisis de si, una vez establecida la vulneración de uno de los derechos sustantivos del CEDH, cabría asistir a una doble vulneración por violación también de la prohibición de discriminación, otorgando así al artículo 14 una posición no ya complementaria, sino como mucho subsidiaria, permitiendo que el TEDH decida en cada momento si adentrarse en el análisis de la posible discriminación o no, y lo que es más grave, sin aportar motivación relacionada con tal decision[342].

Y ello a pesar de que la temprana posición del TEDH parecía indicar que el camino que se iba a tomar en la interpretación del artículo 14 iba a permitir mayor margen de maniobra a la cláusula antidiscriminatoria. En efecto, la sentencia *Sindicato Nacional de Policía Belga v. Bélgica*[343] va a establecer criterios rápidamente abandonados en la jurisprudencia posterior. En este asunto, el demandante era un sindicato sectorial, restringido al cuerpo policial e independiente (no federado) que representaba a prácticamente la mitad de las fuerzas policiales locales y rurales de Bélgica. Muchos de sus miembros estaban también afiliados a sindicatos federados a centrales sindicales. Sin embargo, la *gendarmerie* tenía limitado por ley el derecho de libre sindicación a solo sindicatos policiales. La ley belga establecía un derecho de información y consulta restringido a los sindicatos más representativos en el sector público, inicialmente concebidos como las grandes federaciones sindicales, pero posteriormente ampliados a organizaciones más representativas de los trabajadores públicos, considerando que este requisito se cumplía cuando se trataba de organizaciones sindicales abiertas a todos los trabajadores públicos en el ámbito provincial y local, y que representaran los intereses laborales de los mismos. Dado que el sindicato

---

[342] Una importante crítica en este sentido puede verse en la posición del Juez Matscher en su voto particular de la sentencia *Dudgeon*, cuando afirma que el TEDH «ne peut pas se soustraire à cette obligation (la de analizar la posible vulneración del art. 14) en employant des formules qui risquent de limiter excessivement la portée de l'article 14 jusqu'à le priver de toute valeur pratique (...) [L]orsque la Cour est appelée à statuer sur la violation d'une disposition de la Convention, alléguée par le requérant et contestée par le gouvernement en cause (et à la condition que la demande soit recevable), il lui incombe de se prononcer sur cela, en donnant une réponse sur le fond du problème qui a été soulevé» Sentencia *Dudgeon*, *op. cit.*, voto particular del Juez Matscher, p. 36.

[343] Sentencia *Sindicato Nacional de Policía Belga v. Bélgica*, de 27 de octubre de 1975, Series A, nº 19.

policial no estaba abierto a otros trabajadores que no formaran parte de los cuerpos y fuerzas de seguridad del Estado, era sistemáticamente excluido del derecho de información y consulta. El sindicato demandante alega la vulneración de los artículos 11[344] (derecho de asociación, en el que se incluye el derecho de sindicación), 14 y 17 (prohibición de abuso de derecho)[345] del CEDH.

Lo que conviene destacar de esta sentencia es precisamente la relación que establece entre el derecho sustantivo (en este caso el art. 11) y la prohibición de discriminación del art. 14. Y ello porque comienza el TEDH declarando que el derecho de consulta que se reclama por parte del demandante no es parte integrante del contenido del art. 11:

> «La Cour relève que l'article 11.1. présente la liberté syndicale comme une forme ou un aspect particulier de la liberté d'association; il ne garantit pas aux syndicats, ni à leurs membres, un traitement précis de la part de l'Etat et notamment le droit d'être consultés par lui»[346].

Se niega así, que el derecho de consulta se encuentre reconocido en el CEDH[347], por lo que, en principio, atendiendo a la dicción del art.

---

[344]   El contenido del artículo 11 del CEDH es el siguiente:
«1. *Toda persona tiene derecho a la libertad de reunión pacífica y a la libertad de asociación, incluido el derecho a fundar, con otras, sindicatos y de afiliarse a los mismos para la defensa de sus intereses. 2. El ejercicio de estos derechos no podrá ser objeto de otras restricciones que aquellas que, previstas por la ley, constituyan medidas necesarias, en una sociedad democrática, para la seguridad nacional, la seguridad pública, la defensa del orden y la prevención del delito, la protección de la salud o de la moral, o la protección de los derechos y libertades ajenos. El presente artículo no prohíbe que se impongan restricciones legítimas al ejercicio de estos derechos por los miembros de las fuerzas armadas, de la policía o de la Administración del Estado».*

[345]   El artículo 17 del CEDH establece que *«[n]inguna de las disposiciones del presente Convenio podrá ser interpretada en el sentido de implicar para un Estado, grupo o individuo, un derecho cualquiera a dedicarse a una actividad o a realizar un acto tendente a la destrucción de los derechos o libertades reconocidos en el presente Convenio o a limitaciones más amplias de estos derechos o libertades que las previstas en el mismo».*

[346]   Sentencia *Sindicato Nacional de Policía Belga, op. cit.*, nº 37.

[347]   Tendrán que pasar casi 30 años para que el TEDH comience a llenar de contenido el derecho a la libertad sindical, cambiando su enfoque jurisprudencial sobre este asunto a partir de la sentencia *Wilson, National Union of Journalists y otros v. Reino Unido*, de 2 de julio de 2002, Reports of Judgments and Decisions 2002-V. Para un resumen de los cambios acontecidos en esta materia en sede del TEDH, ver M. A. MARTÍN HUERTAS, «Las Sentencias del Tribunal Europeo

14, cabría pensar que dado que nos encontramos con la reclamación de un derecho que no se encuentra protegido por el articulado del CE- DH, la posible vulneración de la prohibición de discriminación ni tan siquiera sería analizada[348]. Y sin embargo, no es esto lo que ocurre. Alega el TEDH que

> «quoique la Cour n'ait constaté aucune violation de l'article 11.1., il y a lieu de rechercher si les différences de traitement dont se plaint le syndicat requérant méconnaissent les articles 11 et 14 combinés. En effet l'article 14, bien qu'il n'ait pas d'existence indépendante, complète les au- tres dispositions normatives de la Convention et des Protocoles: il protège les individus ou groupements placés dans une situation comparable con- tre toute discrimination dans la jouissance des droits et libertés qu'elles reconnaissent ... Ces considérations s'appliquent notamment si un droit inclut dans la Convention et l'obligation correspondante de l'Etat ne se trouvent pas définis de manière concrète et si, en conséquence, de multi- ples moyens s'offrent au choix de l'Etat pour rendre possible et efficace l'exercice du droit dont il s'agit. Ainsi que la Cour l'a relevé au paragraphe 39, l'article 11.1.énonce un droit de ce genre»[349].

El TEDH define la posición del art. 14 en esta sentencia otorgando a la cláusula antidiscriminatoria de mayor entidad que la que más adelante le conferirá. Así, su carácter dependiente, en el sentido de que se constriñe su aplicación al contenido del resto de derechos ga-

---

de Derechos Humanos relativas a Partidos Políticos y a Sindicatos» *Cuestiones Constitucionales*, n.º 23, julio-diciembre, 2010, págs. 85 ss.

[348] En este sentido se expresa el voto particular del Juez Fitzmaurice, cuando dice que «so soon as it is established (as the earlier part of the judgment does) that Ar- ticle 11 does not embody any right for trade unions to be consulted, or any obli- gation for the authorities to consult them, Article 14 can have no possible sphere of application. This is because, according to the plain language of that Article, it is only the "enjoyment of the rights and freedoms *set forth in this Convention*" ... that is to be "secured without discrimination" ... if —as the Court finds— the right to form and join trade unions for the protection of the members' interests does not comprise any right for trade unions to be consulted by the authorities, then a right of consultation is not one of "the rights and freedoms set forth in this Convention", and the issue of discrimination becomes irrelevant. No question of the discriminatory or non-discriminatory application or enjoyment of a right can arise unless that right itself exists in the first place, to be conceded whether discriminatorily or not». Sentencia *Sindicato Nacional de Policía Belga, op. cit.*, voto particular del Juez Fitzmaurice, p. 38, para. 18.

[349] *Ibidem*, nº. 44.

rantizados por el CEDH, no es tan limitado como lo será en su jurisprudencia posterior. Y ello porque ese carácter dependiente será entendido en una doble acepción, primero, como un elemento que completa la aplicación del resto de derechos, de modo que cuando éstos son activados a través de la acción u omisión de los Estados, formará parte integrante de esa activación su carácter no discriminatorio, y segundo, íntimamente ligado con lo anterior, porque ante derechos cuyo contenido no se encuentra claramente definido, el art. 14 funciona como elemento integrador del mismo, definidor por tanto de los aspectos que el resto de derechos deben proteger. En este segundo caso, ya no se trata de que los derechos del CEDH sean reconocidos a todos sin discriminación, sino que el contenido de los mismos vendrán marcado precisamente por sus posibles efectos discriminatorios.

Respecto de la primera acepción del art. 14 contenida en la sentencia comentada, encontramos un ejemplo de su aplicación en el asunto *Ciertos aspectos del Régimen Lingüístico de Bélgica v. Bélgica*[350]en la que se discutía sobre la reclamación hecha por un grupo de padres francoparlantes residentes en barrios de mayoría flamenca a cuyos hijos se les había denegado el acceso a escuelas de habla francesa, en base a que la mayoría de las familias francófonas no vivían allí. Hay que añadir que las escuelas que enseñaban en flamenco en el mismo barrio sí estaban abiertas a todos independientemente del lugar de residencia. El TEDH establece en este asunto que ha habido una vulneración del art. 2 del Protocolo nº 1 (que garantiza el derecho a la educación) en conjunción con la cláusula de no discriminación del art. 14, definiendo la relación de estos dos derechos en este caso en los siguientes términos

> «Si cette garantie (Article 14) n'a pas, il est vrai, d'existence indépendante en ce sens qu'elle vise uniquement, aux termes de l'article 14, les "droits et libertés reconnus dans la Convention", une mesure conforme en elle-même aux exigences de l'article consacrant le droit ou la liberté en question peut cependant enfreindre cet article, combiné avec l'article 14, pour le motif qu'elle revêt un caractère discriminatoire. Ainsi, les personnes soumises à la juridiction d'un Etat Contractant ne peuvent puiser dans l'article 2 du Protocole le droit d'obtenir des pouvoirs publics la création

---

[350] Sentencia sobre *Ciertos Aspectos del Régimen Lingüístico de Bélgica v. Bélgica*, de 13 de julio de 1968, Series A, nº 6.

de tel établissement d'enseignement; néanmoins, l'Etat qui aurait créé pareil établissement, ne pourrait, en en réglementant l'accès, prendre des mesures discriminatoires au sens de l'article 14 (…) Tout se passe comme si l'article 14 faisait partie intégrante de chacun des articles consacrant des droits ou libertés. Il n'y a pas lieu, à cet égard, de distinguer selon la nature de ces droits et libertés et des obligations qui y correspondent, et par exemple suivant que le respect du droit dont il s'agit implique une action positive ou une simple abstention»[351].

De este modo, el art. 14 no incide en el contenido del derecho en cuestión, este contenido viene definido por la interpretación que del mismo da el TEDH. Ahora bien, se trata de un contenido mínimo que los Estados están obligados a cumplir, pero éstos pueden decidir ampliar sus obligaciones y actuar más allá de aquello a lo que se comprometieron ratificando el CEDH y sus Protocolos. En este caso, incluso si se trata de obligaciones no definidas por el CEDH, pero que entran en el ámbito de actuación de uno de sus derechos sustantivos, toda aplicación discriminatoria de este plus de actuación estatal se entenderá como vulneradora del CEDH.

Por otra parte, hablábamos de una segunda acepción en la interpretación del art. 14 en el asunto *Sindicato de Policía Belga*, comentada *supra*, que será mantenida y aplicada en asuntos tan conocidos como la sentencia *Marckx v. Bélgica*[352], en la que el TEDH se ocupaba de resolver los argumentos sobre violación de los derechos a la vida familiar, a la no discriminación y al derecho de propiedad (art. 1 del Protocolo nº 1), presentados por parte de una madre soltera. La situación de las madres solteras en ese momento en Bélgica, que ya hemos explicado resumidamente *supra*, resultaba particularmente difícil, hasta el punto de que ni siquiera era reconocido un vínculo jurídico entre la madre no casada y su descendencia biológica. La negación del principio general *mater semper certa est* venía acompañada de la necesidad por parte de la progenitora de adoptar a su propio hijo, y el reconocimiento jurídico que esa adopción comportaba respecto de la relación biológica quedaba circunscrito a ambos, no extendiéndose al resto de la familia materna, en cuestiones como los derechos suce-

---

[351]   Sentencia *Régimen Lingüístico Belga, op. cit.*, nº. I, B, 9, págs. 33-34 (versión francesa).
[352]   Sentencia *Marckx, op. cit.*

sorios, que sufrían también un importante menoscabo respecto de la sucesión materna.

El TEDH, al considerar que ha habido una violación del art. 8 del CEDH utiliza esta técnica de integración del contenido del concepto de vida familiar a través del derecho a la no discriminación, y así, establece que

> «[e]n garantissant le droit au respect de la vie familiale, l'article 8 présuppose l'existence d'une familie. La Court marque son plein accord avec la jurisprudence constante de la Commission sur un point capital: l'article 8 ne distingue pas entre famille "legitime" et famille "naturelle". Pareille distinction se heurtarait aux mots "toute personne"; l'article 14 le confirme en prohibant, dans la jouissance des droits et libertés consacrés par la Convention, les discriminations fondées sur "la naissance". La Cour note au surplus que le Comité des Ministres du Conseil de l'Europe voit dans la mère seule et son enfant une famille parmi les autres (résolution (79) 15 du 5 mai 1970 sur la protection sociale des mères célibataires e de leurs enfants, § I-10, § II-5, etc.)»[353]

Resulta particularmente interesante esta temprana interpretación del papel que el art. 14 juega en el sistema de protección del CEDH por cuanto va a incidir en un aspecto fundamental, los criterios de comparación cuando de una discriminación directa se trata. Y ello, porque lo que se hace en esta sentencia es introducir la cláusula antidiscriminatoria en el inicio del análisis de la situación planteada, y no en el final: la fórmula clásica de conocer si se ha producido una discriminación consiste en analizar si dos situaciones iguales son tratadas de la misma manera, ya que la prohibición de discriminación implica la imposibilidad de tratar situaciones iguales de forma desigual sin un motivo justificado, pero también puede implicar la imposibilidad de tratar situaciones desiguales como si fueran iguales. Pues bien, en muchos de los asuntos que han llegado al TEDH en los que se haya analizado la posible discriminación, lo que se ha hecho es incidir en la posible diferencia de trato desde la óptica de la prohibición de discriminación, pero no así en los elementos que nos hacen decidir si nos encontramos ante situaciones iguales o no (sobre todo esto

---

[353] Sentencia *Marckx, op. cit.* nº 31. Ver también la sentencia *Vermeire v. Bélgica*, de 29 de noviembre de 1991, Series A, nº 214-C y la sentencia *Inze v. Austria*, de 28 octubre de 1987, Series A, nº 126.

volveremos *infra*). En el caso que analizamos, sin embargo, se hace precisamente lo contrario: lo que se valora desde la óptica de la no discriminación es la pertinencia de considerar que las madres están en situación distinta en base a su estado civil. Y en este análisis se concluye que es discriminatorio considerar al estado civil como un elemento que modifica la situación de ser madre, y por tanto, dado que madres solteras y casadas son igualmente madres, se concluye que las diferencias en el trato de dos situaciones iguales, en la que no existe otra justificación que precisamente la consideración de que son situaciones desiguales, suponen una discriminación prohibida por el CEDH.

El mismo tipo de análisis se lleva a cabo con anterioridad, pero esta vez centrado en elementos especialmente relevantes para el tratamiento jurídico de la diversidad sexual, aunque se trata de asuntos que nada tienen que ver con la misma. Se realiza este análisis además, en un dictamen de la Comisión Europea de Derechos Humanos, que versa sobre la interpretación de las restricciones expresamente contempladas en el disfrute de algunos de los artículos del CEDH, en concreto, los arts. 8 a 11. Efectivamente, todos ellos comparten una estructura en la que, tras el reconocimiento de los derechos de que se trate, se incluye una segunda cláusula que enumera las posibilidades de restricción de los mismos en términos muy parecidos[354]. Una de

---

[354] Así, el artículo 8 afirma que «*toda persona tiene derecho al respeto de su vida privada y familiar, de su domicilio y de su correspondencia*», para añadir que «*no podrá haber injerencia de la autoridad pública en el ejercicio de este derecho, sino en tanto en cuanto esta injerencia esté prevista por la ley y constituya una medida que, en una sociedad democrática, sea necesaria para la seguridad nacional, la seguridad pública, el bienestar económico del país, la defensa del orden y la prevención del delito, la protección de la salud o de la moral, o la protección de los derechos y las libertades de los demás*». Por su parte, en el artículo 9 leemos que «*toda persona tiene derecho a la libertad de pensamiento, de conciencia y de religión; este derecho implica la libertad de cambiar de religión o de convicciones, así como la libertad de manifestar su religión o sus convicciones individual o colectivamente, en público o en privado, por medio del culto, la enseñanza, las prácticas y la observancia de los ritos*», aunque luego se diga que «*la libertad de manifestar su religión o sus convicciones no puede ser objeto de más restricciones que las que, previstas por la ley, constituyen medidas necesarias, en una sociedad democrática, para la seguridad pública, la protección del orden, de la salud o de la moral públicas, o la protección de los derechos o las libertades de los demás*». En el artículo 10, libertad de expresión, tras disponerse que «*toda persona tiene derecho a la libertad de expresión. Este derecho comprende la*

las dificultades interpretativas de estos artículos es precisamente la de delimitar el contenido y la extensión de estas posibles restricciones, algo que hemos tenido la ocasión de analizar en relación a los asuntos ya vistos en materia de diversidad sexual.

Resulta muy ilustrativo de una concepción más amplia del derecho a la no discriminación, con más capacidad de intervención en el contenido del CEDH, cómo la CoEDH introduce este elemento para definir el alcance de las restricciones expresamente contempladas de los derechos que así se describen. Se trata del asunto *Grandrath*[355], en el que la CoEDH explica que

> «the Commission has discussed whether, in the present case, a violation of Article 14 is excluded by the mere fact that, in the Commission's opinion, no other Article of the Convention, considered separately, has been violated. On this question of the interpretation of Article 14, the Commission, by eight votes to five, has adopted the following opinion: The application of Article 14 does not only depend upon a previous finding of the Commission that a violation of another Article of the Convention already exists. In certain cases, Article 14 may be violated in a

---

libertad de opinión y la libertad de recibir o de comunicar informaciones o ideas, sin que pueda haber injerencia de autoridades públicas y sin consideración de fronteras. El presente artículo no impide que los Estados sometan a las empresas de radiodifusión, de cinematografía o de televisión a un régimen de autorización previa», se añade que *«el ejercicio de estas libertades, que entrañan deberes y responsabilidades, podrá ser sometido a ciertas formalidades, condiciones, restricciones o sanciones previstas por la ley, que constituyan medidas necesarias, en una sociedad democrática, para la seguridad nacional, la integridad territorial o la seguridad pública, la defensa del orden y la prevención del delito, la protección de la salud o de la moral, la protección de la reputación o de los derechos ajenos, para impedir la divulgación de informaciones confidenciales o para garantizar la autoridad y la imparcialidad del poder judicial»*. Finalmente, en el artículo 11 se establece que *«toda persona tiene derecho a la libertad de reunión pacífica y a la libertad de asociación, incluido el derecho de fundar con otras sindicatos y de afiliarse a los mismos para la defensa de sus intereses»*, pero también que *«el ejercicio de estos derechos no podrá ser objeto de otras restricciones que aquellas que, previstas por la Ley, constituyan medidas necesarias, en una sociedad democrática, para la seguridad nacional, la seguridad pública, la defensa del orden y la prevención del delito, la protección de la salud o de la moral, o la protección de los derechos y libertades ajenos. El presente artículo no prohíbe que se impongan restricciones legítimas al ejercicio de estos derechos para los miembros de las Fuerzas Armadas, de la Policía o de la Administración del Estado»*.

[355]   Asunto *Grandrath*, nº 2299/64, Dictamen de la CoEDH de 12 de diciembre de 1966.

field dealt with by another Article of the Convention, although there is otherwise no violation of that Article. In the present case, it is necessary to refer to the limitative provisions contained in various articles of the Convention. For example, in each of Articles 8 to 11, a certain right is guaranteed by paragraph (1), but the Contracting parties are, under paragraph (2), allowed, subject to specific conditions, to restrict that right. When using this power to restrict a right guaranteed by the Convention, the Contracting parties are bound by the provision of Article 14. Consequently, if a restriction which is in itself permissible under paragraph (2) of one of the above Articles, is imposed in a discriminatory manner, there would be a violation of Article 14 in conjunction with the other Article concerned. The situation under Article 14 is similar»[356].

En palabras de NEDJATI «the Commission applied the same principle concerning the scope of Article 14, whether the restriction resulted from the definition of the right concerned or from an express exception to the general freedom guaranteed»[357].

Resulta de esta interpretación de la virtualidad del art. 14 un importante abanico de posibilidades de actuación, ya que incluso las posibles restricciones expresamente aceptadas en el disfrute de los derechos reconocidos en el CEDH tendrán que someterse al test de discriminación, resultando así que la invocación, por ejemplo, de la protección de la moral o el interés general no bastará como elemento habilitante de la restricción del derecho, y cabría extender esta línea interpretativa también, como no, a la valoración de si las medidas que se adoptan cuando de una restricción se trata son necesarias en una sociedad democrática.

Sin embargo, no va a ser ésta la jurisprudencia que se consolide en el TEDH, y no tardará mucho en dar un vuelco a su posicionamiento respecto de la relación del art. 14 con el resto de derechos del CEDH, no sin crear importantes controversias en su propio seno[358]. En efecto,

---

[356] *Ibidem*, nº 28 a 36.
[357] Z.M. NEDJATI. *Human Rights under the European Convention*, European Studies in Law, vol. 8, Amsterdam: North-Holland Publishing Company, 1978, pág. 228.
[358] Un ejemplo ilustrativo del importante debate que sobre este asunto se suscita en el seno del TEDH lo podemos encontrar en la sentencia *Engel y Otros v. Países Bajos*, en la que el Juez Evrigenis, en su voto particular discrepante, dirá que «la Convention s'oppose, par conséquent, à toute discrimination qui se manifeste sur le plan de la jouissance d'un droit garanti par elle, que cette discrimination s'exprime de

podemos encontrar un ejemplo de este cambio de rumbo en el asunto *Airey v. Irlanda*[359], en el que a una mujer sin recursos económicos se le negó la justicia gratuita para separarse de su marido. El TEDH además de considerar que se había producido una vulneración del artículo 6 (acceso a la justicia) y del artículo 8 (derecho a la vida familiar), exponía cuáles iban a ser las grandes líneas interpretativas respecto de la prohibición de discriminación del CEDH[360]. Así,

> «Article 14 has no independent existence; it constitutes one particular element (non-discrimination) of the rights safeguarded by the Convention. (…) The Articles enshrining those rights may be violated alone and/ or in conjunction with Article 14. If the Court does not find a separate breach of one of those Articles that has been invoked both on its own and together with Article 14, it must also examine the case under the latter Article. On the other hand, such an examination is not generally required when the Court finds a violation of the former Article taken alone. The position is otherwise if a clear inequality of treatment in the enjoyment of the right in question is a fundamental aspect of the case»[361].

De este modo, el esquema que se plantea, y que va a seguir el TEDH en sus sentencias posteriores, es como sigue:

– El artículo 14 no tiene carácter independiente, pero constituye un elemento de los derechos sustantivos reconocidos en el CEDH.

---

façon positive, par des mesures qui favorisent la jouissance de ce droit, ou de façon negative, par des restrictions, légitimes ou non, apportées a ce droit. Je ne conçois guère comment on pourrait, à plus forte raison, distinguer sous l'angle de l'article 14, tel qu'il a été interprété par la Cour, entre mesures comportant une restriction illégitime du droit en question et mesures comportant des restrictions tolérées par la Convention. Un traitement discriminatoire par des mesures appartenant à n'importe laquelle de ces deux catégories peut conduire à une discrimination de jouissance nécessairement contrôlable sous l'angle de l'article 14 de la Convention. La Cour aurait dû en conséquence contrôler aussi au point de vue de leur conformité avec l'article 14 celles des sanctions portées à sa connaissance qu'elle a finalement jugées non privatives de liberté». Sentencia *Engel y Otros v. Países Bajos*, de 8 de junio de 1976, Series A, n° 22, voto particular del Juez Evrigenis.

[359] Sentencia *Airey v. Irlanda*, de 9 de octubre de 1979, Series A, n° 32.

[360] Otros asuntos en los que se mantiene precisamente esta línea jurisprudencial son, a modo de ejemplo, la sentencia *Tyrer v. Reino Unido*, de 25 de abril de 1978, Series A, n° 26, la sentencia *Luedicke, Belkacem y Koç v. Alemania*, de 28 de noviembre de 1978, Series A, n° 29 y la sentencia *Johnston y Otros v. Irlanda*, de18 de diciembre de 1986, Series A, n° 112.

[361] Sentencia *Airey, op. cit.*, n° 30.

- Los derechos sustantivos del CEDH pueden ser vulnerados en su contenido exclusivamente, y/o introduciendo el elemento de discriminación.

- Si el TEDH no encuentra una vulneración del derecho sustantivo sólo, debe proceder al análisis de si teniendo en cuenta el elemento discriminatorio podría haberse dado esa vulneración.

- Cuando el TEDH encuentra una vulneración del derecho sustantivo por sí mismo, no es necesario entrar en el análisis del elemento discriminatorio, salvo que una clara diferencia de trato en el disfrute del derecho en cuestión sea un aspecto fundamental del asunto.

A pesar de las posibilidades de interpretación que con esta estructura cabían, lo cierto es que la jurisprudencia del TEDH ha huído en la mayoría de los casos del análisis de si las posibles vulneraciones de derechos sustantivos se producen en tanto que la forma de entender su contenido o su aplicación resultan discriminatorios, para centrarse en afirmar que en definitiva el TEDH puede decidir, sin mayores explicaciones, sobre si se pronuncia o no respecto de la cláusula de no discriminación que haya sido legítimamente invocada por la parte demandante. En segundo lugar, como ya hemos visto en los asuntos que sobre orientación sexual y transexualidad hemos analizado, tampoco es necesario por parte del TEDH definir qué se considera «un aspecto fundamental del asunto», bastando con negar la pertinencia de entrar en la valoración de si ha habido o no trato discriminatorio.

Así, en la sentencia *Dudgeon*, el recurrente alegaba que se había producido una vulneración de los artículos 14 y 8, aplicados conjuntamente, por cuanto existían leyes distintas en diferentes partes del Reino Unido, que suponían distintas edades de consentimiento para mantener relaciones sexuales, y que ello provocaba diferencias de trato en la legislación penal, tanto entre homosexualidad masculina y femenina, como entre homosexualidad y heterosexualidad. Sin embargo, el TEDH, al establecer como hemos visto *supra*, que se había producido en este caso la violación del derecho a la vida privada del artículo 8 del CEDH, en aplicación de la jurisprudencia establecida en *Airey*, no entra en el análisis de si ha habido o no vulneración de la prohibición de discriminación[362]. No considera el TEDH que la desigualdad de trato en este asunto, sea un aspecto fundamental del caso[363].

Serán los votos particulares de los Magistrados Evrigenis y García de Enterría los que nos escenifiquen lo ambigua que esta exigencia de ser un aspecto fundamental del caso puede llegar a ser. Su opinión acerca del contenido del art. 14 pivota sobre dos premisas fundamentales: por un lado, que la opción jurisprudencial mayoritaria priva al derecho reconocido en el art. 14 de gran parte de su contenido, «l'interprétation restrictive de l'article 14, selon la ligne amorcée par l'arrêt Airey, enlève en grande partie à cette disposition fondamentale sa substance et son rôle dans le système normatif de la Convention»[364]. Y por otro, la idea de que el factor discriminatorio sí es un aspecto fundamental de la controversia planteada, y así, «[m]ême si l'on acceptait la formule restrictive utilisée par la Cour dans l'arrêt Airey et reprise dans l'arrêt rendu dans la présente affaire (§ 67: «nette inégalité de traitement» [constituant] «un aspect fondamental de la cause»), il serait difficile d'affirmer que ces conditions n'étaient pas clairement remplies en l'espèce.'[365]

Otros elementos, como la diferente repercusión que se otorgaba a la relación del art. 14 con otros derechos sustantivos del CEDH, dependiendo de si se exigía al Estado una abstención, o si por el contrario se pretendía que actuaran como forma de garantizar la efectividad del derecho, han ido diluyéndose a lo largo del tiempo, en una suerte de relación de proporcionalidad inversa entre el nivel de aplicación de la prohibición de discriminación, y la naturaleza positiva o negativa del derecho de que se trate.

En cualquier caso, conviene también realizar un pequeño análisis teórico sobre la técnica aplicada por el TEDH cuando ha incorporado al análisis la posibilidad de la existencia de un trato discriminatorio, ya que de otro modo, difícilmente podemos tener una visión más amplia del importante papel que el art. 14 empieza a jugar para el colectivo LGBTI.

---

[362]   Sentencia *Dudgeon, op. cit.*, n° 67.
[363]   *Ibidem*, n° 69.
[364]   *Ibidem*, voto particular de los Jueces Evrigenis y García de Enterría, p. 32.
[365]   *Idem.*

3.2.3. El test de discriminación

El TEDH, tras definir el lugar que ocupa la cláusula antidiscriminatoria respecto de su relación con el resto de derechos del CEDH, ha desarrollado también, lógicamente, una estructura de análisis de la posibilidad de vulneración del art. 14, en aquellos asuntos en que ha considerado pertinente pronunciarse sobre esta cuestión.

Así, encontramos una excelente concreción de los elementos que deben tenerse en cuenta cuando valoramos la posible vulneración del derecho a la no discriminación, en el asunto *Régimen Lingüístico Belga*[366], en el que el TEDH afirma que

> «Les autorités nationales compétentes se trouvent souvent en face de situations ou de problèmes dont la diversité appelle des solutions juridiques différentes; certaines inégalités de droit ne tendent d'ailleurs qu'à corriger des inégalités de fait (...) Il importe donc de rechercher les critères qui permettent de déterminer si une distinction de traitement donnée, relative bien entendu à l'exercice de l'un des droits et libertés reconnus, contrevient ou non à l'article 14. A ce sujet, la Cour, suivant en cela les principes qui se dégagent de la pratique judiciaire d'un grand nombre d'Etats démocratiques, retient que l'égalité de traitement est violée si la distinction manque de justification objective et raisonnable. L'existence d'une pareille justification doit s'apprécier par rapport au but et aux effets de la mesure considérée, eu égard aux principes qui prévalent généralement dans les sociétés démocratiques. Une distinction de traitement dans l'exercice d'un droit consacré par la Convention ne doit pas seulement poursuivre un but légitime: l'article 14 est également violé lorsqu'il est clairement établi qu'il n'existe pas de rapport raisonnable de proportionnalité entre les moyens employés et le but visé»[367].

Es necesario esquematizar los distintos elementos que van a configurar la valoración de si se ha producido discriminación o no en una determinada situación. Así, y según esta jurisprudencia, que se mantendrá a lo largo del tiempo, como veremos *infra*, los parámetros esenciales en los que sustentar el estudio sobre existencia de discriminación, son:

– No toda diferencia de trato constituye discriminación.

---

[366]   Sentencia *Régimen Lingüístico Belga, op. cit.*
[367]   *Ibidem*, nº 10.

– Para que una diferencia de trato no se considere discriminatoria, ésta tiene que tener una justificación objetiva y razonable, que tendrá que ser valorada en relación a los fines y los efectos de la medida que se analiza.

– Los principios que prevalecen en las sociedades democráticas son un importantísimo elemento de análisis de si la diferencia de trato está justificada, luego inciden en la valoración de si nos encontramos ante una justificación objetiva y razonable.

– Una vez realizado todo el recorrido propuesto, aun cuando se trate de una medida que bajo los criterios anteriores no resulta discriminatoria, podría ser que lo fuera en atención a la falta de proporcionalidad entre los medios empleados y la finalidad buscada.

Como puede comprobarse de la lectura de estos criterios, nos encontramos en un terreno movedizo, en el que la aplicación de los mismos resulta especialmente complicada, por cuanto no debemos olvidar, por una parte, el contenido necesariamente poco definido de parte de los elementos que analizaremos a continuación, y por otra, el carácter de tribunal internacional que tiene el TEDH, cuya jurisdicción es voluntaria para los Estados miembros del Consejo de Europa, lo que de hecho supone la necesidad por parte del Alto Tribunal de actuar con especial cautela, para no ser percibido como un órgano demasiado intrusivo en la vida de los Estados. Quizás sea éste el motivo por el que el Alto Tribunal se ha mantenido particularmente prudente, en algunos casos, en su interpretación del CEDH, y por ello mismo no haya explorado todas las posibilidades de aplicación de la cláusula antidiscriminatoria, ni siquiera en aquellos asuntos en los que se aviene a considerar su valoración[368].

El primer elemento de la construcción jurisprudencial sustentada por el TEDH en relación al análisis de la protección frente a la discriminación en el CEDH es el que afirma que no toda diferencia de trato es necesariamente una discriminación.

---

[368] Sobre la difícil posición del TEDH en su protección de los derechos humanos desde su posición de tribunal internacional, ver J.R. MORRISSON, *The Dynamics of Development in the European Human Rights Convention System*, The Hague: Martinus Nijhoff Pub., 1981.

Quizás lo primero que se debería abordar es qué concepto de discriminación consagra el CEDH, algo que el propio texto no resuelve[369]. Hemos visto ya cómo el TEDH introduce los elementos de valoración de cuándo ha podido o no haber discriminación, pero en ningún caso define qué debemos entender por trato discriminatorio, algo que deberemos extraer de su jurisprudencia. Sin embargo, resulta conveniente en este momento apuntar alguna de las muchas aportaciones que en esta materia la doctrina ha sugerido, apoyándonos para ello en autores ya clásicos.

Para MCKEAN «the term "discrimination" should be used only to refer to any conduct based on a distinction made on grounds of natural or social categories which have no relation either to individual capacities or merits or to the concrete behaviour of the individual person»[370]. Como veremos en la jurisprudencia que vamos a analizar, esta definición no se adapta bien a la posición del TEDH en esta material, por cuanto incide poderosamente en los motivos de distinción que pueden ser considerados como discriminatorios, algo que dista de la postura del Alto Tribunal, más centrado en el análisis de la validez de las razones que se arguyen para justificar una diferencia de trato.

VIERDAG, por el contrario, defiende que «discrimination occurs when in a legal system an inequality is introduced in the enjoyment of a certain right, or in a duty, while no sufficient connection exists between the inequality upon which the legal inequality is based, and the right or the duty in which this inequality is made»[371]. Para este autor «discrimination occurs when the equality or inequality

---

[369]   «No definition of this word is offered in the Convention …», J.E.S. FAWCETT, *The Application of the European Convention on Human Right*, Oxford: Oxford University Press, 1987, pág. 298. Tanto es así, que ni siquiera las dos versiones auténticas del CEDH, en inglés y francés, utilizan la misma terminología, siendo la palabra inglesa «discrimination» referida en la versión francesa como «sans distinction», lo que ha dado lugar a no pocas reflexiones doctrinales, sobre todo en los primeros momentos de vigencia del CEDH, algo que se ha corregido en la redacción del protocolo nº 12, en el que en francés ya se usa el término «sans discrimination».

[370]   W.A. MCKEAN, Equality and Discrimination under International Law, Oxford: Clarendon Press, 1981, pág. 85.

[371]   E.W. VIERDAG, *The Concept of Discrimination in International Law: with Special Reference to Human Rights*, The Hague: Nijhoff, 1973, pág. 61. Vierdag utiliza la definición aportada por H. KIPP, «Das Verbot der Diskriminierung im modernen Friedensvölkerrecht», *Archiv des Völkerrechts*, Vol. IX, 1961-62, pág. 137 ss.

of treatment results from a "wrong" judgment as to the relevance or irrelevance of the various human attributes that are taken into account»[372]. Pero para juzgar acerca de la pertinencia de una diferencia de trato, esto es, para concluir que un atributo humano es relevante o no en una determinada diferenciación, es necesario analizar la situación concreta en el ámbito de actuación de un derecho o deber determinado, ya que «what could be wrong with respect to one particular right or duty (e.g. voting, or education), might not be wrong within the context of another right or duty (e.g. taxation, or property rights). So we must emphasize the importance of the nature of the rights and duties involved»[373].

Los elementos principales que habría que tener en cuenta en esta definición de discriminación, serían:

– Se trata de un concepto relacional, en el sentido de que la discriminación no puede ser definida solo como el trato desigual que se otorga a situaciones iguales o el trato igual que se reconoce a situaciones desiguales, ya que, como veremos, la consideración de si nos encontramos ante situaciones iguales o no resulta especialmente compleja y no exenta de elementos de valoración, que pueden ser ellos mismos considerados como una forma de discriminación. Para evitar esto, es necesario que la comparación de dos situaciones, como fórmula de determinación de si ha habido trato discriminatorio o no, se haga en base a los factores comunes o las diferentes características que tienen, motivando la pertinencia de dar mayor relevancia a aquello que distingue a las situaciones o a aquello que las iguala.

– Este criterio de comparación solo puede llevarse a cabo si se pone en relación con el determinado trato sobre el que se realiza la valoración de si ha existido discriminación, esto es, si se pone en relación con el derecho o el deber concreto sobre el que se reclama un trato no discriminatorio, de modo que «[t]he concept (discrimination) must be understood as a *combination*, namely of the equality and inequality aspects together with the treatment aspect» ya que «[e]quality and inequality go together

---

[372] *Ibidem*, pág. 60.
[373] *Ibidem*, pág. 61.

in countless combinations but can only be appreciated within the context of a particular right or duty»[374].

– Por último, tiene que haber suficiente conexión entre los dos elementos (el criterio de comparación y el derecho o deber involucrado). A este respecto, este requisito es necesario tanto para entender que se ha producido una discriminación como para concluir que no nos encontramos ante la misma, puesto que los elementos de comparación, unidos a las características particulares del derecho de que se trate, permiten realizar esta diferencia de trato, sin por ello incurrir en discriminación. En palabras de VIERDAG, «what we call the "sufficient connection" is usually referred to as the "sufficient reason" that must be given in order to justify a deviation from the principle that equal treatment is the rule, and unequal treatment the exception»[375].

Utilizando estos elementos de análisis, volvamos sobre la jurisprudencia del TEDH en el asunto *Régimen Lingüístico Belga*[376], y en concreto, sobre los aspectos que pueden hacernos entender qué concepto de discriminación es el que subyace en esta sentencia. Para ello, rescatemos parte del párrafo con el que comenzábamos y su continuación:

«Malgré le libellé très général de sa version française ("sans distinction aucune"), l'article 14 n'interdit pas toute distinction de traitement dans l'exercice des droits et libertés reconnus. Cette version doit se lire à la lumière du texte, plus restrictif, de la version anglaise ("without discrimination"). En outre et surtout, on aboutirait à des résultats absurdes si l'on donnait à l'article 14 une interprétation aussi large que celle que la version française semble impliquer. On en arriverait, en effet, à juger contraires à la Convention chacune des nombreuses dispositions légales ou réglementaires qui n'assurent pas à tous une complète égalité de traitement dans la jouissance des droits et libertés reconnus. Or, les autorités nationales compétentes se trouvent souvent en face de situations ou de problèmes dont la diversité appelle des solutions juridiques différentes; certaines inégalités de droit ne tendent d'ailleurs qu'à corriger des inégalités de fait. L'interprétation extensive mentionnée ci-dessus ne saurait par conséquent être retenue.»[377]

---

[374] *Idem.*
[375] *Ibidem*, págs. 61-62.
[376] Sentencia *Régimen Lingüístico Belga, op. cit.*
[377] *Ibidem*, nº. 10.

De la lectura del mismo, parece que el TEDH sostiene un concepto de discriminación que se aleja de una concepción estricta o formalista del mismo, de modo que el art. 14 no prohíbe toda distinción en el disfrute de los derechos del CEDH, sino sólo algunas formas de diferenciación que son consideradas ilegítimas o contrarias a derecho[378]. El primer problema con el que nos encontramos es aquel referido a los parámetros de comparación, o lo que es lo mismo, qué elementos considera el TEDH relevantes a efectos de valorar que nos encontramos ante situaciones similares. Si del examen de dos situaciones llegamos a la conclusión de que no son iguales, entonces no ha lugar a realizar un test de no discriminación por producirse consecuencias jurídicas desiguales. Sólo ante la circunstancia de encontrar suficientes elementos que nos hagan considerar que efectivamente son situaciones similares, podremos analizar si ha habido diferencia de trato y si esta diferencia de trato está justificada y es proporcional a los legítimos fines que se persiguen.

Los asuntos relacionados con la orientación sexual son un claro exponente de la evolución y las limitaciones que la utilización de este concepto de discriminación conlleva, especialmente cuando nos encontramos con reclamaciones de discriminación consistentes en la diferencia de trato que reciben los hombres homosexuales respecto de las mujeres homosexuales y las personas heterosexuales. Particularmente interesenta resultan las primeras respuestas a estas cuestiones, que ni siquieran llegaron al TEDH, siendo algunas inadmitidas por la CoEDH. Aunque en estos asuntos la CoEDH apela a fines legítimos, como pueden ser la moral social, el interés social o la protección

---

[378] Se trata de un acercamiento jurisprudencial que se mantendrá a lo largo del tiempo. A modo de ejemplo, sirva la sentencia *Lithgow y Otros v. Reino Unido*, en la que el TEDH manifiesta que «before considering in turn the various complaints, the Court would recall that Article 14 does not forbid every difference in treatment in the exercise of the rights and freedoms recognized by the Convention (…) It safeguards persons (including legal persons) who are "placed in analogous situations" against discriminatory differences of treatment; and, for the purpose of Article 14, a difference of treatment is discriminatory if it "has no objective and reasonable justification", that is, if it does not pursue a "legitimate aim" or if there is not a "reasonable relationship of proportionality between the means employed and the aim sought to be realized"». Sentencia *Lithgow y Otros v. Reino Unido*, de 8 de julio de 1986, Series A, nº 102, nº 177.

de menores, que se persiguen a través de medidas proporcionales, lo cierto es que lo que constituye el elemento central del análisis, que permite una diferencia de trato respecto de la homosexualidad masculina, es precisamente que ésta es considerada como substancialmente diferente de la homosexualidad femenina o de la heterosexualidad. Como resultado de este punto de partida, la consecuencia lógica será la validación de la diferencia de trato como legítima y justificada.

Así, en la demanda interpuesta por X v. República Federal de Alemania[379], el recurrente, condenado por abusos deshonestos contra menores (en este caso, varones del mismo sexo)[380], alegó que estaba siendo víctima de discriminación basada en el sexo[381]. Los argumentos de la CoEDH en este caso se sustentaron en que la diferencia de trato relativa a las relaciones sexuales entre hombres respecto de aquellas entre mujeres que realizaba la legislación alemana, estaban basadas en la necesidad de protección social, que justificaba una tan seria injerencia en la vida privada de las personas como era la utilización de la represión penal cuando se trataba de relaciones sexuales de un hombre con un menor, y que no habría sido un acto reprimido si se hubiera producido con una menor. Este asunto fue inadmitido a trámite por la CoEDH. BUQUICCIO-DE BOER, resume los argumentos de la CoEDH:

> «[T]he necessity for social protection or the existence of a corresponding danger was (…) a reasonable criterion justifying the difference of treatment. (…) [The Commission] also held that this criterion was an objective one in that studies carried out in the Federal Republic of Germany led to convincing conclusions as to the existence of a specific social danger in the case of male homosexuality. The danger resulted from the fact that masculine homosexuals often constituted a distinct socio-cultural group with a clear tendency to proselytise adolescents and that the social isola-

---

[379] Asunto X v. *República Federal de Alemania*, Decisión del CoEDH de 30 de septiembre de 1975, ap. nº 5935/72.

[380] El ilícito penal, en un momento en que la edad de consentimiento era distinta en la RFA para el sexo homosexual masculino que para el heterosexual o el lesbianismo, penaba el abuso sexual a niños (aquellos que estaban por debajo de la edad de consentimiento heterosexual o relativo a la homosexualidad femenina) y a menores (refiriéndose así, a la práctica de relaciones sexuales entre hombres cuando uno de ellos había rebasado la edad de consentimiento heterosexual pero aún no había llegado a la edad de consentimiento para prácticas homosexuales masculinas, que era mayor).

[381] Asunto X, *op. cit.*, p. 46.

tion in which it involved the latter was particularly marked. Threat with an employment of criminal sanctions were moreover means which were not disproportionate to the object pursued, i.e. that of protection»[382].

Lo que la CoEDH hace en realidad en esta declaración de inadmisibilidad es definir que la conducta homosexual masculina tiene unas características diferentes de la conducta homosexual femenina o de la heterosexual, de modo que, más que justificar diferencias de trato de situaciones iguales, lo que en realidad se está haciendo es poner el acento en la radical diferencia de las situaciones que se comparan. De este modo, ante situaciones desiguales, el trato desigual no es más que una consecuencia lógica, y no deviene, por tanto, discriminatorio.

Será, de esta manera, una primera condición de análisis de si nos encontramos ante una diferencia de trato discriminatoria, el que los elementos que definen la comparación entre dos situaciones no sean el resultado de una actitud inicialmente discriminatoria que vicie todo el proceso posterior. Sin embargo, esta primera determinación ya resulta en sí complicada, y ya es indicativa, de hecho, de la inadecuación de considerar que la aplicación de un análisis de no discriminación se puede llevar a cabo de forma neutra, sin la intervención de principios llenos de valor. Veremos más adelante lo importante que para todo este proceso resulta la conexión que el principio de dignidad humana va a realizar entre la prohibición de discriminación y los derechos y libertades concretos que se reconocen. Sobre esto volveremos *infra*.

En cualquier caso, sí que podemos establecer ya, de partida, que para afirmar que dos situaciones son iguales o no, es necesario atender a cual es el concreto derecho sobre el que se considera que ha podido haber trato discriminatorio, y la relevancia del mismo respecto de los elementos de comparación. Así, la definición de los parámetros de comparación vendrá necesariamente marcada por la diferencia de trato sobre la que se reclama.

Un ejemplo de esto lo podemos encontrar en la sentencia *Van des Mussele v. Bélgica*[383], en la que un abogado en formación, obligado a asumir determinados casos *pro bonus*, alega una vulneración de los

---

[382] M. BUQUICCHIO-DE BOER, *Equality between the Sexes and the European Convention on Human Rights*, Estrasburgo: Council of Europe Press, 1995, p. 26.
[383] Sentencia *Van des Mussele v. Bélgica*, de 23 de noviembre de 1983, Series A, n° 70.

arts. 4 y 14 del CEDH. El TEDH no estimó que hubiera violación de derechos en este caso, no por que se tratara de una diferencia de trato justificada por un fin legítimo y utilizando medios proporcionales, sino precisamente por que considera que la situación de los abogados en ejercicio no es comparable con la de otros profesionales. Así,

> «l'article 14 protège contre toute discrimination les individus placés dans des situations analogues ... Or il existe entre le barreau et les diverses professions énumérées par l'intéressé, y compris même les professions judiciares et parajudiciaires, des différences fondamentales que Gouvernement et majorité de la Commission soulignent à juste titre: différences quant au status, aux conditions d'accès à la carrière, à la nature des fonctions, à leurs modalités d'exercice, etc. Les éléments dont dispose la Cour ne révèlent pas de similitude entre les situations disparates dont il s'agit: chacune d'elles se caractérise par un ensemble de droits et d'obligations dont il apparaît artificiel d'isoler un aspect donné»[384].

De haberse producido la reclamación respecto de otro derecho, como el derecho al voto, o el derecho a la educación, las diferencias entre las características de las distintas profesiones no hubiera resultado relevante, por lo que seguramente el análisis habría indicado la analogía de las situaciones. Y pudiera parecer que esta afirmación resulta ser una obviedad, pero sin embargo, tendremos ocasión de encontrar dificultades en la elección de los términos de comparación, en asuntos relacionados con la diversidad sexual, que tienen que ver con este elemento inicial.

Por otro lado, también conviene hacer mención de la dificultad existente en el establecimiento de las fronteras entre el análisis de la similitud de las situaciones examinadas y la justificación de una diferencia de trato una vez afirmada la desigualdad de trato. Así, en la sentencia *Rasmussen v. Dinamarca*[385], se planteaba la controversia originada por la denegación al recurrente, al considerarse que la acción había prescrito, de poner en duda la paternidad de un hijo tenido por su esposa, y éste entendía que esa denegación suponía la vulneración de su derecho a la vida familiar en conjunción con la prohibición de discriminación. La posición minoritaria en el TEDH en este asunto, planteará que el recurrente y su exmujer, con cuya

---

[384] *Ibidem*, nº 46.
[385] Sentencia *Rasmussen v. Dinamarca*, de 28 de noviembre de 1984, Series A, nº 87.

situación, al no expirar su acción, se realizará la comparación, no se encuentran en situaciones similares, mientras que la mayoría entenderá que las diferencias en las situaciones de uno y de otra no son los suficientemente relevantes como para considerar que no estamos antes situaciones iguales.

Establecido, con mayor o menor fortuna, que nos encontramos antes situaciones análogas a las que se ha tratado de forma desigual, o para complicar aún más las cosas, que nos encontramos ante situaciones desiguales que se han tratado de igual manera (idea ésta muy vinculada al concepto de discriminación indirecta, del que este órgano empezará a ocuparse progresivamente), el TEDH tendrá que decidir si la diferencia de trato de que se trate puede ser justificada objetiva y razonablemente. Este análisis comportará la comprobación de varias cuestiones, a saber, que estemos ante la persecución de un fin legítimo y que los medios utilizados para ello sean proporcionales.

Para empezar, debemos afirmar que el TEDH ha permitido un importante margen de apreciación en esta materia a los Estados, de modo que hasta que no ha considerado que existía un consenso europeo suficientemente consolidado, no ha procedido a intervenir más activamente en la evaluación de la posibilidad de que exista discriminación. Y esta posición tiene seguramente su razón de ser en la especial naturaleza de la cláusula antidiscriminatoria, que no supone ya solo dejar hacer, en términos de libertad exclusivamente, sino que impone un giro de principios para el Estado, que ahora debe proteger lo que antes solo toleraba. Si unimos a esto que gran parte de los asuntos que el TEDH se ha visto compelido a resolver desde el prisma de la prohibición de discriminación, tienen que ver con controversias en las que existe una gran carga moral en relación a las posiciones sociales mayoritarias (al menos, las oficialmente declaradas), es comprensible la especial cautela del TEDH, desde la perspectiva del equilibrio político, si bien no desde luego desde una posición teórica del valor de los derechos humanos.

La valoración, por otro lado, de la legitimidad de los fines perseguidos, es sin duda el elemento en el que el margen de apreciación estatal resulta más claro, a veces sin ni siquiera hacer mención al mismo, ya que la jurisprudencia del TEDH normalmente ha dado por válida la razón última que el Estado ha alegado para justificar una determinada medida. Lo hemos comprobado *supra* en relación a la homosexualidad masculina, en términos de la licitud de la injerencia en la vida privada, cuando el TEDH ha validado, por ejemplo, que la protección de la juventud y la infancia sea un fin legítimo a estos efectos. De igual manera, veremos *infra* como la voluntad de protección de la familia tradicional también se admite como finalidad legítima cuando se establecen diferencias entre parejas homosexuales y heterosexuales. De este modo, se tratará de un elemento de análisis que así ha perdido parte de su virtualidad, por cuanto, «the nature of the justification presented will vary with the nature of the differential treatment in issue. Generally, however, it will be reasonably easy for a State to show that a difference of treatment pursues a legitimate aim»[386].

De este modo, la verdadera evaluación de si se ha producido o no una discriminación, vendrá dada por la aplicación del criterio de proporcionalidad entre los medios empleados y la legítima finalidad buscada, una posición que tiende, sin embargo, a vaciar de contenido de principios a la cláusula antidiscriminatoria, y que en algunas situaciones encaja mal con los objetivos que realmente la protección frente a la discriminación pretende. Así, muchos de los avances jurisprudenciales en esta materia, apoyados en la afirmación de la existencia de un consenso europeo, se han obtenido a través de la consideración de que se trata de una diferencia de trato desproporcionada. Quizás en buena medida, esta postura responda a criterios de adecuación política, necesarios en este contexto, y que descargan de gravedad la actuación de los Estados, consiguiendo al mismo tiempo, paulatinamente, la consolidación de la protección antidiscriminatoria.

Por último, respecto de esta metodología de análisis, debemos hacer mención a los motivos que esta cláusula protege. Es ampliamente conocido que el listado de motivos recogidos en el art. 14 no es exhaustivo, de modo que el TEDH ha podido analizar en términos de discriminación, diferencias de trato que no ha categorizado en ningún motivo específico[387]. Sin embargo, no debemos deducir de esto que la enumeración solo tiene un valor ilustrativo, por cuanto los motivos

---

[386]   JACOBS y WHITE. *The European Convention on Human Rights*, second edition, Oxford: Oxford University Press, 1996, pág. 291.
[387]   Ejemplos de esto son las sentencias *Rasmussen, op. cit.*, y *Engel, op. cit.*

expresamente recogidos, cuando son alegados, disfrutan de una especie de sospecha de discriminación, de modo que la justificación que se
aporte deberá ser especialmente sólida. Pero, no obstante esto, nuevos
motivos de discriminación, no explicitados en el texto del CEDH van
a gozar, en igualdad de condiciones con los que en su día se consideraron, de los mismos niveles de protección, como veremos que ocurre
infra, en relación con la orientación sexual e incluso, en parte, con la
identidad de género[388].

Como muestra precisamente de lo aquí comentado respecto de la
inconsistencia metodológica en la que el TEDH continuamente incurre en su interpretación del art. 14 del CEDH, llega el asunto *A.D.T.
v. Reino Unido*[389], unos meses después de *Da Silva Mouta*[390]. Este
caso llega al TEDH tras el registro en casa del demandante y la con-
fiscación de material fotográfico y grabaciones en video por parte de
la policía en las que se puede observar al propio recurrente y hasta a
cuatro hombres adultos más, manteniendo relaciones sexuales entre
ellos de modo voluntario y sin provocar daño físico o violencia. Acu-
sado así de «gross indecency»[391], será condenado a la pena de dos
años de prisión que se transformó en libertad condicional automáti-

---

[388] Hubo una línea jurisprudencial en esta materia, que no se siguió en más asuntos,
que otorgaba un papel muy interesante a los motivos de discriminación. Se trata
del asunto *East African Asians v. United Kingdom*, de 1973, no publicado, y en el
que la CoEDH mantuvo la postura de que aún no tratándose de derechos exigidos por el CEDH, si el motivo de discriminación era uno especialmente protegido (en este caso se alegaba discriminación racial), se debía entender vulnerado el
CEDH. Sobre esto, ver D. GOMIEN, *Short Guide to the European Convention
on Human Rights*. Estrasburgo: Council of Europe, 1995, págs. 113-114.

[389] Sentencia *A.D.T. v. Reino Unido*, de 31 de julio de 2000, Reports of Judgments
and Decisions 2000-IX.

[390] Sentencia *Da Silva Mouta v. Portugal, op. cit.*, siendo esta sentencia de diciembre
de 1999, y habiendo tenido lugar la vista del caso que ahora nos ocupa el 30 de
noviembre de 1999. Quizás parte de las diferencias en las formas de análisis de
estos dos casos se deban, entre otras, a que se trata de dos secciones distintas del
TEDH las que se ocupan de cada uno de estos asuntos. Así, mientras de *Da Silva
Mouta* se encarga la sección cuarta, *A.D.T.* es decidido por la sección tercera.

[391] Dedica la sentencia unas líneas a describir qué se quiere decir en el sistema jurídico británico con «gross indecency», definiéndolo como cualquier actividad
de indecencia sexual entre dos hombres adultos, aludiendo para ello al famoso
informe Wolfenden y cómo se ha despenalizado para hombres mayores de 18
años, siempre y cuando estas prácticas sean llevadas a cabo en privado, esto es,

camente, por la comisión de estos actos (que no por la grabación de los mismos, algo que tendrá relevancia), y se ordenará la destrucción de las grabaciones. Conviene señalar que este tipo de actividad no está tipificada como delito en el caso de que se lleve a cabo por mujeres o en el caso de que se trate de prácticas heterosexuales[392].

El TEDH vuelve aquí, a pesar de la innovación introducida solo unos meses antes en *Da Silva Mouta*, a su ya clásico esquema de análisis de este tipo de cuestiones: en primer lugar se verá si afecta al art. 8, esto es, si realmente se produce una injerencia en el derecho a la vida privada, para después comprobar si esta injerencia, en el caso en que la haya, está justificada en virtud de las posibles causas que expresamente reconoce el art. 8.2, y por último, si existe una relación de proporcionalidad entre los fines perseguidos y las medidas adoptadas.

Pues bien, en la aplicación al caso concreto en este asunto, sí que vamos a poder observar algunas diferencias en la postura del TEDH, para empezar, respecto de que efectivamente estemos ante una injerencia con el derecho a la vida privada. El Gobierno británico argumenta que no, en base a la jurisprudencia desarrollada en el asunto *Laskey y Otros v. Reino Unido*[393], acerca de la noción de vida privada, en un contexto en el que son varias las personas que participan en la actividad sexual de que se trate. Sin embargo, el TEDH afirmará rotundamente que «the applicant has been the victim of an interference with his right to respect for his private life both as regards the existence of legislation prohibiting consensual sexual acts between more than two men in private and as regards the conviction for gross indecency»[394]. Y por otra parte, porque aun cuando el TEDH afirma que la legislación examinada busca el fin legítimo de la protección de la moral, lo cierto es que cuando parece que se está haciendo referencia al juicio de proporcionalidad (razón ya tradicional por la que se reconoce la violación del derecho del art. 8 en este tipo de asuntos), lo que realmente se está negando es precisamente la legitimidad de la finalidad buscada. Así, afirma el TEDH que «[g]iven the narrow

---

con la presencia de solo dos personas. Ver Sentencia *A.D.T. v. Reino Unido*, *op. cit.*, nº 15 y 15.

[392] *Ibidem*, nº 18 y 19.
[393] Sentencia *Laskey y Otros, op. cit.*
[394] *Ibidem*, nº 26.

margin of appreciation afforded to the national authorities in the case, the absence of any public-health considerations and the purely
private nature of the behaviour in the present case, the Court finds
that the reasons submitted for the maintenance in force of legislation
criminalising homosexual acts between men in private, anda fortiori
the prosecution and conviction in the present case, are not sufficient
to justify the legislation and the prosecution»[395].

Lamentablemente no sucederá lo mismo con la aproximación por
parte del TEDH a la aplicación del art. 14, ya que volveremos a asistir
a la negación de la relevancia de la cláusula antidiscriminatoria en
un asunto como éste, en el que no parecería descabellado considerar
que la diferencia de trato entre las prácticas homosexuales masculinas
y las homosexuales femeninas y heterosexuales, pudiera tener
cierta importancia, al menos para explicar los motivos por los que
no corresponde el estudio del art. 14. Sin embargo, lo único que
se aducirá a este respecto será que «[t]he Court recalls that in its
Dudgeon judgment cited above, having found a violation of Article
8 of the Convention, it did not deem it necessary to examine the
case under Article 14 as well (…). It reaches the same conclusion in
the present case»[396]. Podría pensarse que siendo el reconocimiento
de la vulneración del derecho a la vida privada título suficiente para
la derogación de la legislación penal cuya aplicación ha originado
la actuación del TEDH, no aporta nada a la cuestión el análisis en
términos de prohibición de discriminación, y sin embargo, debemos
tener en cuenta que en ese momento se está procediendo a la igualación
de las diferentes edades de consentimiento en el Reino Unido, gracias
al asunto *Sutherland* que comentaremos *infra*, y que no llegará al
TEDH por cuanto ha sido objeto de acuerdo entre las partes.

Por otro lado, la reticencia por parte del TEDH a empezar a resolver las cuestiones en materia de diversidad sexual relacionadas
con la prohibición de discriminación no está haciendo más que crear
respuestas fragmentadas, que llevan a situaciones casi delirantes en
materias tan sensibles como el derecho de familia o la posibilidad de
inscripción en el registro civil del sexo por el que se opta. Se trata en

---

[395]   *Ibidem*, nº 38.
[396]   *Ibidem*, nº 41.

definitiva de una tibieza en la respuesta jurídica a auténticas situaciones de posible vulneración de derechos humanos básicos que, si bien puede tener sentido en un momento inicial, en relación a la posición del TEDH como Tribunal Internacional y de la que ya hemos hablado *supra*, deja de estar justificada en cuanto resulta evidente que un importante cambio social y jurídico se está produciendo. En esta situación, la apelación al consenso europeo debería jugar un papel más dinámico para incluir la medición del cambio de actitudes, siempre que ello redunde en una ampliación de derechos humanos y no en una reducción de su ámbito de actuación, aplicando así una suerte de principio general de *in dubio pro persona*, al modo en que lo está ya haciendo el entramado institucional de la Convención Americana de Derechos Humanos[397].

Esta realidad será si cabe más contundente a principios del siglo XXI si tenemos en cuenta que se asiste en este momento a la aprobación del protocolo n° 12 del CEDH[398]. Efectivamente, la extraordinariamente restrictiva fórmula de interpretación del ámbito de actuación del art. 14 del CEDH lleva casi inevitablemente, en un contexto en el que en otras regiones del mundo los mecanismos de protección de los derechos humanos, muy parecidos al europeo, adquieren cada vez mayor protagonismo[399], a la necesidad de mejorar los niveles de

---

[397] Sobre la aplicación de este principio en la interpretación de la Convención Americana de Derechos Humanos, ver J. P. AGUIRRE ARANGO, «La Interpretación de la Convención Americana sobre Derechos Humanos», *Revista de Derechos Humanos*, año V, n° 8, 2007, págs. 73 ss., en págs. 89-94. Accesible en http://www.corteidh.or.cr/tablas/R22853.pdf (consultado el 24 de noviembre de 2014).

[398] Para un resumen detallado del proceso de elaboración del Protocolo adicional n° 12, ver la memoria explicativa del propio Protocolo n° 12, disponible, junto con el texto del Protocolo, en https://www.boe.es/buscar/doc.php?id=BOE-A-2008-4891 (consultado el 25 de noviembre de 2014) y en J. LÓPEZ BARJA DE QUIROGA ET AL., *Doctrina del Tribunal Europeo de Derechos Humanos*, Valencia: Tirant lo Blanch, 2012, págs. 225-229.

[399] Para un estudio comparado de los sistemas europeo y americano de protección de derechos humanos, ver H.G. ESPIELL, *La Convención Americana y la Convención Europea de Derechos Humanos. Análisis Comparativo*. Santiago de Chile: Editorial Jurídica de Chile, 1991 (en relación en concreto con la prohibición de la discriminación, ver págs. 69-73) y A. ÚBEDA DE TORRES, *Democracia y Derechos Humanos en Europa y en América: Estudio Comparado de los Sistemas Europeo e Interamericano de Protección de los Derechos Humanos*, Madrid: Reus, 2006.

reconocimiento y protección ofrecidos por el CEDH. Unido a este elemento, varias son las circunstancias que impulsan, a nuestro modo de ver, un cambio de estas características: en primer lugar, la lucha antidiscriminatoria en el seno de la Unión Europea adquiere especial fuerza, en parte debido a que va a ser la única manera en muchos casos de incorporar elementos propios de una concepción de derechos fundamentales a una estructura de poder cuyos fines son, en principio, bien distintos, y en segundo lugar, el impulso especial que determinados factores de discriminación[400] adquieren en los últimos años del siglo XX, y que son potenciados precisamente por el desarrollo legislativo de la Unión Europea, hace que empiecen a ser evidentes las limitaciones que el CEDH mantiene en relación a la igualdad de trato. No olvidemos que, como vamos a ver seguidamente *infra*, a la vez que se está aprobando el Protocolo adicional nº 12 en el Consejo de Europa, a nivel comunitario ya se ha incorporado un principio de no discriminación general (aunque no con efecto directo, salvo en el caso de la discriminación por nacionalidad) en el Tratado de Amsterdam, fruto del cual ya hay dos Directivas, una de carácter general en relación a la prohibición de discriminación por origen étnico o racial, y otra específica del ámbito del empleo para las causas de discriminación del art. 13 de dicho Tratado (salvo el género, que ya tenía su propia regulación con anterioridad).

Es éste el contexto en el que surge el Protocolo 12, con la vocación de ampliar el contenido y ámbito de aplicación del art. 14, pero no de sustituirlo. En efecto, la memoria explicativa que acompaña al Protocolo 12, y que aun cuando no se considera una interpretación auténtica del mismo[401], pretende aclarar su contenido, nos indica expresamente que el art. 1 del Protocolo[402] no pretende sustituir al art.

---

[400]   Nos referimos sobre todo a la prohibición de discriminación por razón de sexo y de origen étnico o racial.

[401]   Así, nos dice esta memoria explicativa, en su apartado II que
    El texto de la memoria explicativa, preparado por el CDDH y adoptado por el Comité de Ministros el 26 de junio de 2000, no constituye un instrumento de interpretación auténtica del texto del Protocolo, aunque puede facilitar la comprensión de las disposiciones contenidas en el mismo.

[402]   El art. 1 del Protocolo adicional nº 12 del CEDH reza como sigue:
    1. El goce de todos los derechos reconocidos por la ley han de ser asegurados sin discriminación alguna, en particular por razones de sexo, raza, color,

14. Y ello por varios motivos, para empezar porque el Protocolo se concibe como una extensión del campo de actuación del CEDH, y no como una modificación del mismo; en segundo lugar, porque no va a ser aplicable a todos los Estados sujetos por el CEDH, sino solo a aquellos que accedan a su ratificación; y en tercer lugar, porque el contenido del Protocolo incorpora la particular fórmula de interpretación del art. 14, haciendo suya la jurisprudencia consolidada del TEDH al respecto.

En efecto, ya nos indica la memoria explicativa del Protocolo 12 que «[e]l significado de la palabra «discriminación» en el artículo 1 es idéntica al que se da en el contexto del artículo 14 del Convenio»[403], haciendo por ello referencia al cuerpo jurisprudencial ya elaborado por el TEDH para terminar de definir el contenido del concepto de discriminación que adopta el citado Protocolo. De este modo, no es tanto pretensión de este nuevo texto la transformación del concepto de discriminación en sí mismo, cuanto la ampliación de su ámbito de actuación, salvando la estricta línea interpretativa aplicada por el TEDH respecto de la sujeción de la aplicación del art. 14 a la condición de que la controversia se desarrolle en el marco de la posible vulneración de alguno de los derechos sustantivos del CEDH. Así, nos vuelve a indicar la memoria explicativa las situaciones para las que se ha considerado de aplicación este nuevo instrumento:

> «En particular, el alcance de la protección adicional en virtud del artículo 1 se refiere a los casos en que una persona es objeto de discriminación:
> i. en el goce de todo derecho específicamente concedido al individuo por el derecho nacional;
> ii. en el goce de cualquier derecho derivado de obligaciones claras de las autoridades públicas en el derecho nacional, es decir, cuando la ley nacional obliga a esas autoridades a actuar de cierta manera;
> iii. por parte de las autoridades públicas debido al ejercicio de un poder discrecional (por ejemplo, la concesión de ciertas subvenciones);

---

lengua, religión, opiniones políticas o de otro carácter, origen nacional o social, pertenencia a una minoría nacional, fortuna, nacimiento o cualquier otra situación.
2. Nadie podrá ser objeto de discriminación por parte de cualquier autoridad pública, basada en particular en los motivos mencionados en el apartado 1.
[403] Memoria explicativa del Protocolo 12, *op. cit.*, nº 18.

iv. debido a otros actos u omisiones por parte de las autoridades públicas (por ejemplo, el comportamiento de los responsables de la aplicación
de las leyes para sofocar una revuelta)»[404].

Se trata de un importante avance en la infiltración en los ordenamientos jurídicos estatales de una cláusula general de no discriminación que
va a tener notables consecuencias. Y ello porque se trata de una infiltración en sentido estricto, de una suerte de mandato al TEDH para que
pueda revisar todo el ordenamiento jurídico de un Estado en relación
con la prohibición de discriminación. Se trata, en definitiva, de someter
a una auténtica prueba de no discriminación al conjunto de la actividad
estatal de los Estados Miembros, estando capacitado el TEDH para en-
juiciar tanto derechos de libertad como derechos de prestación, tanto la
actividad discrecional de la Administración Pública, como la aplicación
del derecho por parte de las autoridades, tanto la acción como la omisión del conjunto del entramado institucional del Estado. De este modo,
se trata quizás de la mayor fórmula de ampliación de las posibilidades
de control de la actuación de los Estados por parte del TEDH que se ha
desarrollado nunca en el seno del Consejo de Europa.

Sin embargo, a pesar de las posibilidades que un texto de estas
características podría abrir para ampliar el listado de motivos sospe-
chosos de discriminación, el Protocolo 12 no ha llegado tan lejos. Así,
la concordancia con el concepto de discriminación recogido en el art.
14 del CEDH es tal que incluso alcanza al listado de motivos explícitamente citados en él. No se aprovechará la ocasión, como sin embargo sí se hace en la Unión Europea, como veremos *infra*, para ampliar, consolidando los mismos, el listado de motivos protegidos por
la cláusula antidiscriminatoria. Los argumentos que en la memoria
explicativa se aportan para explicar esta omisión, que resulta sorprendente, revelan una falta de consistencia muy notable. Así, justificar la
no inclusión de forma expresa de la orientación sexual, la edad o la
discapacidad como motivos por los que se prohíbe discriminar, en que
la jurisprudencia del TEDH ya los recoge y por tanto no es necesario
mencionarlos expresamente, es al menos una explicación llamativa.
Incluso se apunta a que «tal inclusión se ha considerado inútil desde
el punto de vista jurídico, ya que la lista de motivos de discriminación

---

[404] *Ibidem*, n° 22.

no es exhaustiva, y la inclusión de cualquier motivo adicional particular podría engendrar interpretaciones a contrario indeseables relativas a la discriminación fundada en los motivos no mencionados»[405]. Resulta casi redundante explicitar la debilidad de esta argumentación, ya que lo mismo podría decirse de los motivos ya incluídos respecto de los que no se han considerado ahora, y en cualquier caso, la no exhaustividad de la cláusula, que queda siempre abierta, impediría una interpretación de este tipo.

Se trata de una oportunidad perdida que ha supuesto un duro contratiempo para las aspiraciones del colectivo LGBTI, y ello a pesar del importante esfuerzo que se hizo por lograr esta inclusión, como lo demuestran los informes que ILGA-Europe aportó en la fase de elaboración del Protocolo, y que sin embargo, no fueron atendidos[406].

Aún así, el Protocolo 12 supone un importante avance en la transformación de la protección antidiscriminatoria en el seno del Consejo de Europa, y ello, además de por la extraordinaria ampliación ya comentada del ámbito de aplicación de la cláusula de prohibición de discriminación, por la mención expresa a la inclusión de nuevos instrumentos que hasta ahora no se habían tenido en cuenta en la interpretación del art. 14 del CEDH. Nos referimos al texto introductorio del referido Protocolo, en el que se indica que «el principio de no discriminación no impide a los Estados Partes tomar medidas para promover una igualdad plena y efectiva, siempre que respondan a una justificación objetiva y razonable»[407]. Pues bien, supone esta puntualización el reconocimiento de las nuevas medidas antidiscriminatorias que ya se están poniendo en práctica en algunos Estados Miembros, que son recogidas y definidas por algunos textos internacionales, como la Directiva sobre no discriminación en el empleo estudiada *infra*, y que consisten en la posibilidad de diferenciar en base a un motivo expresamente protegido por la cláusula antidiscriminatoria, para lograr que el grupo de población menos favorecido pueda mejorar su situación respecto

---

[405]   *Ibidem*, nº 20.
[406]   Los informes completos pueden encontrarse en http://www.ilga-europe.org/home/how_we_work/previous_projects/council_of_europe_additional_protocol_12/letter_to_council_of_europe_committee_of_ministers (consultado el 19 de febrero de 2015).
[407]   Protocolo 12, *op. cit.*

del resto de la población. Se está haciendo referencia, en definitiva, a las controvertidas acciones positivas, medidas de extraordinaria dificultad en su aplicación, y no exentas de multitud de críticas, por cuanto puede entenderse que permiten articular una suerte de excepción de la prohibición de discriminación, o incluso un modo de discriminación inversa. Y sin embargo, el Protocolo 12 en este asunto sí mantiene una posición más abierta por cuanto, aun cuando no se incorpora expresamente al contenido de la cláusula antidiscriminatoria, al menos sí impide la utilización de la misma para prohibir la toma en consideración por parte de los Estados de medidas de acción positiva. Incluso abriría la posibilidad de que el TEDH contemplara la omisión de ejercitar este tipo de acciones como una discriminación en sí misma, pero aún es pronto para pronosticar que tal posición vaya a ser mantenida por el Alto Tribunal en un futuro inmediato.

3.3. EL TRATADO DE AMSTERDAM DE 2 DE OCTUBRE DE 1997

La segunda estrategia que los colectivos de gays y lesbianas han seguido para lograr el reconocimiento de sus derechos, ha sido la de forzar el debate y el reconocimiento de la igualdad por orientación sexual en los documentos políticos y jurídicos que con diferente incidencia se promueven en el seno de los órganos comunitarios, creando un clima de cambio de actitudes hacia la diversidad sexual que se deja sentir en los foros europeos, además de en otros ámbitos internacionales y nacionales que aquí no podemos detallar[408]. Esta segunda estrategia, en teoría no reñida sino incluso complementaria de la anteriormente vista, ha acabado siendo, sin embargo, profundamente

---

[408] Para un análisis global de la situación de los homosexuales en el mundo, véanse los estudios de J.D. WILETS, «International Human Rights Law and Sexual Orientation». *Hasting International and Comparative Law Review*, vol. 18, 1994, págs. 1 ss.; y R.A. POSNER, *Sex and Reason*, Boston: Harvard University Press, 1992, págs. 37 ss. Pero la mayor fuente de información sobre el tratamiento jurídico de los homosexuales en prácticamente todo el mundo, analizada país por país, se encuentra en el servidor de la *International Lesbian and Gay Association* (ILGA), en http://www.ilga.org/information.

distinta en cuanto a los resultados obtenidos, así como en relación
con la postura ideológica y el debate teórico que han suscitado.

Las presiones de los colectivos LGBTI, unidas a la favorable actitud
de las instituciones comunitarias y de los propios Estados permitieron
que en el Tratado de Ámsterdam se produjera un desarrollo de primer
orden en la construcción del estatuto jurídico de la diversidad sexual:
la mención expresa a la discriminación por razón de orientación sexual
en el texto del Tratado de la Unión Europea[409]. Como es sabido, en éste
aparecía una cláusula general de prohibición de discriminación, recogida
en un artículo 13[410], cuya redacción era la siguiente: *«sin perjuicio de
las demás disposiciones del presente Tratado y dentro de los límites y
competencias atribuidas a la Comunidad por el mismo, el Consejo, por
unanimidad, a propuesta de la Comisión y previa consulta al Parlamento
Europeo, podrá adoptar medidas adecuadas para luchar contra la discriminación por motivos de sexo, de origen racial o étnico, religión o
convicciones, discapacidad, edad u orientación sexual»*. La orientación
sexual se incluye así como uno de los motivos de discriminación expresamente prohibidos[411], al mismo nivel de otros más tradicionales en los

---

[409]   Sobre los trabajos preparatorios de este Tratado, ver P. SKIDMORE, «The
1996 Intergovernmental Conference and the Prospects of a Non-Discrimination
Treaty Article», *Industrial Law Journal*, vol. 25, n° 4, 1996, págs. 320 ss.; M.
MOS, «Of Gay Rights and Christmas Ornaments: The Political History of Sexual Orientation Non-Discrimination in the Treaty of Amsterdam», *Journal of
Common Market Studies*, n° 3, 2014, págs. 62 ss., que documenta cómo se logró
incluir en el Tratado el concepto de «orientación sexual».

[410]   Sobre este precepto del Tratado de Ámsterdam, S. PALMAR, «The Treaty of
Amsterdam», en AA.VV., *After Amsterdam...,op. cit.*, págs. 15 ss.; M. BELL,
«The New Article 13 EC Treaty: a Sound Basis for European Anti-Discrimination Law?», *Maastricht Journal of European and Comparative Law*, vol. 6, n°
1, 1999, págs. 5 ss.; A. SOMEK, «A Constitution for Antidiscrimination: Ex-
ploring the Vanguard Moment of Community Law», *European Law Journal*,
vol. 5, n° 3, 1999, págs. 243 ss.; y E. SZYSZCAK, «Building a European Constitutional Order: Prospects for a General Non-Discrimination Standard», en A.
DASHWOOD y S. O'LEARY (coords.), *op. cit.*, págs. 35 ss.; E. DEARDS, «Discrimination on Grounds of Sexual Orientation: the Role of Community Law»,
King's Law Journal, n° 1, 1999; P. SKIDMORE, «The 1996 Intergovernmental
Conference...» *op. cit.* Posteriormente se convertirá en el artículo 19.

[411]   Sobre las particularidades del artículo 13, en relación concretamente a la orientación sexual, ver M. RODRÍGUEZ-PIÑERO ROYO y A. RIVAS VAÑÓ, «Orien-
tación Sexual y No Discriminación: el Debate en...» *op. cit.*

sistemas jurídicos europeos como la raza o la religión; en general, todo el Tratado expresa un fuerte compromiso de la Unión en la lucha contra la discriminación, diferenciando varias estrategias de protección en función del motivo del que se trate: nacionalidad, sexo, y las demás del artículo 13, siendo estas últimas las que aparecen recogidas con un menor vigor.

Resulta un artículo de gran interés por varios motivos. En primer lugar, hay que considerar que se trata tan solo de un primer paso hacia la consecución de la igualdad de las personas LGBTI en el orden comunitario, pero en ningún caso supone el final del camino, esto es, no asegura que a partir de ese momento toda la legislación comunitaria tenga que entenderse de manera que no discrimine por orientación sexual, y ello debido a la propia dinámica que se establece en el artículo 13 y que a continuación veremos.

Para comenzar, se trata de un artículo que abre las puertas de la no discriminación por motivos distintos a la nacionalidad y el sexo, en el Derecho Comunitario. Esto, además de ser un gran paso para los colectivos que se encuentran incluidos entre los motivos por los que un diferente trato está prohibido, es reflejo de la presión tanto de medios sociales como académicos para imbuir al Derecho Comunitario de los valores que se encuentran en la base del constitucionalismo europeo[412], y que exigirán en un futuro inmediato, como a continuación veremos, la aprobación de una carta europea de derechos humanos. En este sentido, el artículo 13 supera su importancia concreta en relación con los colectivos protegidos por el mismo, y se constituye en un exponente del significativo proceso que el Derecho Comunitario está protagonizando[413].

---

[412] M.C. RODRÍGUEZ-PIÑERO ROYO, «Los Aspectos Sociales del Tratado de Ámsterdam» en J. ARAGÓN MEDINA. *Euro y Empleo*. Madrid: Consejo Económico y Social, 1998.

[413] C. BARNARD, «The United Kingdom, the Social Chapter and the Amsterdam Treaty», *Industrial Law Journal*, septiembre 1997, págs. 275 ss; J.M. GALIANA MORENO, «Aspectos Sociales del Tratado de Amsterdam», *Revista Española de Derecho del Trabajo*, nº 88, 1998, págs. 189 ss; J.M. GÓMEZ MUÑOZ, «Empleo, Crecimiento y Convergencia tras las Reformas de Ámsterdam y la Cumbre de Luxemburgo (Un Análisis de la Nueva Política Social Comunitaria en la Europa de la Moneda Única)», *Relaciones Laborales*, nº 7, 1998, págs. 66 ss; M. NOGUEIRA GUASTAVINO, «Crónica Internacional y Comunitaria. Los aspectos Sociales del Tratado de Ámsterdam», *Revista del Ministerio de Trabajo y Asuntos Sociales*, nº 7, 1998, págs. 185 ss.; M. RODRÍGUEZ-PIÑERO

Siendo esto así, no debemos olvidar que se trata de un artículo cuya redacción limita mucho su capacidad de acción. De hecho, surgieron dudas, fundamentalmente en el mundo anglosajón, sobre el ámbito de aplicación del mismo[414]. Pero más importante resulta el hecho de que no es un precepto de eficacia directa, sino que requiere de una labor legislativa posterior para desplegar su fuerza vinculante[415]. La redacción del artículo así lo exige, ya que lo que en realidad hace es autorizar la intrusión comunitaria en relación con la prohibición de discriminación en el ámbito de competencias de la Unión. En consecuencia, este artículo no establece una prohibición absoluta de discriminación, un derecho a la no discriminación. Ello se ve confirmado con la exclusión del motivo de la nacionalidad del artículo 13, para incluirlo en un artículo distinto, el 12, en el que sí se establece claramente un precepto de eficacia directa que prohíbe toda discriminación por razón de nacionalidad. El artículo 12 dice: «*En el ámbito de aplicación del presente Tratado, y sin perjuicio de las disposiciones particulares previstas en el mismo, se prohibirá toda discriminación por razón de nacionalidad*».

Llaman la atención diferentes cuestiones de la comparación de este artículo con el 13, reproducido más arriba. En primer lugar, la definición de la esfera de actuación de cada uno de los artículos es distinta, siendo el segundo más amplio que el primero, ya que aquel se refiere al «ámbito de aplicación del presente Tratado», mientras que el primero habla de «los límites de las competencias atribuidas a la Comunidad por el mismo [el Tratado]». Y esta diferencia en el marco de aplicación de uno y otro artículo es acorde con la diferente fuerza vinculante que se quiere imprimir en uno y otro caso. Así, el artículo 12, sobre discriminación por nacionalidad, se configura como un mandato con eficacia directa, esto es, obliga a partir de ahora a todas

---

BRAVO-FERRER, «De Maastricht a Ámsterdam: Derechos Sociales y Empleo», *Relaciones Laborales*, n° 4, 1998.

[414] L. BETTEN, «The Amsterdam Treaty: Some General Comments on the New Social Dimension», *The International Journal of Comparative Labour Law and Industrial Relations*, otoño 1997, págs. 188 ss.

[415] N. FERNÁNDEZ SOLA, «Reflexiones sobre los Derechos Humanos en la Unión Europea tras el Tratado de Amsterdam», *Noticias de la Unión Europea*, n° 185, 2000, págs. 9 ss.; M. OREJA AGUIRRE (coord.), *El Tratado de Amsterdam de la Unión Europea. Análisis y Comentarios*, Madrid: McGraw Hill, 1998, en págs. 201 ss.

las instituciones de la Unión a actuar de conformidad con el principio de no discriminación por nacionalidad. En sentido contrario, el artículo 13 no establece obligación alguna para los órganos comunitarios de tener que legislar y actuar conforme a lo dispuesto en el mismo, sino que de lo que se trata es de una suerte de habilitación para que el Consejo, de acuerdo con el procedimiento previsto, pueda, si lo considera necesario, actuar en la defensa de los motivos por los que la discriminación se considera injustificada.

Otro de los asuntos conflictivos en relación a la valoración del artículo 13 es precisamente el procedimiento que se establece para legislar en materia de prohibición de discriminación por orientación sexual, entre otros. Así, exige este artículo la unanimidad del Consejo para aprobar Derecho derivado en este sentido, siendo éste el aspecto más criticado del precepto, por entenderse que las diferencias en el tratamiento jurídico de la diversidad sexual en los distintos Estados miembros harán casi imposible la aprobación de cualquier medida en el Consejo de Ministros. Por otro lado se articula la intervención del Parlamento, y éste ha sido otro de los aspectos más criticados del procedimiento, como un mero trámite consultivo no vinculante. Se trata también de un precepto que ni tiene efecto directo frente a los Estados, ni obliga a las instituciones comunitarias, en la medida en que tan sólo les invita a actuar. Aún así, aparece en la parte del Tratado relativa a los «principios» de la Unión, lo que le atribuye una cierta importancia, y supone un avance igualmente importante respecto de la situación existente en muchos Estados miembros, en los que todavía no se ha reconocido la no discriminación por orientación sexual. Sobre todo, dota a la Unión Europea de una base clara para levantar una política de lucha contra la discriminación por este motivo, y expresa su compromiso de hacerlo.

No obstante los límites impuestos por el artículo 13 a la protección contra la discriminación por orientación sexual, es éste un paso crucial en la defensa de los derechos LGBTI en el ámbito comunitario. Y su mayor importancia radica en la ruptura de determinados argumentos para justificar la discriminación en base a la diversidad sexual, que este artículo supone. Los intentos tanto doctrinales como políticos de equiparación de gays y lesbianas con el resto de la sociedad se han visto obstaculizados tradicionalmente por el argumento del derecho de la sociedad a imponer determinados valores morales, o el argumento de que la sociedad no se encuentra preparada o no se ha producido el cambio de los valores sociales que se considera imprescindible para lograr la protección de las personas LGBTI. Aparte de la multitud de posibles réplicas que este tipo de argumentos pueda originar, el hecho que aquí interesa es que con el nuevo artículo 13 del Tratado Constitutivo de la Comunidad Europea este tipo de consideraciones deja de tener sentido en relación con la adopción de medidas concretas de protección contra la discriminación por orientación sexual (independientemente de que en el terreno ideológico o político la discusión siga teniendo importancia e interés respecto de la pertinencia de la inclusión en el artículo 13 de tal motivo de discriminación).

Por otro lado, pronto se empezaron a dar esfuerzos importantes para una efectiva implantación de la prohibición de la discriminación por orientación sexual en Derecho Comunitario. Una primera medida en la que se observa esta voluntad de poner en práctica el artículo 13 tuvo un alcance muy limitado, pero es expresiva de la estrategia de la Comisión. Se trata de la reforma de 1998 del Estatuto de los funcionarios de las Comunidades Europeas[416], en el que se introdujeron sendos preceptos para indicar que funcionarios y agentes temporales serán elegidos o seleccionados *«sin distinción de raza, convicciones políticas, filosóficas o religiosas, ni de sexo u orientación sexual y sin tener en cuenta su estado civil o su situación familiar»*. También se dispone que *«en la aplicación del Estatuto, los funcionarios tendrán derecho a la igualdad de trato sin referencia alguna, directa o indirecta, a la de raza, convicciones políticas, filosóficas o religiosas, sexo u orientación sexual sin perjuicio de las disposiciones estatutarias pertinentes que requieran un estado civil determinado»*.

Aunque la inclusión de esta cláusula general de no discriminación por los motivos contenidos en el artículo 13 del Tratado puede ser considerada una consecuencia de la vigencia de este precepto, lo cierto es que desde otro punto de vista no es más que la primera manifestación de una línea de política del Derecho iniciada por las instituciones comunitarias antes de la promulgación de éste. Antes de Ámsterdam, en

---

[416] Reglamento n° 781/98 del Consejo de 7 de abril de 1998 por el que se modifica el estatuto de los funcionarios de las Comunidades Europeas y el régimen aplicable a los otros agentes de estas Comunidades en materia de igualdad de trato, D.O.C.E. n° L 113, de 15 de abril de 1998. Accesible en http://europa.eu.int/eur-lex/es/lif/dat/1992/es-398R0781.html.

efecto, ya se había intentado incluir cláusulas similares en otras normas comunitarias, aunque sin éxito, como hemos visto *supra*. El que en esta norma de 1998 se consiguiera hacerlo es una primera muestra de la eficacia del artículo 13. A partir de Ámsterdam las perspectivas de que se incluyan cláusulas generales de no discriminación en distintas normas comunitarias empiezan a mejorar sustancialmente.

Prueba de ello fue la actividad posterior de la Comisión, que diseñó una estrategia para la implementación inmediata de lo dispuesto en el artículo 13 del Tratado, y para ello presentó una Comunicación de ésta al Consejo, el Parlamento Europeo, el Comité Económico y Social y el Comité de las Regiones sobre ciertas medidas para combatir la discriminación[417]. La Comisión presentó también un primer paquete de medidas en noviembre de 1999, que además de esta Comunicación incluían la propuesta de Directiva estableciendo un marco general para la igualdad de trato en el empleo y la ocupación, que fue aprobada en el año 2000 y de la que nos ocuparemos a continuación; una Directiva que implementa el principio de igualdad de trato entre personas con independencia de su origen racial o étnico; y una propuesta de Decisión del Consejo por la que se establece un programa de acción comunitario para luchar contra la discriminación, que cubriría los años 2001 a 2006[418].

Como se ve, la estrategia consiste en luchar contra la discriminación mediante acciones relativas a una pluralidad de supuestos, los contemplados por el artículo 13 del Tratado, al margen del sexo; de hecho, de todas las causas previstas en éste solo la discriminación por motivos raciales ha recibido una atención individualizada tras el Tratado de Ámsterdam, existiendo una Directiva específica[419]. Y aunque en un

---

[417] 1999/C 369/03; D.O.C.E. C-369, de 21 de diciembre de 1999.

[418] Aprobada finalmente como Decisión 2000/750/CE del Consejo, de 27 de noviembre, por la que se establece un programa de acción comunitario para luchar contra la discriminación 2001-2006; DO L 303, de 2.12.2000.

[419] Directiva del Consejo 2000/43/CE, de 29 de junio de 2000, relativa a la aplicación del principio de igualdad de trato entre las personas independientemente de su origen racial o étnico. Un análisis de esta regulación en B. ALONSO-OLEA GARCÍA, «El Principio de No Discriminación por Origen Racial o Étnico en la Unión Europea: su Aplicación al Empleo y a la Política Social», *Revista de Derecho de la Unión Europea*, n° 5, 2003, págs. 127 ss.; J.M. GÓMEZ MUÑOZ, «La Prohibición de Discriminación por Causas Étcnicas o Raciales», *Temas Laborales*, n° 59, 2001, págs. 65 ss.

principio se discutió la conveniencia de adoptar medidas específicas contra la discriminación por orientación sexual, lo cierto es que ésta no ha alcanzado un estatus independiente como la discriminación por nacionalidad, por sexo o por origen étnico o racial, subsistiendo como una de las causas «comunes» de discriminación sujetas a un tratamiento indiferenciado, apareciendo así tan sólo en la Directiva genérica; la cual, por otro lado, se ocupa únicamente de cuestiones estrictamente laborales, sin incidir en los demás ámbitos de la vida de estas personas. Los potenciales efectos de esta Directiva son así bastante limitados, contrastando con lo que los colectivos LGBTI reivindican.

Medidas de este tipo, además de las obvias mejoras que pueden suponer en la calidad de vida de las personas LGBTI de toda Europa, tienen una función añadida de igual importancia, cual es la de hacer introducir en el mundo jurídico la categoría de orientación sexual como categoría jurídica cuyo valor sea cada vez menos cuestionado, de manera que el debate se pueda centrar sobre la conveniencia práctica de adoptar medidas protectoras, y no ya sobre la legitimidad de la categoría misma.

3.4. LA DIRECTIVA 2000/78 Y LA PROTECCIÓN LABORAL FRENTE A LA DISCRIMINACIÓN POR ORIENTACIÓN SEXUAL

La Directiva 2000/78[420] surge como concreción, en el ámbito laboral, de los criterios establecidos en el artículo 13 del Tratado de Ámsterdam. Y resulta de una particular importancia por el ámbito del que se ocupa, el laboral, en el que la diversidad sexual se encontraba hasta ahora tremendamente desprotegida. No obstante la presión ejercida por los grupos LGBTI a favor del reconocimiento de sus derechos, la mayor parte de las campañas desarrolladas en los diferentes Estados se dirigen fundamentalmente a la equiparación de las parejas homosexuales con las heterosexuales, y la consiguiente equiparación de los derechos derivados de la situación de pareja. Tratándose de reclamaciones de una tremenda importancia para gays y lesbianas,

---

[420] Directiva 2000/78/CE del Consejo, de 27 de noviembre de 2000, relativa al establecimiento de un marco general para la igualdad de trato en el empleo y la ocupación.

lo cierto es que un problema tan grave como es la discriminación en el ámbito laboral, ha quedado hasta ahora algo olvidado, siendo sin embargo el laboral uno de los sectores en los que la discriminación por orientación sexual resulta más marcada y más difícil de perseguir. Es por este motivo por el que esta Directiva es especialmente bien recibida, ya que su utilidad y relevancia va a ser fundamental[421].

3.4.1. *El concepto de orientación sexual en la Directiva*

La Directiva 2000/78 establece la prohibición de discriminación por orientación sexual en el ámbito laboral, con las características y excepciones que más adelante veremos. Sin embargo, y a diferencia de otros motivos «nuevos» por los que se prohíbe discriminar, la edad y la discapacidad, no se hace referencia en los considerandos de la Directiva a la orientación sexual de forma particularizada, sino tan solo en conjunción con la no discriminación por motivos de religión y de convicciones. De esta manera, y siendo éste un dato que al menos resulta curioso, no se establece ningún perfil concreto que afecte a la noción de orientación sexual exclusivamente, tal y como sucede, sin embargo, con la prohibición de discriminación por los motivos arriba citados.

De este modo, resulta difícil establecer qué se entiende en la Directiva como orientación sexual a los efectos de la prohibición de discriminar en

---

[421] Sobre el objeto y alcance de esta Directiva, ver por todos, C. CHACARTEGUI JÁVEGA, *Discriminación y Orientación Sexual del Trabajador*, Valladolid. Lex Nova, 2001; *Ibidem*, «La Tutela de la Discriminación por la Orientación Sexual del Trabajador en el Ordenamiento Social Comunitario», en ASOCIACIÓN ESPAÑOLA DE DERECHO DEL TRABAJO Y DE LA SEGURIDAD SOCIAL, *La Igualdad ante la Ley y la No Discriminación en las Relaciones Laborales: XV Congreso Nacional de Derecho del Trabajo y de la Seguridad Social*, Madrid: Ministerio de Trabajo y Asuntos Sociales, 2005, págs. 537 ss.; A. RIVAS VAÑO y M. RODRÍGUEZ-PIÑERO ROYO, «Orientación Sexual y Derecho Europeo», en C. FERNÁNDEZ LIESA y F. MARIÑO MENÉNDEZ, *La Protección de las Personas y Grupos Vulnerables en el Derecho Europeo*, Madrid: Ministerio de Asuntos Sociales, 2001, págs. 293 ss; A. RIVAS VAÑO, «La Prohibición de Discriminación por Orientación Sexual en la Directiva 2000/78», *Temas Laborales*, nº 59, 2001, págs. 193 ss; H. MEENAN (ed), *Equality Law for an Enlarged Union: Understanding the Article 13 Directives*, Cambridge: Cambridge University Press, 2007.

el ámbito laboral que se pretende[422]. Surgen así toda una serie de cuestiones en relación a la orientación sexual que quedan sin resolver al carecer de definición a efectos de esta Directiva. No se trata aquí de cuestionar si determinadas prácticas sexuales, tales como el sadomasoquismo, entran dentro del ámbito de protección de la misma. Si bien éste es un problema que puede plantearse en el futuro, como ha sucedido en instancias como el Tribunal Europeo de Derechos Humanos[423], resulta evidente que la Directiva, así como el artículo 13 del Tratado, se refieren, al hablar de orientación sexual, a la preferencia de la persona a realizar prácticas en las que se dan las siguientes condiciones: en primer lugar, se trata de prácticas sexuales; además son prácticas realizadas entre adultos, adultos que consienten y tienen capacidad para consentir; por otro lado, se exige, al igual que en las prácticas heterosexuales, un cierto grado de intimidad en la realización de las mismas; para continuar, se trata de prácticas que no suponen un daño físico ni psicológico para las personas que las realizan; y por último, se trata de prácticas en las que las personas implicadas son del mismo sexo biológico, prácticas por tanto, de carácter homosexual.

Sin embargo, ni siquiera con estas características es suficiente para definir lo que la orientación sexual significa para el derecho, en particular para la Directiva que estamos tratando. Y ello porque, si bien las condiciones expuestas definen la tendencia individual hacia un tipo determinado de prácticas sexuales, ello no aporta elementos suficientes que ayuden a entender en toda su amplitud lo que la orientación sexual puede significar. La característica personal de tener una orientación sexual homosexual no se agota, como apuntamos en el primer capítulo, en la realización de actos sexuales de carácter homosexual. Si ello fuera así, poco más que la protección del derecho a la vida privada sería necesario, por cuanto se trataría de actividades vinculadas estrictamente a la intimidad de la persona. La homosexualidad no se concibe ya desde un punto de vista exclusivamente sexual. Resulta así de particular importancia la definición que de orientación sexual se utilice a efectos de esta Directiva, por cuanto el nivel de protección de

---

[422]   Sobre el concepto de orientación sexual a efectos legales, ver G.M. HEREK, «Myths about Sexual Orientation: a Lawyer's Guide to Social Science Research». *Law and Sexuality*, nº 1, 1991, págs. 133 ss. Más adelante, con la aprobación de los principios de Yogyakarta, que veremos *infra*, se generalizará la definición allí propuesta.

[423]   Sentencia *Laskey, Jaggard y Brown v. Reino Unido*, de 19 de febrero de 1997.

la misma puede variar considerablemente en función de tal definición. Si la definición se limita exclusivamente al factor sexual, la protección antidiscriminatoria se limitará a la posible diferencia de trato que en el ámbito laboral se dé a un trabajador del que se sepa que mantiene relaciones sexuales con personas de su mismo sexo, o que es éste el tipo de prácticas sexuales que prefiere. Si, sin embargo, se amplía tal definición a toda la serie de elementos que, ligados a la preferencia sexual, se pueden generar, y que pueden ir desde el acceso a beneficios para las parejas de los trabajadores homosexuales en igualdad de condiciones que las parejas heterosexuales, hasta la aceptación de una determinada estética[424], el nivel de protección que la Directiva puede suponer es mucho mayor. Se trata en definitiva de saber si el término orientación sexual va a quedar restringido a los mínimos elementos ligados a la preferencia por la realización de prácticas sexuales homosexuales, o si tal término va a definir un atributo de la personalidad cuyas características, además de aquellas relacionadas exclusivamente con la vida sexual, van a ser contempladas y protegidas.

Lamentablemente, la Directiva no parece ofrecer datos suficientes que nos guíen en un sentido u otro. Sin embargo, sí podemos acudir a la doctrina y la jurisprudencia ofrecidas en relación a la idea de discriminación por razón de sexo, ya que en este ámbito se ha producido una discusión similar que parece haberse inclinado hacia la consideración del sexo no sólo como un atributo biológico sino como un elemento de la personalidad con una relevancia social que va más allá de las diferencias biológicas, como hemos analizado en relación a las respuestas jurisprudenciales frente al fenómeno de la identidad y la orientación sexual.

Así, en relación a la discriminación por razón de sexo, se ha pasado de una protección de los aspectos de diferenciación biológica entre hombre y mujer, de manera que tales aspectos no justificaran una diferencia de trato, al reconocimiento de la vertiente social del sexo, a la contemplación de los roles de género como elementos de perpetuación de la discriminación, de tal forma que la prohibición de discriminación por sexo se ha extendido a la protección de los aspectos que, si bien ajenos en sentido estricto a la biología, afectan más a

---

[424] Aquí resulta plenamente relevante el debate expuesto en el capítulo primero acerca del significado y alcance del concepto de orientación sexual e identidad personal.

un sexo que a otro. Como veíamos en el caso *P v. S*, el sexo, a efectos de la protección contra discriminación, deja de ser un factor biológico en algunos casos para convertirse en un atributo de la personalidad, ajeno a la realidad biológica, y cuya protección se hace necesaria. Podría entenderse, dada la experiencia acumulada en relación con la discriminación por razón de sexo, y utilizando un criterio teleológico de interpretación, que el concepto de orientación sexual de la Directiva es lo suficientemente amplio como para proteger los aspectos de la personalidad vinculados de forma menos evidente con la preferencia por prácticas sexuales homosexuales. Pero esto es algo que solo el desarrollo jurisprudencial de la Directiva aclarará con el tiempo.

En relación a lo que venimos diciendo se produce un problema curioso de interpretación que afecta al colectivo transexual. Se trata de saber si este colectivo va a ser protegido a través de la idea de no discriminación por razón de sexo, o bien hay que incluirlo en la noción de orientación sexual. Y esta cuestión no es un tema irrelevante a efectos prácticos, ya que dependiendo de la inclusión en uno u otro motivo por el que no se puede discriminar, la protección ofrecida por el Derecho Comunitario variará notablemente. La jurisprudencia del Tribunal de Justicia parece establecer, en el caso *P v. S*, que la transexualidad es un fenómeno que afecta al sexo del individuo y por tanto es incluible en la noción de sexo a efectos de la protección contra discriminación. A decir verdad, esta jurisprudencia parece, en el momento de elaboración de la Directiva, ser la más favorable para las personas transexuales por cuanto se beneficiarían de toda la legislación comunitaria relativa a la no discriminación por razón de sexo. Sin embargo, lo que a corto plazo puede suponer un gran beneficio para el colectivo transexual, se puede convertir con el paso del tiempo en un obstáculo al reconocimiento de las características propias y de las necesidades particulares del mismo, que podrían estar mejor reconocidas a través de la inclusión de la transexualidad en la categoría de orientación sexual, o mejor aún, como ya empieza a realizarse, a través de una categoría propia, la de identidad sexual[425].

---

[425] Sobre las particularidades del colectivo transexual, así como sobre sus reivindicaciones específicas, ver M. ELÓSEGUI ITXASO, «Transexualidad, Derecho a la Vida Privada y Derecho al Matrimonio. El Caso Español a la Luz de la Jurisprudencia del Tribunal Europeo de Derechos Humanos y Estadounidense». *Actualidad Civil*, nº 10, 1994, págs. 173 ss.; J. DIEZ DEL CORRAL, «La Transexualidad

3.4.2. *Concepto de discriminación: discriminación directa, indirecta y acciones positivas*

El artículo 1 de la Directiva que estamos analizando hace referencia al objeto de la misma, y se expresa en los siguientes términos: «*La presente Directiva tiene por objeto establecer un marco general para luchar contra la discriminación por motivos de religión o convicciones, de discapacidad, de edad o de orientación sexual en el ámbito del empleo y la ocupación, con el fin de que en los Estados miembros se aplique el principio de igualdad de trato*». Este artículo establece la prohibición de discriminación en el ámbito del empleo por los motivos expuestos y que no son otros que los incluidos en el artículo 13 del Tratado de Ámsterdam, si bien faltan los motivos de sexo, que recibe un trato específico en el citado Tratado y cuya protección se encuentra recogida en varias directivas anteriores a la adopción del mismo, y origen racial o étnico, que es objeto de protección particularizada en una directiva específica.

Sin embargo, lo que a efectos de esta Directiva debemos entender por discriminación se encuentra establecido en el artículo 2 de la misma, en términos que no son más que la plasmación en este ámbito concreto de la idea que de discriminación se viene utilizando desde hace largo tiempo en Derecho Comunitario, en particular gracias a la construcción jurisprudencial que, en relación con la libre circulación de trabajadores y la discriminación por razón de sexo, ha establecido el Tribunal Europeo de Justicia[426].

Así, el artículo 2, en su párrafo primero, dice que «*a efectos de la presente Directiva, se entenderá por principio de igualdad de trato la*

---

en el Derecho Español», *Actualidad Civil*, n° 37, 1986, págs. 2549 ss.; J. VIDAL MARTÍNEZ, «¿Se Incluye el "Cambio de Sexo" (Transexualidad), en el "Libre Desarrollo de la Personalidad" al que se Refiere el Artículo 10-1 de la Constitución Española?» *Revista General de Derecho*, n° 334, 1989, págs. 987 ss.

[426] La bibliografía en torno al concepto de discriminación utilizado en Derecho Comunitario es extensísima, no siendo posible aquí incluirla toda. Baste con nombrar algunos ejemplos como M. RODRÍGUEZ-PIÑERO y M. F. FERNÁNDEZ LÓPEZ, *Igualdad y Discriminación*, Madrid: Tecnos, 1986; M. BARBERÁ, *Discriminazione ed Eguaglianza nel Rapporto di Lavoro*, Milán: Giuffrè, 1991; W.A. McKEAN, *Equality and Discrimination under International Law*, Oxford: Clarendon Press, 1985; C. SAEZ LARA, *Mujeres y Mercado de Trabajo, Las Discriminaciones Directas e Indirectas*, Madrid: Consejo Económico y Social, 1994.

ausencia de toda discriminación directa o indirecta basada en cualquiera de los motivos mencionados en el artículo 1».

Dos aspectos de la idea de discriminación aparecen como fundamentales, los conceptos de discriminación directa e indirecta que el artículo 2, en su primer punto, define de la siguiente manera:

> «1. *La discriminación directa existirá cuando una persona sea, haya sido o pudiera ser tratada de manera menos favorable que otra en situación análoga por alguno de los motivos mencionados en el artículo 1».*

La discriminación directa, cuya adopción es anterior en el tiempo al concepto de discriminación indirecta, ya que nace cuando la idea de igualdad asumía la forma de un principio de igualdad formal, se constituye en su inicio como un concepto que hace hincapié casi exclusivamente en la idea de la comparación entre situaciones y la aplicación de la norma a estas situaciones. Desde el momento en que las situaciones fruto de la comparación se consideraban similares a efectos de aplicación de la norma, la aplicación de la misma de forma diferenciada sin justificación suficiente era considerada como una forma de discriminación, y por tanto como una práctica contraria a derecho. Con el paso del tiempo, y gracias a una concepción de la igualdad como igualdad material, tendente a la consecución de la justicia social, y por tanto con un claro contenido ideológico, el concepto de discriminación es objeto de una interpretación finalista de la norma, que ya no ve solo el referente de comparación entre situaciones para determinar si ha habido o no discriminación, sino que observa también los resultados de la aplicación de la norma para decidir, en función de los mismos, si se trata de una norma discriminatoria o no. Así surge el concepto de discriminación indirecta.

Y no solo esto, sino que la propia idea de discriminación directa varía en cuanto a la amplitud de supuestos a la que se aplica, ya que son consideradas situaciones similares las que con anterioridad se creían distintas. En el caso de la discriminación por razón de sexo, ahora tiene una importancia tal que lo que en el pasado se constituía como situaciones diferentes y por tanto merecedoras de un trato distinto, hoy, debido a la consideración de que la diferenciación de las situaciones está basada en el sexo, se conciben como situaciones iguales, y por tanto cualquier diferencia de trato debe ser justificada. Además los motivos que se protegen contra discriminación se valoran de un modo distinto y así el sexo deja de tener un carácter meramente biológico para configurarse como un factor de la personalidad con consecuencias sociales que la prohibición de discriminación debe contemplar.

Por otro lado, además de la necesaria determinación de qué se entiende por orientación sexual a estos efectos que ya hemos apuntado, las dificultades para probar la existencia de una discriminación por este motivo son enormes. No obstante, la Directiva ha contemplado este obstáculo, y así el artículo 10 establece la inversión de la carga de la prueba, de modo que corresponde a la parte demandada demostrar que no ha habido vulneración del principio de igualdad de trato. Pasemos al siguiente concepto de discriminación.

> «2. Habrá, por el contrario, discriminación indirecta cuando una disposición, criterio o práctica aparentemente neutros pueda ocasionar una desventaja particular a personar con una religión o convicción, con una discapacidad, de una edad, o con una orientación sexual determinadas, respecto de otras (...)».

El concepto de discriminación indirecta fue primero desarrollado jurisprudencialmente, a través de una interpretación extensiva y teleológica de la normativa sobre libre circulación de trabajadores[427]. Se trata como ya hemos dicho de una extensión, o si se quiere, de un entendimiento más completo y rico de la idea de discriminación, que recoge mejor la naturaleza del principio de igualdad material que se pretende conseguir.

Lo importante ahora no es solo lo que se considera trato diferente, ni tampoco exclusivamente el criterio que se utiliza para diferenciar, sino el resultado concreto de trato diferente que se produce y que afecta en mayor medida a uno de los colectivos que se considera deben ser protegidos. Así, en relación a la discriminación por razón de sexo, «se puede decir que hay discriminación indirecta cuando el uso de un criterio aparentemente neutro, es decir, aplicable por igual a ambos sexos, afecta a un porcentaje considerablemente mayor de personas de un solo sexo»[428].

---

[427]   Sobre el origen y la aplicación de este concepto a la discriminación por razón de sexo, en particular en relación al trabajo a tiempo parcial, ver, M. RODRÍGUEZ-PIÑERO ROYO, «Trabajo a Tiempo Parcial y Derecho Comunitario», *Relaciones Laborales*, n° 15-16, 1998, págs. 43 ss.

[428]   L. SENDEN, «La Igualdad Salarial en la Legislación Comunitaria». En CRUZ VILLALÓN (coord.), *La Igualdad de Trato en el Derecho Comunitario Laboral*, Pamplona: Editorial Aranzadi, 1997, págs. 146 ss.

Resulta determinante en relación al concepto de discriminación indirecta la incidencia que sobre un determinado grupo protegido tenga
la medida en cuestión, incidencia que se contabiliza en el número de
personas afectadas por tal decisión[429]. De esta manera, el uso de estadísticas aparece como fundamental en la determinación de cuándo se
ha producido una discriminación indirecta. De hecho la Directiva que
estamos comentando establece expresamente en el considerando número 15, y tras determinar que la apreciación de los hechos que puedan
considerarse como discriminación directa o indirecta corresponde a los
órganos judiciales y otros órganos competentes nacionales, con arreglo
a las legislaciones o prácticas nacionales, que «*estas normas podrán dis-
poner que la discriminación indirecta se establezca por cualquier medio,
incluso a partir de pruebas estadísticas*». Por otro lado, y como ya hemos
comentado en relación a la discriminación directa, se invierte la carga de
la prueba. Todo ello para facilitar la demostración de que efectivamente
se ha producido una discriminación indirecta, puesto que si ya es difícil
la prueba de la existencia de una discriminación directa, la dificultad au-
menta considerablemente en el caso de la discriminación indirecta.

Y no solo eso, ya que en el caso de la discriminación por orientación
sexual la situación es si cabe aún más difícil. La utilización de métodos
estadísticos para la determinación de cuándo se ha producido una discriminación indirecta se presenta como un instrumento de gran utilidad en
el caso de la mayoría de los motivos protegidos por la norma anti-discri-
minatoria, motivos que se encuentran a la vista, que no se hayan ocultos,
y sobre los cuales el estudio estadístico resulta relativamente fácil. Sin
embargo, en el caso de la orientación sexual, nos encontramos con una
característica personal que no solo no se percibe a primera vista, sino que
en la mayoría de los casos se encuentra conscientemente ocultada por las
personas que la poseen. El rechazo social hacia la homosexualidad ha-

---

[429]   Ver en este sentido, ORDÓÑEZ SOLIS, *La Igualdad entre Hombres y Mujeres
en el Derecho Europeo*, Madrid: Ministerio de Trabajo y Asuntos Sociales, 1999,
en págs. 138-146. En particular cita este autor la sentencia Seymour-Smith y Pérez, en la que los porcentajes eran del 77,4% de trabajadores masculinos frente
al 68,9% de trabajadoras femeninas afectadas por la norma británica que se
juzgaba, por lo que el Tribunal de Justicia considera que «a primera vista, tales
estadísticas no parecen mostrar que un porcentaje considerablemente menor de
trabajadores femeninos que de trabajadores masculinos reúna el requisito impuesto por la norma controvertida».

ce que muchos homosexuales escondan su condición, y situaciones que pueden afectar en particular a gays y lesbianas no se conocen en general, ni por supuesto existen estadísticas fiables sobre la incidencia de determinadas actuaciones sobre este colectivo. La prohibición de discriminación indirecta se configura así como un instrumento de protección frente al trato desigual que, en el caso de la orientación sexual, será difícilmente puesto en práctica por las dificultades que su prueba conlleva. Y en este caso, será particularmente relevante el trabajo de los grupos LGBTI, por cuanto del impulso de la investigación sociológica, de la acción social para lograr una vivencia personal de la homosexualidad no clandestina, y de la reivindicación de la mejora de las condiciones de vida del colectivo, dependerá en buena medida la posibilidad de que los tribunales de justicia tengan a su disposición suficiente información como para poder realizar una valoración seria de si ha existido o no discriminación indirecta en el asunto concreto. Se manifiesta así, aquí también, la necesidad de una labor social continuada, que no finaliza nunca, como reflejo de la dimensión de participación democrática y toma de decisiones desde debajo de la que HERRERA FLORES habla[430].

Por último, un paso más en la consecución del principio de igualdad material que parece estar imponiéndose en Derecho Comunitario es la posibilidad de adopción de medidas de acción positiva. Así la Directiva que tratamos no constituye, como su artículo 7 establece, un obstáculo a la adopción, por parte de los Estados miembros, de «*medidas específicas destinadas a prevenir o compensar las desventajas ocasionadas por cualquiera de los motivos mencionados en el artículo 1*».

3.4.3. *Ampliación del concepto de acoso*

La Directiva, en su artículo 2, dedicado como ya se ha visto al concepto de discriminación, hace referencia en su apartado 3 al acoso en los siguientes términos:

> «*El acoso constituirá discriminación a efectos de lo dispuesto en el apartado 1 cuando se produzca un comportamiento no deseado relacionado con alguno de los motivos indicados en el artículo 1 que tenga como objetivo o consecuencia atentar contra la dignidad de la persona y crear un entorno intimidatorio, hostil, degradante, humillante u ofensivo. A este*

---

[430]   J. HERRERA FLORES, *La Reinvención de los... op. cit.*

respecto, podrá definirse el concepto de acoso de conformidad con las normativas y prácticas nacionales de cada Estado miembro».

Para comenzar, puede resultar al menos llamativo que la idea de acoso se incluya en el artículo encargado de definir el concepto de discriminación a efectos de esta Directiva. Sin embargo, esto no es más que la consecuencia del origen de la idea de acoso, que en Derecho Comunitario nació a través de un desarrollo jurisprudencial que se apoyó en la prohibición de discriminación por razón de sexo para dar cabida a la protección frente al acoso sexual en el trabajo[431]. Por ello, no es de extrañar que ahora aparezca el acoso como parte esencial en la conceptuación de la idea de discriminación.

El concepto de acoso que se utiliza carece, sin embargo, de un elemento que resulta esencial: no se trata de acoso sexual. El elemento sexual ha sido suprimido de la regulación dada por esta Directiva, lo que tiene importantes consecuencias. El acoso sexual se configura como una serie de comportamientos vinculados al sexo cuya base común es el sometimiento de una persona trabajadora a una situación indeseada por ella, en la que la relación de poder resultante de la relación de trabajo se pone de manifiesto, y que puede expresarse a través de diferentes situaciones subsumibles en las categorías de chantaje sexual y de medio ambiente hostil.

Siendo estas las características esenciales que configuran la idea de acoso sexual, hay que señalar que en la Directiva que nos ocupa el tipo de comportamiento que hemos denominado como chantaje sexual desaparece, convirtiéndose el acoso a estos efectos en la creación de un medio ambiente laboral hostil carente de elementos relacionados con el sexo. Y ello no es más que una consecuencia lógica de los motivos que se quieren proteger contra la discriminación en este caso. Resulta difícil imaginar un chantaje sexual por parte de un superior o compañero de trabajo por el motivo de que la víctima sea mayor, o discapacitada, o tenga una religión determinada. Sin embargo, sí parece evidente que se puede crear un medio ambiente hostil sin contenido sexual, que atente contra la dignidad del trabajador, por uno de estos motivos, a través de comentarios insultantes, fotografías, actitudes y actuaciones.

---

[431] Un completo análisis del acoso laboral, como situación de vulneración de derechos fundamentales, se puede encontrar en M. URRUTIKOETXEA BARRUTIA, *Acoso Laboral y Lesión de Derechos Fundamentales*, Madrid: Bomarzo, 2014.

Si bien esto parece evidente para casi todos los motivos por los que una diferencia de trato constituye discriminación, no es así para el caso de la orientación sexual[432]. En este supuesto es claramente concebible la posibilidad de acoso sexual, de manera que resultará difícil en muchos casos definir si nos encontramos ante una situación de acoso de las protegidas por esta Directiva, o si se trata de una forma de acoso sexual. Lo determinante ante este conflicto, para decidir si es válida una u otra regulación, a nuestro juicio, sería el contenido sexual del comportamiento de que se trate. Pero ello no resulta fácil de delimitar ante un motivo de discriminación que tiene un carácter, si no exclusivamente, si marcadamente sexual.

La creación de un medio ambiente hostil para un trabajador homosexual, tanto a nivel práctico como teórico, viene íntimamente ligado al carácter sexual de la característica personal que se pretende proteger. Así resulta difícil concebir comportamientos que constituyan la creación de un medio ambiente hostil para el trabajador homosexual en que el elemento sexual no se encuentre presente. Tan solo a través de una concepción de la idea de orientación sexual amplia, en la que no solo la característica sexual de la orientación sexual sea protegida, sino que se recojan toda la serie de circunstancias ligadas a la orientación sexual, y los prejuicios sociales y estereotipos que sufren las personas LGBTI, tendrá sentido una regulación diferenciada de las actuaciones que crean un medio ambiente hostil para la persona trabajadora, según sean éstas de carácter marcadamente sexual, o traten de humillar o degradar en base a una determinada concepción de los atributos ligados a la orientación sexual de la víctima.

La configuración de la idea de acoso en relación con el concepto de discriminación por los motivos establecidos en esta Directiva, y desvinculada de todo elemento sexual puede acarrear, sin embargo, situaciones de conflicto entre esta normativa comunitaria y derechos fundamentales protegidos por los sistemas jurídicos de los Estados miembros. Así por ejemplo, cabe imaginar conflictos entre la protección contra el acoso aquí establecida y la protección del derecho a la libertad de expresión, o del

---

[432] Sobre la aplicación de la normativa sobre acoso sexual a la orientación sexual, ver M. RODRÍGUEZ-PIÑERO ROYO y A. RIVAS VAÑÓ, «Orientación Sexual y No Discriminación: el Debate en Europa». *Temas Laborales*, nº 52, 1999, págs. 3 ss.

derecho a la libertad de opinión[433]. Sin embargo, y como la propia Directiva parece propiciar, habrá que estar a lo que las normativas y prácticas nacionales de cada Estado miembro decidan[434] para concretar, tanto la amplitud de la idea de acoso aquí establecida y los posibles conflictos con otros bienes jurídicos protegidos, como los problemas de doble regulación que en el caso de la orientación sexual se plantean[435].

3.4.4. *Posibles excepciones a la prohibición de discriminación por orientación sexual*

La Directiva que estamos analizando establece determinados criterios que, a modo de excepciones, sirven para no valorar como discriminatorias diferencias de trato que en otro caso incurrirían en el tipo de prohibición que esta norma sanciona. Entre estas excepciones nos encontramos con unas que afectan de forma general a todos los motivos por los que esta Directiva prohíbe discriminar, y otras que tan solo vienen referidas a determinados motivos particularizados.

Entre estos últimos, a efectos de la prohibición de discriminación por orientación sexual, nos interesan particularmente dos situaciones:

1. La que establece excepciones al principio de no discriminación por motivos religiosos o por las convicciones personales, recogida en el punto segundo del artículo 4 referente a los requisitos profesionales, de modo que las actividades profesionales de las Iglesias o

---

[433] Estos conflictos son usuales en la aplicación de la normativa acerca del acoso sexual.

[434] Para un análisis completo de la incidencia en los distintos Estados miembros en los primeros años de aplicación de la Directiva en general, ver K. WAALDIJK & M. BONINI-BARALDI, *Sexual Orientation Discrimination in the European Union: National Laws and the Employment Equality Directive*, Hardbound: Asser Press, 2006.

[435] En España, la Ley 62/2003 de acompañamiento a los Presupuestos Generales del Estado, en su artículo 34 y ss., traspone en derecho español el contenido de la Directiva estudiada, siendo la primera vez que aparece en nuestro ordenamiento jurídico el concepto de orientación sexual. Para un análisis más completo de este proceso de trasposición en general, ver M.A. BALLESTER PASTOR (ed.), *La Trasposición del Principio Antidiscriminatorio Comunitario al Ordenamiento Jurídico Laboral Español*, Valencia: Tirant Lo Blanch, 2010; y en concreto, respecto de la orientación sexual, ver E. GARCÍA TESTAL, «Discriminación por Orientación Sexual, del Ámbito Europeo al Interno», en A. BALLESTER PASTOR (ed.) *La Trasposición del Principio Antidiscriminatorio Comunitario... op. cit.*

de otras organizaciones públicas o privadas cuya ética se base en la religión o las convicciones, puedan tratar de modo diferente a una persona basándose en la religión o las convicciones de esa persona. Para que esta excepción surta efecto, la característica personal por la que se produce la diferencia de trato debe ser un requisito profesional esencial, legítimo y justificado respecto de la ética de la organización[436]. Esta excepción parece hacer referencia exclusivamente a las diferencias de trato basadas tan solo en la religión o las convicciones personales del trabajador de que se trate. Sin embargo, y teniendo en cuenta la postura oficial de determinadas Iglesias, en particular la católica, respecto de la homosexualidad, parece probable que se planteen problemas en el caso de las relaciones de estas entidades con los trabajadores homosexuales[437]. Asumiendo que la concepción de la orientación sexual plasmada en la presente Directiva, como venimos diciendo, hace referencia a una característica personal más que a una convicción o posicionamiento ideológico en materia sexual, y que en cualquier caso se trata de un motivo bien diferenciado de los motivos religiosos y de convicciones personales, recogidos como motivos distintos por la Directiva, no parece que pueda justificarse una diferencia de trato por la orientación sexual del trabajador afectado, bajo el paraguas del punto segundo del artículo 4 de la Directiva que nos ocupa.

2. La segunda situación particular que puede ser problemática en relación a la no discriminación por orientación sexual es la excepción relativa al Ejército. La batalla planteada por los colectivos homosexuales, estudiada *supra*, respecto de la incorporación de éstos al Ejército de una forma libre y sin tener que esconder su orientación sexual, es de todos conocida, ya que ha recibido gran atención por parte de los medios de comunicación. En Estados Unidos la polémica suscitada en relación a la política del «*don't*

---

[436] Sobre estos requisitos, M.F. FERNÁNDEZ LÓPEZ & F.J. CALVO GALLEGO, «La Directiva 78/2000/CE y la Prohibición de Discriminación por Razones Ideológicas: una Ampliación del Marco Material Comunitario», *Temas Laborales*, nº 59, 2001, págs. 125 ss.

[437] Para un estudio particularizado de la postura de la Iglesia Católica en este sentido, ver *supra*. Respecto del difícil acomodo de esta excepción en relación a la discriminación por orientación sexual, ver P. JOHNSON y R. VANDERBECK, *Law, Religion and Homosexuality*, Oxon: Routledge, 2014.

ask, don't tell», y en Europa casos como la iniciativa de militares homosexuales británicos ante el Tribunal Europeo de Derechos Humanos[438], han hecho que no se trate de un asunto nuevo ni no discutido en la escena pública. Sin embargo, y aunque en principio podría entenderse como un foco de tensión a la hora de implementar la Directiva, no parece que la cuestión del Ejército vaya a dar mayores problemas, sobre todo por la claridad de la misma en relación a los motivos por los que se puede consentir una diferencia de trato que no sea considerada discriminación a estos efectos, y que son, exclusivamente, la discapacidad y la edad.

Respecto de las excepciones que de modo general permite la Directiva en relación a la prohibición de discriminación establecida por la misma, podemos diferenciar entre excepciones que afectan al propio concepto de discriminación, y aquellas que, en casos particulares, en relación con los requisitos profesionales, o la discriminación indirecta, se justifican por la actividad concreta de que se trate.

La excepción establecida en la Directiva de modo más genérico y que afecta de manera importante al concepto mismo de no discriminación se concreta en el punto 5 del artículo 2, y reza como sigue:

> «*La presente Directiva se entenderá sin perjuicio de las medidas establecidas en la legislación nacional que, en una sociedad democrática, son necesarias para la seguridad pública, la defensa del orden, y la prevención de infracciones penales, la protección de la salud, y la protección de los derechos y libertades de los ciudadanos*».

Es interesante señalar cómo esta cláusula genérica de excepción tiene una marcada similitud con las cláusulas restrictivas de los artículos 8 a 11 del Convenio Europeo de Derechos Humanos, que se han entendido tradicionalmente como la fórmula que garantizaba un mínimo de soberanía nacional frente a los órganos de Consejo de Europa, y como efecto del carácter subsidiario que estos órganos tienen

---

[438]   El Tribunal Europeo de Derechos Humanos consideró que la investigación sobre la homosexualidad de los miembros del Ejército suponía una violación del derecho a la vida privada protegido en el artículo 8 del Convenio Europeo de Derechos Humanos. Sobre el análisis de esta jurisprudencia, ver *supra*.

en relación con la implementación del CEDH, que corresponde en primer término a los mismos Estados[439].

Sin embargo, y en relación con la orientación sexual, es importante hacer notar la desaparición en el texto de la Directiva del motivo de la protección de la moral, que sí aparece en el texto del CEDH a que hacíamos referencia con anterioridad. Ello resulta un cambio extraordinariamente beneficioso para la protección del colectivo LGBTI por cuanto los Estados han justificado tradicionalmente la discriminación por orientación sexual basándose en la moral social imperante que aquellos tenían la obligación de proteger. De esta manera, la cláusula general de excepción de la prohibición de discriminación establecida en la Directiva, en el caso de la orientación sexual, tendrá unos efectos ciertamente limitados, como por otra parte parece ser la intención de la misma.

En relación con las excepciones que veníamos comentando con anterioridad y que se refieren a supuestos específicos en los que se permite una diferencia de trato, se trata de excepciones admitidas siempre que persigan fines legítimos y los medios utilizados sean adecuados, necesarios y proporcionales. Se trata en definitiva de un criterio de razonabilidad que se impone siempre que de la aplicación de normas de este tipo se trata. En particular, respecto de la discriminación indirecta —artículo 2.b) i)— y de los requisitos profesionales —artículo 4.1.— el criterio de razonabilidad puede impedir el que situaciones absurdas, fruto de la aplicación estricta de la prohibición de discriminación, se den en la realidad cotidiana. En cualquier caso, razones poderosas tienen que ofrecerse para justificar una diferencia de trato basada en la orientación sexual, como en el resto de motivos protegidos por la Directiva.

Como acabamos de ver, el Tratado de Ámsterdam supone la incorporación del concepto de la prohibición de discriminación por orientación sexual por primera vez en un texto vinculante y de carácter primario, además de suponer también el primer reconocimiento expreso de este motivo de discriminación prohibida en derecho internacional. Como resultado de esta incorporación, se aprueba esta Directiva co-

---

[439] Sobre la idea de que la primera responsabilidad en el entendimiento y la aplicación del Convenio recae sobre los Estados, de acuerdo con el artículo 1 del mismo, ver: P. MAHONEY, «Judicial Activism and Judicial…» *op. cit.*; T.H. JONES, «The Devaluation of Human Rights under…» *op. cit.*

munitaria, que por su fuerza armonizadora supondrá también la mejora de las condiciones laborales de varios colectivos, entre los que se encuentran aquellas personas con una orientación sexual diversa a la de la mayoría de población.

Sin embargo, son muchos los retos que el Derecho Comunitario aún tendrá que afrontar, entre los que se encuentra la falta de armonización en materia de prohibición de discriminación en ámbitos distintos al empleo, cuestión ésta que fue duramente criticada cuando se aprobó la Directiva a la que nos hemos referido[440], por cuanto en el mismo periodo de tiempo tuvo lugar la aprobación de la Directiva 2000/43/CE, de 29 de junio, relativa a la aplicación del principio de igualdad de trato de las personas independientemente de su origen racial o étnico[441], una directiva con carácter general, esto es, no circunscrita a un ámbito en concreto (como en nuestro caso, el laboral), y dedicada en exclusiva a la particular situación de la discriminación racial o étnica. Esta diferente regulación ha dado lugar a numerosas protestas de los colectivos afectados, especialmente de los grupos LGBTI, que han visto cómo sus expectativas de un trato acorde a sus necesidades se diluían en un conjunto normativo que no atiende específicamente a las mismas[442].

3.4.5. La pareja homosexual

La prohibición de discriminación por orientación sexual en el ámbito laboral es, como ya hemos señalado, un importante avance en la protección y normalización de la situación del colectivo LGBTI en Europa. Dicho esto, y siendo evidentes las ventajas que para los homosexuales europeos supone la implementación de la presente Directiva, cabe sin

---

[440] Hay una propuesta de directiva del Consejo, por la que se aplica el principio de igualdad de trato entre personas independientemente de su religión o convicciones, discapacidad, edad u orientación sexual, que desde el año 2008 está esperando a ser finalmente aprobada, que es comentada *infra*.
[441] DOCE, serie L, de 19.7.2000.
[442] En este sentido, ver M.A. BALLESTER PASTOR, «Las Directivas sobre Aplicación del Principio de Igualdad de Trato de las Personas por Razón de Origen Racial o Étnico (2000/43) y por Motivos de Religión o Convicciones, Discapacidad, Edad u Orientación Sexual (2000/78)», *Cuadernos de Derecho Judicial*, n°. 21, 2003; M. BELL, «*Antidiscrimination Law and the European Union*», Oxford: Oxford University Press, 2002.

embargo observar deficiencias aún importantes incluso en el propio ámbito laboral, y que al menos en principio, esta Directiva podría no resolver, siendo las autoridades nacionales las encargadas de su primera interpretación, y habiendo visto la al menos decepcionante jurisprudencia del Tribunal Europeo de Justicia en relación con la homosexualidad.

Nos estamos refiriendo en particular al problemático asunto de la igualación en derechos de las parejas homosexuales con las heterosexuales, estén estas últimas unidas por un vínculo matrimonial o no[443]. La prohibición de discriminación por orientación sexual de la Directiva que hemos analizado va a suponer el reconocimiento de los beneficios laborales de las parejas homosexuales en igualdad de condiciones con las parejas de hecho heterosexuales, puesto que de otro modo se estaría incurriendo en la discriminación que la Directiva prohíbe.

El problema surge en relación al matrimonio y la diferencia de trato basada en la existencia de un vínculo matrimonial. Porque puede darse la situación en la que se reconozcan determinados beneficios laborales a las parejas unidas matrimonialmente, y no a aquellas que se hayan constituido tan solo de hecho, sean éstas heterosexuales u homosexuales. En este caso se podría decir que no existe una discriminación por orientación sexual en tanto las parejas de hecho heterosexuales reciben el mismo tratamiento que las homosexuales. Lo determinante en estos casos sería la existencia del matrimonio, de la institución matrimonial, que hasta ahora en Europa es accesible para las parejas homosexuales solo en algunos Estados[444]. El argumento en favor de esta diferencia de trato se sustenta así en la naturaleza del matrimonio, en su importancia social y en la imposibilidad del Derecho Comunitario de incidir en la constitución de una institución como la matrimonial, ajena a las competencias del mismo, de

---

[443]   Un estudio sobre el régimen jurídico de las uniones de hecho heterosexuales y homosexuales en España, en los momentos anteriores a la aprobación de esta Directiva, se encuentra en X. O'CALLAGHAN (Dir.), *Consecuencias Jurídicas de la Uniones de Hecho*, Madrid: Cuadernos de Derecho Judicial, Consejo General del Poder Judicial, 1998; J.M. MARTINELL y M.T. ARECES PIÑOL (Ed.), *Uniones de Hecho*, Lleida: Universidad de Lleida, 1998; P.A. TALAVERA, *Fundamentos para el Reconocimiento Jurídico de las Uniones Homosexuales. Propuestas de Regulación en España*, Madrid: Marcial Pons, 1999.

[444]   Sobre el estado de reconocimiento de las parejas homosexuales en Europa, la mejor guía se encuentra en la página web de ILGA-Europe, disponible en http://www.ilga.org/information.

manera que el mandato antidiscriminatorio en relación a la orientación sexual en el trabajo se encontraría inhabilitado para ejercer su potencial cuando la institución matrimonial se encontrara comprometida.

Ésta, que es una posible situación, tendrá difícil solución a corto plazo, con los instrumentos técnicos de que disponemos en la actualidad y dependerá de la buena voluntad de las autoridades nacionales o del Tribunal de Justicia para interpretar extensivamente la prohibición de discriminación por orientación sexual de los Tratados así como de la Directiva que estamos comentando[445]. Sin embargo, una posible vía de interpretación de la Directiva, acorde con la finalidad de normalización e integración del colectivo homosexual que la misma representa, es aquella que sustenta que la exigencia de vínculo matrimonial para la percepción de determinados beneficios laborales constituye de por sí una forma de discriminación por orientación sexual, si no directa sí indirecta[446]. Y ello por un motivo fundamental, tal es la imposibilidad para las parejas homosexuales de contraer matrimonio. No se trata de exigir que el matrimonio esté abierto a los homosexuales, aun cuando ésta es una exigencia que los colectivos de gays y lesbianas están proclamando en foros políticos y jurídicos, sino de afrontar la imposibilidad de la consecución del matrimonio para las parejas homosexuales, de modo que si bien el Derecho Comunitario no tiene competencias para incidir en tal situación, al menos sí puede mitigar sus efectos. En realidad resulta difícil entender un concepto de discriminación indirecta como el que ha establecido el Tribunal de Justicia de la Unión Europea, así como las diferentes normas comunitarias que ya veíamos anteriormente, sin incluir el caso que estamos tratando, ya que cumple con todos los requisitos necesarios para ser merecedor de la protección que la discriminación indirecta puede ofrecer en este ámbito[447].

---

[445]   Para conocer las limitaciones que en materia de regulación matrimonial establecen los Tratados vigentes en su redacción actual, ver *infra*.

[446]   Para un interesante análisis del potencial transversal de la prohibición de discriminación por orientación sexual, ver B. FITZPATRICK, «The Mainstreaming of Sexual Orientation in European Equality Law», en H. MEENAN (ed), *Equality Law for An Enlarged Union…*, *op. cit.*, págs. 313 ss.

[447]   Y que veremos que recoge ya el TEDH en su más reciente jurisprudencia, que comentaremos *infra*.

Así, cuando se trata el problema de las parejas homosexuales, el criterio de comparación a efectos de investigar si se ha producido una discriminación por orientación sexual es siempre equívoco. Comparar a las parejas homosexuales con las parejas de hecho heterosexuales es un criterio erróneo, por cuanto se están tratando como similares situaciones que en absoluto lo son. De hecho, las parejas heterosexuales que no acceden al matrimonio están haciendo uso de una libertad de elección (entre formalizar o no su situación) a la que las parejas homosexuales no tienen acceso, éstas no pueden casarse (nos referimos, evidentemente, a la situación en los Estados miembros que no reconocen el matrimonio homosexual). Éste es el punto de partida válido para realizar un juicio sobre discriminación en relación a las parejas homosexuales. La visión contraria, que asume que desde el momento en que entra en juego el matrimonio ya no se puede hablar de discriminación, puesto que estamos ante una institución que por su naturaleza no admite el acceso a la misma de las parejas homosexuales, no es más que una forma de discriminación indirecta del colectivo homosexual, debido a las consecuencias que para el mismo tiene.

Si la discriminación indirecta se constituye como una situación de desventaja de un grupo frente a otro por medidas que en principio resultan de carácter neutro en su configuración, la negación de beneficios en el ámbito laboral de prestaciones a parejas de hecho que sí se conceden a los matrimonios, es en el caso de los homosexuales un claro ejemplo de discriminación indirecta en el empleo, por cuanto estas parejas, a diferencia de las parejas heterosexuales, tienen negado el acceso al matrimonio. Por otro lado, el criterio de la incidencia de estas medidas se encuentra más que satisfecho, por cuanto son todas las parejas homosexuales las que se encontrarían en semejante situación.

Por último, otro asunto que puede afectar de manera importante a las parejas homosexuales es la exclusión del ámbito de aplicación de la Directiva, establecida en el artículo 3.2. de la misma, y que establece que

> *«la presente Directiva no afectará a la diferencia de trato por motivos de nacionalidad y se entenderá sin perjuicio de las disposiciones y condiciones por las que se regulan la entrada y residencia de nacionales de terceros países y de apátridas en el territorio de los Estados miembros y del trato que se derive de la situación jurídica de los nacionales de terceros países y de los apátridas».*

De este modo, las dificultades de reagrupamiento familiar de parejas homosexuales en las que uno de los miembros es nacional de tercer país, o la libertad de circulación de trabajadores comunitarios con sus parejas en el territorio de la Unión, son asuntos que esta Directiva no parece resolver[448], como tampoco las diferencias entre parejas de hecho heterosexuales y matrimonios, con parejas homosexuales a la hora de la percepción de prestaciones de la Seguridad Social, como establece el artículo 3.3 de la presente Directiva, al regular que *«la presente Directiva no se aplicará a los pagos de cualquier tipo efectuados por los regímenes públicos o asimilados, incluidos los regímenes públicos de seguridad social o de protección social»*.

La aplicación y efectividad, en los Estados miembros, de la Directiva que estamos comentando ha sido diversa e irregular, en muchos casos por carencias muy importante en el nivel de información acerca de sus derechos que las personas afectadas tienen. Por ello, no parece que la aprobación y transposición de la misma sea el final del camino, sino más bien el comienzo de la lucha antidiscriminatoria del colectivo LGBTI en muchos territorios de la UE[449].

---

[448] Sobre la incidencia de la libertad de circulación de trabajadores en el reconocimiento de los derechos de la pareja homosexual, ver A. CLAPHAM & J.WEILER, «Human Dignity Shall Be Inviolable…» *op. cit.*

[449] Sobre el grado de implementación y efectividad de esta Directiva, ver documento elaborado por la Comisión Europea, Report COM(2014)2 from the Commission to the European Parliament and the Council, Joint Report on the application of Council Directive 2000/43/EC of 29 june 2000 implementing the principle of equal treatment between persons irrespective of racial or ethnic origin («Racial Equality Directive») and of Council Directive 2000/78/EC of 27 November 2000 establishing a general framework for equal treatment in employment and occupation («Employment Equality Directive»). Accesible en http://ec.europa.eu/justice/discrimination/files/com_2014_2_en.pdf (consultado el 15 de septiembre de 2014).

Capítulo IV
La consolidación del reconocimiento del derecho a la diversidad sexual

Tras el proceso estudiado hasta aquí, proceso de siembra de la semilla de un incipiente reconocimiento de derechos al colectivo LGB-TI, los frutos empezarán a verse ya en el nuevo siglo. Efectivamente, los primeros intentos de acceso a los derechos humanos por parte de la comunidad LGBTI van a ser especialmente duros y difíciles, de forma que durante muchos años, no encontraremos ni una sola mención acerca de la homosexualidad o la transexualidad en los ordenamientos jurídicos nacionales, si no es para penar las conductas sexuales asociadas. La protección reconocida por el TEDH en base al respeto a la vida privada, que despenaliza las prácticas sexuales homosexuales, supondrá una modificación profunda tanto de las condiciones de vida de las personas afectadas, como del discurso público en torno a estas cuestiones. Sin embargo, pronto dejará de ser suficiente, haciéndose cada vez más patente la necesidad de expresión social de la realidad de la diversidad sexual. En este sentido, la protección antidiscrimatoria va a abrir un nuevo y necesario campo de reivindicación que solo acaba de empezar, como vamos a ver en lo que sigue.

4.1. LA CARTA DE DERECHOS FUNDAMENTALES Y EL PROYECTO DE CONSTITUCIÓN EUROPEA

La inclusión de la orientación sexual como uno de los factores prohibidos de discriminación no ha sido más que una de las varias estrategias adoptadas por los colectivos LGBTI en su actuación ante las instituciones comunitarias. Han existido, en efecto, otras líneas de actuación, que fueron potenciadas en este periodo de tiempo como consecuencia del fracaso en la estrategia de instrumentalización de la normativa sobre no discriminación por razón de sexo. Este fracaso obligó a los colectivos homosexuales, con el apoyo de las instituciones comunitarias que les son más favorables, a buscar otro tipo de sustentos normativos para conseguir un marco jurídico adecuado a sus pretensiones. De ahí que pueda identificarse una estrategia conjunta, operando en distintos frentes simultáneamente, para lograr la mejora de la regulación de la diversidad sexual en Derecho Comunitario.

Una de estas perspectivas, desde las que se busca la protección de los colectivos LGBTI, es la de los derechos fundamentales[450]. Como es sabido, el papel de estos derechos en el esquema jurídico y organizativo de la Unión ha sido una cuestión controvertida, sobre la que se vienen produciendo numerosos desarrollos en los últimos años, de forma que hoy no puede negarse que forman parte del acervo comunitario. En la medida en que determinados tratamientos a las personas en razón de su orientación sexual puedan ser calificados como violaciones de sus derechos fundamentales, se podrá llamar en su ayuda a las instituciones comunitarias encargadas de su custodia.

Un primer intento de articulación de una protección jurídica de la orientación sexual desde la perspectiva de los derechos fundamentales afectados fue la de promover la aplicación del Convenio Europeo de Derechos Humanos. A lo largo de los años se ha producido un proceso de integración progresiva de los derechos contenidos en este convenio en el seno de la Unión, proceso que fue iniciado en 1974 por el Tribunal Europeo de Justicia, y que se vio acelerado con la entrada en vigor del Tratado de Ámsterdam[451].

Sin embargo, ante los problemas planteados por el Dictamen del Tribunal Europeo de Justicia sobre la posibilidad de que la Unión se adhiriera al Convenio[452], ésta optó por la vía de elaborar su propia carta de derechos. Así, en el Consejo Europeo de Colonia, de junio de 1999, se acordó que los derechos fundamentales aplicables al nivel de la Unión debían ser consolidados en una carta, que los hiciera más evidentes; esto es, una carta comunitaria de derechos fundamen-

---

[450]   L.R. HELFER, «Lesbian and Gay Rights as Human Rights: Strategies for a United Europe», *Virginia Journal of International Law*, nº 32, 1991, págs. 157 ss.

[451]   Ver J.P. JACQUÉ, «The Accession of the European Union to the European Convention on Human Rights and Fundamental Freedoms», *Common Market Law Review*, vol. 48, nº 4, págs. 995 ss.

[452]   Dictamen 2/94 del Tribunal de Justicia de la Unión Europea de 28 de marzo de 1996, relativo a la competencia de la Comunidad para adherirse al Convenio Europeo para la Protección de los Derechos Humanos y de las Libertades Fundamentales, DOCE C180 de 22 de junio de 1996.

tales, propia de la Unión y parte de su Constitución. En el sucesivo Consejo Europeo de Tampere, que tuvo lugar en octubre de 1999, se recibieron las conclusiones de un informe presentado por un grupo de sabios sobre esta cuestión, bajo el título de «*Afirmando los derechos fundamentales en la Unión Europea: tiempo de actuar*»[453]. En este informe se establecía la conveniencia de que los derechos contenidos en los artículos 2 a 13 del CEDH fueran plenamente incorporados al Derecho Comunitario; y entre estos derechos se encuentra el derecho a la intimidad y a la vida familiar, que permitió las primeras fórmulas de protección de la orientación sexual en el ámbito del Consejo de Europa. Al margen de estos derechos, el informe proponía la inclusión de otros, entre los que se encuentra el derecho a «*la igualdad de oportunidades y de trato, sin ninguna distinción por motivos (…) de orientación sexual*» (entre otros motivos). Estos derechos debían ser incorporados dentro de un título independiente del Tratado.

La idea de incluir la protección de la orientación sexual dentro de una estrategia comunitaria más amplia de protección de los derechos fundamentales no era nueva. Así, en la Resolución del Parlamento Europeo de 1997 sobre el respeto de los derechos humanos en la Unión Europea ya se contenían algunas menciones a la orientación sexual, pidiéndose a los Estados miembros «*la eliminación de cualquier trato injusto de los homosexuales y lesbianas, en particular en lo que se refiere a la mayoría de edad sexual, los derechos civiles, el derecho al trabajo, los derechos sociales y económicos, etc…*» (punto 54). Esta misma institución, en sus informes anuales sobre derechos humanos, ha prestado una especial atención a la situación jurídica y social de la diversidad sexual en la Unión[454].

De este modo, la confluencia de, por un lado, la fuerte presión ejercida por distintos colectivos entre los que se encontraban las organizaciones LGBTI, y por otro, la necesidad cada vez más palpable de revestir de legitimidad un entramado de instituciones europeas con cada vez mayor capacidad de decisión y no vinculadas jurídicamente con un sistema sólido de protección de derechos fundamentales, hizo

---

[453] Bruselas, febrero de 1999; el grupo fue dirigido por el Profesor Spiros SIMITIS.
[454] Estos informes se pueden encontrar en http://www.europarl.europa.eu (consultado el 14 de mayo de 2013).

Alicia Rivas Vañó

que finalmente se tomara la decisión de adoptar la Carta de los Derechos Fundamentales de la Unión Europea[455], en Niza, a la vez que se elaboraba el Tratado de Niza[456], en el que sin embargo, y a pesar de las expectativas, no se hacía referencia a la Carta, por lo que ésta carecía de naturaleza jurídica vinculante. Varias son las cuestiones que este nuevo instrumento jurídico suscita y que debemos mencionar[457].

---

[455] Carta de los Derechos Fundamentales de la Unión Europea, DOCE C 364 de 18 de diciembre de 2000.

[456] Tratado de Niza por el que se modifican el Tratado de la Unión Europea, los Tratados constitutivos de las Comunidades Europeas y determinados actos conexos, DOCE C 80 de 10 de marzo de 2001. Para una consulta más completa del Tratado, ver E. PÉREZ CARRILLO, «El Tratado de Niza: Entre la Consolidación de la Unión Europea de Maastricht y el Debate sobre el Futuro de Europa», *Anuario Mexicano de Derecho Internacional*, n° 2, 2002, págs. 306 ss.; F. ALDECOA LUZÁRRAGA, «El Tratado de Niza, Consolidación y Reforma de la Unión Europea», *Cuadernos Europeos de Deusto*, n° 25, 2001, págs. 11 ss.; E. NAVARRO CONTRERAS, «El Tratado de Niza: un Nuevo Paso en el Largo Camino hacia la Ampliación de la Unión Europea», *La Ley: Revista Jurídica Española de Doctrina, Jurisprudencia y Bibliografía*, n° 4, 2001, págs. 1375 ss.

[457] Mucho se ha escrito sobre la decepción general que supuso la no vinculación jurídica de la Carta en su momento, así como acerca de su naturaleza. Ver por todos F.J. MATIAS PORTILLA (dir.), *La Protección de los Derechos Fundamentales en la Unión Europea*, Madrid: Civitas, 2002; F. RUBIO LLORENTE, «Una Carta de Dudosa Utilidad», en F.J. MATIAS PORTILLA (dir.), *La Protección de los Derechos Fundamentales en la... op. cit.*, pág. 180 ss.; A.E. PÉREZ LUÑO, "La Carta de Niza y la Europa de los Ciudadanos. Apostillas a la Carta de los Derechos Fundamentales de la Unión Europea", *Derechos y Libertades*, n° 11, 2002, págs. 51 ss.; A. FERNÁNDEZ TOMÁS, «*La Carta de Derechos Fundamentales de la Unión Europea*», Valencia: Tirant Lo Blanch, 2001; J.A. CARRILLO SALCEDO, «Notas sobre el Significado Político y Jurídico de la Carta de los Derechos Fundamentales de la Unión Europea», *Revista de Derecho Comunitario Europeo*, año n° 5, n° 9, 2001, págs. 7 ss.; F. ALONSO SOTO, «Alcance y Límites de la Carta de los Derechos Fundamentales de la Unión Europea», *Documentación Social*, n° 123, 2001, págs. 161 ss.; A. RODRÍGUEZ BEREIJO, «El Valor Jurídico de la Carta de los Derechos Fundamentales de la Unión Europea Después del Tratado de Niza», en AA.VV. *La Encrucijada Constitucional de la Unión Europea*, Madrid: Real Academia de Ciencias Morales y Políticas, 2002, págs. 199 ss.; F. PÉREZ DE LOS COBOS ORIHUEL, «El Reconocimiento de los Derechos Sociales Fundamentales en la Unión Europea», *Foro: Revista de Ciencias Jurídicas y Sociales*, n° 9, 2009, págs. 13 ss.; E. TERRADILLOS ORMAETXEA, «Los Derechos Fundamentales Sociales en la Carta de los Derechos Fundamentales de la Unión Europea», *Revista del Ministerio de Trabajo e Inmigración*, n° 92, 2011, págs. 33 ss.; C. RUIZ MIGUEL, «Los Derechos Fundamentales en la Unión Europea Renovada», *Revista del Ministerio de Tra-*

Por un lado, la Carta se estructura en torno a cuatro capítulos, en una novedosa forma de presentación de los derechos reconocidos, y que se titulan *Dignidad*, *Libertades*, *Igualdad* y *Solidaridad*. Y llama la atención por la forma en la que se han repartido los derechos particulares reconocidos, encontrándonos así el derecho a la educación en el capítulo dedicado a las libertades, los derechos del menor en el dedicado a la igualdad y los derechos de negociación colectiva de los y las trabajadoras en el capítulo sobre solidaridad. Además, se reconocen al mismo nivel que otros derechos de libertad como el de reunión o el de expresión, los derechos a la libertad de empresa y a la propiedad, a diferencia de lo que hace, por ejemplo, la Constitución Española, que otorga un mayor nivel de protección a las libertades individuales clásicas, frente a las libertades económicas, demostrando una más firme apuesta por un modelo de Estado social que el que se desprende de la Carta. Sin embargo, sí se menciona el derecho a la ayuda social y a la seguridad social, incluyendo aquí la ayuda de vivienda, atendiendo a criterios de protección de una existencia digna.

En cualquier caso es extremadamente interesante que el primer capítulo esté dedicado a la dignidad, que no sólo se constituye ya en un principio general del Derecho Comunitario, sino que aquí nace con vocación de transformarse en un derecho subjetivo, reclamable por la persona cuya dignidad se considere vulnerada, materializándose ésta en el artículo 1 de la Carta, y siendo seguido por el reconocimiento de derechos como la vida, la integridad, la prohibición de la tortura y la prohibición de la esclavitud. O al menos, esa debería ser la consecuencia lógica de la incorporación en el articulado de la Carta, en una interpretación sistemática que asume el desarrollo de una correcta técnica legislativa. Las dudas surgen por la propia redacción del artículo primero: «*La dignidad humana es inviolable, será respetada y protegida*». Como se observa, el enunciado de este artículo no se hace en forma de derechos, del tipo, «toda persona tiene derecho a su dignidad como ser humano», por lo que puede llegar a interpretarse en varios sentidos distintos: como el enunciado de un principio general que inspira a toda la Carta, en cuyo caso no debería formar parte del

---

bajo e *Inmigración*, nº 92, 2011, págs. 53 ss.; M.A. BALLESTER PASTOR, «La Lucha contra la Discriminación en la Unión Europea», *Revista del Ministerio de Trabajo e Inmigración*, nº 92, 2011, págs. 207 ss.

250

articulado de una carta de derechos fundamentales, sino que se debería haber incluido en el preámbulo, o un capítulo primero dedicado precisamente a los principios que presiden la interpretación de los derechos, lo que no se ha hecho (el preámbulo, que existía en la primera versión, desapareció posteriormente); como un derecho subjetivo pero sin fuerza normativa propia, esto es, sólo aplicable en relación a la posible vulneración de otro derecho de la Carta, al modo de la interpretación que el TEDH hace del artículo 14, sobre discriminación, del CEDH; y por último, como un derecho subjetivo autónomo, con contenido propio que no requiere de la interacción con otro derecho para poder ser protegido.

Y la determinación del tipo de norma en que se constituye la dignidad humana en la Carta es especialmente interesante no solo en relación a los niveles de protección y defensa que de este reconocimiento se pudieran desprender (algo que no sucederá hasta la incorporación de la Carta al derecho primario, como veremos más adelante), sino que también supone la necesidad de concretización de un concepto, el de dignidad humana, que aunque ampliamente utilizado en su vertiente de principio general y de valor superior, como hemos visto ya con anterioridad, debe ser definido en las concretas relaciones en las que se invoque. Esta labor de definición, que será compartida por el legislador y por la Justicia europeas, será la que en última instancia dé contenido al derecho y establezca las líneas de conexión de éste con otros derechos de la propia Carta, más allá de la estructura en la que se integra. Y esta definición puede ser particularmente importante en relación a la protección de grupos minoritarios como la comunidad LGBTI, por cuanto aquí van a entrar en juego las diversas concepciones de la sexualidad humana y de cómo éstas influyen en el desarrollo personal de los individuos, y dependiendo de estas consideraciones se otorgará mayor o menor ámbito de protección, así como se exigirá de las estructuras de poder mayor o menor esfuerzo en la creación de un espacio legítimo de ejercicio de la diversidad sexual.

La segunda cuestión que debemos destacar en relación a la Carta es la fórmula concreta de protección que se reconoce respecto de la orientación sexual. En este sentido, el lugar en el que se nombra expresamente este concepto es el artículo 21.1, en el que la prohibición de discriminación entre otros motivos, por orientación sexual, se expresa sin ningún género de dudas y sin acotar la misma a un ámbito competencial concreto, lo que supone dos diferencias muy importantes respecto del Tratado de Ámsterdam visto con anterioridad: por una parte, no se trata ya, como hemos visto respecto de Ámsterdam, de una habilitación hacia las instituciones comunitarias para que puedan legislar en la materia, sino que se constituye en un auténtico derecho subjetivo que se expresa en términos de prohibición; por otro lado, se amplía el número de características por las que está expresamente prohibido discriminar, sin perjuicio de que, como ya es tradición en la regulación normativa de la no discriminación, no se trate de una lista cerrada y exhaustiva, sino que se deje abierta a futuros motivos de discriminación prohibida. Estos motivos nuevos incluyen la diferenciación entre color, raza y origen étnico, que se constituyen como causas distintas de discriminación, o el patrimonio y las características genéticas que irrumpen por primera vez de forma expresa en la redacción de la prohibición de discriminar.

No obstante lo anterior, hay ámbitos que quedan fuera, al menos en principio, del alcance de esta prohibición, y que afectan a algunas de las más importantes reivindicaciones LGBTI: el derecho al matrimonio y el derecho a fundar una familia. Y aquí necesitamos detenernos. El TEDH, a través de la interpretación jurisprudencial del artículo 8 del CEDH, relativo al reconocimiento del respeto de la vida privada y familiar, ha realizado una importantísima labor de protección, no solo de gays, lesbianas y transexuales, sino también de modos alternativos de constituir una familia[458]. Resulta cuanto menos llamativo que la Carta regule, por una parte, en su artículo 7, el derecho a la vida privada y familiar, en términos muy parecidos a los del CEDH, y por otra, el derecho a contraer matrimonio y el derecho a *fundar una familia*, en su artículo 9[459]. Y ello, porque los derechos del artículo 9 se supeditan a *las leyes nacionales que regulen su ejercicio*. Aun cuando se trata de dos derechos independientes, y así se desprende de la redacción del artículo, lo cierto es que esta fórmula de

---

[458] El TEDH ha establecido la distinción entre matrimonio y vida familiar. La sentencia *Marckx, op. cit.*, es representativa de esta diversa consideración de la vida familiar y el matrimonio.

[459] *«Artículo 9. Derecho a contraer matrimonio y derecho a fundar una familia.*
Se garantizan el derecho a contraer matrimonio y el derecho a fundar una familia según las leyes nacionales que rijan su ejercicio».

regulación da la posibilidad o puede abrir la puerta a restricciones en el reconocimiento de realidades familiares que no se habrían dado en el caso de que se hubiera dejado el ámbito familiar sólo regulado en el artículo 7. Lo que también parece claro, es que la Unión Europea, en el momento de redacción de la Carta, y a pesar de los continuos esfuerzos en este sentido del Parlamento Europeo, no parece estar dispuesta a entrar en la controversia acerca del reconocimiento del matrimonio homosexual.

Como hemos apuntado antes, a pesar de su vocación de formar parte del Derecho Comunitario primario, lo cierto es que esta Carta de Derechos Fundamentales finalmente no fue incorporada a los Tratados, y quedó durante mucho tiempo convertida en una mera declaración de intenciones sin carácter jurídico vinculante. Quizás uno de los motivos por los que se decidió su no incorporación al derecho primario fue que ya se empezaba a preparar el proyecto de Constitución Europea, por lo que se quería revestir el reconocimiento de derechos fundamentales de la Unión Europea de un nivel de legitimación mucho mayor, al ser aprobado por los ciudadanos de la Unión en referéndum. Finalmente, la Constitución Europea no superó la prueba de las urnas y nunca entró en vigor, por lo que los derechos fundamentales volvieron a quedar sin auténtica fuerza normativa, hasta más adelante, como veremos, pero es interesante analizar cómo se pensó en desarrollar el reconocimiento de la diversidad sexual en este documento.

La Constitución Europea[460] establece como valores en los que se fundamenta la Unión la dignidad humana, la libertad, la democracia, la igualdad, el Estado de Derecho y el respeto de los derechos humanos[461]. Para llevar a cabo ese respeto de derechos, la Constitución[462] incorpora la Carta que hemos visto con anterioridad, además de habilitar a la Unión para adherirse al CEDH, constituyéndose en cualquier caso los derechos reconocidos en este tratado internacional

---

[460]   Tratado por el que se establece una Constitución para Europa, DOUE C310 de 16 de diciembre de 2004.
[461]   Art. 2 de la Constitución Europea.
[462]   En extenso, F. MERLI, «Hacia una Constitución Europea», *Revista de Derecho Comunitario Europeo*, año n° 5, n° 9, pgs 241 ss.; R. QUESADA SEGURA, *La Constitución Europea y las Relaciones Laborales*, Sevilla: Monografías de Temas Laborales, 2004.

en principios generales de la Unión, junto con las tradiciones constitucionales comunes a los Estados miembros[463]. Además de todas estas remisiones y reconocimientos de la naturaleza jurídica de otros documentos, la propia Constitución incorpora una prohibición expresa de discriminación con una redacción idéntica a la de la Carta, e incluye un nuevo artículo III-1 bis, en el que otorga fuerza vinculante transversal a la prohibición de discriminación, esta vez no por todos los motivos expuestos en la redacción proveniente de la Carta, sino tan solo por sexo, raza y origen étnico, religión o convicciones, discapacidad, edad u orientación sexual, esto es, por el listado de motivos recogido en Ámsterdam.

Además recoge la habilitación normativa a la Unión[464] para crear una ley, o ley marco europea (que en este caso no suponía, en la nueva estructura de fuentes establecida por la Constitución, una atribución para armonizar la legislación de los Estados miembros, sino tan solo el establecimiento de los principios de base de las medidas de estímulo de la Unión y de apoyo de las acciones de los Estados miembros), para establecer políticas de lucha contra la discriminación en relación a los motivos del listado de Ámsterdam, y otorga al Parlamento, en contra de lo que se hacía en este Tratado, un papel decisivo en el proceso legislativo al ser necesaria su aprobación, y no solo su mera consulta, como ya hemos visto que ocurría en Ámsterdam.

En cualquier caso, la naturaleza normativa de la Carta va a sufrir una importante transformación con su incorporación al Derecho primario a través de la aprobación del Tratado de Lisboa, que analizaremos un poco más adelante.

De todos modos, empezaremos a observar cómo comienza a ser la orientación sexual un motivo de discriminación que ya no puede obviarse en algunas acciones comunitarias, en las que aparece ya como finalidad la lucha contra las posibles discriminaciones a las que se enfrenta la población LGBTI en Europa. Así, se introduce en plano de igualdad con otros motivos de discriminación, en la Decisión del Consejo por la que se establece un programa de acción comunitario para luchar contra la discriminación (2001-2006), la necesidad de protec-

---

[463] Art. 7 de la Constitución Europea.
[464] Art. III-5 de la Constitución Europea.

ción de la orientación sexual en su artículo 1: «*La presente Decisión establece, para el periodo comprendido entre el 1 de enero de 2001 y el 31 de diciembre de 2006, un programa de acción comunitario destinado a promover medidas de lucha contra la discriminación directa e indirecta basada en motivos de origen racial o étnico, de religión o creencias, discapacidad, edad u orientación sexual...*»[465]

4.2. EL TEDH Y EL TJUE ANTE LOS NUEVOS RETOS

La sensación de que cambios importantes se avecinan en el tratamiento jurídico de la diversidad sexual, va a venir acompañada de la irrupción en la escena legislativa y jurisprudencial del paulatino reconocimiento de la orientación sexual como motivo merecedor de la protección antidiscriminatoria. En este contexto, va a resultar especialmente compleja la posición que tradicionalmente, y en relación a determinados asuntos, han venido manteniendo los Altos Tribunales europeos, a la vez que se vislumbran en el horizonte nuevas y más exigentes reivindicaciones de reconocimiento de derechos. Al estudio de este escenario vamos a dedicar las siguientes páginas[466].

4.2.1. *La eterna cuestión de las diferentes edades de consentimiento*

Una de las reivindicaciones que con más tenacidad se ha defendido a lo largo del tiempo por parte del colectivo LGBTI es precisamente la relacionada con la diferente edad en la que se considera el consentimiento para tener relaciones sexuales como válido, y que en muchos Estados europeos tradicionalmente ha sido distinto para las relacio-

---

[465] Artículo 1 de la Decisión 2000/750/CE del Consejo, de 27 de noviembre de 2000, por la que se establece un programa específico de acción comunitario para luchar contra la discriminación (2001-2006), accesible en http://eur-lex. europa.eu/legal-content/ES/TXT/HTML/?uri=CELEX:32000D0750&from=EN (consultado el 12 de noviembre de 2014).

[466] Sobre la evolución de la protección antidiscriminatoria en este periodo, en ambas sedes, ver D. MARTIN, *Egalité et Non-Discrimination dans la Jurisprudence Communautaire. Etude Critique à la Lumière d'une Approche Comparatiste*, Bruselas: Bruylant, 2006.

nes sexuales homosexuales masculinas (allí donde no eran objeto de represión penal absoluta), respecto de las relaciones heterosexuales y lésbicas, haciendo depender por ello la posibilidad de cometer un ilícito penal del género de quienes mantuvieran esa relación sexual. Y resulta particularmente inquietante que iniciemos el siglo XXI arrastrando aún esta diferencia de trato, cuando, como hemos visto ya, desde *Dudgeon* la penalización de la prácticas homosexuales en privado entre adultos se considera contraria al derecho a la vida privada garantizado en el CEDH y la orientación sexual ha sido considerada por el TEDH como uno de los motivos merecedores de la protección antidiscriminatoria.

En efecto, conviene recordar que la reclamación de la despenalización de las prácticas homosexuales ha venido siendo una constante en la litigación estratégica ante el TEDH ya desde *Dudgeon*, junto con la igualación de las edades de consentimiento, no habiendo obtenido, respecto de esto último, respuesta positiva hasta el final de los años noventa del siglo pasado, a pesar del intenso esfuerzo llevado a cabo por los colectivos LGBTI[467], especialmente, aunque no solo, como veremos *infra*, en el Reino Unido. Algunos de los asuntos que se prepararon para continuar con la campaña fueron finalmente archivados por cuanto el Gobierno británico accedió a modificar la legislación vigente, como va a ocurrir con el recurso presentado por Euan Sutherland. Sin embargo, en este caso el acuerdo al que llegaron las partes se produjo después de que la CoEDH hubiera emitido su dictamen. No obstante el hecho de que este trabajo haya limitado su ámbito de investigación a las sentencias del TEDH, no incorporando por tanto la multitud de importantísimas respuestas interpretativas del CEDH protagonizadas por la CoEDH, es necesario hacer una excepción en este caso, ya que el dictamen de la CoEDH en el asunto, del que se-

---

[467] Stonewall lideró en buena medida esta campaña. Para conocer un resumen de las diferentes actuaciones que en este sentido llevó a cabo este colectivo, ver http://www.stonewall.org.uk/at_home/hate_crime_domestic_violence_and_criminal_law/2643.asp (consultado el 25 de febrero de 2015). Para un listado completo de los diferentes asuntos que han llegado al entramado jurisdiccional del Consejo de Europa (incluyendo así a la CoEDH), se puede consultar el detallado gráfico que aporta P. JOHNSON, *Homosexuality and the European Court of Human Rights*, Oxon: Routledge, 2013, Appendix 2.

guidamente nos vamos a ocupar, tuvo una enorme repercusión en el colectivo LGBTI que no podemos obviar.

Efectivamente, la decisión de la CoEDH en el asunto *Sutherland v. Reino Unido*[468], va a suponer la primera constatación de la potencialidad de la prohibición de discriminación por orientación sexual, como instrumento necesario en la protección del ejercicio legítimo de libertad sexual y sentimental. Como ya hemos anticipado, se trata de un ejemplo de litigación estratégica preparada con ayuda de la ONG Stonewall, personada en este asunto, en el marco de una campaña de presión muy importante en la política doméstica del Reino Unido, hasta el punto de que se había logrado ya la reducción de la edad de consentimiento de las prácticas homosexuales masculinas de los 21 a los 18 años, no equiparándose, sin embargo, con la edad válida para consentir cuando se trataba de relaciones sexuales heterosexuales o entre mujeres, que se situaba en 16 años.

La situación de partida que condicionó la presión hacia un cambio legislativo en esta materia era, aún en 1994, especialmente represiva, criminalizando las relaciones sexuales entre hombres por debajo de los 21 años, incluso cuando ambos eran menores de esa edad, y con consecuencias penales tanto para los mayores que tuvieran relaciones sexuales con menores de 21 años, como para los menores de esa edad. Sin embargo, en estas circunstancias, el Parlamento británico no consiguió llegar a un acuerdo acerca de la igualación de las edades de consentimiento, rebajando la masculina para las relaciones sexuales homosexuales a los 18 años, quedando, por tanto, un ámbito de edad, de los 16 (edad de consentimiento heterosexual y lésbico) a los 18 años en los que se mantenía la posibilidad de persecución penal. El informe de la CoEDH refiere las considerables dificultades que la pretensión de la igualación de las edades de consentimiento para las relaciones sexuales de todo tipo tuvo durante el proceso de modificación legislativa que se produjo poco antes de la recepción del recurso que nos ocupa.

La opinión de la CoEDH comienza haciendo un recorrido histórico respecto de la posición que tanto ella misma como el TEDH han mantenido a lo largo del tiempo, y en la que han considerado conforme al derecho a la vida privada del art. 8 del CEDH la diferenciación

---

[468] Asunto *Sutherland v. Reino Unido*, de 1 de julio de 1997, Commission Report (31).

en las edades de consentimiento. Pero antes de entrar en la valoración de si el Reino Unido tiene margen de apreciación legítimo en este sentido, hace un cambio radical de perspectiva, admitiendo de forma indubitada el análisis que el recurrente había abordado con especial ímpetu, consistente en entender esta diferencia en la edad de consentimiento en términos de igualdad de trato, y no de mera vulneración del derecho a la vida privada[469]. Así, admite la CoEDH que lo que hay que interpretar es si se ha producido una vulneración del art. 8 en conjunción con el art. 14 del CEDH, esto es, si esta diferencia de trato es discriminatoria[470]. Y ésta es una acertadísima apuesta del demandante[471] por cuanto va a suponer de hecho una transformación conceptual que adelanta la CoEDH y que vamos a ver recogida en la jurisprudencia del TEDH ya en *Da Silva Mouta*. La incorporación de la lectura de los asuntos relacionados con la orientación sexual en términos de igualdad, y no solo de vida privada, solo va a ser posible desde una modificación conceptual básica respecto de la concepción de las diferentes orientaciones e identidades sexuales, modificación que tiene su origen en un profundo cambio de valoración moral de tales fenómenos, no en el sentido de otorgarles valor moral, ni de estar de acuerdo con estas opciones, pero sí en el sentido del papel del Derecho en este ámbito, de la legitimidad de la actuación del Estado

---

[469]   Se trata de un cambio de perspectiva sobre el que ya se había discutido al abordar las modificaciones legislativas nacionales. Así, Tony Blair, jefe de la oposición laborista en aquel momento, en contestación al partido conservador, opuesto a la igualación de las edades de consentimiento, indicaba «[l]et us be clear about the issue before us tonight. It is not at what age we wish young people to have sex. It is whether the criminal law should discriminate between heterosexual and homosexual sex. It is therefore an issue not of age, but of equality. By supporting equality, no one is advocating or urging gay sex at 16 any more than those who would maintain the age of consent for heterosexual sex advocate that girls or boys of 16 should have sex. It is simply a question of whether there are grounds for discrimination». Asunto *Sutherland v. Reino Unid*, *op. cit.*, nº 28.

[470]   *Ibidem*, nº 44.

[471]   Aun cuando también habría resultado interesante abordar la cuestión desde la posible discriminación por género, que en este caso resulta muy fácil de mantener, al tratar de modo distinto las relaciones sexuales entre mujeres y entre hombres. Así, cualquiera que fueran los elementos de comparación escogidos, la respuesta sería siempre la existencia de una diferencia de trato, bien por sexo (comparando sexo homosexual masculino y femenino), bien por orientación sexual (comparando sexo homosexual masculino con sexo heterosexual).

de Derecho en asuntos concernientes a los valores morales socialmente mayoritarios, y su relación con la libertad individual. Sí, hablamos de libertad individual, que ya no se articula sólo en la protección de una esfera de la vida que se encuentra a salvo de injerencias externas, sino de la manifestación pública del ejercicio legítimo de esa libertad individual, que no puede ser protegida plenamente sino a través de la prohibición de discriminación.

Se convierte así la protección antidiscriminatoria, no solo en un instrumento de consecución de la igualdad, como fórmula para lograr mayores cotas de justicia social, sino también, y con la misma importancia, en un mecanismo de protección frente a las posibles consecuencias negativas del uso legítimo de la libertad individual. Si cuando ejercemos un ámbito de libertad determinado que tenemos reconocido, obtenemos consecuencias negativas del ejercicio legítimo de esa libertad, en realidad lo que se nos está negando es precisamente la libertad en sí misma. Pero para poder articular la cláusula de no discriminación en este sentido, primero debemos efectivamente considerar que estamos ante un ejercicio legítimo de la libertad, y aquí es donde la protección en términos de vida privada tiene sus paradójicas consecuencias. Porque lo que hasta ahora hemos estudiado como un cambio en la concepción de la orientación sexual por parte del TEDH cuando ha protegido la vida sexual de los homosexuales de la injerencia del Derecho, no era en realidad una transformación del valor moral que a las relaciones homosexuales se otorgaba, sino, y esto es también importante, el inicio de una modificación de la comprensión del papel del Derecho en las sociedades democráticas que culminará cuando se complete esta protección con la prohibición de discriminación por orientación sexual.

Así, la primera gran transformación tiene que ver con entender que el Derecho no puede tener un papel de imposición de una determinada opción moral hasta el punto de perseguir actos que no causan daño físico ni suponen la captación de la voluntad de quien los realiza, entre personas adultas que consienten. De nuevo, esta nueva posición no supone, en ningún sentido, otorgar valor moral (siquiera en términos de neutralidad moral) a las relaciones entre personas del mismo sexo, pero sí introduce un factor importante respecto de la concepción tanto de la capacidad de actuación de las mayorías en las sociedades democráticas a través del Derecho como del papel que en esta dialéctica mayorías-minorías juegan los derechos humanos. Así, no se considera como admisible para el sistema interferir tanto en la libertad individual como para dictar a las personas, en determinadas condiciones de capacidad y privacidad, cómo y con quién deben mantener relaciones sexuales. Pero de nuevo, se limita esta capacidad de actuación individual a la imposibilidad por parte del Estado de interferir en un ámbito de privacidad, y tan solo esto, de modo que cualquier manifestación externa del ejercicio de esta libertad puede tener consecuencias adversas. No se trata por tanto, a través de la protección de la vida privada, de otorgar legitimidad a la orientación sexual homosexual ni a las posibles variaciones en la identidad sexual de las personas, sino tan solo de negar la posibilidad de intromisión del Derecho en esta esfera de privacidad. En definitiva, más que del reconocimiento de la libertad individual, se trata de la limitación de la acción del Estado, aunque ésta tenga como consecuencia la efectiva existencia de un ámbito de autonomía de la voluntad (y no de libertad en sentido estricto).

Esta fórmula de acercamiento a las reivindicaciones del colectivo LGBTI es la que explica la inconsistencia que hemos visto en las decisiones del TEDH respecto del grado de protección que se ofrecía. Las paradójicas situaciones a las que se ha visto sometido el colectivo transexual, por ejemplo, como hemos tenido ocasión de analizar *supra*, son el mejor reflejo de las consecuencias que esta posición conlleva, y ello a pesar de reconocer el enorme avance que respecto de situaciones precedentes supone la jurisprudencia en relación al art. 8 del CEDH elaborada por el TEDH. Sin embargo, *Sutherland*, respecto de la CoEDH, y *Da Silva Mouta*, para el TEDH, son la culminación de un proceso de legitimación que si bien no ha sido aplicado en toda su extensión, como veremos seguidamente, sí implica una transformación en la respuesta jurídica que la diversidad sexual obtiene a partir de este momento.

Efectivamente, el reconocimiento de la orientación sexual como posible motivo por el que está prohibido discriminar, supone, como ya hemos apuntado, una importante modificación de posicionamiento respecto de la libertad sexual. Ya no se trata de permitir, casi en términos de tolerancia, la existencia de un ámbito a salvo de la injerencia estatal, sino que vamos a asistir a un auténtico reconomiento de la libertad sexual, que tiene consecuencias en las relaciones sociales, más allá de las personas involucradas en la relación sexual y/o afectiva. Va a suponer en definitiva legitimar la libertad individual también en este ámbito. A pesar de lo que pudiera parecer, no es necesario otorgar, con este cambio de perspectiva, valor moral a las relaciones homosexuales, en el sentido de que no es necesario considerar como moralmente válidas las mismas, pero sí supone otorgar ese valor a la libertad individual referida. Se trata, en definitiva, de garantizar el ejercicio de la libertad de decisión frente a la posibilidad de imposición de la mayoría en base a criterios morales determinados. Básicamente lo que se protege es precisamente esta capacidad de decisión individual, deslegitimando que la moral mayoritaria pueda imponer restricciones en este ámbito. Y ello, porque no se protege sólo la vida privada, sino que es igualmente merecedora de protección la consecuencia social de esta libertad, que es precisamente la que viene a proteger la cláusula antidiscriminatoria.

Si nos centramos en el asunto de la igualación de las edades de consentimiento, la aplicación de la prohibición de diferenciar por orientación sexual tiene su base en otorgar la misma virtualidad a la libertad sexual de las personas, invalidando la posibilidad colectiva de represión de determinadas decisiones en esta materia. Y ello va a tener consecuencias decisivas, por cuanto al articular la protección en términos de igualdad, lo difícil va a ser precisamente limitar esta igualdad a determinados ámbitos concretos, como de hecho pretende el dictamen de la CoEDH, cuando expresa que «[a]s to the second ground relied on - society's claimed entitlement to indicate disapproval of homosexual conduct and its preference for a heterosexual lifestyle - the Commission cannot accept that this could in any event constitute an objective or reasonable justification for inequality of treatment under the criminal law»[472]. Y es que la CoEDH realiza una serie de afirmaciones a nuestro juicio contradictorias entre sí: establecer por una parte que la represión de la homosexualidad es un fin legítimo en términos de justificación de la diferencia de trato de situaciones similares, resulta incompatible con una correcta aplicación de la cláusula antidiscriminatoria[473]. La protección que ofrece esta

---

[472]   *Ibidem*, nº 65.
[473]   Así, «[t]he Commission accepts, as does the applicant, that the aim of protecting morals and the rights of others is legitimate. The Commission also accepts that legal measures which prescribe age limits for particular types of sexual behaviour are, in principle, a legitimate way of pursuing that aim. Whether, in the specific case, the aim of protection of morals can be sufficient to justify differing ages is a matter which the Commission will consider in connection with the proportionality of the means and the aim». *Ibidem*, nº 54.

cláusula resulta precisamente de la consideración de los motivos de diferenciación como motivos, en principio, susceptibles de protección frente a diferenciaciones solo basadas en la existencia de estos mismos motivos. Cuando de la aplicación de la cláusula antidiscriminatoria se desprende la necesidad de valorar si existen fines legítimos, estos no pueden estar vinculados a la mera existencia del motivo de discriminación, sino que se debe tratar de otros fines cuya consecución pueda en alguna medida, afectar al tratamiento jurídico del motivo protegido por la cláusula antidiscriminatoria. En otro caso nos encontramos ante la contradicción fundamental de defender la protección de un aspecto relevante en las relaciones humanas y al mismo tiempo considerar que su ataque es lícito.

Lo llamativo de este dictamen es constatar la confusión que en términos teóricos se articula en torno a los mecanismos de limitación de los artículos 8 y 14. La CoEDH utiliza la argumentación elaborada el *Dudgeon*, por ejemplo, para fundamentar la aplicación de la prohibición de discriminación al modo de considerar como una justificación objetiva y razonable la represión de la conducta homosexual a ciertas edades al menos, y valorar como contraria a la igualdad la relación de proporcionalidad entre los medios empleados (la persecución penal) y el fin perseguido (la represión de la homosexualidad). Este tipo de argumentación, que puede ser válida en el análisis de la operatividad del derecho a la vida privada y sus límites, en el momento en que se intenta realizar respecto de la no discriminación, fracasa absolutamente, por lo ya dicho: resulta incompatible considerar como motivo de protección frente a la discriminación a la orientación sexual[474] y a la vez valorar la represión de la homosexualidad como un fin legítimo en términos de igualdad.

Si finalmente la CoEDH hubiera, como de hecho podía hacer, valorado la diferencia en la edad de consentimiento como una cuestión solo vinculada a la posible vulneración del derecho a la vida privada, la limitación de la respuesta dada, en términos de aceptar diferencias en el tratamiento jurídico en base solo a la orientación sexual, pero no a través de la represión penal, hubiera sido consistente. Sin embargo, en

---

[474] La CoEDH en su dictamen opta por no definir si la protección antidiscriminatoria por orientación sexual se incluye en la protección por sexo o por otros motivos, entendiendo que en cualquier caso se encuentra protegida por el art. 14 del CEDH. *Ibidem*, n° 50-51.

términos de no discriminación, realizar tal limitación a la aplicabilidad del art. 14 del CEDH es una contradicción en sus propios términos que tendrá importantes consecuencias, como veremos más adelante.

La segunda cuestión sobre la que merece detenerse en relación a este asunto es la escasa atención que merece, tanto por parte del recurrente, como después por parte de la propia CoEDH la diferencia de trato de las relaciones sexuales entre hombres respecto de las realizadas entre mujeres. Resulta de nuevo ilustrativo del sesgo de género que también esta cuestión suscita, por un lado porque al parecer la legislación nacional no considera igualmente merecedora de reprobación social la homosexualidad femenina, tan poco visible, algo que ha resultado beneficioso para el colectivo históricamente, pero por otro lado, porque esa misma invisibilidad en estos momentos supone un obstáculo en la consecución de las reclamaciones propias de las mujeres lesbianas (por ejemplo, las vinculadas a los derechos reproductivos).

Como ya hemos dicho, el asunto *Sutherland* no llegó al TEDH[475] por cuanto el Gobierno británico asumió la necesidad de modificar su legislación, como de hecho hizo en el año 2000. Sin embargo, no va a ser el único Estado miembro del Consejo de Europa que se va a ver compelido a modificar su edad de consentimiento para la realización de prácticas sexuales entre hombres.

Efectivamente, Austria verá también impugnada su legislación penal en esta materia a través de tres asuntos prácticamente iguales que llegarán al TEDH y serán despachados el mismo día, en dos sentencias sobre las que se pronunciará ya el TEDH, modificando en buena medida la posición que mantuvo la CoEDH, aun cuando llegue a la misma conclusión. Se trata de los asuntos *L. y V. v. Austria*[476] y *S. L. v. Austria*[477], ambos enmarcados en una campaña nacional por la abolición de las diferentes edades de consentimiento. Varios son los extremos que conviene destacar. Por una parte, se trata de nuevos casos de litigación estratégica, todos ellos defendidos por el mismo abogado, Helmut Graupner, conocido activista pro derechos LGBTI,

---

[475]   Decisión *Sutherland v. Reino Unido*, de 27 de marzo de 2001, de archivo.
[476]   Sentencia *L. y V. v. Austria*, de 9 de enero de 2003, Reports of Judgments and Decisions 2003-I.
[477]   Sentencia *S. L. v. Austria*, de 9 de enero de 2003, Reports of Judgments and Decisions 2003-I (extracts).

director de LAMBDA (organización en defensa de los derechos LGB-TI), miembro del comité de expertos para la revisión de la legislación austriaca en materia de delitos sexuales, director para Europa de la International Lesbian and Gay Law Association (ILGLaw), coordinador de la European Commission on Sexual Orientation Law[478], y uno de los abogados con uno de los curricula de litigación estratégica en esta materia más extensos[479].

En segundo lugar, y para constatar la importancia que para una interpretación determinada del derecho vigente tiene la concepción previa de los comportamientos sobre los que se regula, sirva de ejemplo el cambio jurisprudencial que esta cuestión provoca en la respuesta jurídica que el Tribunal Constitucional austriaco desarrolla. Así, uno de los elementos más curiosos de la regulación de la edad de consentimiento sobre la que surge la controversia en Austria era que el art. 209 de su Código Penal establecía que era penalmente responsable el hombre que, habiendo cumplido los 19 años, tuviera relaciones sexuales con un mayor de 14 pero menor de 18. Y resulta relevante para nosotros esta regulación porque pone en evidencia la concepción previa que de las relaciones sexuales entre hombres se tenía[480], considerando éstas solo como relaciones sexuales, que por tanto se producirían de forma esporádica, no duraderas, co-

---

[478] Se trata de una organización formada, como consecuencia del grupo de trabajo creado por la Comisión Europea, el *European Group of Experts on Combating Sexual Orientation Discrimination*, que asesoró a la Unión Europea de 2002 al 2004, por expertos de la mayoría de países europeos, y que después se ha constituido como ONG en defensa del principio de igualdad y de los derechos LGBTI. De hecho, se encuentra detrás de mucha de la litigación estratégica de los últimos años. Se puede consultar en http://www.sexualorientationlaw.eu (consultado el 19 de mayo de 2015).

[479] Para completar la información sobre este abogado, se puede consultar http://www.ilglaw.org/directors.htm#ma_eur (consultado el 3 de marzo de 2015).

[480] De hecho, en intentos anteriores para conseguir la declaración de inconstitucionalidad de la diferente edad de consentimiento, no se había abordado esta controversia desde este punto de vista. Va a ser el Tribunal de segunda instancia el que, al elevar la cuestión al Tribunal Constitucional, indique que «it was incompatible with the principle of equality under constitutional law and with Article 8 of the Convention, as a relationship between male adolescents aged between 14 and 19 was first legal, but became punishable as soon as one reached the age of 19 and became legal again when the second one reached the age of 18». Sentencia *L. y V. v. Austria… op. cit.*, nº 28.

mo son las que puede tener una pareja que mantiene una relación sentimental. Es la constatación precisamente de que entre hombres también puede haber relaciones sentimentales que se prolonguen en el tiempo, lo que modifica la visión que de esta realidad tendrá el Alto Tribunal austriaco, que se resume en los antecedentes de *L. y V. v. Austria* de la siguiente manera: «Given that Article 209 did not only apply to occasional relations but also covered ongoing relationships, it led to rather absurd results, namely a change of periods during which the homosexual relationship of two partners was first legal, then punishable and then legal again and could therefore not be considered to be objectively justified»[481].

En tercer lugar, resulta igualmente interesante la incidencia en la admisión de este tipo de asuntos que la flexible jurisprudencia del TEDH en torno a la condición de víctima ha tenido, y que ha permitido, y esto es particularmente visible en relación con la edad de consentimiento, la mayor utilización de la litigación estratégica. Y es que en cada uno de los recursos presentados ante el TEDH en esta materia, los cambios legislativos ya se habían producido o estaban en fase de producirse. Así, *Sutherland* no llegó a ser visto por el TEDH por cuanto se llegó a un acuerdo amistoso entre las partes que obligó al Reino Unido a igualar las edades de consentimiento, y en los casos contra Austria, ya el Tribunal Constitucional nacional había considerado inconstitucional esta diferente edad de consentimiento. Aún así, por los efectos adversos que de una u otra índole la existencia de esta legislación habían provocado en los recurrentes, el TEDH otorgó la condición de víctima a los mismos, quizás como fórmula para poder pronunciarse sobre esta materia (recordemos que no lo había podido hacer en *Sutherland*), y asentar una importante jurisprudencia de la que el resto de Estados sujetos a la autoridad del Alto Tribunal, dieran buena cuenta.

Y es que además, el TEDH aprovecha la ocasión en estas sentencias para clarificar la inicial postura de la CoEDH, haciendo una aplicación del art. 14 más acorde con su contenido esencial. Así, la decisión del TEDH se va a basar, incontestadamente, en la consideración de la orientación sexual como un motivo merecedor de la protección antidiscriminatoria al nivel de otros expresamente reconocidos, como

---

[481]   *Idem.*

pueden ser el origen o la raza. Es cierto que ya ha tenido ocasión el TEDH de pronunciarse a favor de este reconocimiento en *Da Silva Mouta*, aun cuando no en términos tan rotundo como estos: «To the extent that Article 209 of the Criminal Code (que es el que establecía la diferente edad de consentimiento en la legislación austriaca) embodied a predisposed bias on the part of a heterosexual majority against a homosexual minority, these negative attitudes cannot of themselves be considered by the Court to amount to sufficient justification for the differential treatment any more than similar negative attitudes towards those of a different race, origin or color»[482]. Estos términos son los mismos que los que utiliza el TEDH en *Smith and Grady*[483], pero, y esto es fundamental, expresados en relación a la protección contra la discriminación, y no solo como fórmula de reprobación de la injerencia en la vida privada, lo que tiene consecuencias radicalmente distintas, tanto respecto de quien obtiene la protección, que ve reforzado su motivo de protección en términos de su acomodación con la comunidad, como respecto de la sociedad en su conjunto, que tiene que hacer un esfuerzo de respeto mucho mayor que el que supone la mera abstención de intromisión en el ámbito de lo privado.

Es cierto que el TEDH utiliza elementos ya clásicos de su jurisprudencia, y que hemos analizado *supra*, como los relativos al reconocimiento del margen de apreciación estatal, la importancia de la existencia de un consenso europeo sobre la materia (que en este asunto era ya bastante importante) y la necesidad de realizar una interpretación evolutiva del CEDH para que sea acorde con los cambios sociales que se van produciendo, pero el elemento decisivo va a ser precisamente la modificación de la valoración que la orientación sexual va a tener: de una cuestión que incluso genera cierto disgusto en algunos de los magistrados del TEDH, como hemos tenido ocasión de ver desde *Dudgeon*, a su consideración como un motivo merecedor de la protección frente a la discriminación en las mismas condiciones que la raza o el origen[484]. En este cambio radical de actitudes van a tener un importante peso en este momento los avances

---

[482] Sentencia *L. y V. v. Austria... op. cit.*, n° 52.
[483] Sentencia *Smith and Grady v. Reino Unido... op. cit.*, n° 97.
[484] En este sentido, ver J. WINANDY y M. NUSSBAUM, «From Disgust to Humanity: Sexual Orientation and Constitutional Law», *Archives Européennes de Sociologie*, vol. 51, n° 3, 2010.

que en el seno de la Unión Europea se están consolidando. La aprobación del art. 13 del Tratado de Amsterdam con la expresa referencia a la
orientación sexual dentro del listado de motivos por los que las políticas
comunitarias debían prohibir discriminar, en igualdad de condiciones
con el sexo, el origen racial o étnico o la religión, por ejemplo, así como
los frutos que tal mandato competencial ha dado, sobre todo a través de
la Directiva 78/2000, que ya hemos analizado en profundidad, por no
mencionar la Carta de Derechos Fundamentales o la fallida Constitución Europea, marcan definitivamente el camino, y es muy difícil que en
semejantes circunstancias el TEDH pudiera haber mantenido, no ya la
diferencia en la edad de consentimiento, sino incluso el no reconocimiento expreso de la orientación sexual como motivo de protección frente a
la discriminación (aun cuando ya lo hubiera hecho, pero de forma muy
poco motivada, en *Da Silva Mouta*).

Las consecuencias de una tal transformación en la visión que la diversidad sexual va a tener para las nuevas reivindicaciones del colectivo van
a ser ambivalentes, cuando no completamente contradictorias, ya que el
empuje legitimador de la igualdad es muy difícil de limitar. Tendremos
que asistir, nuevamente, a un asunto relacionado con la persecución penal de un hombre por mantener relaciones sexuales con otro mayor de
16 años, pero menor de 18 en el Reino Unido. Se trata del asunto *B.B. v.
Reino Unido*[485], que condena al Reino Unido por la vulneración del derecho a la vida privada en conjunción con la prohibición de discriminación
por orientación sexual, tratándose más de un problema de actuación policial y y de fiscalía, en el periodo de transición entre la rebaja de la edad
de consentimiento a los 18 años y la entrada en vigor de la igualación de
las edades de consentimiento, fruto del compromiso del Gobierno británico en Sutherland. Por todo ello, no aporta esta sentencia ninguna novedad en torno a esta cuestión, y así, no va a ser objeto de más comentarios.

4.2.2. *Vida familiar*

El reconocimiento explícito de la prohibición de discriminación
por orientación sexual, tanto por parte del TEDH como en relación a
las novedades legislativas que desarrollará la Unión Europea, va a su-

---

[485]   Sentencia *B.B. v. Reino Unido*, de 10 de febrero de 2004, no publicada.

poner un auténtico balón de oxígeno en la actividad reivindicativa de los colectivos LGBTI, que favorecerá la búsqueda de nuevos espacios de igualdad, y en concreto, repercutirá en una importante campaña a favor del reconocimiento de los vínculos afectivos y familiares de las parejas homosexuales. Sin embargo, es éste un ámbito en el que los avances van a resultar más difíciles de alcanzar, por cuanto afectan a la muy enraizada concepción del modelo de familia que aún persiste en las sociedades occidentales[486].

Así, el primer asunto de estas características que va a resolver el TEDH en el inicio del siglo XXI es la reivindicación elevada por un ciudadano español, el señor Mata Estevez, contra España[487], respecto de su imposibilidad de percibir una pensión de viudedad tras la muerte de su compañero sentimental, con el que había convivido y compartido su vida durante más de diez años. La respuesta del TEDH será de inadmisión, pero para fundamentar su decisión, adelantará una visión del contenido de la vida privada y familiar y de la incidencia de la prohibición de discriminación a este respecto, que es necesario analizar con algo de detalle.

Conviene señalar, para empezar, que este asunto había sido previamente inadmitido a trámite por el Tribunal Constitucional español, que en esta materia no ha sido precisamente impulsor de un reconocimiento jurisprudencial de los derechos relacionados con la diversidad sexual[488], produciéndose los importantes cambios en España a través

---

[486] Sobre la situación en ese momento del reconocimiento de las parejas homosexuales, no solo en Europa, ver R. WINTEMUTE y M. ANDENNES, *Legal Recognition of Same-Sex Partnerships: a Study of National, European and International Law*, Oxford: Hart Publishing, 2001.

[487] Sentencia *Mata Estevez v. España*, de 10 de mayo de 2001, Reports of Judgments and Decisions 2001-VI.

[488] Quizás debería ser objeto de investigación, en el futuro, la escasez de asuntos que en esta materia han llegado a producir sentencias del Tribunal Constitucional español, en parte seguramente por falta de una cultura de litigación estratégica como la anglosajona (no es casual que haya tantos asuntos contra el Reino Unido). Habría que estudiar también, si parte del problema tiene que ver con el procedimiento de admisión a trámite. Un estudio de la jurisprudencia constitucional española en relación con esto se puede encontrar en I. GONZÁLEZ DEL REY RODRÍGUEZ, «Derecho a la No Discriminación y Orientación Sexual: Sentencia TC 51/2006, de 13 de febrero», en J. GARCÍA MURCIA (dir.), *Derechos del Trabajador y Libertad de Empresa: 20 Casos de Jurisprudencia Constitucional*, Navarra: Aranzadi, 2013,

de las sucesivas reformas legislativas[489]. En este asunto, la posición de los tribunales españoles había sido la de considerar que la pretensión excedía de la capacidad de interpretación del derecho por parte de los tribunales de justicia, y por tanto, se trataba de una modificación que solo se podía llevar a cabo a través del Poder Legislativo. Se obvia así, el contenido de derechos humanos (y en el ámbito doméstico, de derechos fundamentales) que la petición incorporaba, y que si hubiera sido tenido en cuenta, seguramente habría sido objeto de al menos una mayor cautela por parte de los tribunales.

En cualquier caso, la respuesta que ofrece el TEDH no va a ser más protectora de los derechos del señor Mata, ya que aquel va a afirmar con rotundidad varias cuestiones: para empezar, que la relación sentimental y sexual prolongada en el tiempo, entre dos hombres, no se encuentra protegida por el derecho a la vida familiar, o lo que es lo mismo, una pareja homosexual no es una familia a efectos del CEDH[490]. Resulta llamativa esta afirmación tan contundente cuando hemos visto ya *supra* cómo el TEDH reconocía el derecho a la vida familiar a una familia compuesta por una persona transexual, su pareja del mismo sexo biológico y la hija biológica de ésta. Respecto del art. 8 solo se reconocerá en este asunto la pertinencia del derecho a la vida privada, con las limitaciones que sabemos que tiene, de modo que solo se protege un ámbito de la vida libre de injerencias por parte del Estado, pero no las consecuencias sociales de una determinada forma de relación. Este último elemento es el que viene a proteger, en principio, el derecho a la vida familiar, aunque a nuestro entender,

---

págs. 175 ss.; F. REY MARTÍNEZ, «Homosexualidad y Constitución», *Revista Española de Derecho Constitucional*, n° 73, enero-abril, 2005, págs. 1 ss. Para un estudio más completo de la situación LGBTI en España, ver el número monográfico AA.VV. «El Movimiento LGBTI en Perspectiva Constitucional», *Revista General de Derecho Constitucional*, n° 17, octubre, 2013.

[489] Se trata de uno de los Estados del Consejo de Europa que ha reconocido más tempranamente el matrimonio homosexual, incluyendo la posibilidad de adopción de hijos, por ley 13/2005, de 1 de julio, por la que se modifica el Código Civil en materia de derecho a contraer matrimonio.

[490] «(…) [T]he Court reiterates that, according to the established case-law of the Convention institutions, long-term homosexual relationship between two men do not fall within the scope of the right to respect for family life protected by Article 8 of the Convention». Sentencia *Mata Estevez v. España, op. cit.*, pág. 4.

también ejerce esa misma función la protección antidiscriminatoria, amplificando su ámbito de actuación.

El TEDH basa su decisión, además, en que no existe un consenso europeo sobre esta materia, y por tanto los Estados gozan de un gran margen de apreciación, pero lo fundamental de su argumentación descansa, principalmente, en considerar que aunque la negación del derecho a la pensión de viudedad pueda suponer una violación del derecho a la vida privada del recurrente, ésta vendría justificada por las expresas limitaciones que este derecho tiene en el segundo párrafo del art. 8. Y es aquí donde radica la incongruencia, porque el TEDH considera que «[t]he applicant might have been treated differently if his partner had been of the opposite sex»[491], pero que esta diferencia de trato en el caso de la legislación española «relating to eligibility for survivors' allowances does have a legitimate aim, which is the protection of the family based on marriage bonds»[492]. Pues bien, para empezar, hay que subrayar que el tipo de análisis que se hace incorpora las limitaciones del art. 8 junto con la fórmula de aplicación de la prohibición de discriminación, realizando una especie de fusión entre ambos artículos que no estamos seguros de que sea intencional, y si así fuere, en cualquier caso, tiende más a confundir los enfoques que a clarificar la interpretación de ambos artículos.

Por otro lado, conviene señalar en este punto que la legislación española sobre esta materia admitía el reconocimiento del derecho a la percepción de la pensión de viudedad en el caso de parejas de hecho heterosexuales, cuando la convivencia se había producido antes de 1981, año en el que se aprueba la posibilidad de divorcio, de modo que se protegía a las relaciones de convivencia heterosexuales que no habían podido culminar en la celebración del matrimonio por estar uno de los miembros de la pareja casado previamente, esto es, se trataba del reconocimiento jurídico de una relación sentimental que por impedimentos legales no había podido convertirse en matrimonio. Evidentemente, el recurrente aportó esta argumentación en su motivación del recurso, y no es una cuestión menor, ya que se trataba de una situación comparable con la que tenían las parejas

---

[491]   *Ibidem.*
[492]   *Ibidem.*

homosexuales que, aún manteniendo una relación sentimental y de convivencia equiparable, no podían casarse al no ver reconocido este derecho en la legislación nacional. Si se hubiera aplicado el artículo 14 y se hubiera utilizado la metodología de la comparación entre situaciones equiparables, seguramente la conclusión no habría sido al menos tan fácil, ya que argumentar, de nuevo, que encontramos una justificación objetiva y razonable para la diferencia de trato en el hecho de que se trate de una pareja de personas del mismo sexo, es tanto como decir que es una justificación objetiva y razonable la orientación sexual, cuando acabamos de admitir como motivo protegido contra la discriminación precisamente la orientación sexual. Pero es que, por más que se haya intentando justificar esta diferencia de trato en base a la posible limitación a través del art. 8.2., lo cierto es que en este caso ni siquiera podemos determinar que se trata de proteger a la familia fruto del matrimonio (veremos más adelante, si éste es en cualquier caso un argumento válido). Y en este punto es en el que más dificultad va a tener el TEDH.

Nos indica el recurrente a este respecto, y así lo expone el Alto Tribunal, que «Spanish legislation has taken some account of the situation of unmarried couples with regard to their eligibility for a survivors' pension since, under Spanish law, persons living together as man and wife who could not marry each other because divorce was not permissible before 1981 have been eligible for a survivor's pension»[493]. Pero le responde el TEDH que «marriage constituted an essential precondition for eligibility for a survivor's pension and that even in the situation referred to by the applicant it was a notional condition for recognition of eligibility»[494]. O dicho de otro modo, aun cuando la pareja heterosexual no se hubiera podido casar porque la ley no se lo permitía, es una condición indispensable para casarse ser una pareja heterosexual, y por eso se protege a la misma, incluso si no puede casarse. De este modo, ya no se trata de protección de la pareja matrimonial, sino de la misma en cuanto pareja heterosexual, y esto parece difícilmente compatible con la protección de las personas frente a la discriminación por orientación sexual.

---

[493]   *Ibidem.*
[494]   *Ibidem.*

Aun cuando parece que la interdicción de acceso de las parejas homosexuales al reconocimiento de ciertos derechos vinculados a la condición de pareja, parece difícil de sustentar, el siguiente asunto que nos ocupa sitúa el debate en los mismos términos. Y ello a pesar de que vamos a cambiar de organización institucional, ya que nos referimos a una sentencia del TJUE, en concreto a la sentencia *D. y Suecia v. Consejo*, de 31 de mayo de 2001[495]. En este caso, se trata de analizar la reclamación de un funcionario de las entonces Comunidades Europeas que considera haber sido discriminado por orientación sexual al habérsele denegado una asignación familiar por no estar casado con su pareja del mismo sexo, a pesar de estar constituidos como pareja de hecho en su país de origen, Suecia. De hecho el Gobierno sueco se personó en este asunto a favor del recurrente, y más tarde obtuvieron el apoyo de los Gobiernos de Dinamarca y Países Bajos, que también se personaron en la causa a favor de las reclamaciones del demandante. Es por tanto, un asunto que concierne al estatuto del funcionariado de las propias instituciones de la UE, por lo que podría pensarse que, siendo una cuestión en la que los Estados no se van a ver afectados directamente, tratándose de un problema de organización interna de las instituciones comunitarias, tal vez habría sido una ocasión muy propicia para comenzar a crear un clima de transformación en esta materia, sobre todo cuando ya se ha introducido, como motivo de protección antidiscriminatoria, la orientación sexual en el Tratado de Amsterdam, y son multitud de foros, entre ellos la propia jurisprudencia del TEDH, los que reconocen la necesidad de protección en términos de igualdad de las personas LGBTI. Y sin embargo, no obstante todos los elementos que están provocando esta transformación en el tratamiento jurídico de la diversidad sexual, lo cierto es que la sentencia del TJUE en este asunto va a continuar manteniendo una posición muy conservadora, tanto respecto de la protección de la relación de pareja homosexual como, y creemos que esto es un elemento esencial sin el cual no se puede entender la postura del Alto Tribunal, de la limitación en la interpretación del Derecho que un tribunal de justicia, también en el ámbito comunitario, debe mantener.

---

[495] Sentencia *D. y Suecia v. Consejo*, de 31 de mayo de 2001, asuntos acumulados C-122/99 P y C-125/99 P.

Así, acoge el TJUE una interpretación estrictamente literal de la noción de matrimonio, no permitiendo la analogía con la pareja de hecho
homosexual registrada, e indicando para ello que si los países en los
que se regula esta última no han considerado oportuno introducir la
posibilidad de matrimonio homosexual, no va a ser el TJUE en que lo
haga, tratándose de una decisión que solo puede estar en manos del
legislador[496]. Como vemos, la perspectiva de análisis es la de reconocer
o no derechos que provienen de la acción legislativa, y no, como aquí
se defiende, la de proteger auténticos derechos humanos. Si se hubiera analizado este asunto desde esta última perspectiva, seguramente
el TJUE habría encontrado más problemas en negar su posibilidad de
protección en base a su necesidad de *self-restraint*, y se habría visto
compelido a realizar un análisis de fondo mucho más profundo.

Este análisis se completa, sin embargo, cuando debe resolver el argumento expuesto por el recurrente, consistente en considerar que se ha
vulnerado el derecho a la igualdad de trato entre los funcionarios en
razón de su orientación sexual. Y aquí es donde resulta más difícil de
entender la argumentación del TJUE, ya que éste va a utilizar la técnica
de la elección de los elementos de comparación que usó en *Grant*, en
sentido opuesto a cómo lo hizo entonces: si en *Grant* se determinaba
cuáles eran las situaciones comparables para argumentar que podíamos
estar ante una diferencia de trato por orientación sexual pero no por
sexo, ahora que la legislación comunitaria protege frente a la discriminación por orientación sexual, se elegirán los elementos de comparación
para determinar que no es comparable una pareja heterosexual casada
con una pareja homosexual inscrita en un registro de parejas de hecho.
Y realiza esta afirmación utilizando el siguiente esquema de análisis: no
existe vulneración de la igualdad de trato entre funcionarios en razón de
su orientación sexual, ya que lo relevante no es el sexo de los miembros
de la pareja sino la naturaleza jurídica de sus vínculos; para saber si ha
habido diferencia de trato en base a esa naturaleza jurídica, hay que ver si
las parejas de hecho homosexuales y las parejas casadas (heterosexuales)
se encuentran en una situación comparable; para realizar tal apreciación
hay que observar la realidad jurídica de los Estados de la UE (al modo en
que el TEDH utiliza el test del consenso europeo); dado que las políticas

---

[496]   *Ibidem*, nº 38.

domésticas de los Estados miembros no permiten apreciar que haya una equiparación entre matrimonio y otras formas de unión legal, nos encontramos ante la imposibilidad de comparar ambas situaciones; por último, de todo ello se concluye que no ha habido un trato discriminatorio[497]. Es un análisis que no focaliza su atención en la auténtica naturaleza del problema expuesto: ¿son las relaciones de pareja entre personas del mismo sexo merecedoras de una igual protección que las relaciones de pareja entre personas de sexo distinto? Todo lo demás es buscar argumentos que culminan en un razonamiento circular: las parejas homosexuales son tratadas de forma distinta a las heterosexuales por el derecho porque son tratadas de forma distinta por el derecho.

Sin embargo, la acción litigadora ante el TEDH de nuevo, va a empezar a dar sus frutos en esta materia. Hablamos de la sentencia *Karner v. Austria*[498], en la que la jurisprudencia anterior va a ser sutilmente modificada a favor de la protección de al menos algunas cuestiones relacionadas con igualdad de trato en la regulación jurídica de la pareja, sea ésta homo o heterosexual. Las circunstancias concretas del asunto que nos ocupa tienen que ver con la situación en la que queda un ciudadano austriaco a la muerte de su pareja del mismo sexo, y en relación con la negación de la posibilidad de subrogarse en la condición de inquilino en un contrato de alquiler que en principio había sido celebrado entre el arrendador y la pareja, ahora difunta, del recurrente. La legislación austriaca permitía esta subrogación no solo en el caso de matrimonios, sino también cuando se trataba de parejas de hecho, bajo determinadas condiciones (que el recurrente cumplía) y sin especificar el sexo de los miembros de la pareja.

Hay un asunto previo que resulta de enorme interés para nuestra investigación, que va a reforzar la posibilidad de litigación estratégica ante el TEDH, y que se produce por la muerte del recurrente a lo largo de la tramitación de este asunto. Efectivamente, nos encontraremos ante una situación peculiar porque se dan varias circunstancias: muere el recurrente, sin que los llamados a sucederlos acepten la herencia, y por tanto sin que asuman la continuación del proceso; pero es que

---

[497] *Ibidem*, n° 47-52.
[498] Sentencia *Karner v. Austria*, de 24 de julio de 2003, Reports of Judgments and Decisions 2003-IX.

además, ya nos encontramos inmersos en una nueva campaña a favor de cambios en el tratamiento jurídico de la pareja homosexual, como acabamos de ver, y éste va a ser un asunto en el que las organizaciones LGBTI van a participar con particular interés. Así, se personarán en este proceso ILGA-Europe, Liberty (que ya hemos tenido ocasión de ver defendiendo derechos LGBTI en otras ocasiones), y Stonewall, todos bajo la dirección letrada de Robert Wintemute[499], reconocido investigador y activista a favor de los derechos relacionados con la diversidad sexual, además de profesor universitario de prestigio.

Y va a ser una magnífica ocasión que el TEDH va a aprovechar para ampliar considerablemente el ya de por sí amplio margen para la legitimación activa en esta sede. Básicamente lo que el TEDH va a decir es que el único límite para la admisión a trámite y continuación de procesos relacionados con la vulneración de los derechos reconocidos en el CEDH va a ser el que impone la lectura de su artículo 34 y que implica la imposibilidad de ejercer una especie de acción popular para cuestionar en abstracto una legislación nacional[500]. Será necesario, entonces, que nos encontremos ante una situación concreta en la que una persona pueda argumentar que ha sido víctima de una vulneración de sus derechos reconocidos en el CEDH para que podamos poner en marcha el mecanismo de protección del TEDH. Pero dentro de estos límites, esta jurisprudencia nos va a permitir poder continuar con procesos en los que la víctima ha muerto y sus herederos no van a sustituirlo, y ello, en este asunto en particular, por los siguientes motivos: para empezar, porque «human rights cases before the Court generally also have a moral dimension, which must be taken into account when considering whether the examination of an application after the applicant's death should be continued. All the more so if the main issue raised by the case transcends the person and the interests of the applicant»[501]. Pero es que además, «[a]lthough the primary

---

[499]   Robert Wintemute es profesor de Derechos Humanos en la King's College London, y colabora muy activamente tanto doctrinalmente como en su función de asesor jurídico para asuntos concretos con, entre otros, ILGA Europe. Se puede consultar parte de su trabajo en este sentido en https://www.ilga-europe.org/search/node/wintemute (consultado el 16 de noviembre de 2017).

[500]   Sentencia *Karner v. Austria, op. cit.*, nº 24.

[501]   *Ibidem*, nº 25.

purpose of the Convention system is to provide individual relief, its mission is also to determine issues on public-policy grounds in the common interest, thereby raising the general standards of protection of human rights and extending human rights jurisprudence throughout the community of Convention States»[502]. De este modo, cuando se trate de asuntos cuyo interés trascienda el particular del recurrente, y además permitan al TEDH establecer de modo general una interpretación de los derechos humanos que sirva para consolidarlos a nivel europeo, la ampliación de la legitimación activa se verá reforzada[503].

Y en este sentido va a tener particular importancia la personación de los colectivos de protección de derechos LGBTI a los que hemos hecho referencia, porque su presencia va a permitir al TEDH afirmar que «the subject matter of the present application —the difference in treatment of homosexuals as regards succession to tenancies under Austrian law— involves an important question of general interest not only for Austria but also for other States Parties to the Convention. In this connection the Court refers to the submissions made by ILGA-Europe, Liberty and Stonewall, whose intervention in the proceedings as third parties was authorised as it highlights the general importance of the issue»[504]. De este modo, uno de los elementos que se van a tener en cuenta para valorar si efectivamente nos encontramos ante un asunto de interés general, que por tanto deba ser examinado aun cuando la víctima no continúe con el proceso, es precisamente la personación de organizaciones sociales, lo que va a suponer un elemento de legitimación de la importancia de la posible vulneración de los derechos de que se trate, y en última instancia, confiere un nuevo rol a estas organizaciones, que ven reforzada su función de promoción de la litigación estratégica.

Pero además, nos encontramos ante una sentencia ciertamente relevante por cuanto va a aplicar la prohibición de discriminación por orientación sexual para proteger a la pareja homosexual, aun cuando esta protección se haga en términos aún tibios, como vamos a ver. Efecti-

---

[502] *Ibidem*, n° 26.
[503] En contra de esta opinión se muestra el único voto particular discrepante en esta sentencia, que se basa exclusivamente en la expresión de su disconformidad con una tan abierta interpretación de la legitimación activa. *Ibidem*, voto particular del Magistrado Grabenwarter.
[504] *Ibidem*, n° 27.

vamente, se trata de una posición jurisprudencial que elude alguno de los asuntos más relevantes respecto del tratamiento jurídico de la pareja homosexual. Así, evita pronunciarse acerca de si nos encontramos ante una posible violación del derecho a la vida privada, o por el contrario, lo que se ve afectado es el derecho a la vida familiar. Y este es un asunto de suma importancia para el colectivo, no debemos olvidar que el TEDH acaba de decir que la pareja homosexual no es una familia a efectos del CEDH, por lo que una modificación de este pronunciamiento tendría una relevancia innegable. Sin embargo, el TEDH en este asunto se limita a indicar que en realidad «[t]he Court does not find it necessary to determine the notions of "private life" or "family life" because, in any event, the applicant's complaint relates to the manner in which the alleged difference in treatment adversely affected the enjoyment of his right to respect for his home guaranteed under Article 8 of the Convention»[505].

Por otro lado, la tibieza en la respuesta jurisprudencial en este asunto se observa también respecto de la aplicación del art. 14 del CEDH, aunque con ciertas salvedades. Nos encontramos de nuevo ante un esquema de análisis en términos de no discriminación que entiende que en este asunto, para que estemos ante una justificación objetiva y razonable, además de que la diferencia de trato se base en un fin legítimo, y aquí otorga tal condición a la protección de la familia tradicional, tal diferencia de trato debe guardar una relación de proporcionalidad entre el fin legítimo perseguido y los medios utilizados para ello. Y en este caso considera el TEDH que no se ha respetado esta relación. De nuevo la vía de la proporcionalidad como el modo en que se empieza a modificar una situación de discriminación, permitiendo al mismo tiempo no cambiar radicalmente la base teórica que justificaba hasta ahora la diferencia de trato. Sin embargo, y aquí está la salvedad de la que hablábamos antes, sí resulta interesante cómo la orientación sexual es protegida como motivo de discriminación, elevado de nuevo a la categoría de motivo especialmente sospechoso respecto del cual se deben dar justificaciones particularmente contundentes para que una diferencia de trato basada exclusivamente en él sea legítima. Es ahora cuando empiezan a dar sus frutos todos los esfuerzos de transformación que hemos estudiado hasta el momento, ya que en este asunto el TEDH va a aplicar el test de con-

---

[505] *Ibidem*, nº 33.

senso europeo en el sentido de reconocer que la situación se ha visto radicalmente alterada, y que se puede concluir que efectivamente, tal y como apuntan las organizaciones que se personan en este asunto, «a growing number of national courts in European and other democratic societies required equal treatment of unmarried different-sex partners and unmarried same-sex partners, and that that view was supported by recommendations and legislation of European institutions»[506].

Distinta va a ser la respuesta del TEDH cuando se le presente una reclamación de igualdad de derechos respecto de la posibilidad de adopción por parte de una persona homosexual. La sentencia *Fretté v. Francia*[507] va a tensar de nuevo la cuerda del reconocimiento de derechos al colectivo LGBTI en una cuestión tan delicada, por cuanto afecta a derechos e intereses particulares de varias partes. Se verá en este caso, de nuevo, la fragilidad del sistema de protección y las limitaciones impuestas por un erróneo entendimiento del derecho a la no discriminación como si se tratara de una mera cuestión neutra, desprovista de valores y principios. Pero empecemos señalando que en este asunto no se personará ninguna organización en defensa de los derechos humanos ni colectivo LGBTI, algo que a estas alturas empieza a sorprender. Quizás no se encuentra aún en la agenda de estos actores sociales esta cuestión, o pudiera ser que al tratarse de un asunto que transcurre en Francia, el seguimiento de sus avances haya sido menos intenso. Lo cierto es que, de lo estudiado hasta ahora, resulta evidente que los colectivos que han impulsado una mayor cantidad de asuntos ante el TEDH y ante el TJUE son precisamente los anglosajones. Seguramente tiene que ver la consolidada utilización en su entorno cultural de la litigación estratégica, algo de lo que el derecho continental adolece, como estamos teniendo ocasión de comprobar aquí. En cualquier caso, sea como fuere, lo cierto es que parece que nos encontramos ante un asunto más relacionado con un interés personal de quien interpone el recurso, que con una nueva línea de actuación colectiva. No obstante, quien dirigirá la defensa legal será de nuevo Robert Wintemute, cuya experiencia en esta sede hemos tenido ocasión de comentar *supra*.

---

[506] *Ibidem*, nº 36.
[507] Sentencia *Fretté v. Francia*, de 26 de febrero de 2002, Reports of Judgments and Decisions 2002-I.

A pesar de su magnífico apoyo legal, las reivindicaciones del señor Fretté no serán atendidas, aun cuando sí se admitirá que se trata de una reclamación de la posible vulneración de los derechos a la intimidad personal y familiar y a la no discriminación[508]. Esto ya supone una consolidación de la variación de criterio que se está experimentando en materia de interpretación de la prohibición de discriminación, y es que vamos a volver al marco interpretativo más abierto del asunto *Régimen Lingüístico Belga*[509], que otorga una mayor operatividad al art. 14, frente a la posición de extrema limitación que se ha venido manteniendo en este tipo de asuntos hasta aquí. Efectivamente, nos encontramos ante la recuperación de la doctrina consistente en considerar que «[f]or Article 14 to be applicable, it is enough for the facts of the case to fall within the ambit of one or more of the provisions of the Convention»[510]. Por tanto, aun cuando estemos ante una reclamación que no se encuentra necesariamente protegida por el CEDH, como es éste el caso, por cuanto «the right to respect for family life presupposes the existence of a family and does not safeguard the mere desire to found a family»[511], lo cierto es que cuando esta reclamación ha sido reconocida a otros colectivos, y no a quien reclama, se activa la posibilidad de protección del TEDH a través del estudio de si ha habido o no discriminación en un ámbito que está reconocido por el CEDH aun cuando la concreta pretensión que se reivindica no se pueda considerar como una obligación adquirida por los Estados[512].

A pesar de este prometedor paso inicial, lo cierto es que no vamos a encontrar más avances en la interpretación del art. 14 dada por esta sentencia. Así, el recurrente defenderá algunos argumentos basados en la inexistencia de pruebas acerca del daño que la adopción de un

---

[508]   Ver D. BORILLO, «Adopción, Homosexualidad e Interés Superior del Niño. Análisis de la Jurisprudencia del Consejo de Estado Francés y del Tribunal Europeo de Derechos Humanos», *Cursos de Derechos Humanos de Donostia-San Sebastián*, vol. 4, 2003, págs. 137 ss.

[509]   Sentencia *Régimen Lingüístico Belga*, *op. cit.*

[510]   Sentencia *Fretté v. Francia*, *op. cit.*, nº 31.

[511]   *Ibidem*, nº 32.

[512]   De hecho, el rechazo de este entendimiento de la aplicabilidad del art. 14 es lo que motivará el voto parcialmente concurrente de los Magistrados Costa, Jungwiert y Traja. *Ibidem*, voto particular concurrente del Magistrado Costa, al que se unen los Magistrados Jungwiert y Traja.

niño o niña por parte de un hombre homosexual pueda suponer, la ilegitimidad de negar la adopción sólo por el riesgo de estigmatización de la persona adoptada, la cantidad de menores que necesitan ser adoptados o la falta de consenso en Europa en relación a la prohibición expresa de adopción para el colectivo. El TEDH no aceptará ninguno, basando su posición, para empezar, en entender que la negativa de la Administración francesa de reconocer la posibilidad de adoptar del recurrente se basa indubitadamente en su condición de persona homosexual, ya que todos los informes de idoneidad han puesto de manifiesto sus magníficas cualidades como posible padre adoptivo[513].

Confirmado este hecho, pareciera que podía ser complicado salvar la existencia de discriminación salvo que se pudiera encontrar una justificación objetiva y razonable. Pero el TEDH apoyará su decisión en el factor determinante de la falta de consenso europeo sobre la materia, y el consiguiente margen de apreciación que debe otorgarse a los Estados[514]. Básicamente la argumentación pivota en torno a la falta de conocimiento en el momento de tomarse esta decisión, acerca de los efectos que la adopción por homosexuales pudiera producir en las personas adoptadas, sin que haya estudios concluyentes sobre este asunto. Teniendo en cuenta que el fin legítimo que se persigue es la protección de la salud y los derechos de los menores, el TEDH acaba afirmando que no se ha producido una vulneración del derecho a la no discriminación por orientación sexual cuando se niega a un homosexual, precisamente por su condición de homosexual, la posibilidad de acceder a la adopción, dado que no hay un consenso europeo en esta cuestión y que, ante la falta de criterios científicos que aseguren que no se trata de un entorno perjudicial para la crianza, se debe dejar en manos de los Estados la toma de este tipo de decisiones.

---

[513] *Ibidem*, nº 37.

[514] El voto particular parcialmente discrepante, por el contrario, indica que un consenso europeo en este ámbito empieza a emerger, en relación a la prohibición de discriminación por orientación sexual, citando para ello la Carta Europea de Derechos Fundamentales y la Recomendación 1474 (2000) de la Asamblea Parlamentaria del Consejo de Europa, basando por tanto ese consenso europeo en la acción legislativa de la Unión Europea y del Consejo de Europa, y no en las realidades nacionales. *Ibidem*, voto particular parcialmente discrepante de los Magistrados Bratza, Fuhrmann y Tulkens.

Dos reflexiones ya vistas vuelven a surgir de esta posición del TEDH,
por un lado, las dudas que suscita una concepción del Alto Tribunal más
como notario de realidades europeas comunes y mínimas en relación a la
protección de derechos humanos garantizada por el CEDH, y por otro,
el singular contenido que se otorga a la cláusula antidiscriminatoria, a la
que se desvincula de todo principio o valor informador, constituyéndose básicamente en una fórmula de análisis de determinadas situaciones
ajena a la finalidad del respeto a la dignidad humana, y más cercana a
su utilización instrumental en aquellos asuntos en los que el contenido
de valor ha venido dado por cualquier otro derecho. No se encuentra
otra explicación a la posibilidad de negar, en base precisamente a uno de
los criterios especialmente protegidos, el disfrute de un derecho que de
otro modo sería reconocido, atribuyendo la licitud de esta negación en
la validez del atributo en sí mismo, sin otorgarle unas consecuencias en
las que pudiera realizarse una auténtica ponderación de derechos. Así, en
este asunto, no se ha producido una real ponderación de los derechos de
los menores con los derechos de las personas homosexuales a adoptar, ya
que lo primero que no estaría claro es que precisamente se estén poniendo en riesgo los derechos de los menores. Algo bien distinto habría sido
el caso si efectivamente se hubiera podido hacer un juicio de congruencia
entre la legítima finalidad de protección de los menores y los medios
utilizados para ello, esto es, que la adopción por parte de un homosexual
es dañina para los intereses de los potenciales adoptados. Pero no se ha
podido llegar a esta conclusión. Como acertadamente afirma el Magistrado COSTA «[t]he fundamental paradox of this judgment seems to me
that it would have been easier to justify the rejection of the complaint on
the legal basis of the inapplicability of Article 14 than to declare Article
14 applicable and then find no breach of it»[515].

Aún así, entendemos que la postura del TEDH en este asunto indica ya un incipiente cambio de actitud que siempre se va produciendo
paulatinamente, ahora aceptando la aplicabilidad del art. 14, lo que
ya supone un importante avance.

---

[515] *Ibidem*, voto particular concurrente del Magistrado Costa, al que se unen los
Magistrados Jungwiert y Traja.

4.2.3. Reivindicaciones relacionadas con la identidad de género

El comienzo del siglo XXI también va a suponer para el colectivo transexual el inicio de un paulatino proceso de reconocimiento de derechos, que empezará de una manera extraordinariamente firme con la importantísima sentencia *Christine Goodwin v. Reino Unido*[516], dictada por el TEDH en el año 2002. Se trata de una sentencia que va a suponer no solo la asunción de las necesidades del colectivo en materia de reconocimiento de derechos, sino también, y esto es igualmente importante, la interpretación de estos derechos en relación a un concepto básico y fundamental que llena de contenido todo el CEDH, la dignidad humana.

Christine Goodwin es una mujer transexual británica que acude al TEDH por entender vulnerados sus derechos de los arts. 8, 12, 13 y 14 del CEDH, al no poder obtener la inscripción registral de su cambio de sexo, debiendo establecer estrategias de camuflaje de su género de origen como las que se vieron en casos anteriores relacionados con la identidad sexual. Estas circunstancias no permiten, sin embargo, el desarrollo de una trayectoria vital normalizada, por cuanto que la exigencia de presentación del certificado de nacimiento ha supuesto la pérdida de muchas oportunidades de todo orden (laboral, formativo, etc.), así como la necesidad de buscar distintos instrumentos de camuflaje que el Derecho inglés ha ido construyendo a lo largo del tiempo, en consonancia con la premisa de partida, también asumida por el TEDH hasta ahora, de adoptar medidas solo paliativas de la situación de las personas transexuales. De este modo, la sra. Goodwin expone las dificultades para tramitar su pensión de jubilación (ya que en el Reino Unido la edad para la jubilación de hombres y mujeres es distinta, y éste será uno de los asuntos controvertidos para el colectivo, como veremos más adelante), los problemas derivados de tener un número de Seguridad Social único, de modo que su empleador podía perfectamente trazar el pasado como hombre de la recurrente[517], algo que al parecer ocurrió

---

[516] Sentencia *Christine Goodwin v. Reino Unido*, de 11 de julio de 2002, Reports of Judgments and Decisions 2002-VI. Esta sentencia se dictó en exactamente los mismos términos, respecto de los argumentos jurídicos que aquí interesan, que la sentencia *I. v. Reino Unido*, de la misma fecha, no publicado, por lo que nos referiremos siempre a la primera.

[517] La recurrente comenzó el proceso de cambio de sexo con 47 o 48 años, habiendo vivido hasta entonces como hombre, casándose y teniendo cuatro hijos,

y tuvo consecuencias de acoso laboral en su lugar de trabajo, y toda una serie de dificultades diarias de imposible solución si se mantiene la legislación británica sobre el modelo de registro civil[518].

Antes de continuar, es necesario señalar que, a diferencia de asuntos anteriores relacionados con la transexualidad en los que parece que la necesidad de respuesta personal ante situaciones especialmente difíciles prima sobre la posibilidad de que se trate de litigación estratégica, en este caso nos encontramos con varios factores que apuntan en la dirección precisamente de esta estrategia litigadora. Por un lado, Liberty se va a personar en el proceso, y su intervención va a resultar especialmente útil, como veremos, para sustentar el nuevo enfoque que el TEDH va a adoptar. Pero por otro lado, vamos a encontrar en la representación de la recurrente a abogados de reconocido prestigio que volveremos a ver en los siguientes asuntos que examinemos, y que tienen relación también con el mundo asociativo de defensa de derechos humanos. En particular, el letrado Tim Eicke, que pertenecía a la dirección de la ONG Interights (hoy tristemente clausurada), y la ahora Magistrada Laura Cox, co-fundadora de Lawyers for Liberty, actuarán en éste y en los siguientes asuntos relacionados con reivindicaciones transexuales en el Reino Unido, como veremos.

El TEDH va a proceder en este asunto a elaborar una pormenorizada argumentación, ya que va a necesitar justificar un cambio de jurisprudencia especialmente relevante: de la aceptación de remedios sesgados y poco operativos para la realidad diaria de las personas transexuales, a una auténtica lectura de la situación de este colectivo en términos de derechos humanos[519]. Para ello, el Alto Tribunal va a tener que esmerarse en concretar los cambios de todo orden que se han producido y que legitiman su cambio de postura (aún cuando no está vinculado por su

---

aun cuando había sido diagnosticada como transexual en la treintena. Sentencia *Goodwin...*, *op. cit.*, nº 13.

[518]   Ya se ha explicado *supra* que se trata de un modelo histórico que registra los hechos acontecidos en el momento en que tuvieron lugar y tal y como sucedieron, de modo que no se puede alterar, salvo que estemos ante errores manifiestos.

[519]   Sobre esta sentencia, ver S. SANZ-CABALLERO, «El Tribunal Europeo de Derechos Humanos y su Respuesta al Reto de la Transexualidad: Historia de un Cambio de Criterio», *American University International Law Review*, vol. 29, nº 4, 2014; J.A. GONZÁLEZ VEGA, «Derecho a la Identidad Sexual: la Posición del Tribunal Europeo de Derechos Humanos», *Revista General de Derecho Europeo*, nº 1, 2003.

proceder previo, las modificaciones en las líneas interpretativas deben estar debidamente motivadas[520]). Y así, basará su nueva posición, por una parte, en la consideración de la importancia de la identidad personal en relación a la vida privada de las personas, y por otro, en analizar los elementos que previamente habían sido considerados en sentencias anteriores para constatar si ha habido un cambio de situación que justifique la modificación jurisprudencial. Tres van a ser los elementos analizados, el estado de la investigación científica y médica sobre la transexualidad, que no aportará, en la valoración del TEDH, ningún dato relevante a efectos de su consideración por el Derecho; la existencia de un consenso europeo e internacional sobre la materia; y el impacto que supondría en el sistema registral inglés la obligación de permitir el cambio de sexo.

Pues bien, en el segundo de estos elementos, la constatación de la existencia de un consenso europeo, van a ser determinantes la aportaciones realizadas por Liberty, ya que en ellas se va a basar expresamente el TEDH para evidenciar que tal consenso existe. Y lo hace en relación a la tendencia al reconocimiento de los derechos del colectivo, reconocimiento que no se ve empañado por la diversidad de respuestas nacionales que se pueden observar. La existencia de éstas es la consecuencia natural del carácter subsidiario de la protección del CEDH y del margen de apreciación que tienen los Estados en la implementación de medidas específicas. Lo realmente relevante a efectos de constatar el consenso europeo sobre la materia es la clara e incontestable aceptación social y el reconocimiento legal que se observa en la mayoría de Estados europeo[521].

Respecto del impacto que sobre el sistema registral británico supondría la obligación de registrar el cambio de sexo, el TEDH considera, de nuevo, que no supone una dificultad insalvable, más aún si se relaciona con la naturaleza de los bienes jurídicos que se pretenden preservar, y que no son otros que la dignidad humana y la libertad. Va a ser en este punto en el que la nueva construcción jurisprudencial adquiera especial interés. Puede ser que el TEDH se haya visto influenciado aún por la estela de tener que resolver un asunto tan duro en términos de derechos humanos

---

[520]   Así, afirma el TEDH que «[w]hile the Court is not formally bound to follow its previous judgments, it is in the interests of legal certainty, foresseability and equality before the law that it should not depart, without good reason, from precedents laid down in previous cases». Sentencia *Goodwin...*, *op. cit.*, n° 74.

[521]   *Ibidem*, n° 85.

como fue la sentencia *Pretty v. Reino Unido*[522], en la que la situación de
la recurrente, especialmente vulnerable, y la importancia de las pretensiones que se pretendían accionar, exigió una particular atención a la argumentación jurídica que permitiera negar a la señora Pretty la decisión
acerca de la forma en la que quería terminar su vida[523]. Seguramente la
radicalidad del conflicto planteado inevitablemente conllevó la apelación
a los más sólidos principios en los que se sustenta el sistema de protección de derechos humanos del CEDH, y es especialmente importante
precisamente la incorporación de la idea de dignidad humana, no como
un elemento retórico que se arguye sin definir su contenido, sino muy
al contrario, como un principio informador que confiere coherencia al
sistema y que funciona no solo como finalidad última a perseguir, sino
como auténtico elemento vertebrador e interpretativo del contenido de
cada uno de los derechos protegidos. Y además, se realiza este análisis
vinculando estrechamente la idea de dignidad y libertad humanas con
el derecho al libre desarrollo de la personalidad, de modo que «Article
8 also protects a right to personal development, and the right to esta-
blish and develop relationships with other human beings and the outside
world»[524], aun cuando «[a]lthough no previous case has established as
such any right to self-determination as being contained in Article 8 of the
Convention, the Court considers that the notion of personal autonomy is
an important principle underlying the interpretation of its guarantees»[525].

Así, cuando escasamente tres meses después, el TEDH tiene que
decidir sobre la situación jurídica de las personas transexuales en
el Reino Unido, utilizará las mismas referencias a la idea de dignidad y libertad humanas y su concreción en el derecho a la autonomía personal, del que el TEDH además indica que «the ability
to conduct one's life in a manner of one's own choosing may also

---

[522] Sentencia *Pretty v. Reino Unido* de 29 de abril de 2002, Reports of Judgments and Decisions 2002-III.
[523] La sra. Pretty padecía una enfermedad degenerativa que terminaría provocándo-
le la muerte, y solicitaba al TEDH que le fuera reconocido el derecho a decidir
cómo morir en vista de que el avance de su patología la iba a someter a una
degradación de su estado físico difícilmente compatible con una vida digna. Así,
pretendía que el Reino Unido no persiguiera a su marido por asistirla en la ter-
minación de su vida, algo que finalmente el TEDH no permitió.
[524] Sentencia *Pretty...*, *op. cit.*, n° 61.
[525] *Idem.*

include the opportunity to pursue activities perceived to be of a physically or morally harmful or dangerous nature for the individual concerned»[526]. De este modo,

> «the very essence of the Convention is respect for human dignity and human freedom. Under Article 8 of the Convention in particular, where the notion of personal autonomy is an important principle underlying the interpretation of its guarantees, protection is given to the personal sphere of each individual, including the right to establish details of their personal identity as individual human beings»[527].

Va a ser esta perspectiva de análisis la que permita tratar la cuestión transexual como un auténtico asunto de derechos humanos, y no como simplemente un problema de adecuación de la apariencia externa de estas personas a uno u otro sexo, de modo que puedan camuflarse en la identidad sexual ejercida. Así,

> «(…) the right of transsexuals to personal development and to physical and moral security in the full sense enjoyed by others in society cannot be regarded as a matter of controversy requiring the lapse of time to cast clearer light on the issues involved. In short, the unsatisfactory situation in which post-operative transsexuals live in an intermediate zone as not quite one gender or the other is no longer sustainable»[528].

Esta decisión acerca de abrir la posibilidad de pertenencia al sexo elegido con todas sus consecuencias, va también necesariamente a aplicarse en relación a la posibilidad de las personas transexuales a contraer matrimonio con personas del sexo contrario al vivido como propio por la persona transexual. No deja de ser una consecuencia coherente del principio establecido de protección de la autonomía personal en términos de dignidad humana, pero va a suponer una ruptura de uno de los pilares más sólidos de la concepción más tradicional del matrimonio, que establece que sólo puede celebrarse el mismo entre personas de diferente sexo biológico. Y ello se va a producir acudiendo a la constatación de la separación del matrimonio y la procreación, en los mismos términos en los que hemos estudiado *supra* que se debatían partidarios y detractores de la concepción del matrimonio defendida por la nueva escuela de De-

---

[526]   *Ibidem*, nº 62.
[527]   Sentencia *Goodwin…op. cit.*, nº 90.
[528]   *Idem.*

recho Natural. El TEDH, de hecho, argumentará que «Article 12 secures
the fundamental right of a man and woman to marry and to found a
family. The second aspect is not however a condition of the first and the
inability of any couple to conceive or parent a child cannot be regarded
as *per se* removing their right to enjoy the first limb of this provision»[529].

De este modo, la institución del matrimonio va a incorporar la
posibilidad de modelar las características personales de los contra-
yentes en términos distintos de la realidad biológica que supone su
respectivo sexo biológico. Esta innovación en la interpretación del
matrimonio que, en principio, podría pensarse como una apertura
también a la posibilidad del matrimonio homosexual, no será llevada
hasta sus últimas consecuencias, como veremos *infra*, y ni tan siquiera
a la propia puesta en práctica de la opción de contraer matrimonio
por parte de las personas transexuales.

Aún así, adolece esta sentencia de una limitación que va a resultar
extraordinariamente importante para el futuro desarrollo de esta jurisprudencia, y que consiste en, de nuevo, la negación de la necesidad de
analizar esta controversia en términos de no discriminación. Ya hemos
visto lo limitado que ha resultado en el pasado pretender que la sola
protección a través del reconocimiento de la vida privada sea suficiente para satisfacer las necesidades derivadas de un libre ejercicio de la
orientación y/o la identidad sexual. Y en este asunto se incurre en el
mismo error, con quizás una agravante, ya que mientras en el pasado
esta postura jurisprudencial se sostenía más en términos de tolerar lo
que disgusta, ahora ya sí podemos afirmar que estamos ante una construcción teórica que reconoce en sus justos términos las reclamaciones
del colectivo LGBTI, a través de una lectura coherente y omnicom-
prensiva de los valores que el sistema de derechos humanos incorpora.
Y sin embargo, parece que se pierde una parte muy importante de un
concepto básico en este sentido, cual es el de dignidad humana. Ésta
se va llenando de contenido, como ya hemos apuntado, a través del
reconocimiento del libre desarrollo de la personalidad, de un derecho
al desarrollo personal que se perfila como objetivo necesario. Sin embargo, en esta tarea sólo se pone el acento en la necesidad de preservar
un ámbito de libertad, que se amplía en aplicación de la idea de dig-

---

[529] *Ibidem*, n° 98.

nidad humana, una idea que permite al sistema sacudirse restricciones morales que, si bien perfectamente lícitas en otros ámbitos, no tienen cabida en materia de derechos humanos. Acudiendo sólo al concepto de libertad, y otorgando un papel exclusivamente amplificador de ésta a la dignidad humana, no terminamos de proteger esa pretensión de autodefinición personal, de autorrealización que tan necesaria parece en nuestra vida en sociedad. Y ello porque el reconocimiento de un ámbito de libertad no nos permite proteger a la persona de los efectos adversos que frente a los demás tenga el ejercicio de esta libertad. La libertad nos permite defender nuestra capacidad de decisión, negar la intervención efectiva para impedirnos hacer algo, pero no nos defiende frente a las consecuencias adversas desde el punto de vista social que este legítimo ejercicio de libertad nos comporte, ya que esto solo se consigue incorporando otro principio básico, la igualdad. Efectivamente, solo en la forma de reconocimiento, también, de la igualdad, y no solo de la libertad, lograremos un entendimiento completo del concepto de dignidad humana. El instrumento de protección y de legitimación social del ejercicio de la libertad individual va a ser la igualdad a través de su instrumento más importante en términos de derechos, la prohibición de discriminación. Por ello, no reconocer la esencialidad de la protección antidiscriminatoria en este asunto, supone de hecho, hacer un análisis de la dignidad humana incompleto. Veremos cómo esta postura se revelará como insuficiente para proteger las legítimas reivindicaciones del colectivo.

Y sin embargo, se trata de un avance para la calidad de vida del colectivo transexual de extraordinaria importancia, que además va a extender sus consecuencias a otros ámbitos. Así, por una parte, en el asunto *Van Kück v. Alemania*[530], en el que una mujer transexual exigía el pago por parte de un seguro de salud privado, que pagaba la mitad de los gastos médicos de la recurrente (haciéndose cargo de la otra mitad el Estado alemán), de los gastos derivados de su cambio de sexo quirúrgico, el TEDH, utilizando el mismo esquema de análisis que en *Goodwin*, advierte a las autoridades alemanas que «given the numerous and painful interventions involved in gender reassign-

---

[530] Sentencia *Van Kück v. Alemania*, de 12 de junio de 2003, Reports of Judgments and Decisions 2003-VII.

ment surgery and the level of commitment and conviction required to achieve a change in social gender role, it cannot be suggested that there is anything arbitrary or capricious in the decisión taken by a person to undergo gender reassignment»[531]. Y amplía el ámbito de aplicación del CEDH a las relaciones entre personas privadas, basándose para ello en el mismo concepto de dignidad humana y aduciendo que

> «while the essential object of Article 8 is to protect the individual against arbitrary interference by a public authorities, it does not merely compel the State to abstain from such interference: in addition to this negative undertaking, there may be positive obligations inherent in an effective respect for private life. These obligations may involve the adoption of measures designed to secure respect for private life even in the sphere of the relations of individuals between themselves»[532].

Y así, se confunde la prohibición de discriminación por identidad sexual con el ámbito de protección de la vida privada, ya que de lo que se trata en última instancia es de imponer también a las personas privadas la obligación de tratar las necesidades de las personas de manera que no se produzca discriminación, esto es, que todas ellas puedan desarrollarse en plenitud.

Por otra parte, los efectos extraordinariamente positivos de esta posición jurisprudencial se van a hacer sentir también en el ámbito de la Unión Europea, a través de la sentencia *K.B. y National Health Service*[533], en la que se plantea una cuestión prejudicial sobre posible vulneración del principio comunitario de igualdad de retribución entre hombres y mujeres, ante la reclamación que interpone una trabajadora unida sentimentalmente a un hombre transexual que, en caso de muerte de la primera, no podría cobrar la pensión de jubilación con la legislación aplicable en ese momento en el Reino Unido. Lo primero que resulta interesante es la representación jurídica en este asunto, ya que la sra. Cox y el sr. Eicke, encargado de la defensa, conformaban parte también de la

---

[531] *Ibidem*, n° 59. Contesta aquí el TEDH al argumento defendido por la compañía de seguros y aceptado por el Tribunal de apelación alemán de que la recurrente se había causado a sí misma de forma deliberada su transexualidad, por lo que su tratamiento no se encontraba cubierto por el seguro.

[532] *Ibidem*, n° 70.

[533] Sentencia *K.B. y National Health Service Pensions Agency*, de 7 de enero de 2004, asunto C-117/01.

representación de la recurrente en el asunto *Goodwin*, como hemos indicado *supra*. De esta constatación y del perjuicio potencial de la controversia que se plantea (ya que no es la persona transexual la que lo reclama una vez producido el deceso de su compañera, sino que estamos ante el intento de modificación de una situación que no ha sucedido aún) se deduce fácilmente el carácter de litigio estratégico que este asunto tiene.

Nos encontramos aquí con una reclamación directamente vinculada con la capacidad para contraer matrimonio, ya que la dificultad estriba en que el reconocimiento de la pensión de viudedad solo se constata respecto de los matrimonios, institución que aún en el momento de redacción de esta sentencia no estaba abierta a las parejas en las que uno de los miembros hubiera llevado a cabo un proceso de cambio de sexo[534]. El TJUE, después de afirmar el carácter de retribución, a efectos de la aplicación de la legislación comunitaria, de la cotización como requisito que otorga el derecho a la pensión del cónyuge, en caso de defunción de la persona trabajadora, establece que la desigualdad de trato incide, no en el reconocimiento de una pensión de viudedad, «sino en una condición previa indispensable para su concesión, a saber, la capacidad para contraer matrimonio»[535], ya que «una pareja como la formada por K.B. y R. [la recurrente y su compañero transexual] en modo alguno puede cumplir el requisito del matrimonio (…) para la concesión de una pensión de supervivencia»[536].

Lo interesante de este asunto es la particular acción conjunta que en esta materia van a tener el TJUE y el TEDH, ya que habría sido impensable una sentencia de este tipo, en la que el primero entrara a decidir sobre el alcance del cambio de sexo (recordemos que aún no se ha elaborado el Tratado de Lisboa y que la Carta de Derechos Fundamentales de la Unión Europea no es por tanto vinculante jurídicamente) si ésta no se apoya, como de hecho sucede en este caso, en la previa constatación de una vulneración del derecho al matrimonio del CEDH. Y es particularmente interesante constatar el efecto expansi-

---

[534] El instrumento de aplicación de la sentencia *Goodwin*, la Gender Recognition Act, está en ese momento en fase de elaboración, no siendo sancionado hasta el 1de julio de 2004, lo que provocará varias condenas más al Reino Unido, como resultado de una importantísima campaña de litigación estratégica.
[535] Sentencia *K.B...*, *op. cit.*, n° 30.
[536] *Ibidem*, n° 31.

vo del reconocimiento de derechos humanos cuando lo que el TJUE va a declarar es que la negativa a conceder el derecho a la pensión de supervivencia se opone al art. 141 CE, por ser una interpretación que vulnera el CEDH, y así, la protección en términos de derecho al matrimonio se convierte, casi sin querer, en una protección contra la discriminación de género de una persona transexual.

Pero no será el único asunto en materia de pensiones que tendremos la ocasión de ver tanto ante el TJUE como ante el TEDH. Efectivamente, el año 2006 supondrá la conquista para el colectivo transexual de nuevos ámbitos de reconocimiento, sin olvidar por otra parte, que entre tanto, se ha intentado aprobar la Constitución Europea, como acabamos de ver *supra* y se han elaborado los Principios de Yogyakarta[537], que van a convertirse en una declaración de referencia para todo el colectivo LGBTI. Estamos hablando de dos asuntos, en primer lugar, la sentencia *Sarah Margaret Richards y Secretary of State for Work and Pensions*[538], en el que el TJUE hace frente, a través de una cuestión prejudicial, a la controversia relativa a la aplicación de las diferentes edades de acceso al sistema público de pensiones en razón de sexo por parte de las personas transexuales, y en segundo lugar, a la sentencia *Grant v. Reino Unido*[539], con la que el TEDH tratará sobre la misma cuestión.

De nuevo se hará evidente el carácter de litigación estratégica de los dos asuntos expuestos, si atendemos a las respectivas representaciones legales, que además van a coincidir parcialmente. Así, mientras que el sr. Eicke ya ha defendido las causas de *Goodwin* y *K.B.*, la sra.

---

[537] Estos principios son una declaración internacional en relación a la aplicación del sistema internacional de derechos humanos en materia de orientación sexual e identidad de género. Se pueden consultar en http://www.yogyakartaprinciples. org/principles_sp.htm (consultado el 2 de mayo de 2015). Sobre estos principios, ver D. BROWN, «Making Room for Sexual Orientation and Gender Identity in International Human Rights Law: An Introduction to the Yogyakarta Principles», *Michigan Journal of International* Law, nº 4, 2010, págs. 201 ss.; M. O'FLAHERTY y J. FISHER, «Sexual Orientation, Gender Identity and International Human Rights Law: Contextualising the Yogyakarta Principles», *Human Rights Law Review*, vol. 8, nº 2, 2008, págs. 207 ss.

[538] Sentencia *Sarah Margaret Richards y Secretary of State for Work and Pensions*, de 27 de abril de 2006, asunto C-423/04.

[539] Sentencia *Grant v. Reino Unido*, de 23 de mayo de 2006, Reports of Judgments and Decisions 2006-VII.

Sawyer, perteneciente al servicio legal de Liberty[540], representa los dos asuntos que estamos analizando.

Lo primero que hay que aclarar es que la legislación del Reino Unido establece diferentes edades mínimas de acceso a la pensión de jubilación para hombres y mujeres, situándose para los primeros en 65 años, mientras que a las segundas se les reconoce al cumplir los 60. Lo que reclaman tanto la señora Richards como la señora Grant, ambas mujeres transexuales, es que les sea de aplicación la edad de jubilación femenina, algo que no ocurre en esta fecha, debiendo articularse un complejo sistema de ocultamiento de la condición de transexual de las trabajadoras para evitar sea conocida su condición, que, además, resulta más que cuestionable en términos de eficacia, de manera que se veían sometidas a la penosa situación de hacerse conocida su transexualidad en su entorno laboral. El TJUE va a considerar esta situación contraria a la prohibición de discriminación por razón de sexo, y en concreto al artículo 4, apartado 1, de la Directiva 79/7/CEE del Consejo, de 19 de diciembre de 1978, relativa a la aplicación progresiva del principio de igualdad de trato entre hombres y mujeres en materia de seguridad social, no admitiendo la posibilidad de excepcionar a las personas transexuales de tal prohibición de discriminación.

El mismo sentido tendrá la respuesta del TEDH, entendiendo en este caso que aun cuando el Reino Unido está dando cumplimiento de la sentencia *Goodwin*, el tiempo necesario para la toma de medidas no suspende la condición de víctima de quien padece la privación de sus derechos, que en este caso se reconocerá desde la fecha en que se dictó sentencia en *Goodwin*. De nuevo pierde la oportunidad el TEDH de reconocer la relevancia de la aplicación de la cláusula antidiscriminatoria en este asunto, cuyas repercusiones no tardarán en hacerse patentes.

En efecto, tendremos la oportunidad de valorar la importancia de sus consecuencias en dos asuntos inadmitidos a trámite por el TEDH el mismo día, y que plantean la situación de las familias compuestas por dos personas de sexo biológico opuesto, en las que, después de contraer matrimonio e incluso de tener hijos, uno de los miembros de la pareja decide cambiar de sexo con el apoyo de su compañero/a, de

---

[540]   Información accesible en https://www.liberty-human-rights.org.uk/news/press-releases/equality-win-trans-woman (consultado el 2 de mayo de 2015).

modo que no quieren proceder a la disolución de su vínculo matrimonial. Estamos hablando de los autos de inadmisión en los recursos
presentados por *Wenaand Anita Parry contra Reino Unido*[541], y por
R. y F. contra Reino Unido[542]. Las situaciones que plantean ambos
recurrentes son esencialmente las mismas, con la particularidad de
las pequeñas diferencias legislativas entre Inglaterra y Escocia, que en
esta materia no modifican sustancialmente las controversias, en ambos casos estamos hablando de mujeres transexuales que contrajeron
matrimonio con sus parejas femeninas (en el caso de la señora Parry,
además, el matrimonio tuvo hijos) antes de someterse al proceso de
cambio de sexo. Por ello, vamos a hacer referencia sólo a la inadmisión del asunto *Parry*, cuyo análisis es aplicable igualmente a *R. y F.*
por cuanto reciben la misma respuesta del TEDH.

Y no va a ser una respuesta positiva para las reivindicaciones del
colectivo, no solo por la negación de la admisión a trámite, sino, sobre
todo, por los argumentos en los que se sostiene esta negativa, que van
a suponer un auténtico jarro de agua fría también para las expectativas
de gais y lesbianas que hubieran podido entender en el reconocimiento
del derecho al matrimonio de las personas transexuales una apertura
de la institución a realidades distintas de la pareja heterosexual. Así, el
TEDH vuelve a *Cossey* cuando, aun admitiendo la invasión en la vida
privada y familiar de la recurrente, justifica tal injerencia en el margen
de apreciación estatal, que en este asunto debe ponderar los intereses
del individuo con los de la comunidad, no siendo desproporcionada tal
injerencia. Lo mismo ocurrirá respecto de la posible vulneración del
derecho al matrimonio del art. 12 del CEDH, entendiendo el TEDH
que la remisión a la regulación estatal de los requisitos para contraer
matrimonio que se contiene en dicho artículo, faculta a los Estados para no permitir el matrimonio entre personas del mismo sexo, en base a
las repercusiones morales que se encuentran en juego y a la protección
de los niños. Un lenguaje, en fin, que parecía superado en esta materia.
De nuevo, el TEDH considera que no se puede pedir al Estado que le-
gisle para un pequeño grupo de personas, lo que supone desvirtuar así

---

[541]   Recurso presentado por Wenaand Anita Parry contra Reino Unido, auto de
        inadmisión de 28 de noviembre de 2006.
[542]   Recurso presentado por R. y F. contra Reino Unido, auto de inadmisión de 28 de
        noviembre de 2006.

uno de los fundamentos de toda declaración de derechos humanos. Por último, en este ejercicio de vuelta a posturas que parecían ya definitivamente descartadas, se presentan alternativas existentes para las familias que se encuentran en esta situación, haciendo mención de la posibilidad de registrarse como parejas de hecho, lo que supone una situación muy parecida al matrimonio, recuperando así la apelación a la estrategia de camuflaje, como remedio parcial.

La situación que se crea a través de estas dos inadmisiones no deja de resultar sorprendente: personas casadas durante muchos años, que de repente no pueden seguir casadas a pesar de su voluntad de mantener el vínculo matrimonial, por cuanto antes cumplían con los requisitos para contraer matrimonio de ser dos personas de sexo biológico opuesto y ahora no cumplen con los requisitos porque son del mismo sexo legal, siendo así que sin embargo sí pueden contraer matrimonio con personas de distinto sexo legal aun cuando sean del mismo sexo biológico.

Lo que ocurre en realidad es que el enfoque jurídico de la realidad de la transexualidad ha sido equivocado en un doble sentido:

– Para empezar, porque se ha entendido la transexualidad como la necesidad de pertenencia al sexo contrario al biológico, sin más connotaciones. Es este modo, si se atribuyen todas las capacidades jurídicas del sexo de elección, no hay más controversia. Y sin embargo, la realidad es bien distinta, para empezar porque no incorporar la orientación sexual a la perspectiva de la identidad sexual es un error, no solo respecto de la transexualidad, sino en cualquier caso. La tendencia natural del mundo del derecho de categorizar, en este tipo de conductas humanas, resulta muy difícil, ni la transexualidad tiene como solución que agota todas sus reivindicaciones y necesidades la incorporación a la categoría de hombre o de mujer, ni la orientación sexual, entendida como forma de relación sentimental y sexual entre personas, puede separarse tajantemente de la identidad sexual.

– En segundo lugar, y muy vinculado con lo anterior, el reconocimiento del derecho a la vida privada y familiar o al matrimonio de las personas transexuales no agota todas las necesidades de protección del colectivo, sino que es necesaria una protección en términos de no discriminación. Solo ésta impide que las con-

cepciones morales mayoritarias se impongan frente a la exigencia de respeto a la dignidad humana.

Solo encontraremos una sentencia más del TEDH en materia de
transexualidad antes de la entrada en vigor del Tratado de Lisboa, la
sentencia *L. v. Lituania*[543], en la que un hombre transexual al que le
deniegan tanto el tratamiento quirúrgico como el cambio de sexo legal, tiene que acudir al TEDH que, en aplicación de la jurisprudencia
en *Goodwin*, condenará a Lituania, constatando así la importancia
del sistema europeo de protección de derechos humanos en un contexto regional con Estados muy resistentes al cambio.

4.2.4. *Viejas reivindicaciones y nuevos asuntos*

Otros asuntos que ocuparán la agenda de los órganos jurisdiccionales a nivel europeo, y en concreto, del TEDH, durante este periodo,
exponen dos tipos de cuestiones, por un lado, las que tienen que ver
con controversias que ya parecían resueltas y que sin embargo re-
querirán nuevas intervenciones del Alto Tribunal, y por otro, las que
presagian la aparición de nuevos conflictos, unos vinculados con la incorporación al seno del Consejo de Europa de los países del ámbito de
influencia de la Unión Soviética, algunos de ellos con posiciones ins-
titucionales marcadamente contrarias al reconocimiento de derechos
vinculados con la orientación o la identidad sexuales, y otros, con el
inicio de nuevas vías de litigación estratégica tendentes a ampliar el
marco de actuación de algunos derechos del CEDH.

Pues bien, en el año 2002, tendremos ocasión de constatar la reitera-
ción de asuntos ya resueltos por el TEDH en relación con la política que
las Fuerzas Armadas del Reino Unido aún mantienen en ese momento
respecto de la homosexualidad. Así, las sentencias *Perkins y R. v. Reino
Unido*[544] y *Beck, Copp y Bazeley v. Reino Unido*[545] en los que asistimos
a un relato de los hechos muy similar al ya visto *supra*, con insidiosos

---

[543] Sentencia *L. v. Lituania*, de 11 de septiembre de 2007, Reports of Judgments and
Decisions 2007-IV.

[544] Sentencia *Perkins y R. v. Reino Unido*, de 22 de octubre de 2002, app. nº
43208/98 y 44875/98.

[545] Sentencia *Beck, Copp y Bazeley v. Reino Unido*, de 22 de octubre de 2002, app.
nº 48535/99, 48536/99 y 48537/99.

interrogatorios acerca de la vida sexual de los recurrentes incluso cuando éstos ya habían admitido su homosexualidad, confirman la condena al Reino Unido por vulneración del art. 8 al mantener la misma política de no aceptación de personas homosexuales en las filas de sus Fuerzas Armadas. Lo único que conviene destacar en estos asuntos es que son decisiones tomadas después de la expresa admisión de la orientación sexual como motivo de protección de la cláusula antidiscriminatoria del art. 14 en la sentencia *Da Silva Mouta*, comentada *supra*, y habría sido el momento oportuno para modificar la posición consistente en negar relevancia al análisis de estas situaciones en términos de discriminación.

Muy distinta es la situación que plantea el recurso inadmitido a trámite en el asunto *F v. Reino Unido*[546], por cuanto va a ser el primer intento de abrir una nueva esfera de protección para el colectivo LGBTI, una línea de litigación estratégica que va a potenciarse en la última década[547] como veremos *infra*. Y se trata de una muy interesante campaña, que ya ha sido explorada por algunos autores con anterioridad[548], y que tiene que ver con la consideración de la persecución por orientación o identidad sexual como una condición susceptible de protección a través de la concesión de asilo. Así, el recurrente, de nacionalidad iraní, y en situación irregular en el Reino Unido, alega que la negación de su solicitud de asilo vulnera el derecho a la vida (art. 2), la prohibición de tortura o pena o trato inhumano o degradante (art. 3), las garantías de la privación de libertad (art. 5), el derecho a la tutela judicial efectiva (art. 6) y el derecho a la vida privada del art. 8 del CEDH. Sin embargo, el TEDH entenderá, en base fundamentalmente a déficit probatorio por parte del recurrente y a los distintos informes acerca de la escasa persecución por las autoridades

---

[546] Decisión *F. v. Reino Unido*, de 22 de junio de 2004, nº 17341/03. Ha sido realmente difícil encontrar esta decisión ya que las referencias de que disponíamos daban el nombre completo del recurrente, y sin embargo no ha sido publicado por el TEDH. Por respeto a su voluntad de anonimato, tampoco se dará aquí.

[547] Otro intento, que esta vez no pasó la fase de admisión, es el asunto *I.I.N. v. The Netherlands*, de 9 de diciembre de 2004, ap. nº 2035/04, en el que se plantea también la petición de asilo debido a la persecución por orientación sexual.

[548] Se puede encontrar una completa revisión de las aportaciones doctrinales en esta materia en H. O'NIONS, *Asylum-a Right Denied. A Critical Analysis of European Asylum Policy*, Dorchester: Ashgate Publishing Limited, 2014. También en J. DÍAZ LAFUENTE, *Asilo y Refugio por Motivos de Orientación Sexual e Identidad de Género*, Madrid: Congreso de los Diputados, 2016.

iraníes de la homosexualidad, que ninguno de estos derechos ha sido vulnerado, y por tanto, que no ha lugar a la admisión a trámite del recurso. Sin embargo, como veremos, no va a ser la última vez que el TEDH tenga que enfrentarse a una reclamación de este tipo.

De igual modo, tampoco va a ser la última vez, sino más bien la primera, que tenga que resolver una cuestión relacionada con el derecho a la libertad de reunión y manifestación, asunto éste que se perfila como una de las grandes disputas ante el TEDH en los últimos años, en relación a Estados del Consejo de Europa especialmente beligerantes con la diversidad sexual, como serán Rusia o Polonia, inaugurando éste último la serie de sentencias que sobre esta cuestión veremos[549]. Efectivamente, la sentencia *Bączkowski y otros v. Polonia*[550] versará sobre la violación del CEDH al prohibir las autoridades polacas la convocatoria de una manifestación y sendas concentraciones a favor de los derechos de la comunidad LGBTI. En este asunto, el TEDH será especialmente contundente, por cuanto condenará a Polonia aun cuando las apelaciones en el ámbito doméstico habían dado la razón a los recurrentes, y el Tribunal Constitucional polaco había considerado inconstitucional cierta regulación que impedía el disfrute del derecho de reunión. Pero es que los derechos que se vulneran son especialmente sensibles en términos de democracia. Así, considera el TEDH que «not only is democracy a fundamental feature of the European public order but the Convention was designed to promote and maintain the ideals and values of a democratic society»[551] añadiendo que

> «pluralism is also built on genuine recognition of, and respect for, diversity and the dynamics of cultural traditions, ethnic and cultural identities, religious beliefs and artistic, literary and socio-economic ideas and concepts. The harmonious interaction of persons and groups with varied identities is essential for achieving social cohesion. It is only natural that, where a civil society functions in a healthy manner, the participation of citizens in the democratic process is to a large extent achieved through

---

[549] Sobre la política de represión de la diversidad sexual en estos países, ver O. JOHNSON, «"Homosexual Propaganda" Laws in the Russian Federation: Are They in Violation of the European Convention on Human Rights?», *Russian Law Journal*, nº 5, 2015; R. ULITZ, «Lessons from Sexual Orientation Discrimination in Central Europe», *American Journal of Comparative Law*, nº 1, 2012, págs. 235 ss.

[550] Sentencia *Bączkowski y otros v. Polonia*, de 3 de mayo de 2007, nº 1543/06.

[551] Sentencia *Bączkowski...*, *op. cit.*, nº 61.

belonging to associations in which they may integrate with each other and pursue common objectives collectively»[552].

Resulta de particular interés que en este caso se admitirá no solo la vulneración del art. 11 relativo a la libertad de reunión, sino también, y en conjunción con ésta, la prohibición de discriminación, aunque debemos decir que, más que fundamentada esta vulneración en una construcción teórica de mayor calado, encontramos su motivación en unas claras declaraciones de la autoridad local que prohibió las manifestaciones, el alcalde de Varsovia, en las que aseguraba que «I will ban the demonstration regardless of what they have written. I am not for discrimination on the ground of sexual orientation, for example by ruining people's professional careers. But there will be no public propaganda about homosexuality»[553]. En semejantes condiciones, era difícil que no se interpretara la existencia de discriminación en razón de la orientación sexual.

Pero no debemos olvidar que los avances en Derecho europeo no se limitan a la más que importante acción de los tribunales internacionales, sino que también, y de forma cada vez más efectiva, vamos a asistir a un paulatino reconocimiento legislativo de los derechos LGBTI, que tendrán particular efectividad en el ámbito de la Unión y que van a consolidarse en la aprobación del Tratado de Lisboa, que pasamos a estudiar, junto con otros instrumentos posteriores.

4.3. EL TRATADO DE LISBOA Y OTRAS NOVEDADES LEGISLATIVAS

La falta de valor vinculante de la Carta de Derechos Fundamentales, unida al fracaso de la aprobación de la Constitución Europea, ambas comentadas *supra*, deja al Derecho Comunitario ante una situación, de nuevo, de déficit normativo en materia de derechos fundamentales que vinculen y limiten la acción de las instituciones comunitarias. Sin embargo, esta situación será subsanada con la aprobación y entrada en vigor de la reforma del Derecho primario que supone el

---

[552]   *Ibidem*, n° 62.
[553]   *Ibidem*, n° 27.

Tratado de Lisboa[554], adoptado en diciembre de 2007 y, ratificado ya por todos los Estados parte, en vigor desde el 1 de diciembre de 2009.

Supone este Tratado un intento de incorporación de buena parte de las innovaciones jurídicas de la fallida Constitución, al menos en lo relativo al reconocimiento y protección de los derechos fundamentales. Así, aun cuando no incorpora en su articulado los preceptos de la Carta de los Derechos Fundamentales de la Unión, sí que hace referencia a la misma, incorporándola al Derecho primario a través del nuevo artículo 6 del Tratado de la Unión Europea. De esta manera, la Carta deja de ser un mero documento solemne, de importancia política considerable y referencia interpretativa, para convertirse en norma de obligado cumplimiento.

Además, el Tratado de Lisboa incorpora una serie de desarrollos legislativos de particular importancia en relación a la prohibición de discriminación: por un lado, el nuevo artículo 10 del Tratado de Funcionamiento de la Unión Europea establece que

> *«En la definición y ejecución de sus políticas y acciones, la Unión tratará de luchar contra toda discriminación por razón de sexo, raza u origen étnico, religión o convicciones, discapacidad, edad u orientación sexual».*

Por otro lado, el artículo 19.1 del Tratado de Funcionamiento de la Unión Europea modifica el antiguo artículo 13 del Tratado de Ámsterdam para realizar una reforma en el procedimiento legislativo. El papel del Parlamento, que tan duramente fue criticado por su falta de peso específico en una materia tan relevante como las políticas antidiscriminatorias por motivos distintos al sexo y la nacionalidad, se ve reforzado, siendo necesario a partir de este momento no solo la consulta, sino la aprobación del Parlamento Europeo para adoptar acciones en la lucha contra la discriminación. Aun así, otra de las grandes reivindicaciones de las organizaciones LGBTI, que exigía el cambio de la unanimidad por parte del Consejo, por una mayoría cualificada, no ha sido tenida en cuenta.

De esta manera, el tratamiento jurídico de la orientación sexual en el Derecho primario de la Unión Europea queda como sigue:

---

[554] Tratado de Lisboa por el que se modifican el Tratado de la Unión Europea y el Tratado Constitutivo de la Comunidad Europea, DOUE C306 de 17 de diciembre 2007.

Por una parte, la Unión establece, como principios básicos que impregnan todo su funcionamiento, los siguientes:

> *«La Unión se fundamenta en los valores de respeto de la dignidad humana, libertad, democracia, igualdad, Estado de Derecho y respeto de los derechos humanos, incluidos los derechos de las personas pertenecientes a minorías. Estos valores son comunes a los Estados miembros en una sociedad caracterizada por el pluralismo, la no discriminación, la tolerancia, la justicia, la solidaridad y la igualdad entre mujeres y hombres»*[555].

De este modo, se proclaman como valores superiores del ordenamiento jurídico comunitario principios tan importantes para el tema que aquí nos ocupa como la dignidad humana, la libertad, la igualdad y el respeto de los derechos de las minorías.

Por otro lado, la elevación del rango de la Carta de Derechos Fundamentales de la Unión, para quedar incorporada al Derecho primario, conlleva la vinculación jurídica de todo el entramado normativo comunitario con los derechos subjetivos allí reconocidos, y en concreto:

> *«La dignidad humana es inviolable. Será respetada y protegida»*[556].
>
> *«Toda persona tiene derecho al respeto de su vida privada y familiar, de su domicilio y de sus comunicaciones»*[557]. Se garantiza así el respeto del ámbito más privado, que siguiendo la jurisprudencia del TEDH vista *supra*, supone la necesidad de respeto de las opciones sexuales de las personas.
>
> *«Todas las personas son iguales ante la ley»*[558].
>
> *«Se prohíbe toda discriminación, y en particular la ejercida por razón de sexo, raza, color, orígenes étnicos o sociales, características genéticas, lengua, religión o convicciones, opiniones políticas o de cualquier otro tipo, pertenencia a una minoría nacional, patrimonio, nacimiento, discapacidad, edad u orientación sexual»*[559]. Se garantiza, ahora sí, como derecho subjetivo, y no como mera habilitación para legislar, consagrado en Derecho primario, la prohibición de discriminación por orientación sexual, lo que va a tener una importancia máxima en el campo jurídico, por cuanto se trata de una regulación expresa, formulada en términos de derechos individuales, en el nivel de los Tratados constitutivos, que protege al colectivo LGBTI contra la discriminación.

---

[555]   Art. 2 del Tratado de la Unión Europea.
[556]   Art. 1 de la Carta de Derechos Fundamentales de la Unión Europea.
[557]   *Ibidem*, art. 7.
[558]   *Ibidem*, art. 20.
[559]   *Ibidem*, art. 21.1.

Aun así, debemos recordar que la propia Carta limita su ámbito de actuación al Derecho de la Unión, y ordena a las instituciones comunitarias a actuar dentro de los límites del principio de subsidiariedad[560].

Por último, circunscribe la propia Carta su capacidad de acción en cuanto a que:

> «*Los derechos reconocidos por la presente Carta que tienen su fundamento en los Tratados comunitarios o en el Tratado de la Unión Europea se ejercerán en las condiciones y dentro de los límites determinados por éstos*»[561].

Y precisamente, podemos entender que uno de esos derechos es el de la prohibición de discriminación por orientación sexual, que se reconoce, como hemos visto, por primera vez en una norma jurídicamente vinculante, en el Tratado de Ámsterdam. Por ello, debemos también analizar cuáles son estas condiciones y límites que los Tratados imponen.

Y así, el Tratado de Funcionamiento de la Unión Europea, en su artículo 10, dispone que:

> «*En la definición y ejecución de sus políticas y acciones, la Unión tratará de luchar contra toda discriminación por razón de sexo, raza u origen étnico, religión o convicciones, discapacidad, edad u orientación sexual*».

Este artículo, cuya redacción proviene de la fallida Constitución Europea, define como objetivo comunitario la lucha contra la discriminación por varios motivos, incluido el sexo, al que en otros asuntos se le otorga un rango superior al resto de motivos, y la orientación sexual, dejando fuera de su ámbito nuevas condiciones discriminatorias como pueden ser las características genéticas o la pertenencia a una minoría nacional, que sin embargo, sí aparecen en la prohibición de discriminación de la Carta.

Por último, se mantiene el artículo 13 que surge de la reforma llevada a cabo en Ámsterdam, incorporando un apartado segundo que es el resultado de la reforma de los Tratados realizada en Niza, que ahora pasa a ser el artículo 19 del Tratado de Funcionamiento de la

---

[560]   *Ibidem*, art. 51.
[561]   *Ibidem*, art. 52.1.

Unión Europea, con las modificaciones que acabamos de ver, y que por tanto queda redactado de la siguiente manera:

> *«1. Sin perjuicio de las demás disposiciones de los Tratados y dentro de los límites de las competencias atribuidas a la Unión por los mismos, el Consejo, por unanimidad con arreglo a un procedimiento legislativo especial, y previa aprobación del Parlamento Europeo, podrá adoptar acciones adecuadas para luchar contra la discriminación por motivos de sexo, de origen racial o étnico, religión o convicciones, discapacidad, edad u orientación sexual.*
> *2. No obstante lo dispuesto en el apartado 1, el Parlamento Europeo y el Consejo podrán adoptar, con arreglo al procedimiento legislativo ordinario, los principios básicos de las medidas de la Unión de estímulo, con exclusión de toda armonización de las disposiciones legales y reglamentarias de los Estados miembros, para apoyar las acciones de los Estados miembros emprendidas con el fin de contribuir a la consecución de los objetivos enunciados en el apartado 1».*

Así, se mantiene la habilitación competencial dentro del ámbito competencial de la Unión, para legislar en materia de prohibición de discriminación por motivos como la orientación sexual, y se habilita al Parlamento y al Consejo, a través del procedimiento legislativo ordinario (que gracias a esta reforma de Lisboa, otorga mayor protagonismo al Parlamento), a aprobar medidas de estímulo, que apoyen las iniciativas de los Estados en esta materia.

Se configura así un entramado institucional y competencial complejo en torno a la prohibición de discriminación, incluyendo la discriminación por orientación sexual, que en definitiva convierte a este objetivo de la Unión en una política transversal, que inunda toda la actividad de la Unión Europea, y que también interviene, siquiera de forma indirecta, en los ordenamientos jurídicos de los Estados de dos modos distintos: por un lado, a través de la vinculación directa de éstos con el Derecho primario y derivado de la Unión, y por otro, como consecuencia de lo primero, por la fuerza expansiva del derecho antidiscriminatorio, que hace muy difícil mantener en un ordenamiento jurídico determinado la prohibición de discriminación por el motivo que sea en una materia sin que provoque la reivindicación de su extensión al resto del propio ordenamiento. Parece, al menos en principio, y hasta que podamos observar una evolución más dilatada en el tiempo de la reforma de Lisboa, que los objetivos marcados por las organizaciones LGBTI en su estrategia europea se empiezan a cumplir, tras muchos años de lucha, reivindicación e intervención política y judicial.

Por último, se encuentra en tramitación una propuesta de directiva presentada por la Comisión el 2 de junio de 2008[562], para cubrir parcelas distintas del empleo en relación con los motivos de discriminación diferentes del sexo y la raza u origen étnico que, como comentábamos *supra*, sí han sido objeto de legislación específica completa. Es importante resaltar el prolongado tiempo que está durando la tramitación de esta iniciativa, que ya lleva más de diez años en proceso de aprobación, no habiendo aún logrado el apoyo necesario, y constituyéndose en una demostración palpable de los temores de los colectivos LGBTI en relación a las dificultades de aprobación por unanimidad en una materia que encuentra tantos obstáculos como es la discriminación por orientación sexual.

De hecho, son muchos aún los objetivos que quedan por cumplir[563]. La situación de la pareja homosexual no está ni con mucho

---

[562] Propuesta de Directiva del Consejo por la que se aplica el principio de igualdad entre las personas independientemente de su religión o convicciones, discapacidad, edad u orientación sexual, COM (2008) 426 final, de 2 de julio de 2008. Esta propuesta formaba parte de un paquete de iniciativas adoptado por la Comisión en julio de 2008 bajo el nombre de *Agenda Social Renovada* con el objetivo, entre otros, de luchar contra la discriminación. Comunicación de la Comisión al Parlamento Europeo, al Consejo, al Comité Económico y Social Europeo y al Comité de las Regiones «Agenda Social Renovada: Oportunidades, Acceso y Solidaridad en la Europa del siglo XXI», COM (2008) 412 final, de 2 de julio de 2008. *Apud* I. MANZANO BARRAGÁN, «La Protección de la Minorías Sexuales en la Unión Europea». *Revista de Derecho Comunitario Europeo*, n° 32, 2009, págs. 151 ss.

[563] Sobre la situación de las personas LGTBI en Europa en este momento, ver EUROPEAN UNION AGENCY FOR FUNDAMENTAL RIGHTS, *Homophobia, Transphobia and Discrimination on Grounds of Sexual Orientation and Gender Identity in the EU Member States: Summary of Findings, Trends,Challenges and Promising Practices*, Luxemburgo: Publications Office of the European Union, 2011; *Ibidem, Opinion of the European Union Agency for Fundamental Rights on the Situation of Equality in the European Union: 10 Years on From Initial Implementation of the Equality Directives*, Viena, 1 de octubre de 2013, accessible en http://fra.europa.eu/sites/default/files/fra-2013-opinion-eu-equality-directives_en.pdf (consultado el 4 de mayo de 2015); *Ibidem, EU LGBTI Survey*, Luxemburgo: Publications Office of the European Union, 2014, accessible en http://fra.europa.eu/sites/default/files/fra-eu-LGBTI-survey-main-results_tk3113640enc_1.pdf (consultado el 4 de mayo de 2015); CONSEJO DE EUROPA, *Discrimination on Grounds of Sexual Orientation and Gender Identity in Europe (the Hammarberg Report)*, Estrasburgo: Publicaciones del Consejo de

equiparada a la pareja heterosexual, adquiera ésta la forma de matrimonio o no, lo que lleva a situaciones de dificultad y diferencia en
el acceso a derechos y prestaciones de todo tipo. Las innovaciones
jurídicas en el tratamiento de la discriminación por orientación sexual
se cuidan muy mucho de dejar a salvo un tratamiento diferenciado del
matrimonio, e incluso del derecho a fundar una familia (protegiendo
así las restricciones que se puedan imponer a las familias homosexuales para adoptar niños, por ejemplo). Parece ser que en este campo
va a ser necesaria la constatación de los posibles obstáculos en el
ejercicio de otros derechos comunitarios individuales, como el de libre
circulación, para que se haga evidente la dificultad de una integración
europea con ciudadanos a los que se niega algunos de los derechos,
fundamentalmente los relacionados con las consecuencias jurídicas de
las relaciones de pareja.

Se plantean así, a nivel europeo serios problemas de obstaculización
de la libre circulación de personas, de modo que algunas de las dificultades a las que pueden enfrentarse las personas LGBTI en el desarrollo
de su vida personal y profesional no son sólo «europeas» (en el sentido
de ser comunes a éstos en todos los Estados europeos), sino también
«comunitarias», esto es, que tienen que ver con el proceso de integración
europea mismo[564]. La creación de un mercado de trabajo europeo se ha
basado en el reconocimiento del derecho a la libertad de circulación de
los trabajadores comunitarios, del que se benefician tanto éstos como sus
familiares. El aparato normativo desarrollado para poner en práctica esta libertad es muy importante, tanto en los aspectos puramente laborales
como en los de protección e integración sociales del trabajador migrante

---

Europa, 2011, accessible en http://www.coe.int/t/Commissioner/Source/LGBTI/
LGBTIStudy2011_en.pdf (consultado el 4 de mayo de 2015). En el ámbito inter-
nacional se puede consultar A.M. COTTER, *Ask no Questions: an International
Legal Analysis on Sexual Orientation Discrimination*, Farnham: Ashgate, 2010.

[564] Sobre estos problemas, J. D'OLIVEIRA, «Lesbians and Gays and the Free Movement of Persons», en K. WAALDIJK & A. CLAPHAM (eds.), *Homosexuality: a
European Community Issue... op. cit.*; K. WAALDIJK, «Free Movement of Same-
sex Partners», *Maastricht Journal of European and Comparative Law*, nº 3, 1996,
págs. 271 ss.; *Ibidem*, «Towards Equality in the Freedom of Movement of Persons»,
en A.A.V.V., *After Ámsterdam: Sexual Orientation and the European Union...*, op.
cit., págs. 40 ss.; *Ibidem*, «La Libre Circulation des Partenaires de Même Sexe», en
D. BORILLO, *Homosexualité et Droit...*, *op. cit.*, págs. 205 ss.; A. CLAPHAM y J.
WEILER, «Human Dignity Shall Be Inviolable...», *op. cit.*, pág. 273.

y sus familias. De ahí que si se pudiera identificar una lesión en estos derechos por razón de la orientación sexual del trabajador o de sus familiares se podría activar el mecanismo jurídico de defensa de éstos previsto en el Derecho Comunitario vigente, estableciéndose así una primera pieza del estatuto jurídico de la orientación sexual en éste[565].

Generalmente se identifican dos posibles situaciones en las que las condiciones de diversidad sexual de un trabajador pueden suponer un obstáculo para el ejercicio de los derechos vinculados a su libertad de circulación. De un lado, la prohibición de entrada en el territorio de un Estado como consecuencia de estas condiciones, en el caso de que éste considerase que esta característica hace del trabajador una persona indeseable; en este caso el Estado estaría haciendo uso de la excepción de orden público, seguridad pública y salud pública que la normativa reguladora de esta libertad comunitaria prevé. De otro, el ejercicio del derecho a la reunificación familiar en el caso de que el trabajador tenga una pareja de hecho del mismo sexo. Este segundo problema se acrecienta desde el momento en que ya hay Estados miembros que reconocen el matrimonio entre personas del mismo sexo. Ello va necesariamente ligado, no solo a la posibilidad de instalarse en otro Estado de la Unión con la pareja, sino que también acarrea consecuencias de difícil solución respecto de los intentos comunitarios por establecer criterios comunes, por ejemplo, respecto de la jurisdicción en materia de divorcio o de custodia de menores, por no hablar de las posibles prestaciones de seguridad social ligadas a la condición matrimonial. Aun cuando es cierto que difícilmente puede hoy hablarse de obstaculización del derecho de libre circulación en sentido estricto, también lo es que la normativa comunitaria tendente a equiparar las condiciones de las parejas heterosexuales locales con las homosexuales de otro Estado de la Unión, puede llevar también a situaciones de desigualdad entre los nacionales y los no nacionales comunitarios, creando niveles distintos de disfrute de derechos tan básicos como el matrimonio o la posibilidad de fundar una familia. En definitiva, la fuerza expansiva de los derechos fundamentales en un contexto de unificación es arrolladora, y difícilmente va a poder

---

[565] M.C. FLOBETS, «Family Reunification: Who Pays for Love in Europe?» en H. PETERSEN, *Love and Law in Europe*, Dartmouth: Ashgate, 1997, págs. 62 ss.

contener un Estado en concreto las exigencias de reconocimientos de derechos de sus nacionales cuando está obligado a otorgar ese reconocimiento a otros ciudadanos de la Unión.

Por último, la consideración de la prohibición de discriminación por orientación sexual como un derecho fundamental, no termina de encontrarse asentada en la agenda de derechos humanos como para condicionar las relaciones exteriores de la Unión Europea, lo que podría constituirse en uno más de los elementos de transformación y mejora de la situación del colectivo LGBTI también en otros ámbitos geográficos, y ello pese a los esfuerzos, de nuevo, del Parlamento Europeo, que ha aprobado documentos como la Recomendación 1470, de 30 de junio de 2000, sobre inmigración y asilo a gays y lesbianas y a sus parejas, en los que solicita la consideración por parte de los Estados miembros de la posibilidad de otorgar asilo en base a persecuciones fundadas en la orientación sexual del solicitante, así como otros documentos en los que reprueba la posición de determinados Estados no miembros de la Unión en relación al tratamiento jurídico de la orientación sexual (Uganda, por ejemplo[566]).

Pero las novedades legislativas no se van a agotar con la aprobación y posterior entrada en vigor del Tratado de Lisboa, aun cuando supone sin duda el instrumento más poderoso en el ámbito del Derecho Comunitario, en relación a la protección de los derechos vinculados con la diversidad sexual. Efectivamente, asistiremos durante los años siguientes al desarrollo de todo un entramado legislativo que ampliará notablemente el nivel de reconocimiento de derechos en ámbitos determinados. Comienza esta nueva etapa, sin embargo, un poco antes, con la aprobación de la llamada Gender Recast Directive[567], que va a contener ya, por primera vez en Derecho Comunitario, una referencia explícita a la prohibición de discriminación por identidad de género[568]. La forma

---

[566] Declaración de la Alta Representante de la UE en relación a la Ley ugandesa Anti-Homosexualidad, accesible en http://www.consilium.europa.eu/uedocs/cms_data/docs/pressdata/en/cfsp/141310.pdf (consultada el 27 de mayo de 2015).

[567] Directiva 2006/54/CE del Parlamento Europeo y del Consejo, de 5 de julio de 2006, relativa a la aplicación del principio de igualdad de oportunidades e igualdad de trato entre hombres y mujeres en asuntos de empleo y ocupación (refundición).

[568] Se trata del considerando tercero del Preámbulo de la Directiva, que dice: «El Tribunal de Justicia ha sostenido que el ámbito de aplicación del principio de igualdad de trato entre hombres y mujeres no puede reducirse únicamente a

en la que este instrumento se aplique a las particulares condiciones y necesidades de las personas transexuales, se verá con el tiempo, detectándose, sin embargo, una tendencia preocupante a quedar ocultas tras el velo de la igualdad de género o de la orientación sexual y a no ver reconocidas las características y medidas específicas que requieren[569].

En el ámbito del Consejo de Europa también se están dando pasos significativos en relación con la aprobación de distintos documentos, siendo el más significativo de ellos la Recomendación del Comité de Ministros del Consejo de Europa acerca de medidas para combatir la discriminación por orientación sexual e identidad de género[570], que supondrá un importantísimo avance, que además resultará en un instrumento de gran interés en el desarrollo jurisprudencial del TEDH. Se trata de un documento en el que desde el inicio se apela al principio de dignidad humana y de igualdad, se recuerda la jurisprudencia del TEDH, y se niega toda posibilidad a la invocación de valores culturales o religiosos que a modo de objeción de conciencia pudieran alegarse para incumplir las exigencias de respeto de los derechos humanos de las personas LGBTI. Y abordará recomendaciones en temas como el derecho a la vida, la represión de los delitos y los discursos de odio, el respeto al derecho de reunión y manifestación, la salud, el empleo, la educación, la vida privada, e incluso el derecho a solicitar asilo, entre otros. Se trata, en definitiva, de una llamada a los Estados pertenecientes al Consejo de Europa para que apliquen transversalmente el mandato de la prohibición de discrimina-

---

la prohibición de las discriminaciones que se derivan de la pertenencia a uno u otro sexo. En atención a su objeto y a los derechos que pretende proteger, debe aplicarse igualmente a las discriminaciones que tienen lugar a consecuencia del cambio de sexo de una persona».

[569] No obstante, ya se han elaborado documentos que indican la necesidad de la transposición de esta Directiva a los ordenamientos jurídicos nacionales en términos que permitan afrontar las particularidades de la situación de las personas trans. Ver, S. FABENI y S. AGIUS, *Transgender People and the Gender Recast Directive -Implementation Guidelines*, Bruselas: ILGA-EUROPE, 2009, accesible en http://www.ilga-europe.org/sites/default/files/Attachments/transgender-people_and_the_gender_recast_directive_guidelines_dec2009.pdf (consultado el 13 de marzo de 2015).

[570] Recomendación CM/Rec(2010)5 del Comité de Ministros a los Estados miembros sobre las medidas para combatir la discriminación por motivos de orientación sexual o identidad de género, aprobada el 31 de marzo de 2010.

ción por orientación sexual e identidad de género, y adopten las medidas específicas que las necesidades del colectivo exigen.

Hace la Recomendación un expreso reconocimiento al trabajo del Comisionado de Derechos Humanos del Consejo de Europa, que ha realizado un año antes un completo informe temático, conocido como el *Hammarberg Paper*[571] (el nombre del Comisionado), cuya segunda publicación, en el 2011 será más conocida. Efectivamente, se trata de un documento que, actualizado dos años después, va a realizar un completísimo estudio acerca de la situación de las personas LGBTI en toda Europa, aportando una visión global preocupante, y recomendando la toma de medidas inmediatas. La Asamblea Parlamentaria del Consejo de Europa, por su parte, también se expresará en los mismos términos que el Comité de Ministros, a través de una Resolución dedicada a exigir medidas a los Estados para combatir la discriminación por orientación sexual e identidad de género[572]. Y más recientemente, adoptará una nueva Resolución sobre la discriminación contra las personas transexuales en Europa[573], que supone una nueva inyección de fuerza para el colectivo trans. Por último, el Comisionado para los Derechos Humanos del Consejo de Europa ha publicado un nuevo documento temático, esta vez sobre la terriblemente olvidada realidad de las personas intersexuales, titulado *Human Rights and Intersex People*, en el que, además de clarificar conceptos importantes acerca de la intersexualidad, realiza un estudio del estado de la cuestión y de las necesidades de actuación pendientes desde la óptica de violación de derechos humanos, como acabar con la reasignación sexual de las personas intersexuales a edades muy tempranas, sobre todo cuando

---

[571] CONSEJO DE EUROPA, *Discrimination on Grounds of Sexual Orientation and Gender Identity...op. cit.* Ya hemos indicado que tuvo una primera versión, en el 2009, que seguramente supuso una importante llamada de atención para las instituciones del Consejo de Europa.

[572] Resolución 1728 (2010) de la Asamblea Parlamentaria del Consejo de Europa, adoptada el 29 de abril de 2010, y titulada «Discriminación por motivo de orientación sexual e identidad de género».

[573] Resolución 2048 (2015), de la Asamblea Parlamentaria del Consejo de Europa, adoptada el 22 de abril de 2015, y titulada «Discriminación contra las personas transexuales en Europa».

se trata de tratamientos quirúrgicos irreversibles[574]. Además, la Asamblea Parlamentaria del Consejo de Europa ha aprobado sendos documentos en los que denuncia la situación de desprotección, en términos de derechos humanos, de las personas intersexuales[575].

La Unión Europea, por su parte, está también realizando cambios significativos en otros instrumentos legislativos que, aunque no están destinados específicamente a tratar asuntos LGBTI, sí que los regulan tangencialmente, incorporando así, de nuevo, una especie de transversalidad de las políticas LGBTI[576], que es impulsada, indubitadamente, tanto por el Intergrupo de Derechos LGBTI del Parlamento Europeo, como por parte de ongs ya con una fuerte presencia y prestigio a nivel comunitario como es ILGA- Europa. Así, la Directiva de derechos de las víctimas de crímenes[577], se verá influenciada, en su fase de elaboración, por las aportaciones de esta ong[578]. Además, la Directiva 2011/95/UE[579], llamada la Recast Asylum Qualification Directive, que establece

---

[574] COMMISSIONER FOR HUMAN RIGHTS, Human Rights and Intersex People, Estraburgo: Consejo de Europa, 2015. El documento ha sido preparado por Silvan Agius, que fuera Policy Director en ILGA-Europe.

[575] En concreto, la Resolución 1952 (2013) «Children's Right to Physical Integrity» y la Recomendación 2023 (2013), de 1 de octubre del mismo título. Un estudio acerca de esta cuestión, y sobre transexualidad, puede encontrarse en S. AGIUS y C. TOBLER, *Trans and Intersex People. Discrimination on the Grounds of Sex, Gender Identity and Gender Expression*, Luxemburgo: European Commission, 2011. Para una interesante visión de la influencia de las perspectivas epistemológicas en el estudio y respuesta jurídica a la intersexualidad, sobre una reedición de un estudio del siglo XVIII, ver D.J. GARCÍA LÓPEZ, *Sobre el Derecho de los Hermafroditas*, Santa Cruz de Tenerife: Editorial Melusina, 2015.

[576] Sobre esta apuesta por incorporar el impacto LGBTI en las políticas comunitarias, ver B. FITZPATRICK, «The "Mainstreaming" of Sexual Orientation into European Equality Law» en H. MEENAN (ed.) *Equality Law for an Enlarged Union: Understanding the Article 13 Directives*, Cambridge: Cambridge University Press, 2007, págs. 313 ss.

[577] Directiva 2012/29/UE del Parlamento Europeo y del Consejo, de 25 de octubre de 2012, por la que se establecen normas mínimas sobre los derechos, el apoyo y la protección de las víctimas de delitos, y por la que se sustituye la Decisión marco 2001/220/JAI del Consejo.

[578] El documento que ILGA-Europa aportó en la fase de elaboración de esta Directiva se puede consultar en http://www.ilga-europe.org/sites/default/files/Attachments/victims_package_2011mar.pdf (consultado el 28 de marzo de 2015).

[579] Directiva 2011/95/UE del Parlamento Europeo y del Consejo, de 13 de diciembre de 2011, por la que se establecen normas relativas a los requisitos para el

los requisitos mínimos para acceder a la protección internacional y el derecho de asilo, cuestión ésta que va a ser objeto de una importante litigación estratégica, como veremos *infra*, menciona expresamente como motivo de pertenencia a un determinado grupo social susceptible de protección, a la orientación sexual y a la identidad de género[580], después de afirmar que la finalidad de la Directiva es la protección de la dignidad humana[581]. Esta Directiva será complementada con otras dos, destinadas a armonizar los procedimientos de acogida y concesión de protección internacional en la UE, y en las que también se tiene en cuenta la diversidad sexual[582]. De igual modo, el Consejo de Asuntos Exteriores del Consejo de la Unión Europea ha aprobado un documento legalmente vinculante para el personal de la Unión, así como para la actividad de las embajadas y consulados de los Estados miembros de la UE, y en general de toda su acción exterior, en el que se perfilan las líneas de actuación en materia de derechos LGBTI, ampliando de este modo el marco de reconocimiento y vinculación de los derechos fundamentales más allá de las fronteras propias[583].

Así también, la Directiva sobre reunificación familiar[584] va a tener en cuenta de nuevo las necesidades de las personas LGBTI, aunque

---

reconocimiento de nacionales de terceros países o apátridas como beneficiarios de protección internacional, a un estatuto uniforme para los refugiados o para las personas con derecho a protección subsidiaria y al contenido de la protección concedida (refundición). Para un completo estudio de cómo puede ser utilizado este instrumento legislativo para proteger a las personas LGBTI, ver E. TSOURDI, *Guidelines on the Transposition of the Asylum Qualification Directive: Protecting LGBTI Asylum Seekers*, Bruselas: ILGA Europe, 2012, accesible en http://www. ilga-europe.org/resources/ilga-europe-reports-and-other-materials/guidelines-transposition-asylum-qualification (consultado el 29 de mayo de 2015).

[580]   *Ibidem*, considerando nº 30 y art. 10.1.d).

[581]   *Ibidem*, considerando nº 16.

[582]   Se trata de la Directiva 2013/32/UE, del Parlamento Europeo y del Consejo, de 26 de junio de 2013, sobre procedimientos comunes para la concesión o la retirada de la protección internacional (refundición), y de la Directiva 2013/33/UE, del Parlamento Europeo y del Consejo, de 26 de junio de 2013, por la que se aprueban normas para la acogida de los solicitantes de protección internacional (refundición).

[583]   *Guidelines to Promote and Protect the Enjoyment of All Human Rights by Lesbian, Gay, Bisexual, Transgender and Intersex (LGBTI) Persons*, aprobado por el Consejo de Asuntos Exteriores del Consejo de la Unión Europea el 24 de junio de 2013.

[584]   Directiva 2004/38/CE, del Parlamento Europeo y del Consejo, de 29 de abril de 2004, relativa al derecho de los ciudadanos de la Unión y de los miembros de sus

supeditando éstas en cierta medida a las legislaciones nacionales. Así, solo se exige la obligación de permitir el libre acceso y la residencia de la pareja de hecho registrada del mismo sexo de un nacional de un Estado de la Unión, cuando tanto en el país de procedencia como en el de llegada la legislación reconozca esta posibilidad. Sin embargo, esta restricción se ve modulada por la necesidad de considerar la situación de familiares a cargo del nacional que despliega el derecho, y de la pareja del mismo. De hecho, se trata de una Directiva que ya ha provocado, en relación con la pareja homosexual, procedimientos de infracción[585], sobre todo desde que la Carta de Derechos Fundamentales ha adquirido vinculación jurídica y esta Directiva debe interpretarse conforme a ella.

Un asunto que está generando una importante preocupación en este ámbito es el cada vez mayor número de actos violentos por razón de orientación sexual e identidad de género. Así, el Parlamento Europeo ha aprobado sendas resoluciones sobre esta cuestión, que ponen de manifiesto que se trata de un fenómeno que lejos de desaparecer está aumentando su impacto en las sociedades europeas[586]. A ello se une la constatación de la necesidad de desarrollar una fundamental labor en la educación primaria y secundaria, que permita prevenir estos tipos de comportamientos y que ayuden a los niños y niñas y adolescentes homosexuales a vivir su orientación sexual saludablemente[587]. Por ello, encontramos en esta materia también importantes referen-

---

familias a circular y residir libremente en el territorio de los Estados miembros, por la que se modifica el Reglamento (CEE) nº 1612/68 y se derogan las Directivas 64/221/CEE, 72/194/CEE, 73/148/CEE, 75/34/CEE, 75/35/CEE, 90/364/ CEE, 90/365/CEE y 93/96/CEE.

[585] Así por ejemplo el procedimiento de infracción IP/11/981, abierto por la Comisión, destinado a exigir el cumplimiento del derecho de los cónyuges del mismo sexo, y las parejas registradas del mismo sexo, a reunirse con sus parejas, ciudadanos de la UE, y residir con ellas en Malta, 2009.

[586] Resoluciones del Parlamento Europeo de 18 de enero de 2006, sobre la homofobia en Europa, OJ C74E; de 15 de junio de 2006, sobre el incremento de la violencia racista y homófoba en Europa, OJ C300E; de 26 de abril de 2007, sobre homofobia en Europa, OJ C74E; y de 24 de mayo de 2012 sobre la lucha contra la homofobia en Europa 2012/2657 (RSP).

[587] Así, el informe del Comité de Asuntos Sociales, de Salud y de Familia *Child and Teenage Suicide in Europe: a Serious Public-Health Issue Report*, Doc. 11547, de 27 de marzo de 2008, arroja datos muy alarmantes en general y en concreto respecto al índice de suicidios en relación a la orientación sexual. Sobre esto, ver J. DÍAZ LAFUENTE, «La Protección de los Derechos Fundamentales frente a la Discriminación

cias a la realidad LGBTI[588]. Por otro lado, parece que la cuestión de la discriminación por orientación sexual empieza a marcar, siquiera de forma testimonial, la agenda internacional de la UE[589].

A la vista de la importancia de los problemas de toda índole que afectan a la población sexualmente diversa en Europa, la intervención y reivindicación social de las organizaciones LGBTI se configura como un elemento de presión indispensable aún, en un escenario de consolidación y adquisición de nuevas esferas de dignidad para el colectivo[590]. Y de hecho, no han dejado de potenciar la litigación estratégica, a pesar de los grandes logros alcanzados en materia de legislación comunitaria. Al estudio de los nuevos asuntos resueltos por el TEDH y el TJUE vamos a dedicar la siguiente sección.

4.4. LA INTERPRETACIÓN DE LOS NUEVOS INSTRUMENTOS POR EL TEDH Y EL TJUE

El periodo comprendido desde la aprobación del Tratado de Lisboa hasta nuestros días va a venir marcado, en contra de todos los pronósticos, por un estancamiento en la evolución del reconocimiento de nuevos derechos relacionados con la diversidad sexual. Y no se quiere decir con esto que no se hayan conseguido avances parciales que afectan a algunos derechos, sino que no ha habido un cambio de perspectiva

---

por Motivos de Orientación Sexual e Identidad de Género en la Unión Europea», *Revista General de Derecho Constitucional*, nº 17, octubre, 2013, págs. 1 ss.

[588] Por ejemplo, en el documento del Consejo de la Unión Europea, *Conclusions of the Council and of the Representatives of the Governments of the Member States of 15 November 2007, on improving the Quality of Teacher Education* (2007/c 300/07). *Council Conclusions of 12 May 2009 on a Strategic Framework for European Cooperation in Education and Training* (2009/c 119/02).

[589] Así, por ejemplo, la Resolución del Parlamento Europeo, de 14 de diciembre de 2011, sobre Cumbre UE-Rusia y el resultado de las elecciones a la Duma celebradas el 4 de diciembre de 2011, P7_TA (2011)0575, hace referencia en términos de oposición, a la postura de Rusia en relación a la homosexualidad.

[590] Ver el informe de la AGENCIA DE LOS DERECHOS FUNDAMENTALES DE LA UNIÓN EUROPEA, *Estadística de Personas LGBT Como Víctimas de la Discriminación y los Delitos Motivados por Prejuicios en la UE y Croacia*, mayo, 2013, accesible en http://fra.europa.eu/en/survvey/2012/eu-lgbt-survey (consultado el 1 de mayo de 2015).

que permita una ampliación de derechos consecuente. Seguimos encontrando una aproximación, tanto jurisprudencial como legal, tibia en relación a algunos de los derechos que más importancia tienen para el colectivo, como son los que tienen que ver con el acceso al matrimonio, la adopción, o la protección internacional a través del asilo por orientación sexual. Si bien es cierto que algunas mejoras se van a lograr, como veremos, aún de forma sesgada, también lo es que no se avanza en la materia precisamente por una interpretación muy limitada de las consecuencias jurídicas que los principios en los que se basa todo el sistema de protección de derechos humanos conlleva. Seguramente son los condicionantes políticos coyunturales los que se encuentran en el origen de esta limitación, y es posible, como de hecho ha demostrado hasta ahora la evolución protagonizada por los Tribunales internacionales europeos, que sea necesario tener en cuenta esta conyuntura para asegurar en el futuro la eficacia del reconocimiento de estos derechos, pero lo cierto es que, desde un punto de vista exclusivamente teórico (una licencia de la que, seguramente, solo desde el ámbito de la investigación se puede disfrutar), se trata de una postura difícilmente explicable.

Por ello, en lo que sigue, vamos a centrarnos tan solo en apuntar el desarrollo jurisprudencial hasta este momento, de forma muy resumida, salvo en aquellos asuntos que hayan provocado una reacción nueva de los órganos judiciales, ya que un estudio más profundo de cada sentencia no aporta novedades que supongan un cambio de paradigma, o ni siquiera una evolución sustantiva del existente.

4.4.1. *Adopción y pareja homosexual*

El impulso de reconocimiento de los derechos ligados a la diversidad sexual, y en concreto, la consolidación de la protección antidiscriminatoria del colectivo, a través de la ampliación del concepto de género a la identidad sexual, por un lado, y a través de la inclusión de la orientación sexual como motivo expresamente protegido, de otro, va a extender sus efectos también a la jurisprudencia de los dos grandes tribunales europeos, el TEDH y el TJUE, que realizarán una labor de afianzamiento de la nueva situación jurídica, aunque como veremos, también con limitaciones. Y en esta labor el primer asunto que va a ser objeto de revisión, en este caso por parte del TEDH, afecta a quizás una de las reivindicaciones LGBTI más controvertidas, la de poder acceder a la adopción sin que la orientación sexual suponga un obstáculo[591].

Así, la sentencia *E.B. v. Francia*[592], que va a revocar la recientísima posición del TEDH en el asunto *Fretté*, dictada en el año 2002, reconocerá la necesidad de argumentar en términos distintos al de la mera orientación sexual del solicitante, la negación de la autorización administrativa para adoptar por parte de una mujer homosexual. Es importante señalar, por un lado, que se trata de un litigio en el que los colectivos LGBTI van a estar especialmente presentes, y por otro, que seguramente no fue la controversia mejor posicionada para promover un cambio jurisprudencial de estas características, a pesar de lo cual, lo cierto es que consiguió precisamente ese cambio.

Respecto de la primera cuestión, efectivamente vamos a asistir a un importante despliegue de medios por parte de las organizaciones de defensa de los derechos del colectivo, comenzando con el asesoramiento jurídico de la causa, en manos de nuevo de Robert Wintemute, quien además representará las posiciones de cuatro ONGs: Fédération Inter-

---

[591]   Son muchos los trabajos académicos que sobre la posición más reciente del TEDH acerca de la diversidad sexual, se han realizado, sirvan por todos A. ELVIRA PERALES, «La Interdicción de Discriminación por Razón de Orientación Sexual e Identidad Sexual en el Ámbito Internacional», *Derechos Humanos de los Grupos Vulnerables*, Barcelona: Red de Derechos Humanos y Educación Superior, 2014, vol. 2, págs. 355 ss.; E. GIJALBA CABRERO, «La Orientación Sexual ante el Tribunal Europeo de Derechos Humanos», *Revista de Derecho Político*, n° 91, 2014, págs. 303 ss.; I. MANZANO BARRAGÁN, «La Jurisprudencia del Tribunal Europeo de Derechos Humanos sobre Orientación Sexual e Identidad de Género», *Revista Española de Derecho Internacional*, n° 2, 2012, págs. 49 ss.; D. BORILLO, «De la Penalización de la Homosexualidad a la Criminalización de la Homofobia: el Tribunal Europeo de Derechos Humanos y la Orientación Sexual», *Revista de Estudios Jurídicos*, n° 11, 2011, págs. 69 ss.; R. SANDLAND, «Crossing and Not Crossing: Gender, Sexuality and Melancholy in the European Court of Human Rights», *Feminist Legal Studies*, n° 11, 2003; L.R. HELFER, «Human Rights-Discrimination on Grounds of Sexual Orientation-Parental Custody Rights-Privacy-Criminal Restrictions on Private Sexual Activity», *The American Journal of International Law*, n° 2, 2001.

[592]   Sentencia *E.B. v. Francia*, de 22 de enero de 2008, app. n° 43546/02. Un comentario sobre esta sentencia se puede encontrar en M.A. PRESNO LINERA, «La Consolidación Europea del Derecho a No Ser Discriminado por Motivos de Orientación Sexual en la Aplicación de las Disposiciones Nacionales», *Repertorio Aranzadi del Tribunal Constitucional*, n° 1, 2008, págs. 13 ss.

nationale des Ligues des Droits de l'Homme (FIDH), European Region of the International Lesbian and Gay Association (ILGA-Europe), British Association for Adoption and Fostering (BAAF), y Association des Parents et futurs parents Gays et Lesbiens (APGL). Un asunto, como vemos, en el que se invirtió mucho esfuerzo, de modo que supuso la unión en una misma dirección de organizaciones distintas, tanto respecto de sus fines concretos como en relación a sus orígenes nacionales. Pero no solo esto, sino que aparece como parte de la defensa de la recurrente, el señor H. Ytterberg, Defensor del Pueblo en materia de no discriminación por orientación sexual en Suecia. La participación de tantos actores distintos en un mismo litigio nos permite intuir la importancia del mismo para los intereses del colectivo, una conjunción de esfuerzos que no hemos visto hasta ahora en ningún otro de los asuntos estudiados.

Y sin embargo, resulta paradójico constatar que efectivamente no era un asunto que reuniera las mejores condiciones posibles para forzar la modificación de la postura del TEDH en esta materia. Va a ser relevante esta cuestión por cuanto va a tener mucho que ver con que la mayoría obtenida en el seno del Alto Tribunal haya sido muy ajustada. Una parte importante de los votos particulares discrepantes lo van a ser, no porque no estén de acuerdo con el fondo del asunto relativo a la posibilidad de adoptar independientemente de la orientación sexual del adoptante, sino que tienen su origen precisamente en los aspectos concretos del caso[593]. En efecto, la situación de partida era al menos peculiar, ya que la recurrente tenía una pareja con la que convivía, que sin embargo había expresado no estar interesada en su proyecto de adopción, y por tanto no iba a participar del mismo. Este hecho va a marcar sustancialmente el proceso. Aún así, el TEDH encuentra el modo de obviar esta situación aduciendo que el empeño de Francia en exigir la existencia de una persona de sexo masculino en la vida de la recurrente que asumiera el rol paternal para el futuro adoptado, suponía de hecho una vulneración del derecho a no ser discriminada por orientación sexual, y que esta apreciación contaminaba

---

[593]   Esta sentencia se decidió por mayoría de 10 votos frente a 7 oposiciones. De los 5 votos particulares que se emitieron, cuatro fueron discrepantes con el parecer de la mayoría, y de entre estos, dos, que corresponden a la opinión de 5 magistrados, se expresaban en el sentido de otorgar la razón a Francia al concurrir una situación de pareja que no aseguraba el bienestar del potencial adoptado.

ya al resto del proceso (incluyendo así, la valoración de la no idoneidad de la situación de pareja de la recurrente).

Quizás el mayor acierto en esta sentencia tiene que ver con la forma en la que se plantea el recurso, que no hace mención a la vulneración del art. 8 en solitario, sino que directamente arguye la violación del art. 14 leído en conjunción con el art. 8, lo que facilita que el TEDH recupere su jurisprudencia de *Régimen Lingüístico Belga*, ampliando así el campo de acción de la cláusula antidiscriminatoria al ámbito de definición del derecho a la vida privada, aun cuando se reconozca que éste no reconoce ningún derecho a la adopción, sino que, una vez reconocido por el Estado, entonces sí es objeto de protección antidiscriminatoria. Y de este modo, «[t]he prohibition of discrimination enshrined in Article 14 thus extends beyond the enjoyment of the rights and freedoms which the Convention and the Protocols thereto require each State to guarantee. It applies also to those additional rights, falling within the general scope of any Convention Article, for which the State has voluntarily decided to provide. This principle is well entrenched in the Court's case-law»[594].

En cualquier caso, conviene también resaltar que, al igual que ocurriera en *Salgueiro da Silva Mouta*, a pesar de la importancia del cambio jurisprudencial, el TEDH lo realiza sin realmente justificar el viraje, algo que resulta particularmente evidente en este asunto, ya que no va a explicar por qué una limitación de acceso a la adopción basada en la orientación sexual, que resultaba proporcionada al fin legítimo de protección de la infancia, ha dejado de ser válida, sino que se conforma con afirmar el carácter discriminatorio de tal limitación, por cuanto Francia no ha podido demostrar que no haya negado la autorización en razón de otra justificación. Se aplica así una interesante inversión de la carga de la prueba, al modo en el que se realiza cuando se trata de aducir posibles discriminaciones en materia laboral[595].

Y de materia laboral versará precisamente otra interesante sentencia, de ese mismo año, pero esta vez del TJUE, que volverá a ilustrar el carácter amplificador que la protección antidiscriminatoria tiene, incluso en ámbitos en los que en principio, el Derecho Comunitario no

---

[594]   *Ibidem*, n° 48.
[595]   *Ibidem*, n° 74.

tiene competencia directa[596]. Resulta este asunto además interesante también por tratarse de la primera sentencia en esta sede que estudiará la aplicación de la Directiva 2000/78, comentada *supra*, en relación a las relaciones de parejas del mismo sexo. Se trata de la sentencia *Tadao Maruko y Versorgungsanstalt der deutschen Bühnen*[597], en la que se resuelve la controversia planteada por la pareja masculina de un trabajador al que se le ha denegado la pensión de supervivencia a la muerte de éste. Y volveremos a encontrar en la defensa del recurrente a dos de los juristas que mayores casos de litigación LGBTI están desarrollando, como son Helmut Graupner y Robert Wintemute[598].

Es éste un asunto tremendamente técnico en su primera parte, más orientado al establecimiento de si la Directiva en cuestión es aplicable en razón de si se considera o no a la pensión de supervivencia como una retribución, siendo la respuesta del TJUE afirmativa. Lo interesante a efectos de la materia que estamos tratando es que, por una parte, el TJUE establece, como criterio competencial, que «[s]i bien el estado civil y las prestaciones que de él dependen son materias comprendidas dentro de la competencia de los Estados miembros, competencia que el Derecho Comunitario no restringe, se ha de recordar, sin embargo, que, en el ejercicio de dicha competencia, los Estados miembros deben respetar el Derecho Comunitario, en especial las disposiciones relativas al principio de no discriminación»[599]. Y de este modo, se hace patente la dificultad de dividir los ordenamientos jurídicos por el criterio de competencia, y no por el de jerarquía, cuando de aplicación de la cláusula antidiscriminatoria se trata.

---

[596] Ver I. MANZANO BARRAGÁN, «La Protección de las Minorías Sexuales en la Unión Europea», *Revista de Derecho Comunitario Europeo*, n° 32, 2009, págs. 151 ss.; L. ERIKSSON, «European Court of Justice: Broadening the Scope of European Nondiscrimination Law», *International Journal of Constitutional Law*, n° 4, 2009.

[597] Sentencia *Tadao Maruko y Versorgungsanstalt der deutschen Bühnen*, de 1 de abril de 2008, asunto C-267/06.

[598] Recordemos que Helmut Graupner se encargó de la defensa de los asuntos *L. y V. v. Austria* y *S. L. v. Austria*, y que Robert Wintemute ha participado también en numerosas ocasiones, tanto en calidad de asesor de la defensa, como en la preparación de alegaciones de organizaciones LGBTI.

[599] Sentencia *Tadao Maruko...*, *op. cit.*, n° 59.

Pero en segundo lugar, además, hace el TJUE una aproximación especialmente relevante a la cuestión de la pareja de hecho inscrita, y su relación con la institución del matrimonio, no entrando a valorar si se trata de dos modos de establecimiento de relaciones de pareja que concluyen en un régimen jurídico casi idéntico, por cuanto entiende el Alto Tribunal que esto excede de sus funciones, pero sí considerando que «[s]uponiendo que el órgano jurisdiccional remitente decida que los cónyuges supervivientes y los miembros de una pareja inscrita se hallan en una situación comparable en lo relativo a esa misma prestación de supervivencia, debe considerarse, en consecuencia, que una normativa como la controvertida en el procedimiento principal constituye una discriminación directa por motivos de orientación sexual, en el sentido de los artículos 1 y 2, apartado 2, letra a), de la Directiva 2000/78»[600].

De este modo, la institución matrimonial pierde valor, en el sentido de constituirse como algo radicalmente distinto, con una legitimidad y finalidad propias y distintas de cualquier otro tipo de relación sentimental entre personas, a favor de un análisis relativo a la posición concreta en la que se sitúan las relaciones sentimentales reguladas jurídicamente, que pueden ser comparadas y comparables, ya que no estaríamos hablando de naturalezas jurídicas distintas, sino si se quiere, de distintos grados de protección de las relaciones de pareja, esencialmente situadas en el mismo plano (no hay que olvidar en este asunto que las parejas homosexuales no tienen reconocida en Alemania la posibilidad de contraer matrimonio)[601] aunque esta apreciación se sigue dejando en manos de la autoridad nacional de que se trate.

Y por otro lado, resulta interesante, además de reforzar lo que acabamos de decir, la consideración de que se trata de una discriminación directa, y no, como argumentaba la defensa del sr. Maruko, un caso de discriminación indirecta. El TJUE avala así, la tesis de la comparación de situaciones, incidiendo en que la única diferencia relevante es precisamente el sexo de los miembros de la pareja, siendo el resto de rasgos generales iguales a los que se dan en los matrimonios. De esta

[600] *Ibidem*, n° 72.
[601] Sobre los modos de acercamiento del TJUE a la idea de igualdad y no discriminación, y en general, sobre la evolución de esta idea en la UE, ver M. BELL, «Gender Identity and Sexual Orientation: Alternative Pathways in EU Equality Law», *The American Journal of Comparative Law*, vol. 60, 2012, págs. 127 ss.

afirmación, la consecuencia inevitable es precisamente aquella a la que llega el TJUE: que estamos ante una medida discriminatoria por razón de orientación sexual.

En los siguientes años, el esfuerzo litigador, seguramente en parte impulsado por esta importante sentencia, se dirigirá a la consecución del reconocimiento del derecho al matrimonio homosexual, y a la apertura de la protección de la familia homosexual, aún cuando los éxitos solo van a ser parciales, en relación al reconocimiento de determinados derechos concretos, con una misma base argumentativa consistente en entender que cuando estamos hablando de derechos que se reconocen a las parejas heterosexuales que no han contraído matrimonio, estos mismos derechos deben ser igualmente reconocidos a las parejas homosexuales, para que no se produzca una vulneración de la prohibición de discriminación por orientación sexual.

Ejemplo de estos éxitos parciales van a ser sentencias como *Kozak v. Polonia*[602], en la que se aplicará la misma doctrina que la acuñada en *Karner*, comentada *supra*, indicando el TEDH que la negación de la posibilidad de subrogación en el contrato de alquiler por parte del miembro supérstite de una pareja homosexual, constituía una violación del derecho a la no discriminación por orientación sexual en conjunción con el derecho a la vida privada y al hogar. De este mismo modo, la sentencia *P.B y J.S. v. Austria*[603], va a ampliar la protección antidiscriminatoria al considerar que la negativa en la cobertura de un seguro sanitario y de accidentes a la pareja del mismo sexo del tomador del seguro, cuando esta opción es posible para parejas heterosexuales aun sin contraer matrimonio, constituye una discriminación por orientación sexual. Y en este asunto sí que hay una materia interesante que conviene resaltar, y es que se trata de la consolidación del nuevo giro jurisprudencial iniciado en el asunto *Schalk y Kopf v. Austria*, del que hablaremos *infra*, por el que el TEDH reconoce que la pareja homosexual es una familia a efectos de la protección de la vida familiar otorgada por el art. 8, y así, en base a la evolución de la regulación jurídica en los Estados parte, «the Court considers it artificial to maintain the view that, in contrast to a different-sex couple, a same-sex couple cannot enjoy "family life" for the purposes of

---

[602]   Sentencia *Kozak v. Polonia*, de 2 de marzo de 2010, ap. nº 13102/02.
[603]   Sentencia *P.B. y J.S. v. Austria*, de 22 de julio de 2010, ap. nº 18984/02.

Article 8. Consequently the relationship of the applicants, a cohabiting same-sex couple living in a stable de facto partnership, falls within the notion of "family life", just as the relationship of a different-sex couple in the same situation would»[604].

Del mismo modo, la sentencia *J.M. v. Reino Unido*[605], ampliará de nuevo el tipo de situaciones en que la cláusula antidiscriminatoria despliega sus efectos, en un asunto en que la madre divorciada y no custode de dos hijos, no ve rebajada la cuantía de la pensión de alimentos de los niños por considerarse que su nueva relación con otra mujer no constituía la formación de una nueva familia a estos efectos, algo que sí se concedía cuando de parejas heterosexuales no casadas se trataba. La defensa jurídica de la posición de la recurrente fue llevada a cabo de nuevo por Liberty, y se presentaron alegaciones por parte de Equality and Human Rights Commission, una ONG con sede el Londres. El TEDH afirmará en este asunto que se ha producido una vulneración del art. 14 en conjunción con el art. 1 del Protocolo 1[606], basándose para ello, en el mismo enfoque metodológico consistente en comparar la situación de una pareja homosexual con una heterosexual que no haya contraído matrimonio[607].

---

[604]   *Ibidem*, nº 30.
[605]   Sentencia *J.M. v. Reino Unido*, de 28 de septiembre de 2010, ap. nº 37060/06.
[606]   Que se expresa en los siguientes términos:
«*Every natural or legal person is entitled to the peaceful enjoyment of his possessions. No one shall be deprived of his possessions except in the public interest and subject to the conditions provided for by law and by the general principles of international law.*
The preceding provisions shall not, however, in any way impair the right of a State to enforce such laws as it deems necessary to control the use of property in accordance with the general interest or to secure the payment of taxes or other contributions or penalties».
[607]   Resulta interesante en este asunto, el voto particular concurrente de los Magistrados Gralicki, Hirvelä y Vucinic, en el que critican la falta de determinación del TEDH en señalar, de nuevo, que el concepto de vida familiar incluye las relaciones sentimentales entre personas del mismo sexo, como ya se había afirmado indubitablemente en *P.B. y J.S. v. Austria.*, argumentando para ello que «[j]udicial self-restraint is often a virtue, but not in cases in which courts should admit their own mistakes. It cannot be excluded that the Court was wrong already in Mata Estevez. In any case, we should not have refrained from unequivocal confirmation that today, in 2010, the notion of family life can no longer be restricted to heterosexual couples alone». Voto particular de la sentencia *J.M. v. Reino Unido…, op. cit.*

Pero sin duda, la sentencia más interesante de este fértil año 2010 en producción jurisprudencial, va a ser la dictada en el asunto *Schalk and Kopf v. Austria*[608], en el que se va a intentar, en una campaña de apoyo muy importante por parte de las organizaciones en defensa del colectivo, el reconocimiento del derecho al matrimonio de las parejas homosexuales, aunque culminó en un absoluto fracaso, y ello a pesar de que el TEDH no admitió las causas de inadmisibilidad argumentadas por Austria, sino que prefirió entrar en el fondo del asunto y dictar una sentencia que clarificara cual era su postura en torno a la interpretación del art. 12 del CEDH, seguramente para evitar la llegada, al menos durante unos años, de nuevos asuntos cuestionando el sentido del reconocimiento del derecho al matrimonio.

Como decimos, se trata de un asunto en el que intervendrán las organizaciones de defensa de derechos humanos y LGBTI, en concreto, la Fédération Internationale des Ligues des Droits de l'Homme (FI-DH), la International Commission of Jurists (ICJ), la AIRE Centre y la European Region of the International Lesbian and Gay Association (ILGA-Europe). Algunas de ellas ya habían promovido el mismo apoyo en *E.B. v. Francia*, visto *supra*, y resulta coincidente también uno de los asesores legales, Robert Wintemute, al que hemos visto en repetidas ocasiones ya, que en este caso actúa junto al sr. Jernow, permitiendo la intervención de estas cuatro organizaciones conjuntamente, aunando medios en un esfuerzo compartido que empieza a convertirse en práctica habitual, y que tan buenos resultados ha demostrado en el pasado. Por otra parte, es relevante constatar cómo otros Estados empiezan a utilizar esta fórmula de intervención en los asuntos que se presentan ante el TEDH para defender posiciones estatales comunes, como ocurre en este asunto, en el que Reino Unido alegará en defensa de Austria.

Sin embargo, no se conseguirá obtener por parte del TEDH una ampliación del derecho al matrimonio para incluir a las parejas homosexuales, a pesar de lo cual, por el sentido de la argumentación aportada en la sentencia, podemos decir que el TEDH deja la puerta abierta a cambios futuros de las condiciones de interpretación del art. 12. Y es que el TEDH basa su posición en la ausencia de un consenso europeo sobre la materia

---

[608] Sentencia *Schalk y Kopf v. Austria*, de 24 de junio, Reports of Judgments and Decisions 2010.

y el consecuente margen de apreciación de tienen los Estados[609]. Con todas las reticencias que ya se han apuntado acerca de la utilización de esta técnica, que tiene su razón de ser más en una valoración política de la idoneidad del reconocimiento de un derecho que en un auténtico análisis jurídico sobre la cuestión, lo cierto es que, precisamente por esta misma condición, la utilización de la falta de consenso europeo es siempre una postura coyuntural, esto es, que admite su revisión en un futuro. Si la negativa a ampliar el derecho al matrimonio hubiera estado basada en los elementos que configuran la estructura interna del derecho en cuestión, estaríamos ante una respuesta jurisprudencial mucho más difícil de modificar, por cuanto cimentada en sólidos argumentos jurídicos. Desde el momento en que la base de la posición se encuentra en una determinada coyuntura social, este elemento de temporalidad se extiende también a la misma opinión del TEDH.

Y podemos afirmar que la argumentación del TEDH está basada en esta falta de consenso europeo porque además de decirlo expresamente, se abstiene el Alto Tribunal en utilizar otros argumentos que ayuden a sustentar esta postura. Así, dice el TEDH que «[a] lthough (…) the institution of marriage has undergone major social changes since the adoption of the Convention, the Court notes that there is no European consensus regarding same-sex marriage. At present no more than six out of forty-seven Convention States allow same-sex marriage»[610]. Y sin embargo, la lectura que hace el TEDH tanto de la literalidad del art. 12, como de los avances llevados a cabo al otorgar fuerza vinculante a la Carta de Derechos Fundamentales de la Unión Europea a través del Tratado de Lisboa, no dejan de ser constataciones tibias de la amplitud de posiciones que, en relación con la interpretación acerca del reconocimiento del derecho al matrimonio homosexual, se pueden tener. Así, no obstante la afirmación de que «[t] he choice of wording in Article 12 must thus be regarded as deliberate. Moreover, regard must be had to the historical context in which the Convention was adopted. In the 1950s marriage was clearly un-

---

[609] Sobre las distintas posturas respecto de la naturaleza argumentativa de la doctrina del margen de apreciación estatal, véase O.M. ARNARDÓTTIR, «Rethinking the Two Margins of Appreciation» *European Constitutional Law Review*, nº 12, 2016, págs. 27 ss.

[610] *Ibidem*, nº 58.

derstood in the traditional sense of being a union between partners of different sex»[611], el TEDH anticipa también que «[t]he applicants argued that the wording did not necessarily imply that a man could only marry a woman and vice versa. The Court observes that, looked at in isolation, the wording of Article 12 might be interpreted so as not to exclude the marriage between two men or two women»[612]. Además, afirma el TEDH que «[a]s regards the connection between the right to marry and the right to found a family, the Court has already held that the inability of any couple to conceive or parent a child cannot be regarded as *per se* removing the right to marry»[613].

Por último, realiza el TEDH una comparación interesante entre el art. 12 del CEDH y el art. 9 de la Carta de Derechos Fundamentales de la UE, en el que más que reafirmar el carácter exclusivamente heterosexual del derecho al matrimonio contenido en el art. 12, parece que intenta constatar un cambio de tendencia que finalmente considera insuficiente para abrir su interpretación a las parejas homosexuales, puesto que «[r]egard being had to Article 9 of the Charter, therefore, the Court would no longer consider that the right to marry enshrined in Article 12 must in all circumstances be limited to marriage between two persons of the opposite sex. Consequently, it cannot be said that Article 12 is inapplicable to the applicants' complaint. However, as matters stand, the question whether or not to allow same-sex marriage is left to regulation by the national law of the Contracting State»[614].

Igual postura asumirá respecto de la posible vulneración de los artículos 8 y 14, aun cuando se aproveche este asunto para afirmar por primera vez que «the relationship of the applicants, a cohabiting same-sex couple living in a stable de facto partnership, falls within the notion of "family life", just as the relationship of a different-sex

---

[611] *Ibidem*, nº 55.
[612] *Idem*. Esta discusión acerca de la interpretación literal del art. 12 del CEDH recuerda mucho a la mantenida en España en relación a la interpretación del art. 32 de la Constitución Española y el reconocimiento del derecho al matrimonio homosexual. De hecho, forma parte de los argumentos expuestos por el recurso de inconstitucionalidad que se planteó y que fue finalmente desestimado por el Tribunal Constitucional español, en sentencia 198/2012, de 6 de noviembre.
[613] *Ibidem*, nº 56.
[614] *Ibidem*, nº 61.

couple in the same situation would»[615] utilizando para ello, y esto es igual de importante, como prueba de cambio en la situación social y jurídica de la pareja homosexual, las transformaciones legislativas producidas en el seno de la Unión Europea, como conformación de un consenso europeo que facilita la evolución jurisprudencial. Vemos como el trasvase de éxitos de un contexto europeo al otro consigue impulsar un proceso que a medida que se va desarrollando se retroalimenta, en una espiral de reconocimiento de derechos que, en el marco del principio de igualdad, es difícilmente acotable.

Sin embargo, a pesar de la afirmación de que las parejas homosexuales constituyen una familia a efectos del CEDH, lo cierto es que el TEDH negará cualquier posible vulneración debido a la falta de reconocimiento jurídico de este tipo de familia, para empezar, rechazando la posible tentación de identificar que la cuestión del acceso al matrimonio es tan solo un problema terminológico, esto es, que aun cuando no se reconozca el derecho al matrimonio en estos términos, la conjugación de vida familiar y no discriminación lleva inevitablemente a la construcción de una arquitectura jurídica idéntica a la institución del matrimonio pero con la denominación de «pareja inscrita». El TEDH rechazará absolutamente esta posibilidad, indicando que se trata de una cuestión en la que los Estados aún tienen un importante margen de apreciación.

Así, ni acceso al matrimonio, ni acceso a un estatus jurídico similar al del matrimonio son reconocidos a las parejas homosexuales. Varios elementos suscitan interés:

– Para empezar, la articulación de la respuesta del TEDH en relación al análisis solo en términos de derecho al matrimonio, y no en conjunción de este derecho con la cláusula antidiscriminatoria, a pesar de que el propio TEDH reconoce que formaba parte de los argumentos aportados por el recurrente, cuando expone que «[t]he applicants argued that they were discriminated against as a same-sex couple, firstly, in that they still did not have access to marriage and, secondly, in that no alternative means of legal recognition were available to them until the entry into force of the Registered Partnership Act»[616].

---

[615]   *Ibidem*, n° 94.
[616]   *Ibidem*, n° 100.

– En segundo lugar, la forma en la que se utiliza el margen de apreciación estatal, y que es especialmente puesto en cuestión por el voto particular discrepante, por cuanto se alega sin aportación de ningún fin legítimo que justifique la diferencia de trato entre parejas homo y heterosexuales, de modo que

> «[h]aving identified a "relevantly similar situation" (…), and emphasised that "differences based on sexual orientation require particularly serious reasons by way of justification" (…), the Court should have found a violation of Article 14 of the Convention taken in conjunction with Article 8 because the respondent Government did not advance any argument to justify the difference of treatment, relying in this connection mainly on their margin of appreciation (…). However, in the absence of any cogent reasons offered by the respondent Government to justify the difference of treatment, there should be no room to apply the margin of appreciation»[617].

El descalabro relativo que va a suponer esta sentencia no va a frenar, sin embargo, el número de asuntos que sobre esta materia seguirán llegando al TEDH, aun cuando hasta muy recientemente veremos pocas modificaciones de la postura adoptada en *Schalk y Kopf*. Esta posición va a contrastar de manera evidente con la que se mantendrá en el ámbito de la Unión Europea, en el que la sentencia *Jürgen Römer y Freie und Hansestadt Hamburg*[618], consolidará la consideración de discriminación de las diferencias entre los derechos reconocidos a las parejas homosexuales, y los derivados del matrimonio heterosexual, cuando no hay otros elementos de análisis que la simple pertenencia al mismo sexo o a diferente sexo de los miembros de la pareja.

De nuevo, será un asunto defendido, de parte del recurrente, por el sr. Graupner, del que ya hemos tenido ocasión de comentar su implicación en todo este proceso de litigación estratégica *supra*, en el que el TJUE volverá a insistir en que en una regulación jurídica en la que la diferencia más importantes entre el matrimonio, reservado para parejas de distinto

---

[617]   *Ibidem*, voto particular de los Magistrados Rozakis, Spielmann y Jebens, nº 8. Tiene esta argumentación mucho que ver con los dos conceptos de margen de apreciación que la doctrina ha identificado dependiendo de que la perspectiva de análisis se refiera a elementos sistémicos o normativos, expuestos en O.M. ARNARDÒTTIR, «Rethinking the Two...*op. cit.*

[618]   Sentencia *Jürgen Römer y Freie und Hansestadt Hamburg*, de 10 de mayo de 2011, asunto C-147/08.

sexo, y la pareja inscrita, reservada para parejas del mismo sexo, es precisamente el sexo de los componentes de la pareja, equiparándose prácticamente los derechos y deberes de éstos en ambos casos, la diferenciación en materia de cálculo de la pensión de jubilación en base a ser parte de una pareja heterosexual casada o una homosexual inscrita, supone de hecho una discriminación directa por orientación sexual, ya que

> «existe una discriminación directa por motivos de orientación sexual, debido al hecho de que, en el Derecho nacional, la mencionada pareja estable inscrita se encuentra en una situación jurídica y fáctica análoga a la de una persona casada a los efectos de la pensión de que se trata. La apreciación de si existen situaciones análogas es competencia del órgano jurisdiccional remitente y debe centrarse en los derechos y obligaciones respectivos de los cónyuges y de las personas que constituyan una pareja estable inscrita, tal como se regulan en el marco de las correspondientes instituciones, que sean pertinentes habida cuenta del objeto y de las condiciones de reconocimiento de la prestación en cuestión»[619].

Sin embargo, como venimos diciendo, la jurisprudencia del TEDH, que ha supuesto enormes avances en otros momentos, parece responder ahora a una necesidad de contención especialmente llamativa en estos asuntos. Así, en el asunto *Gas y Dubois v. Francia*[620], se van a unir las reclamaciones sobre el estatus jurídico de las parejas homosexuales con la exigencia del acceso a la posibilidad de adopción, de nuevo, con escaso éxito. Se trata de la situación planteada por una pareja compuesta por dos mujeres, en la que una de ellas se somete a una inseminación artificial fruto de la cual nace una niña, que es jurídicamente reconocida por su madre biológica, pero que no puede tener lazos jurídicos de unión con la otra parte de la pareja, por cuanto la legislación francesa sobre la materia solo permite adoptar al hijo biológico de la pareja en caso de matrimonio, estando éste reservado a las parejas heterosexuales.

Nos vamos a encontrar, de nuevo, ante un asunto que suscitará el interés y la participación de ONGs, algunas ya más que conocidas por el TEDH, en concreto, la International Federation for Human Rights (FIDH), la International Commission of Jurists (ICJ), la European Region of the International Lesbian, Gay, Bisexual, Trans and Intersex

---

[619] *Ibidem*, n° 52.
[620] Sentencia *Gas y Dubois v. Francia*, de 15 de marzo de 2012, Reports of Judgments and Decisions 2012.

Association (ILGA-Europe), la British Association for Adoption and Fostering (BAAF) y la Network of European LGBTI Families Associations (NELFA), representados todo ellos de nuevo, en un renovado esfuerzo conjunto, por Robert Wintemute. Por otro lado, el representante legal de las recurrentes en este asunto es también un viejo conocido del TEDH, el sr. Mécary, que defendió los intereses de la recurrente en *E.B. v. Francia*, comentado *supra*.

Sin embargo, no se obtendrá un resultado positivo en este asunto, indicando el TEDH que no ha habido discriminación por orientación sexual en el disfrute del derecho a la vida privada y familiar de las recurrentes, y consolidando en este sentido el argumento de que el matrimonio es sustancialmente distinto en su naturaleza jurídica a cualquier tipo de construcción jurídica alternativa en forma de pareja inscrita. De esta manera, y reiterando la jurisprudencia de *Schalk y Kopf*, quedando en manos del margen de apreciación estatal la posibilidad de reconocer o no el matrimonio entre personas del mismo sexo, las consecuencias diferentes que se den en relación a la pareja inscrita, son igualmente válidas[621].

La misma posición se va a mantener, en relación a este tema, en la sentencia *X y Otros v. Austria*[622], respecto de la legitimidad de las diferencias existentes entre los derechos reconocidos a parejas homosexuales y a matrimonios heterosexuales. Sin embargo, distinta será la respuesta dada cuando se trate de comparar la situación de las parejas homosexuales con las heterosexuales no casadas. Es éste un asunto en el que de nuevo vemos importantes trazas de litigación estratégica, para empezar porque será otra vez el abogado H. Graupner el encargado de la defensa jurídica de los recurrentes, como últimamente ha sido la tónica en todos los asuntos en los que la orientación sexual en Austria estaba implicada, que son muchos en muy poco tiempo, seguramente porque esta defensa jurídica es causa y efecto de la importante litigación estratégica protagonizada en relación a este Estado.

---

[621] El único voto particular discrepante en este asunto, del Magistrado Villiger, no cuestiona esta argumentación, sino que enfoca su análisis en la protección del interés del menor, y es en base a esto en lo que fundamenta su posición de que ha habido discriminación.

[622] Sentencia *X y Otros v. Austria*, de 19 de febrero de 2013, Reports of Judgments and Decisions 2013.

Además, vamos a asistir de nuevo a la intervención de terceros, que cada vez se hace más frecuente y no solo como apoyo de las reivindicaciones de los recurrentes, sino que también vamos a ser testigos de una importante movilización de organizaciones a favor de la posición de Austria en este asunto. Así, de nuevo Robert Wintemute se encargará de realizar las alegaciones en nombre de esta vez seis ongs, la Fédération Internationale des Ligues des Droits de l'Homme, la International Commission of Jurists, la European Region of the International Lesbian, Gay, Bisexual, Trans and Intersex Association, la British Association for Adoption and Fostering, la Network of European LGBTI Families Associations y la European Commission on Sexual Orientation Law. A ellas se sumará, con sus propias aportaciones, Amnistía Internacional. Pero asistiremos también a la intervención de tres organismos que apoyan la limitación de la capacidad de adopción de las parejas homosexuales, como son el European Centre for Law and Justice, el Fiscal General de Irlanda del Norte y Alliance Defending Freedom. De este modo, se produce una interesante participación de sociedad civil en la interpretación de los derechos del CEDH que supone hasta cierto punto un proceso de democratización de una organización internacional clásica que no carece de relevancia.

Como decíamos, la cuestión de la posibilidad de comparación entre matrimonio heterosexual y pareja homosexual a estos efectos queda bloqueada de nuevo, pero no así la que supone comparar los derechos de las parejas heterosexuales no casadas con las conformadas por dos personas del mismo sexo. Y en este caso, tras una importante recopilación de su propia jurisprudencia[623], el TEDH decide que

> «[a]ll the (…) considerations – the existence of de facto family life between the applicants, the importance of having the possibility of obtaining legal recognition thereof, the lack of evidence adduced by the Government in order to show that it would be detrimental to the child to be brought up by a same-sex couple or to have two mothers and two fathers for legal purposes, and especially their admission that same-sex couples may be as suited for second-parent adoption as different-sex couples – cast conside-

---

[623] Es una sentencia especialmente útil para entender la posición del TEDH en esta materia, ya que en su extensa argumentación, resume las principales líneas de análisis que han marcado su jurisprudencia en este tipo de asuntos.

rable doubt on the proportionality of the absolute prohibition on second-parent adoption in same-sex»[624].

Un último intento en este sentido será el que supondrá el recurso no admitido a trámite en el asunto *Boeckel y Gessner-Boeckel v. Alemania*[625], en el que se pretendía la aplicación de la presunción de paternidad a favor de la pareja femenina de la madre biológica, habiéndose inscrito como pareja con anterioridad al nacimiento del menor. La argumentación partía de la consideración de que se trataba siempre de una presunción *iuris tantum*, y que aplicaba igualmente en el caso de matrimonio en el que uno de los cónyuges fuera transexual. El TEDH no admitirá la equiparación con el matrimonio tampoco en este caso.

Sin embargo, no todo será negación de reconocimiento de derechos por parte del TEDH en los últimos años, y vamos a asistir, a la vez que se niega la equiparación de los derechos de los matrimonios heterosexuales con las parejas de hecho, sean éstas hetero u homosexuales, a una igualación paulatina de los derechos de las parejas de hecho entre sí, de modo que cada vez sean menos las cuestiones en que, por razón del sexo de los miembros de la pareja de hecho, se puedan establecer diferencias. Y esta realidad, evidenciada en el siguiente asunto que vamos a tratar, nos va a revelar una peculiar consecuencia, y es que la manera en la que las parejas homosexuales van a poder acceder paulatinamente a la equiparación de sus derechos con los matrimonios va a ser precisamente a través de la figura de la pareja de hecho inscrita heterosexual, ya que ésta, a su vez, va a buscar como punto de referencia, y por tanto de comparación en términos de igualdad, al matrimonio heterosexual. De este modo, reconociendo la igualdad, a muchos efectos, entre matrimonio y pareja de hecho heterosexual inscrita, se acaban reconociendo los derechos de las parejas de hecho homosexuales, que al ser equiparadas con las heterosexuales, acceden a la posición jurídica más parecida de éstas con el matrimonio.

Esto es algo que como decimos, vamos a empezar a percibir en la jurisprudencia del TEDH desarrollada en la sentencia *Vallianatos y*

---

[624]   Sentencia *X y Otros...*, *op. cit.*, nº 146.
[625]   Asunto *Boeckel y Gessner-Boeckel v. Alemania*, de 7 de mayo de 2013, nº 8017/11.

Otros v. Grecia[626], en la que varias parejas homosexuales griegas reclamarán la vulneración de los arts. 14 y 8 del CEDH por la exclusión de la ley griega de parejas de hecho de las parejas del mismo sexo. En este asunto, además de las parejas recurrentes, intentará personarse una organización social, la asociación Synthessi – Information, Awareness-raising and Research, con sede en Atenas, cuya personación será finalmente rechazada por carecer de la condición de víctima a efectos del CEDH. Por otro lado, de nuevo varias organizaciones, algunas ya muy conocidas por el TEDH, presentarán alegaciones en un asunto de gran trascendencia y del que dependía en buena medida la consolidación de una tendencia europea a favor de otorgar cobertura jurídica a las parejas del mismo sexo[627]. Además, volveremos a ver como uno de los representantes legales de los recurrentes a C. Mécary, que ya ha participado con anterioridad en otros asuntos relacionados con el colectivo LGBTI, como hemos estudiado *supra*.

Esta sentencia va a suponer la equiparación de la situación jurídica de las parejas homosexuales y heterosexuales en relación a su reconocimiento como tales y la posibilidad de inscripción en un registro público con consecuencias jurídicas comunes a ambos tipos de parejas. Y sin embargo, a pesar de la importancia de esta afirmación, lo cierto es que se trata más de una constatación de una realidad prácticamente extensiva al conjunto del Consejo de Europa, en el que Grecia y Lituania van a suponer la excepción al no establecer ningún tipo de reconocimiento legal de la pareja homosexual. Parece que en este asunto la constatación del consenso europeo ha llegado cuando ya prácticamente no hacía falta, sin por ello dejar de reconocer la importancia extrema de toda la labor previa de la jurisprudencia del TEDH para empujar en el sentido señalado. De este modo, también podría entenderse la existencia de este consenso como una constatación del éxito de la tendencia jurisprudencial del TEDH de anunciar la posibilidad de introducir nuevos reconocimientos de derechos antes de dar

---

[626] Sentencia *Vallianatos y Otros v. Grecia*, de 7 de noviembre de 2013, Reports of Judgments and Decisions 2013.

[627] Se trata de la Centre for Advice on Individual Rights in Europe (el AIRE Centre), la International Commission of Jurists (ICJ), la Fédération Internationale des Ligues des Droits de l'Homme (FIDH) y la European Region of the International Lesbian, Gay, Bisexual, Trans and Intersex Association (ILGA-Europe).

el paso del efectivo reconocimiento, como elemento de evolución de las prácticas legislativas de los Estados miembros.

La forma en la que se llega a la conclusión de que la omisión de las parejas homosexuales en la legislación griega sobre inscripción de parejas de hecho, constituye una vulneración del derecho a la no discriminación por orientación sexual, unido al derecho a la vida privada y familiar, mantiene el esquema de análisis ya estudiado. Afirmación de la aplicabilidad de ambos derechos al caso concreto, análisis en términos de no discriminación, constatación de la existencia de una diferencia de trato en base a la orientación sexual (que es el lugar en el que se niega que estemos ante situaciones iguales, cuando comparamos parejas homosexuales con matrimonio tradicional), valoración de la legitimidad de los fines perseguidos, y finalmente, afirmación de la desproporción de las medidas adoptadas en base a los fines perseguidos. Sin querer volver a insistir en la poca importancia que a nuestro entender se da a la valoración de los fines perseguidos (que tendría que valorarse en relación a la finalidad de respeto de la dignidad humana del propio CEDH, y por tanto en relación al respeto del principio de igualdad), lo cierto es que quizás el elemento más importante de esta sentencia es la relativa novedad de la incorporación, en el análisis de la realidad social europea del momento, de la labor legislativa y de impulso de órganos del Consejo de Europa[628] y de la Unión Europea[629]. Parece que por fin en esta materia va a empezar a realizarse

---

[628]   El TEDH hará referencia a la Recomendación 924 (1981) sobre discriminación contra homosexuales, Recomendación 1474 (2000) sobre la situación de las lesbianas y los gays en los Estados del Consejo de Europa, Recomendación 1470 (2000) sobre la situación de las lesbianas y los gays y sus parejas respecto del asilo y la inmigración en los Estados del Consejo de Europa, todas ellas de la Asamblea Parlamentaria del Consejo de Europa. Además, se referirá a la Resolución 1728 (2010) de la Asamblea Parlamentaria del Consejo de Europa, adoptada el 29 de abril de 2010 y titulada «Discriminación por motivo de orientación sexual e identidad de género», y a la Recomendación CM/Rec(2010)5 sobre medidas para combatir la discriminación por motivo de orientación sexual e identidad de género del Comité de Ministros. Todos estos documentos han sido estudiados *supra*. Sentencia *Vallianatos…, op. cit.*, n° 27-30.

[629]   En concreto, se tendrán en cuenta la Carta de Derechos Fundamentales de la Unión Europea, la Directiva 2003/86/EC del Consejo, de 22 de septiembre de 2003, sobre el derecho de reagrupación familiar y la Directiva 2004/38/EC del Parlamento Europeo y del Consejo, de 29 de abril de 2004, relativa al derecho de los ciudadanos de la Unión y de los miembros de sus familias a circular y residir libremente en el territorio de los Estados miembros.

una conexión entre lo que ocurre en el seno de ambas organizaciones y la labor de sus órganos jurisdiccionales, permitiendo que los frutos de todo este trabajo sean más efectivos.

Contrasta la posición del TEDH con la mantenida por el TJUE en materia de consideración de la situación matrimonial respecto de las parejas de hecho homosexuales. Las diferencias de apreciación entre las posturas de ambos tribunales van a ser más evidentes aún en la sentencia *Frédéric Hay y Crédit agricole mutuel de Charente-Maritime et des Deux –Sèvres*[630], en la que se planteará al TJUE la posible vulneración de la Directiva 2000/78, comentada *supra*, por no conceder a un trabajador, por motivo de la celebración de un pacto civil de convivencia con el que creaba una pareja de hecho registrada con otro hombre, los días de permiso especial retribuido y la prima salarial previstos para los trabajadores que contraían matrimonio. Pues bien, en este asunto, el TJUE reiterará su posición de que la situación jurídica de un matrimonio y de una pareja de hecho homosexual registrada es análoga a efectos de no discriminación, cuando la pareja homosexual no tiene acceso al matrimonio. Y ello porque, a pesar de los distintos modos de celebración y de los diferentes efectos jurídicos que se atribuyen a uno y otra, lo cierto es que se trata de la formalización legal de una relación sentimental que es perfectamente comparable. Esta es la cuestión que subyace en la argumentación del TJUE, que además considera, al contrario de lo que hace el órgano jurisdiccional nacional que plantea la cuestión, que se trata de una discriminación directa, y no indirecta, como afirmaba éste, ya que «aunque una diferencia de trato no se base expresamente en la orientación sexual de los trabajadores, sino en la situación matrimonial de éstos, seguirá constituyendo una discriminación directa, habida cuenta de que, al estar reservado el matrimonio a las personas de distinto

---

[630] Sentencia *Frédéric Hay v Crédit agricole mutuel de Charente-Maritime et des Deux –Sèvres*, de 12 de diciembre de 2013, asunto C-267/12. Un comentario de esta sentencia en C. MOLINA NAVARRETE, «Diversidad de Orientación Sexual y Principio de Igualdad de Trato Laboral: ¿El Fin de la Diferencia entre Parejas de "Hecho" y de "Derecho"? (Comentario a la Sentencia del Tribunal de Justicia de la Unión Europea, de 12 de diciembre de 2013, asunto nº C-267/12)», *Estudios Financieros. Revista de Trabajo y Seguridad Social*, nº 371, 2014, págs. 171 ss.

sexo, los trabajadores homosexuales se verán en la imposibilidad de cumplir el requisito necesario para obtener la ventaja reclamada»[631].

Y la valoración del tipo de discriminación de que se trate no tiene consecuencias puramente teóricas, sino que va a condicionar las posibles excepciones o justificaciones para legitimar una diferencia de trato que, de otro modo, sería discriminatoria. Así, «en la medida en que la discriminación producida es directa, no podrá justificarse por una "finalidad legítima", en el sentido del artículo 2, apartado 2, letra b), de la Directiva 2000/78 —puesto que esta disposición sólo se refiere a la discriminación indirecta—, sino únicamente por alguno de los motivos contemplados en el artículo 2, apartado 5, de la misma Directiva, a saber, la seguridad pública, la defensa del orden y la prevención de infracciones penales, la protección de la salud y la protección de los derechos y libertades de los ciudadanos»[632]. Resultando además, que cuando se invoquen estos últimos motivos, que establecen una excepción al principio de prohibición de las discriminaciones, deberán interpretarse éstos en sentido estricto.

Van a ser varias las sentencias del TEDH en los últimos tiempos que afronten las reivindicaciones en materia de familia aplicando criterios de comparación que van a denotar la dificultad del establecimiento de los mismos si éste no se hace aplicando una perspectiva teleológica, esto es, relacionando los criterios de comparación con la finalidad de la protección antidiscriminatoria. Así, asistiremos a un nuevo ejemplo de litigación estratégica en el asunto *Oliari y Otros v. Italia*[633], en el que tres parejas italianas recurren la imposibilidad de obtener reconocimiento de sus uniones sentimentales con personas del mismo sexo, ni a través del acceso al matrimonio, ni por medio de su consideración como unión civil. El carácter estratégico de este asunto queda de nuevo de manifiesto en el altísimo número de organizaciones a las que se dio acceso por parte del TEDH para que presentaran alegaciones, aunque finalmente solo unas cuantas llegaron a hacerlo[634].

---

[631] *Ibidem*, nº 44.
[632] *Ibidem*, nº 45.
[633] Sentencia *Oliari y Otros v. Italia*, de 21 de julio de 2015, ap. nº 18766/11 y 36030/11.
[634] Las organizaciones que sí presentaron alegaciones fueron FIDH (Fédération International des ligues de Droit de l'Homme), AIRE Centre (Advice on Individual Rights in Europe), ILGA-Europe, ECSOL (European Commission on Sexual

Lo primero que el Alto Tribunal va a hacer es, de nuevo, siguiendo la estela de *Schalk y Kopf*, afirmar que las parejas del mismo sexo que cohabitan de manera estable, constituyen sin lugar a dudas una familia a efectos de la protección del derecho a la vida familiar del artículo 8 del CEDH. Y será solo a través de este artículo como afirmará que Italia contraviene el CEDH por cuanto no ofrece ningún tipo de reconocimiento legal a las parejas de hecho homosexuales, interpretando la existencia de una obligación positiva por parte del Estado en este ámbito. Excluirá cualquier análisis en términos de no discriminación, volviendo a la doctrina de la falta de necesidad de realizar esta aproximación si ya hay un pronunciamiento sobre la violación de un derecho sustantivo, y eludiendo de esta manera un estudio que habría sido difícil de acometer desde la elección de criterios de comparación, por cuanto las parejas de hecho heterosexuales tampoco veían reconocida su relación, salvo a través del acceso al matrimonio. Se entenderá por otra parte, como ya ocurriera en *Chalk y Kopf*, y después en *Hämäläinen*, como veremos *infra*, que aún no se dan las condiciones para que pueda interpretarse el contenido del artículo 12 del CEDH, en el sentido de incluir el matrimonio entre personas del mismo sexo.

Muy poco tiempo después tendrá el TEDH ocasión de volver a pronunciarse en relación a esta materia, en la sentencia *Pajic v. Croacia*[635], en la que se solicita el derecho a la reunificación familiar de uno de los miembros de una pareja homosexual. El Alto Tribunal, tras volver a afirmar que las parejas homosexuales son familia a efectos del CEDH, incluso si, por circunstancias de distinta índole, no viven juntas durante un periodo de tiempo, utiliza el análisis de los elementos

---

Orientation Law), UFTDU (Unione Forense per la Tutela dei Diritti Umani), y LIDU (Lega Italiana dei Diritti dell'Uomo), todas ellas juntas, representadas de nuevo por Robert Wintemute, y Associazione Radicale Certi Diritti y ECLJ (European Centre for Law and Justice). Otras organizaciones a las que se les concedió la posibilidad de alegar, pero que finalmente no lo hicieron, fueron siete organizaciones rusas (Family and Demography Foundation, For Family Rights, Moscow City Parents Committee, Saint-Petersburg City Parents Committee, Parents Committee of Volgodonsk City, the regional charity «Svetlitsa» Parents' Culture Centre, y el «Peterburgskie mnogodetki» social organisation, todas ellas representadas por el mismo abogado) y tres organizaciones ucranianas (the Parental Committee of Ukraine, the Orthodox Parental Committee, y the Health Nation social organisation).

[635] Sentencia *Pajic v. Croacia*, de 23 de febrero de 2016, ap. nº 68453/13.

de comparación para acabar afirmando que, en un escenario en el que las parejas de hecho heterosexuales sí tienen acceso a la reagrupación familiar (tomando por tanto éste como elemento de comparación y eludiendo así tener que comparar con la situación de parejas matrimoniales) la negación de este derecho a la pareja homosexual supone un trato discriminatorio, y consecuentemente, vulnera el CEDH.

No tendrá el mismo resultado el asunto *Aldeguer Tomás v. España*[636], una curiosa controversia en la que se pretende la comparación de situaciones legales que responden a momentos históricos distintos, buscando una suerte de retroactividad del análisis antidiscriminatorio, que sin embargo el TEDH no admitirá. Se trata de la reclamación de pensión de viudedad de un hombre respecto de su pareja masculina con la que había convivido durante doce años, pero con la que no había podido casarse al no existir en España en ese momento reconocimiento del matrimonio entre personas del mismo sexo. En efecto, nos encontramos aquí con las pretensiones del recurrente consistentes en entender, como de hecho hace un tribunal nacional, el juzgado de lo social n° 33 de Madrid, que la modificación del Código civil español, a través de la Ley 13/2005, permitía interpretar como aplicable a las parejas homosexuales una ley de 1981, cuya finalidad era la de solucionar la situación de las parejas heterosexuales que, debido a la imposibilidad legal de divorciarse, no habían podido contraer matrimonio por estar ya casado uno o ambos con parejas anteriores. La disposición adicional primera de la Ley 13/2005 exige la interpretación de toda disposición legal o reglamentaria que haga referencia al matrimonio sin atender al sexo de sus miembros (de modo que puedan ser aplicables a los matrimonios del mismo sexo). Por su parte, la legislación de referencia que se pretendía aplicar era la disposición adicional décima de la Ley 30/1981 de 7 de julio, conocida como la ley del divorcio, porque precisamente introduce esta posibilidad en el ordenamiento jurídico español. Esta disposición reconocía el derecho a la pensión de viudedad a la pareja supérstite en los casos en los que no habían podido acceder al matrimonio al estar previamente casados y no existir la posibilidad del divorcio. Así, lo que se pretende es aplicar esta legislación a las parejas homosexuales anteriores a la

---

[636] Sentencia *Aldeguer Tomás v. España*, de 14 de junio de 2016, ap. n° 35214/09.

entrada en vigor de la ley que permite el matrimonio homosexual.
O en otros términos, se trata de comparar la situación de las parejas
heterosexuales y las homosexuales, imposibilitadas ambas a contraer
matrimonio, por distintos motivos. El hecho de que se pretenda aplicar una nueva interpretación a una legislación tan lejana en el tiempo,
y prácticamente ya sin utilidad, y las consecuencias económicas que
supondría para el Estado, llevan al TEDH a entender que no estamos
ante situaciones comparables y por tanto, no ha habido trato discriminatorio, ni consecuentemente, vulneración del CEDH.

Vemos de este modo cómo la campaña de litigación estratégica, unida a asuntos puntuales en los que no es evidente esa condición, va a dar
resultados ambivalentes, una negativa total por parte del TEDH a la consideración de la situación de los matrimonios como análoga a las parejas
homosexuales, junto con la aplicación de esa analogía en relación a las
parejas de hecho heterosexuales, frente a la apreciación del TJUE de que
las situaciones comparables son los matrimonios y las parejas de hecho
homosexuales cuando éstas no pueden contraer matrimonio, negando
como elemento de comparación el de las parejas de hecho heterosexuales.

Sin embargo, esta situación empezará a cambiar con el giro jurisprudencial por parte del TEDH que supone la sentencia *Taddeucci y Mc-
Call v. Italia*[637], que además de la diferente interpretación del contenido
del derecho a la no discriminación que contiene, anuncia significativos
cambios en el futuro. El asunto tiene como controversia de partida la
situación de una pareja formada por dos hombres, uno de ellos italiano
y su compañero de nacionalidad neozelandesa, que se ve compelida a
abandonar Italia al ver rechazada la solicitud de residencia permanente
por reagrupación familiar del miembro de la pareja extracomunitario[638].
El argumento jurídico que apoya la no concesión de la residencia será
que no se trata de una relación familiar de las que permiten la reunificación familiar, interpretando el Decreto Legislativo nº 286 de 1998[639],

---

[637] Sentencia *Taddeucci y McCall v. Italia*, de 30 de junio de 2016, ap. nº 51362/09.
[638] Sobre la evolución normativa del reconocimiento de las parejas homosexuales
en Italia, en relación al derecho europeo, ver S. MARINAI, «Recognition in Italy
of Same-Sex Marriages Celebrated Abroad: The Importance of a Bottom-up Approach», *European Journal of Legal Studies*, vol. 10, 2016-2017, págs. 10 ss.
[639] Decreto Legislativo 25 luglio 1998, n. 286, testo único delle disposizioni con-
cernenti la disciplina dell'immigrazione e norme sulla condizione dello straniero

en su artículo 29, y en referencia al concepto de «familiares» como solo aplicable a los cónyuges, descendientes menores de edad, descendientes mayores de edad dependientes económicamente por motivos de salud, y otros familiares sin los mínimos apoyos en sus países de origen. Se negará por parte de los Tribunales italianos la posibilidad de ampliación del concepto a las parejas de hecho, quedando limitado a los matrimonios.

Lo primero que conviene señalar es que se trata de un asunto en el que intervendrán los colectivos LGBTI de forma muy activa[640]. Por una parte, el abogado de los recurrentes vuelve a ser el profesor Robert Wintemute, al que ya hemos tenido de ocasión de ver en múltiples asuntos representando o defendiendo los intereses de la comunidad LGBTI. Por otra parte, encontramos como amicus curiae o *third-party interveners*, presentando informes que cada vez resultan más relevantes en la conformación de la opinión del TEDH, a las siguientes organizaciones: International Commission of Jurists (ICJ), International Lesbian, Gay, Bisexual Trans and Intersex Association (ILGA) Europe, Network of European LGBT Families (NELFA) y European Commission on Sexual Orientation Law (ECSOL).

En segundo lugar, se trata del reconocimiento de la existencia de discriminación por orientación sexual entre parejas heterosexuales matrimoniales y parejas homosexuales que no pueden contraer matrimonio, por no existir esta posibilidad en el Estado miembro, una existencia de discriminación que, como ya hemos visto, ha sido negada en la jurisprudencia anterior en varias ocasiones. Y es precisamente en este ámbito en el que se producirá una modificación de la jurisprudencia del TEDH cuyas consecuencias están por ver, pero que se perfilan como muy prometedoras en la defensa de los derechos vinculados con la diversidad sexual. En concreto, más allá de los efectos positivos respecto del caso objeto de litigio, lo interesante es el nuevo enfoque en el análisis de la discriminación que se pone en práctica en esta sentencia.

Efectivamente, el esquema de análisis que se utiliza es diferente a asuntos anteriores. Por una parte, empieza por considerar que tan dis-

---

(GU Serie Generale n. 191 del 18-08-1998 – Suppl. Ordinario n. 139). El artículo 29 incluye también a los progenitores a cargo, aunque los antecedentes de la sentencia del TEDH *op. cit.* no hacen referencia a éstos.

[640] Estamos ante un nuevo ejemplo de los excelentes resultados de la aplicación de una muy inteligente estrategia de litigación.

criminatorio puede ser tratar situaciones similares de modo distinto, como tratar situaciones distintas de modo similar[641]. Esto da lugar al estudio del establecimiento de cuándo nos encontramos efectivamente antes situaciones distintas o similares, o lo que es lo mismo, a la valoración de los criterios de comparación, y su elección. Y va a ser en este momento del análisis en el que se haga especialmente patente que la aplicación de la cláusula antidiscriminatoria, ni es, ni debe ser neutra, esto es, es necesario elegir las situaciones que vamos a comparar desde la perspectiva de cuál es la finalidad que pretendemos conseguir con la protección frente a la discriminación.

Aquí es donde realmente se va a producir un viraje interesantísimo en la jurisprudencia del TEDH. Y es que este Alto Tribunal va a considerar que comparar la situación de una pareja homosexual con la de una pareja heterosexual, ambas sin haber contraído matrimonio, y no tomar en consideración la imposibilidad legal de contraer matrimonio de las parejas homosexuales, supone de hecho tratar dos situaciones diferentes como si fueran iguales. Se trata de situaciones en las que lo relevante es la capacidad para contraer matrimonio de unas parejas respecto de otras, lo que las coloca en posiciones de partida distintas, y por tanto, establecer en este caso las mismas consecuencias jurídicas supone un trato diferenciado. Así, a efectos de conocer si estamos o no ante una posible discriminación, lo necesario es valorar la situación de una pareja homosexual que no puede contraer matrimonio con la de otra pareja heterosexual que sí puede. Establecida esta diferencia de trato, el TEDH pasa al segundo elemento de análisis, cual es conocer si la misma tiene una justificación objetiva y razonable, en los términos clásicos explicados *supra*.

---

[641] Un enfoque metodológico que ya fue establecido por el TEDH en la sentencia *Hämäläinen v. Finlandia, op. cit.*, y anteriormente, respecto de un asunto no relacionado con la diversidad sexual, en la sentencia *Thlimmenos v. Grecia*, de 6 de abril de 2000, Report of Judgments and Decisions 2000-IV. Por su parte también ha sido utilizada, como hemos tenido ocasión de estudiar, por el Tribunal del Justicia de la Unión Europea, en relación a la orientación sexual, en la importante sentencia *Jürgen Römer, op. cit.* Para un estudio de las diferencias en la aproximación al concepto de discriminación y su aplicación, entre ambos tribunales internacionales, ver N. PETERSEN, «The Principle of Non-discrimination in the European Convention on Human Rights and in EU Fundamental Rights Law». En Y. NAKANISHI (eds), *Contemporary Issues in Human Rights Law*. Singapore: Springer, 2018, págs. 129 ss. https://doi.org/10.1007/978-981-10-6129-5_7.

Y de nuevo, en este punto, asistimos a un cambio de orientación muy importante, por cuanto este análisis se centra en la legitimidad de los fines perseguidos, y no en el nivel de proporcionalidad establecido entre aquellos y los medios utilizados. Así, el TEDH establece claramente que «[a]lthough protection of the traditional family may, in some circumstances, amount to a legitimate aim under Article 14, the Court considers that, regarding the matter in question here —granting a residence permit for family reasons to a homosexual foreign partner— it cannot amount to a "particular convincing and weighty" reason capable of justifying, in the circumstances of the present case, discrimination on grounds of sexual orientation (...)»[642].

Hasta ahora, como hemos tenido ocasión de ver, en el análisis acerca de la existencia de una justificación objetiva y razonable, hemos asistido durante mucho tiempo a la afirmación por parte del TEDH de que las diferencias de trato basadas en la orientación sexual persiguen una finalidad legítima, cual puede ser la protección de menores de edad, como ocurre ya desde *Da Silva Mouta*. El TEDH utiliza el criterio de la finalidad legítima casi vaciándolo de contenido, pues no relaciona el interés buscado, que puede considerarse siempre como legítimo, con los medios empleados para tal fin. Y es que un Estado miembro intentará aportar criterios de justificación de la diferencia de trato que puedan considerarse legítimos (el interés público, la protección de los menores de edad, la protección de la familia, etc...) y que en este tipo de análisis son fáciles de encontrar, al no considerar la idea de finalidad legítima como un concepto relacional, esto es, que relaciona el interés buscado con la medida que se adopta.

Podría decirse que esto es lo que en realidad se hace al realizar el análisis de proporcionalidad, pero se trata de conceptos distintos, y es que la protección frente a la discriminación ha sido puesta en marcha a través de la consideración como desproporcionadas de las medidas que introducen diferencias de trato en base a la orientación sexual. Es evidente la diferente perspectiva que supone la consideración de la proporcionalidad frente a la finalidad legítima. Por una parte, si establecemos que una diferenciación en base a un motivo concreto es desproporcionada, no negamos la posibilidad de que ese motivo

---

[642] Sentencia *Taddeucci y McCall v. Italia*, *op. cit.*, n° 93.

pueda sustentar otro tipo de diferenciaciones, mientras que si recha-
zamos la legitimidad del mismo hecho de la diferenciación en base a
un motivo concreto, estamos negando que ese mismo motivo pueda
ser utilizado, sin aportar más razones, para otras diferenciaciones.

De esta manera, las alternativas correctas para realizar el análisis
discriminatorio dentro del CEDH deberían ser las siguientes: o bien
consideramos la finalidad legítima como un concepto que engloba los
motivos de diferenciación (no es lo mismo decir que la finalidad es la
protección de la infancia, que considerar que la finalidad es proteger a
la infancia de la homosexualidad, por ejemplo), o introducimos el criterio de congruencia. Este criterio es el que permite relacionar el interés
buscado con la diferenciación, con el tipo de medidas que se articulan
para tal fin, de modo que lo que analizamos es la adecuación de uno
con otras, y no si se trata de medidas demasiado gravosas o no (que
es lo que teóricamente debe hacer un análisis de proporcionalidad).
Sin embargo, ninguna de estas alternativas es la utilizada generalmente
por el TEDH, que realiza el juicio acerca de la posible discriminación
a través mayoritariamente de un estudio de proporcionalidad de las
medidas. La gran excepción, en materia de orientación sexual, va a ser
Taddeucci, en la que se vincula, como acabamos de ver en palabras del
propio TEDH, la valoración de la legitimidad de los fines buscados con
los concretos motivos de diferenciación, de modo que la orientación sexual aparece como criterio, ahora sí, especialmente protegido, que con-
diciona la misma legitimidad de los fines buscados, o si lo queremos,
como auténticos *suspect grounds*, merecedores de una protección agra-
vada. La condena a Italia, en estas circunstancias, resulta inevitable[643].

Finalmente, la realidad de la producción jurisprudencial de los Altos
Tribunales europeos va a ser un paulatino reconocimiento de derechos
que se va a llevar a cabo a base de contradicciones y constataciones de
los cambios sociales producidos, pero no en relación a una interpretación
coherente y sistemática de los instrumentos internacionales aplicables a
cada caso. Resulta especialmente llamativa la ausencia de toda referencia

---

[643] Y ello a pesar del importante reconocimiento de las parejas homosexuales como
«grupo social» por parte del Tribunal Constitucional italiano, en su sentencia nº
138 de 15 de abril de 2010, en la que, sin embargo, como se resume en *Taddeucci*,
se compara la situación de las parejas del mismo sexo con las heterosexuales no
ligadas por vínculo matrimonial.

a la necesidad de consideración del principio de dignidad humana en asuntos en los que cabría esperar su aplicación, tales como los relativos al reconocimiento de relaciones humanas ya consolidadas y particularmente importantes para las personas implicadas, y los relacionados con la consideración social de los vínculos afectivos. Sin embargo, también vamos a asistir a la publicación de importantes estudios acerca de las condiciones de vida del colectivo y la necesidad de intervención en la protección de sus derechos humanos, que posiblemente puedan ser utilizadas en el futuro por estos Tribunales Internacionales para avanzar en el reconocimiento de derechos y la lucha contra la discriminación[644].

4.4.2. La identidad de género

A pesar de los importantes avances que se han producido con anterioridad en relación a las demandas del colectivo transexual, lo cierto es que las últimas sentencias del TEDH sobre la materia, no van a aportar grandes novedades, siendo así, que algunos asuntos van a venir profundamente marcados por las particularidades de las situaciones planteadas, mientras otros sólo supondrán una nueva negativa a reivindicaciones ya conocidas.

De este modo, la sentencia *Schlumpf v. Suiza*[645] supondrá una respuesta muy específica, no extrapolable a otros asuntos, condicionada por las circunstancias concretas del recurrente. En efecto, la situación de la persona que acude al TEDH, una mujer transexual que decide someterse al cambio de sexo con una edad muy avanzada, aplazada en espera de que sus hijos crecieran, y tras la muerte de su esposa, va a ser el elemento decisivo en este asunto. Y es que el seguro médico de la recurrente se negó a pagar los gastos de la operación de cambio de sexo por no haber cumplido la misma el plazo de dos años de observación para

---

[644]   Como ejemplo podemos indicar EUROPEAN UNION AGENCY FOR FUNDA-MENTAL RIGHTS, *EU LGBTI survey: European Union lesbian, gay, bisexual and transgender survey*, Luxemburgo: Publications Office of the European Union, 2014. Esta organización lleva a cabo estudios de campo sobre diversos asuntos relacionados con el respeto de los derechos humanos y la no discriminación en el ámbito geográfico de la Unión Europea, entre ellos diferentes aspectos de la realidad LGBTI. Se puede consultar en http://fra.europa.eu/(consultado el 27 de mayo de 2015).

[645]   Sentencia *Schlumpf v. Suiza*, de 8 de enero de 2009, ap. nº 29002/06.

constatar que se trataba de un caso de «transexualidad auténtica», aun cuando los informes médicos así lo aseguraban, aduciendo el seguro, al mismo tiempo, que la avanzada edad de la recurrente desaconsejaba la operación. Pese a ello, ésta decidió operarse, lo que hizo con éxito.

Alega la recurrente que su derecho a la vida privada, entre otros, ha sido vulnerado. El TEDH afirmará, de nuevo, el amplio campo de protección del derecho a la vida privada, que incluye aspectos tan íntimos como la identidad sexual, el nombre o la orientación sexual, pero que también protege el libre desarrollo de la personalidad y el derecho a establecer y mantener relación con otros seres humanos y el mundo exterior. Y aprovechará de nuevo también, la ocasión para consolidar la vinculación de los derechos de las personas transexuales con el concepto de dignidad humana, recordando así que el contenido del art. 8 del CEDH no solo implica la no injerencia de los poderes públicos, sino que también les impone obligaciones positivas.

En este contexto, el Alto Tribunal entenderá que ha habido una violación del derecho a la vida privada de la recurrente por aplicar automáticamente, sin tener en cuenta sus particulares circunstancias, la exigencia de dos años, utilizando para ello dos argumentos. El primero, que las condiciones particularizadas en las que se aplica el CEDH son esenciales para su efectividad, siendo así que, dada la edad de la recurrente, obligarla a esperar supondría de hecho una injerencia no justificada en su vida privada, y el segundo, consistente en entender que la propia exigencia de la espera de dos años no se explica en las condiciones actuales de la medicina, dado que se ha avanzado en el diagnóstico de la transexualidad y en cualquier caso, es muy improbable que una persona que no sea realmente transexual se someta a la enorme dificultad que tanto médica como socialmente supone el proceso de cambio de sexo.

Por último, de nuevo, se considerará que el análisis en términos de derecho a la vida privada, y la constatación de su vulneración, cubre la reclamación en relación a la existencia de discriminación, y por tanto, el TEDH decidirá que no es necesario analizar la situación planteada en relación con el art. 14 del CEDH.

De igual manera, y poco tiempo después de la entrada en vigor del Tratado de Lisboa, el siguiente asunto relacionado con la transexualidad tendrá también un componente de peculiariedad, ya que el sentido del fallo vendrá determinado por las concretas circunstancias del caso planteado. Nos referimos a la sentencia *P.V. v. España*[646], en la que una mujer transexual considera contrarias al CEDH las restricciones impuestas respecto del régimen de visitas a su hijo[647]. Éste será un asunto muy criticado desde distintos sectores del movimiento LGBTI, ya que el TEDH desestimará la reclamación de la demandante, entendiendo que la limitación inicial (aunque se fue ampliando progresivamente a lo largo del tiempo) de la posibilidad de visitar a su hijo, estaba motivada por el desequilibrio psicológico de la recurrente, debido a que se encontraba en pleno proceso de cambio de sexo, y no por el hecho de tratarse de una mujer transexual. Además del posible desacuerdo que se pueda expresar en relación a esta postura, en la que aparece reiteradamente el argumento de la dificultad del menor de edad para asumir el cambio de sexo de su padre, lo cierto es que es una sentencia que introduce un elemento de protección, que si bien no se aplica al caso concreto, crea ya una postura jurisprudencial esperanzadora.

Y es que será la primera vez que en materia de identidad sexual, el TEDH afirme rotundamente, al modo en que ocurrió respecto de la orientación sexual en *Da Silva Mouta*, que la prohibición de discriminación se aplica también a las diferencias de trato basadas en la transexualidad. En efecto, se explicitará esta postura jurisprudencial como si fuera la constatación de una obviedad, sin aportar más motivación, de modo que

> «la Cour note toutefois, que ce qui est en jeu dans la présente affaire n'est pas une question d'orientation sexuelle, mais de dysphorie de genre. Elle estime néanmoins que la transsexualité est une notion qui est couverte, à n'en pas douter, par l'article 14 de la Convention. La Cour rappelle à cet égard que la liste que renferme cette disposition revêt un caractère indicatif, et non limitatif, dont témoigne l'adverbe "notamment" (en anglais "any ground such as")»[648].

Se trata de una afirmación que pasará bastante desapercibida, pero que, al igual que ocurre en materia de orientación sexual, y aunque

---

[646] Sentencia *P.V. v. España*, de 30 de noviembre de 2010, ap. n° 35159/09.
[647] I. ESPÍN ALBA, «¿Discriminación por Identidad Sexual? Reflexiones a Propósito de la Sentencia del Tribunal Europeo de Derechos Humanos de 30 de diciembre de 2010 (caso P.V. contra España)», en AA.VV., *Estudios de Derecho Civil en Homenaje al Profesor Joaquín José Rams Albesa*, Madrid: DYKINSON, 2013.
[648] *Ibidem*, n° 30.

no hayamos asistido a ello aún, dará seguramente importantes frutos en el futuro.

Los últimos dos asuntos que han tratado, a nivel europeo, cuestiones relacionadas con la transexualidad, no han incorporado nueva jurisprudencia digna de mencionar. Así, en el asunto *Joanne Cassar v. Malta*[649], se llegará a un acuerdo extrajudicial entre el Gobierno de Malta y la recurrente, que alegaba la evidente vulneración del CEDH al negar a las personas transexuales que hubieran procedido al cambio de sexo legal, la posibilidad de contraer matrimonio con su nueva identidad de género[650]. Así, el Estado se comprometerá a modificar la ley para permitir el acceso al matrimonio de las personas transexuales, en lo que no es más que la ejecución de una ya reiterada jurisprudencia del TEDH, como hemos visto *supra*.

Por último, asistiremos a un nuevo intento de una persona transexual de conservar su matrimonio heterosexual, celebrado antes de proceder al cambio de sexo, del que nace una hija, y lograr el reconocimiento legal completo de su nueva identidad sexual. En este asunto, la sentencia *Hämäläinen v. Finlandia*[651], volveremos a ver la participación de colectivos en defensa de los derechos humanos y de la transexualidad, tanto como representantes legales de la recurrente, ya que sus abogados pertenecen a Interights, como a través de la aportación de alegaciones, en concreto, por parte de Amnistía Internacional y Transgender Europe. Sin embargo, tampoco en esta ocasión se logrará una resolución que proteja esta reclamación, aun cuando sí vamos a asistir a la incorporación del análisis de la posible vulneración de la prohibición de discriminación por razón de sexo.

Dos elementos son importantes a este respecto, en primer lugar, que quizás la fórmula de análisis de la que parte la recurrente y que es

---

[649] Asunto *Joanne Cassar v. Malta*, de 9 de juliio de 2013, ap. nº 36982/11.

[650] Se presentarán en este asunto, alegaciones por parte de The European Centre for Law and Justice, el Malta Gay Rights Movement junto con ADITUS (una ong nacional), y por INTERIGHTS junto con Transgender Europe y la International Commission of Jurists.

[651] Sentencia *Hämäläinen v. Finlandia*, de 16 de julio de 2014, Reports of Judgments and Decisions 2014. El voto particular discrepante de los Magistrados Sajö, Keller y Lemmens plantea una visión de este asunto absolutamente contraria a la mantenida por la mayoría.

tratada por el TEDH no haya sido la más afortunada, ya que busca un elemento de comparación en las personas cisgénero, que no son sometidas a la necesidad de elegir entre su identidad de género y su estado civil. El TEDH entenderá que no estamos ante circunstancias comparables y rechazará que haya habido discriminación por razón de sexo. Sin embargo, habría cabido otra forma de abordar la cuestión de la discriminación, en el entendimiento de que la transexualidad es una condición que trasciende los límites de la asignación sexual a uno u otro género, y que por tanto, tratar del mismo modo a una persona cisgénero y a una persona transexual, a efectos de su imposibilidad de acceder al matrimonio homosexual, supone de hecho una discriminación, ya que se están tratando como iguales situaciones que no lo son. Sin embargo, este enfoque no se planteará en ningún momento.

En segundo lugar, no se determina claramente si se está tratando un asunto de discriminación por sexo o por orientación sexual, no planteándose en ningún momento recuperar la jurisprudencia de *P. V.* y afirmar de nuevo que se trata de la posibilidad de una discriminación por identidad de género, algo que habría podido contribuir a considerar en sus justos términos los elementos definidores y las necesidades del colectivo transexual.

De este modo, aun cuando han sido muchísimos los avances en materia de identidad de género que se han producido a lo largo del tiempo, lo cierto es que muchas de las reivindicaciones propias se diluyen confundidas con las relativas a la orientación sexual o con las que tratan la discriminación por sexo, no permitiendo proceder al desarrollo de un tratamiento jurídico dedicado a las dificultades que surgen cuando se trata de asuntos relacionados con la identidad sexual, que hasta ahora han sido reclamados por transexuales, no encontrando como tal, sin incluir en la noción de transexualidad, ningún caso relacionado con la situación de las personas intersexuales.

Va a ser un muy reciente asunto el que vuelva a poner de relieve la necesidad de un trato específico que aborde las necesidades diferenciadas del colectivo trans. Nos estamos refiriendo a la sentencia *YY v. Turquía*[652], en la que el TEDH tendrá que valorar si ha habido vulneración del derecho a la vida privada en la negativa de las autoridades turcas de

---

652 Sentencia *YY. V. Turquía*, de 10 de marzo de 2015, ap. nº 14793/08.

conceder la autorización para que un hombre transexual pueda someterse a la operación de cambio de sexo, que tiene, entre otros efectos, la
consecuencia de la esterilización del paciente. Y se expondrán como elementos de derecho internacional, relevantes a efectos de la controversia
planteada, las distintas recomendaciones, resoluciones y estudios realizados en el seno del Consejo de Europa y estudiadas *supra*, que exigen la
adopción de medidas específicas destinadas a las personas transexuales.

Tendrá igualmente importancia la desestimación que el TEDH hace
de los argumentos del Gobierno, que alegaba la falta de condición de víctima del recurrente, por cuanto una decisión posterior, tomada tras conocer las autoridades turcas que se había interpuesto recurso ante el TEDH,
había procedido a otorgar la autorización. El Alto Tribunal decidirá en
este caso que, tanto por la falta de reconocimiento de la vulneración del
derecho por parte de las autoridades concernidas, como por el perjuicio
causado al recurrente, éste seguía siendo víctima a efectos del CEDH.

El TEDH vuelva a basar su argumentación en este asunto en la exigencia que el principio de dignidad, junto con la libertad, impone a la
acción de los Poderes Públicos. Y va a resultar interesante porque como
el propio TEDH explica «[l]a présente affaire a ainsi pour objet un
aspect des problèmes que peuvent rencontrer les personnes transsexue-
lles différent de ceux que la Cour a eu l'occasion d'examiner jusqu'à
présent»[653]. Efectivamente, se trata de una controversia, la del acceso a
las intervenciones quirúrgicas para la reasignación sexual y los requisitos exigibles para ello, que el TEDH no ha tenido la ocasión de abordar,
al menos no directamente, con anterioridad. Y afirmará que «le refus
qui a été initialement opposé au requérant a eu indéniablement des ré-
percussions sur son droit à l'identité sexuelle et à l'épanouissement per-
sonnel, aspect fodamental de son droit au respect de sa vie privée»[654].
Por lo demás, el TEDH realiza un análisis clásico en términos de la
justificación de la injerencia en la vida privada, teniendo quizás cierto
interés que en esta ocasión, y de forma excepcional, si atendemos a su
jurisprudencia, va a negar la legitimidad de algunas de las finalidades
explicitadas por el Gobierno turco, en concreto, las relativas a evitar la
banalización de las operaciones quirúrgicas de cambio de sexo, así co-

---

[653]   *Ibidem*, nº 62.
[654]   *Ibidem*, nº 66.

mo la posibilidad de explotación por redes de prostitución. Y finalmente entenderá, tras un detallado análisis tanto de la situación en otros Estados europeos, como de las normas y documentos del propio Consejo de Europa, que hay un consenso europeo sobre la materia bastante evidente, y que la exigencia de esterilización previa al cambio de sexo supone en sí misma una violación del derecho a la vida privada.

4.4.3. Nuevos desafíos

La situación nacional de algunos de los Estados que conforman el Consejo de Europa, marcada por un intenso rechazo social de la diversidad sexual, va a suponer para el TEDH un importante esfuerzo de imposición de la perspectiva de derechos humanos a las regulaciones nacionales tendentes a la represión de la realidad LGTBI[655].

Así, vamos a asistir a la interposición de varios recursos relacionados con las posibilidades de limitar la libertad de expresión, en un sentido muy genérico, incluyendo aquí el derecho de reunión y la libertad de manifestación, cuando se haga referencia a asuntos relativos a la orientación sexual. Y comienza este listado con la sentencia *Alekseyev v. Rusia*[656], en la que el recurrente alega la vulneración del art. 11 y 14, entre otros, al ser prohibidas de forma reiterada, marchas en defensa de los derechos LGBTI, en Moscú, a lo largo de varios años. El TEDH aplicará la misma doctrina ya estudiada en *Bączkowski*, interpretando que la prohibición de realización de las marchas, por más que éstas puedan

---

[655] Tanto es así, que la Asamblea Parlamentaria del Consejo de Europa aprobó en 2013 la Resolución 1948 (2013) y la Recomendación 2021 (2013), ambas tratadas *supra*, en las que señala expresamente su preocupación por la situación del colectivo LGBTI en estos países.

[656] Sentencia *Alekseyev v. Rusia*, de 21 de octubre de 2010, ap. nº 4916/07, 25924/08 y 14599/09. De nuevo será condenada Rusia por vulneración del derecho de reunión y libertad de expresión, en la sentencia *Lashmankin y Otros v. Rusia*, de 7 de febrero de 2017, ap. nº 57818/09 y otros catorce, en la que se acumulan diversos asuntos todos ellos relacionados con la limitación de los derechos referidos, además de algunos otros, como la tutela judicial efectiva, por distintos motivos, particularmente por opiniones políticas, y también, en relación a uno de los recursos, por orientación sexual (en concreto la ap. nº 19700/11 *Yefremenkova y Otros v. Rusia*). Sin embargo, la sentencia versa fundamentalmente sobre el contenido de estos derechos, siendo tan solo complementaria la cuestión de la orientación sexual, razón por la que no se incluye en este estudio.

disgustar a la mayoría de la población, como argumentaba a modo de justificación el Estado, vulnera el contenido del CEDH, y en concreto, el art. 11 y 14, relativos al derecho de reunión y manifestación, junto con la prohibición de discriminación por orientación sexual[657].

La misma respuesta recibirá el recurso presentado, en un asunto muy parecido, en la sentencia *Genderdoc-M v. Moldavia*[658], por una ONG local en defensa del colectivo LGBTI, a la que se prohibió la realización de una manifestación pacífica. El propio Gobierno moldavo reconoció la violación del art. 11 del CEDH, a la que el TEDH añadió que había supuesto un trato discriminatorio por orientación sexual.

Pero se extenderá esta protección al colectivo LGBTI más aún en esta materia cuando se trate de evaluar la actuación estatal que no otorgó la protección necesaria a una marcha pacífica de celebración del día internacional contra la homofobia en Tbilisi, con el resultado de varios heridos y detenidos, todos miembros de la marcha pacífica, que fueron atacados por dos grupos religiosos, ante la pasividad de la policía, que sin embargo había sido avisada por los organizadores de la marcha de que algo así podía ocurrir. Se trata de la reciente sentencia *Identoba y Otros v. Georgia*[659], cuyo recurso fue interpuesto, de nuevo, por una ONG local, Identoba, y 14 activistas víctimas de las agresiones.

Lo primero que conviene destacar es la perspectiva desde la que se va a realizar el análisis de la controversia presentada, y es que, lejos de proceder a un estudio individualizado de cada uno de los derechos en cuestión, el TEDH va a acordar la revisión de los hechos a la luz de la posible vulneración de los derechos del art. 3 en conjunción con el art. 14, afirmando desde un principio que el carácter presuntamente discriminatorio de lo acontecido es un elemento esencial sin el cual no se entiende la situación que se plantea. El TEDH afirmará que «[t]reating violence and brutality with a discriminatory intent on an equal footing with cases that have no such overtones would be turning a blind eye to the specific nature of acts that are particularly destructive of funda-

---

[657] Un comentario a esta sentencia en P. JOHNSON, «Homosexuality, Freedom of Assembly and the Margin of Appreciation Doctrine of the European Court of Human Rights: Alekseyev v Russia», *Human Rights Law Review*, Nº 9, 2011.

[658] Sentencia *Genderdoc-M v. Moldavia*, de 12 de junio de 2012, ap. nº 9106/06. La ONG International Commission of Jurists presentó alegaciones en este asunto.

[659] Sentencia *Identoba y Otros v. Georgia*, de 12 de mayo de 2015, ap. nº 73235/12.

mental rights»[660]. Anuncia ya el Alto Tribunal en esta sentencia una
linea argumentativa que va a consolidarse más tarde, y que veremos *infra*, consistente en elegir los elementos de comparación para el análisis
discriminatorio desde una perspectiva alineada con la finalidad que la
protección antidiscriminatoria pretende conseguir. Y en base a esta posición inicial, determinará que, aun no habiendo como resultado daños
físicos graves, y en algunos de los recurrentes no hubo daños físicos de
ningún tipo, la situación de miedo, angustia e inseguridad que vivieron
entra en el ámbito de aplicación del art. 3 en conjunción con el art. 14.
El mismo enfoque se utilizará para analizar si ha habido vulneración
del derecho de reunión pacífica, que se verá en conjunción con la prohibición de discriminación por orientación sexual.

Es importante a este respecto señalar que parte de la argumentación
del TEDH en este sentido, se asienta sobre los datos aportados por
documentos elaborados en el seno del Consejo de Europa[661], pero también por el estudio realizado por ILGA[662]. Vemos, de esta manera, otro
modo de intervención en las decisiones judiciales europeas, que ya venía haciéndose desde hace tiempo, ya que parte de las alegaciones que
se presentaban estaban destinadas a identificar la existencia de un consenso europeo en la materia que se tratara, pero que ahora no necesita
ni siquiera de su personación, para ser tenido en cuenta por el TEDH.

Por otro lado, es importante también el enérgico lenguaje con el que
el TEDH se dirige al Gobierno de Georgia, recordándole que no solo no
acudió la policía a proteger a los manifestantes cuando debían, sino que
además, cuando lo hicieron, detuvieron a esos mismos manifestantes a
los que supuestamente debían proteger. Y de este modo, la conclusión
del TEDH será que ha habido violación del derecho a la integridad física
y moral y del derecho de reunión pacífica, ambos en conjunción con la
vulneración de la prohibición de discriminación por orientación sexual.

Volveremos a asistir a un asunto parecido en la sentencia *M.V y A.C
v. Rumanía*[663], en la que se juzgará la ineficacia de la policía rumana

---

[660] *Ibidem*, nº 67.
[661] En concreto, en la Recomendación CM/Rec(2010)5 del Comité de Ministros del
Consejo de Europa, y en los estudios realizados por el Comisionado para los
Derechos Humanos del Consejo de Europa, ambos analizados *supra*.
[662] Sentencia *Identoba, op. cit.*, nº 39.
[663] Sentencia *M.C y A.C. v. Rumanía*, de 12 de abril de 2016, ap. nº 12060/12.

para investigar las agresiones producidas por un grupo de atacantes contra manifestantes por derechos LGBTI que volvían a sus casas en metro[664]. Se insistirá en lo decidido en *Identoba*, otorgando especial relevancia, y por lo tanto mayor protección, al hecho de que se tratara de un ataque motivado por la orientación sexual de las víctimas[665].

Un asunto distinto, que va a incidir de lleno en la libertad de expresión en sentido estricto[666], pero desde la perspectiva de la posible vulneración de derechos de quien se muestra contrario al ejercicio de la libertad sexual en los términos planteados hasta ahora, la vamos a encontrar en la sentencia *Vejdeland v. Suecia*[667], en la que la consideración como ilícito penal del reparto de cuartillas en un instituto, con un contenido contrario al colectivo LGBTI, va a ser recurrida por los afectados ante el TEDH como una vulneración del derecho a la libertad de expresión contenido en el art. 10 del CEDH[668]. Y va a ser paradóji-

---

[664] Presentarán de nuevo alegaciones la Association for the Defence of Human Rights in Romania, Helsinki Committee (APADOR-CH), y, representadas todas ellas por ILGA, FIDH, ILGA-Europe y AIRE Centre.

[665] Quizás lo más llamativo de esta sentencia es que se limite a examinar la controversia desde la perspectiva de la obligación positiva estatal de investigar los hechos teniendo en cuenta la naturaleza discriminatoria de las agresiones, rechazando la necesidad de estudiar el resto de motivos por los que se recurría, y en concreto, la vulneración del derecho de reunión y del derecho a la vida privada en conjunción con la cláusula antidiscriminatoria. Por otro lado, aducen los recurrentes también la vulneración del art. 1 del protocolo n° 12, la cláusula general de igualdad y no discriminación, que tampoco se examinará. Éste es el sentido del voto particular parcialmente discrepante del magistrado Kûris.

[666] Otro asunto que incide en los límites de la libertad de expresión, pero en el que la homosexualidad aparece como elemento accesorio, es la sentencia *Porubova v. Rusia*, de 8 de octubre de 2009, ap. n°. 8237/03.

[667] Sentencia *Vejdeland v. Suecia*, de 9 de febrero de 2012, ap. n° 1813/07.

[668] El art. 10 del CEDH, que comparte estructura con los arts. 8, 9 y 11 del mismo texto, dice:
«1. Toda persona tiene derecho a la libertad de expresión. Este derecho comprende la libertad de opinión y la libertad de recibir o de comunicar informaciones o ideas sin que pueda haber injerencia de autoridades públicas y sin consideración de fronteras. El presente artículo no impide que los Estados sometan a las empresas de radiodifusión, de cinematografía o de televisión a un régimen de autorización previa. 2. El ejercicio de estas libertades, que entrañan deberes y responsabilidades, podrá ser sometido a ciertas formalidades, condiciones, restricciones o sanciones, previstas por la ley, que constituyan medidas necesarias, en una sociedad democrática, para la seguridad nacional, la integridad territorial o la seguridad públi-

camente, la acción de quien es manifiestamente contrario al ejercicio de los derechos LGBTI, la que consiga una mayor protección precisamente de estos derechos[669]. Y es que, más allá de los motivos concretos por los que se desestima la vulneración del CEDH, la perspectiva de análisis de la situación planteada ya supone una importante novedad.

En efecto, el TEDH partirá de una premisa que, aunque declarada en términos casi de obviedad, habría sido impensable unos años atrás. Y así,

> «the Court reiterates that inciting to hatred does not necessarily entail a call for an act of violence, or other criminal acts. Attacks on persons committed by insulting, holding up to ridicule or slandering specific groups of the population can be sufficient for the authorities to favour combating racist speech in the face of freedom of expression exercised in an irresponsible manner (…) In this regard, the Court stresses that discrimination based on sexual orientation is as serious as discrimination based on «race, origin or colour»[670].

En un sentido muy amplio, no parece aventurado decir que la protección de la libertad sexual ha dejado de ser absolutamente un asunto confinado al ámbito de las cuatro paredes de la privacidad más estricta, para empezar a configurarse como una concreción más de un principio general que no es sólo de libertad, que atañe también a la consideración social de quien lo ejerce, y que, en definitiva, empieza a entenderse incrustado en la base misma de una estructura social que se pretenda democrática[671].

---

ca, la defensa del orden y la prevención del delito, la protección de la salud o de la moral, la protección de la reputación o de los derechos ajenos, para impedir la divulgación de informaciones confidenciales o para garantizar la autoridad y la imparcialidad del poder judicial».

[669] Serán en esta ocasión, las organizaciones International Centre for the Legal Protection of Human Rights (INTERIGHTS) y International Commission of Jurists, las que formulen alegaciones.

[670] Sentencia *Vejdeland, op. cit.,* nº 55.

[671] A finales de 2012 el TEDH dictará sentencia sobre tres asuntos relacionados entre sí, que abordan los límites de la libertad de información frente al derecho a la vida privada, en los que se hacen referencias a relaciones homosexuales, que sin embargo no son el objeto del litigio, razón por la cuál no se han incluido en este estudio. Nos referimos en concreto a las sentencias *Kuchl v. Austria, Rothe v. Austria* y *Verlagsgruppe News GmbH y Bobi v. Austria,* todas de 4 de diciembre de 2012, ap. nº 51151/06, 6490/07 y 59631/09, respectivamente.

Tendremos de nuevo la oportunidad de asistir a las dificultades entre los límites de la libertad de expresión y la libertad sexual en el asunto *Bayec y Otros v. Rusia*[672], en el que se desafía por parte de activistas rusos LGBTI la prohibición en la legislación rusa de hacer propaganda de relaciones sexuales no tradicionales dirigidas a menores. Otra vez, las organizaciones LGBTI hacen un importante esfuerzo a través de la presentación de alegaciones a las que se contraponen las alegaciones de organizaciones contrarias a su postura. Así, en esta última posición se encuentra Family and Demography Foundation, mientras que en sentido inverso veremos a Article 19: Global Campaign for Freedom of Expression, Interrights, ILGA-Europe, Coming Out y The Russian Lesbian, Gay, Bisexual and Transgender Network. Se trata de un asunto en el que lo más relevante, a efectos de las novedades que se introducen en la posición del TEDH, es la nueva consideración de los fines que aporta Rusia para justificar la limitación del derecho a la libertad de expresión que no son contemplados ya como legítimos en relación al motivo por el que se aducen, esto es, en relación a la limitación de la manifestación pública de la diversidad sexual. Y para sustentar esta posición, se volverá a hacer referencia al importante consenso europeo que en esta materia se reconoce por parte del Alto Tribunal[673], de modo que, restringido el margen de apreciación estatal, se podrá realizar un juicio sobre la legitimidad de la limitación del derecho en conexión directa con el fin aducido por el Estado, esto es, un juicio sobre si la propia finalidad es compatible con el CEDH en relación con los derechos y principios generales que de él se derivan. Así, el TEDH «will examine whether it is open to the Government to rely on the grounds of morals in a case which concerns facets of the applicants' existence and identity, and the very essence of the right

---

[672]　Sentencia *Bayec y Otros v. Rusia*, de 20 de junio de 2017, ap. nº 67667/09, 44092/12 y 56717/12.

[673]　Interesante resulta también la apreciación del papel que las posiciones mayoritarias deben jugar en la protección de los derechos del CEDH, y así, «there is an important difference between giving way to popular support in favour of extending the scope of the Convention guarantees and a situation where that support is relied on in order to narrow the scope of the substantive protection. The Court reiterates that it would be incompatible with the underlying values of the Convention if the exercise of Convention rights by a minority group were made conditional on its being accepted by the majority. Were this so, a minority group's rights to freedom of religion, expression and assembly would become merely theoretical rather than practical and effective as required by the Convention». *Ibidem*, nº 70.

to freedom of expression»[674]. Y considera el TEDH que la protección de la moral, como finalidad para restringir los derechos vinculados con la orientación sexual no es legítima en sí misma, o en otros términos «these negative attitudes, references to traditions or general assumptions in a particular country cannot of themselves be considered by the Court to amount to sufficient justification for the differential treatment, any more than similar negative attitudes towards those of a different race, origin or colour»[675]. Lo mismo dirá el Alto Tribunal respecto de otros motivos aducidos, como son la protección de la salud y la protección de los derechos de otros[676], incluso en relación a la protección de los derechos de los menores, algo impensable tan solo hace diez años.

Y en relación, de nuevo, a los límites de la libertad de expresión cuando de orientación sexual se trata, tendremos la ocasión de conocer la posición del TEDH en el asunto *Sousa Goucha v. Portugal*[677], en el que la situación es precisamente la contraria, el recurrente busca una limitación del derecho a la libertad de expresión por parodiar su homosexualidad en un programa de televisión cómico, incluyéndolo entre una de las posibles elecciones de la mejor azafata (mujer) de televisión, siendo él un presentador muy conocido, que había declarado su homosexualidad un año atrás. En este clásico conflicto entre libertad de expresión y derecho al honor, a pesar de tratarse de una parodia acerca de la orientación sexual del recurrente, y precisamente por tratarse de un programa de humor, el TEDH entiende que no ha habido vulneración del derecho a la vida privada del art. 8 ni trato discriminatorio. La protección de la orientación sexual no llega tan lejos como para suponer una limitación añadida a la libertad de expresión en un contexto en que ésta es muy amplia.

---

[674]   *Ibidem*, n° 66.
[675]   *Ibidem*, n° 68.
[676]   Debemos recordar que el derecho a la libertad de expresión del art. 10 del CEDH tiene la misma estructura que los arts. 8, 9 y 11, que establecen posibles restricciones en el disfrute de los derechos reconocidos en relación a fines legítimos expresamente mencionados, como, entre otros, la protección de la moral y la salud y los derechos de otros.
[677]   Sentencia *Sousa Goucha v. Portugal*, de 22 de marzo de 2016, ap. n° 70434/12. Solo se presentarán en este asunto alegaciones por parte de Alliance Defending Freedom, una asociación de Estados Unidos dedicada a la defensa de los derechos fundamentales, incluyendo la libertad de expresión.

Casa esta postura con la mantenida unos años antes en el asunto *Santos Couto v. Portugal*[678], en el que vamos a ver, en la controversia planteada, aún diferencias de raíz en el tratamiento jurídico de la homosexualidad, respecto de las prácticas sexuales heterosexuales, en un asunto tan delicado como la represión penal. Se trataba de una cuestión especialmente sensible por cuanto atañía a la comisión de un delito de abusos sexuales contra menores. El grueso del problema va a girar en torno a las diferencias exigidas en los supuestos de hecho para que éstos fueran constitutivos de delito. Y es que cuando los abusos se produjeran en el marco de una relación heterosexual, además de la edad de la víctima, había que demostrar su inexperiencia, algo que no se exigía en el caso de abusos de un hombre a un adolescente (requisito que también atestigua el marcado carácter machista de este tipo de legislación, que protege menos a las niñas que a los niños). Sin embargo, a pesar de lo que en principio pueda parecer, la conclusión de la inexistencia de un trato discriminatorio en este asunto no viene marcada mas que porque, por un lado, el Tribunal Constitucional portugués ya había puesto remedio a esta situación, estableciendo la inconstitucionalidad de la diferente exigencia del tipo penal, y por otro, en la condena del recurrente se había tenido en cuenta, como hecho probado, la inexperiencia de la víctima.

Mientras en el plano legislativo, estamos asistiendo a la aprobación de distintos instrumentos de protección del colectivo LGBTI, tanto en el Consejo de Europa, como en la Unión Europea, como hemos visto *supra*, de nuevo en el ámbito penal, en relación a las condiciones de prisión provisional de un encausado criminalmente, vamos a poder asistir a una sentencia condenatoria para el Estado implicado, por discriminar en base a la orientación sexual. Hablamos de la sentencia *X v. Turquía*[679], dictada como consecuencia del recurso interpuesto por un preso provisional (aún no condenado) cuyas condiciones de vida en prisión se verán duramente marcadas por su condición de homosexual, no por la relación con otros presos, sino precisamente por la forma en que el Estado turco afrontó la necesidad de protección de

---

[678] Sentencia *Santos Couto v. Portugal*, de 21 de septiembre de 2010, ap. nº 31874/07.
[679] Sentencia *X. v. Turquía*, de 9 de octubre de 2012, ap. nº 24626/09.

un preso homosexual de la amenaza de abusos de sus compañeros[680]. En efecto, cuando el recurrente solicitó a las autoridades penitenciarias cambios en su régimen, por haber sufrido amenazas y acoso por parte de otros presos, debido a su condición de homosexual, éstas decidieros confinarlo en una celda en condiciones infrahumanas, y sin posibilidad de salir al patio o relacionarse con otras personas. El TEDH además de declarar que las condiciones de internamiento son constitutivas de un trato inhumano y degradante, considera en este caso que se le infligió este trato al recurrente por su condición de homosexual, y por tanto, que además de una vulneración del art. 3, también se ha producido discriminación por orientación sexual.

Concerniente de nuevo al ámbito penal, la sentencia *E.B. y Otros v. Austria*[681] será otro de esos litigios claramente estratégicos, en el que cinco personas distintas, con situaciones muy parecidas, serán defendidas por el mismo abogado, el señor Graupner, para presionar a favor de la modificación legislativa en el Estado miembro de origen de las reclamaciones. En este caso, hablamos de las dificultades de los hombres homosexuales para conseguir la cancelación de sus antecedentes penales por la comisión de actos delictivos consistentes en haber mantenido relaciones sexuales consentidas con chicos adolescentes (de los 14 a los 18 años). Los recurrentes alegarán que esta situación da lugar a una violación de sus derechos a la vida privada y a la no discriminación por orientación sexual. Se da, además, la circunstancia de que el artículo del Código Penal austriaco por el que fueron condenados los recurrentes fue declarado inconstitucional por el Tribunal Constitucional austriaco, y por tanto, derogado, ya que solo penaba las relaciones sexuales de hombres con chicos entre 14 y 18 años, pero no las lésbicas en las mismas circunstancias.

Adoptará el TEDH una metodología centrada en el análisis de la existencia de discriminación, utilizando para ello la perspectiva de comparar

---

[680]   Un asunto muy parecido, en el que sin embargo el TEDH no encuentra vulneración de la protección frente a tratos inhumanos y degradantes y en el que la víctima es también homosexual, y alega que es precisamente por su condición por lo que ha sufrido esta situación, es la sentencia *Stasi v. Francia*, de 20 de octubre de 2011, ap. n° 25001/07.

[681]   Sentencia *E.B. y Otros v. Austria*, de 7 de noviembre de 2013, ap. n° 31913/07, 38357/07, 48098/07, 48777/07 y 48779/07.

dos situaciones. En este caso, se tratará de averiguar si existe alguna justificación del incumplimiento por parte del Estado austriaco de su obligación de tratar de forma diferente a los recurrentes, si los comparamos con una situación diferente, que es la de personas cuyos antecedentes penales, que son producto de la comisión de hechos que aún son delictivos, tampoco han sido cancelados. Y sin embargo, no apreciará el Alto Tribunal que el Gobierno haya podido aportar justificación alguna del mantenimiento de los antecedentes penales en este asunto, por lo que concluirá que ha habido violación de los arts. 8 y 14 del CEDH.

El 2013 va a resultar especialmente prolífico en esta materia, como tendremos ocasión de comprobar, de nuevo, con la sentencia del TEDH en el asunto *Eweida y Otros v. Reino Unido*[682], que va a resultar especialmente relevante desde el punto de vista de la definición de los límites en el ejercicio de la libertad ideológica, de conciencia y religiosa, pero que también va a implicar la valoración por parte del Alto Tribunal de las dificultades de adecuación de valores morales específicos e individuales, en relación a la protección frente a la discriminación por razón de orientación sexual.

Se trata de una sentencia que acumula en un único proceso situaciones algo dispares, debiendo definir a la vez hasta qué punto la prohibición de mostrar signos religiosos en el lugar de trabajo, vulnera la libertad religiosa, junto con la posibilidad de negarse a ejecutar una función laboral específica por motivos de conciencia. En lo que aquí nos interesa, vamos a centrarnos en esta segunda problemática, que la sentencia analiza en términos que denotan la importante evolución que la orientación sexual como motivo protegido frente a discriminaciones, ha experimentado. La función legitimadora de la prohibición de discriminación, como instrumento normativo del respeto al principio de igualdad, se va a revelar en este asunto con mayor fuerza, si cabe. Y es que se va a realizar una labor de evaluación en términos de equilibrio, entre los intereses individuales, los de los recurrentes, frente a los intereses de la comunidad, los que tienen que ver con el respeto a la diversidad sexual, como consecuencia natural de la protección antidiscriminatoria.

---

[682] Sentencia *Eweida y Otros v. Reino Unido*, de 15 de enero de 2013, Reports of Judgments and Decisions 2013.

Resulta particularmente llamativa la enorme diferencia de análisis, si comparamos los términos colocados en la balanza con los que se manejaban en *Dudgeon*. Así, la orientación sexual ha dejado de ser sólo una reivindicación individual delimitada por las estrictas fronteras de la intimidad (y decimos bien «intimidad», ya que es en este sentido en el que el concepto de vida privada se utilizará en los primeros asuntos para proteger a la comunidad LGBTI), para configurarse como una expresión más de un derecho a la diversidad mucho más amplio, que conforma uno de los principios, el de igualdad, esenciales para entender que nos encontramos en una sociedad democrática en la que el libre desarrollo de la personalidad se configura como uno de sus elementos vertebradores.

Se trata, además, de una sentencia en la que la participación, a través de la presentación de alegaciones, de diferentes grupos y colectivos va a resultar casi abrumadora, y cuyos intereses van a contribuir de manera notable a introducir nuevos modos y perspectivas de análisis[683]. Así, elementos como la idea de «acomodación razonable»[684], se aportarán para intentar encontrar soluciones que satisfagan las reivindicaciones de todos. Y sin embargo, el TEDH no permitirá, en relación con una especie de «cláusula de conciencia» respecto de la ejecución de tareas laborales relacionadas con la atención a las parejas homosexuales, ninguna suspensión particularizada de la exigencia de igualdad y no dis-

---

[683]   Y así, se personarán las siguientes organizaciones y personalidades: Equality and Human Rights Commission; The National Secular Society; Dr Jan Camogursky y The Alliance Defense Fund; Bishop Michael Nazir-Ali; The Premier Christian Media Trust; los Bishops of Chester and Blackburn; Associazione Giuseppi Dossetti: i Valori; Observatory on Intolerance and Discrimination against Christians in Europe; Liberty; the Clapham Institute and KLM; the European Centre for Law and Justice; Lord Carey of Clifton; y la Fédération Internationale des Ligues des Droits de l'Homme (FIDH, ICJ, ILGA-Europe).

[684]   Sentencia *Eweida…*, *op. cit.*, n° 78. La idea de acomodación razonable surge como un modo de permitir la expresión de distintas posiciones político-culturales, de modo que sean compatibles en su ejercicio los distintos derechos en juego. En última instancia, sin embargo, se corre el riesgo de crear sociedades paralelas que sólo compartan el espacio físico, pero que funcionen como redes de conexión absolutamente separadas unas de otras. Sobre la referencia a este concepto en esta sentencia, ver M. ELÓSEGUI ITXASO, «El caso EWEIDA: los acomodamientos razonables y el test de proporcionalidad en el TEDH», *Relaciones laborales: Revista crítica de teoría y práctica*, n° 4, 2014, págs. 105 ss. En extenso sobre este concepto, de la misma autora, *El Concepto Jurisprudencial de Acomodamiento Razonable*, Madrid: Aranzadi, 2013.

criminación por orientación sexual, reconociendo un amplio margen de apreciación estatal en la materia. De este modo, no se entenderá que las creencias religiosas o convicciones morales permitan o justifiquen un trato discriminatorio en base a la orientación sexual, y por tanto, se considerará que no ha habido una vulneración del derecho a la libertad religiosa[685] en la exigencia de los empleadores de realizar tareas en un modo no discriminatorio con las minorías sexuales.

Del mismo modo, vamos a ser testigos, de nuevo, de los importantes instrumentos de protección que la Directiva 2000/78 ha incorporado al Derecho Comunitario en relación a la prohibición de discriminación por orientación sexual, entre otros motivos, en la sentencia *Asociatia Accept y Consiliul National pentru Combaterea Discriminării*[686], en la que el TJUE interpretará que las afirmaciones del propietario de un club de fútbol profesional, relativas a su negativa total de contratar a un determinado jugador que supuestamente era homosexual, suponía una discriminación en el acceso al empleo, por orientación sexual, incluso cuando el referido propietario no tuviera capacidad de decisión respecto de la política de contratación del club[687]. Conviene aquí destacar la apertura de la legitimación activa para interponer este tipo de

---

[685] El art. 9 del CEDH, que también tiene una estructura similar a los arts. 8, 10 y 11, reza como sigue:
«*1. Toda persona tiene derecho a la libertad de pensamiento, de conciencia y de religión; este derecho implica la libertad de cambiar de religión o de convicciones, así como la libertad de manifestar su religión o sus convicciones individual o colectivamente, en público o en privado, por medio del culto, la enseñanza, las prácticas y la observancia de los ritos.*
2. La libertad de manifestar su religión o sus convicciones no puede ser objeto de más restricciones que las que, previstas por la ley, constituyan medidas necesarias, en una sociedad democrática, para la seguridad pública, la protección del orden, de la salud o de la moral públicas, o la protección de los derechos o las libertades de los demás».

[686] Sentencia *Asociatia Accept y Consiliul National pentru Combaterea Discriminării*, de 25 de abril de 2013, asunto C-81/12.

[687] Sobre este fallo puede verse el análisis de M. J. BARZÁ BATALLER y J. TUÑÓN NAVARRO, «Crónica de Tribunales sobre Igualdad de Trato en el Empleo y la Ocupación; Prohibición de Discriminación por Orientación Sexual en el Fútbol Europeo: Comentario de la Sentencia del Tribunal de Justicia de la Unión Europea (C-81/12)», *Revista Aranzadi de Derecho de Deporte y Entretenimiento*, n° 41, 2013, págs. 247 ss.

demanda, de modo que, el apartado 2 del art. 9 de la Directiva[688] no puede interpretarse como limitativo de la capacidad de personación de organizaciones que reconozca el derecho nacional, sino como una exigencia legal de mínimos para aquellos Estados en los que no esté reconocida esta capacidad o que, aún estándolo, puedan querer limitarla. Y así, en este asunto, una organización de defensa de los derechos LGBTI, sin contacto directo ni autorización por parte del deportista implicado, puede iniciar una causa en la materia, lo que de hecho supone una gran apertura de las posibilidades de litigación estratégica que, si bien surge de la legislación nacional, que es la que la reconoce, no entra en conflicto con las exigencias de la Directiva, sino que amplía éstas.

En segundo lugar, será importante la consolidación, también en el acceso al empleo, de la exigencia procedimental de inversión de la carga de la prueba, de modo que corresponda al supuesto discriminador demostrar que la decisión de no contratación está basada en motivos distintos de la orientación sexual del trabajador.

Pero el año 2013 también asistirá a un nuevo intento de lograr protección de la condición sexual a través del reconocimiento del derecho de asilo para el colectivo LGBTI respecto de aquello terceros Estados en los que la persecución por orientación o identidad sexual es más extrema. Así, la sentencia *M.K.N. v. Suecia*[689] abordará esta cuestión, no dando, sin embargo, el resultado esperado, quizás debido a las concretas circunstancias de la controversia presentada. Se trataba, en efecto, de un ciudadano iraquí que solicita asilo político en Suecia, para lo cual presenta como motivos de persecución su condición de cristiano (casado y con dos hijos) y el hecho de que su posición económica lo haya convertido en objetivo de extorsión y chantaje. Solo en la respuesta a las alegaciones del Gobierno sueco ante el TEDH, argumentó el recurrente que, además de todo lo anterior, mantenía una relación con otro hombre. Sin embargo,

---

[688] El art. 9.2. de la Directiva 2000/78, dice:
«2. *Los Estados miembros velarán por que las asociaciones, organizaciones u otras personas jurídicas que, de conformidad con los criterios establecidos en el Derecho nacional, tengan un interés legítimo en velar por el cumplimiento de lo dispuesto en la presente Directiva, puedan iniciar, en nombre del demandante o en su apoyo, y con su autorización, cualquier procedimiento judicial o administrativo previsto para exigir el cumplimiento de las obligaciones derivadas de la presente Directiva».*
[689] Sentencia *M.K.N. v. Suecia*, de 27 de junio de 2013, ap. nº 72413/10.

el TEDH no va a analizar si la orientación sexual del recurrente es susceptible de asilo, ya que lo relevante va a ser la incoherencia de sus alegaciones, de modo que no termina de quedar probada su homosexualidad, ni ha permitido tampoco al Estado otorgar esa protección en base a su orientación sexual, al no haberla invocado en el procedimiento nacional.

Distinta va a ser la respuesta dada en la sentencia del TJUE en el asunto *X, Y, Z, y Minister voor Inmigratie en Asiel*[690], en la que se cuestiona la interpretación de la Directiva 2004/83/CE, comentada *supra*, y que integra el Victims' Rights Package, en el sentido de su aplicación a la situación de tres solicitantes de asilo de diferentes Estados africanos (Sierra Leona, Uganda y Senegal), en los que los actos sexuales entre personas del mismo sexo están penados con penas privativas de libertad que pueden oscilar entre las máximas de cadena perpetua de Sierra Leona y Uganda, y la máxima de 5 años de Senegal[691].

En este asunto[692], el TJUE va a afirmar, por un lado, que la existencia de la persecución penal en los términos en los que se produce en estos asuntos, hacia las personas homosexuales, es suficiente para considerar que los demandantes de asilo forman parte de un determinado grupo social, susceptible de protección. Pero a la vez va a exigir, no solo que exista una legislación penal que tipifique como delito las relaciones homosexuales, sino que es necesario que esta tipificación tenga como consecuencia la privación de libertad, y que efectivamente se aplique en el Estado del que procede el solicitante de asilo, algo que no se exige exclusivamente de las situaciones de asilo en función de la orientación sexual, sino que la existencia de riesgo cierto y fundado es una condición general de acceso al asilo. Y además, en el caso de la orientación

---

[690]   Sentencia *X, Y, Z y Ministr voor Inmigratie en Asiel*, de 7 de noviembre de 2013, asuntos acumulados C-199/12, C-200/12 y C-201/12.

[691]   Se personará en este asunto el Alto Comisionado para los Refugiados de Naciones Unidas.

[692]   Sobre este pronunciamiento, entre otros muchos, véanse los trabajos de M. HEIJER, «Persecution for Reason of Sexual Orientation: X,Y and Z», *Common Market Law Review*, nº 4, 2014, págs. 1217 ss.; y C. DE CASTRO SÁNCHEZ, «Sentencia del Tribunal de Justicia de la Unión Europea, de 7 de noviembre de 2013, Minister voor Immigratie en Asiel/X, Y & Z (asuntos C-199/12 a C-201/12): Condiciones de Asilo por Orientación Sexual» *Ars Iuris Salmanticensis: AIS: Revista Europea e Iberoamericana de Pensamiento y Análisis de Derecho, Ciencia Política y Criminología*, vol. 2, nº. 1, 2014, págs. 371 ss.

sexual, tampoco cabe concluir que existe la posibilidad por parte de la persona que solicita el asilo, de ocultar su condición de homosexual o de vivir ésta con discreción, como elementos que nieguen la necesidad de concesión del asilo, ya que esto sería tanto como negar que nos encontramos ante una característica tan fundamental para la identidad que no se puede exigir a la persona que renuncie a ella, apartándose de esta manera, de las exigencias de «camuflaje» a las que hemos asistido en el pasado respecto de la orientación sexual y sobre todo, de la identidad sexual y de género. De este modo, es de nuevo el TJUE el que otorga mayores niveles de protección al colectivo LGBTI en este momento.

Y de hecho, esta diferencia en el tratamiento de la orientación sexual como motivo de protección internacional va a volver a verse acentuada con la respuesta que el TEDH otorgará en la sentencia *M.E. v. Suecia*[693], en la que un ciudadano libio se ve en la situación de tener que volver a su país, después de haberse casado con otro hombre, para solicitar la reagrupación familiar. A pesar de los esfuerzos de numerosas organizaciones internacionales de protección de derechos humanos, que presentaron sendas alegaciones[694], lo cierto es que el TEDH decide, puede que en parte condicionado por las pecurialidades de la controversia, en la que había dudas respecto de todas las circunstancias expuestas por el recurrente, incluso sobre su orientación sexual, dar una respuesta que vuelve a la doctrina del camuflaje, de la que hemos hablado con anterioridad. O si lo queremos expresar en otros términos, el TEDH considerará que una situación en la que el recurrente debe esconder o llevar con discreción su orientación sexual, más aún cuando se trata de una situación temporal, es compatible con el CEDH, y por tanto no ha habido violación del mismo en la obligación impuesta por Suecia de hacer volver a Libia al recurrente para tramitar su autorización de reagrupación familiar. Una postura que vuelve a erosionar la naturaleza jurídica de los derechos humanos reconocidos en el CEDH, al menos cuando se trata de su disfrute

---

[693] Sentencia *M.E. v. Suecia*, de 16 de junio de 2014, ap. nº 71398/12.
[694] Así, por un lado, Amnistía Internacional se personó en este asunto, y por otro, y de forma conjunta, hicieron lo mismo la International Federation for Human Rights (FIDH), la International Commission of Jurists y la European Region of the International Lesbian, Gay, Bisexual, Trans and Intersex Association (ILGA-Europe).

por personas LGBTI, admitiendo una suerte de suspensión temporal de los mismos o de diferentes grados de reconocimiento[695].

No podrá decirse lo mismo respecto de la protección otorgada por el TEDH en el asunto *O.M. v. Hungría*[696], mucho más clara, en el que se estudian las condiciones de detención de un hombre irakí homosexual que entra irregularmente en Hungría y solicita asilo político en base a su orientación sexual. El Alto Tribunal considerará que nos encontramos ante una detención arbitraria, entre otras causas, porque las autoridades nacionales no han tenido en cuenta la condición de minoría sexual del recurrente, y no han tomado las medidas necesarias para asegurar su bienestar en un centro de detención en el que otros detenidos, también extranjeros, mantienen prejuicios culturales y religiosos de sus países de origen respecto de la homosexualidad.

Vamos a poder ser testigos, de nuevo, de la protección otorgada por el TJUE en su sentencia el asunto *A, B y C y Staatssecretaris vas Veiligheid en Justitie*[697], en el que tres nacionales de terceros Estados habían presentado solicitudes de asilo en los Países Bajos, alegando que eran objeto de persecución en sus respectivos países, debido a su condición de homosexuales, solicitudes que fueron denegadas. Éste es un caso que versará fundamentalmente sobre las dificultades de prueba de la propia orientación sexual de los solicitantes de asilo, y los límites que las autoridades nacionales tienen en la comprobación de la verosimilitud de los indicios aportados. Para ello, el TJUE deberá interpretar las disposiciones que a estos efectos contienen tanto la Directiva 2004/83, vista *supra*, como la Directiva 2005/85[698], así como la Carta de Derechos Fundamentales de la Unión Europea.

---

[695]   En el mismo sentido se expresa el voto particular discrepante del Magistrado Power-Forde, que considera que obligar al recurrente a volver a su país de origen en estas circunstancias, supone una violación de la dignidad humana. Sentencia *M.E...*, *op. cit.*, voto particular discrepante del Magistrado Power-Forde.

[696]   Sentencia *O.M. v. Hungría*, de 5 de julio de 2016, ap. nº 9912/15. Presentarán de nuevo alegaciones las siguientes organizaciones: AIRE Centre, The European Council of Refugees and Exiles, ILGA-Europe y the International Commission of Jurists.

[697]   Sentencia *A, B y C y Staatssecretaris vas Veiligheid en Justitie*, de 2 de diciembre de 2014, asuntos acumulados C-148/13, C-149/13 y C-150/13.

[698]   Directiva 2005/85/CE del Consejo, de 1 de diciembre de 2005, sobre normas mínimas para los procedimientos de deben aplicar los Estados miembros para conceder o retirar la condición de refugiado (DO L 326, pág. 13).

Una interpretación sistemática de estos instrumentos legislativos llevará al TJUE a delimitar la capacidad de los Estados de injerencia en
base al necesario respeto de los derechos fundamentales de los solicitantes de asilo, considerando así, contrario a Derecho la apreciación de
que el solicitante carece de credibilidad solo en base a su incapacidad
para contestar preguntas estereotipadas. Del mismo modo, la licitud de
la posibilidad de realizar interrogatorios a los solicitantes de asilo que
aducen persecución por su orientación sexual, tiene el límite del respeto
de la vida privada y familiar, consagrado en el art. 7 de la Carta, de modo
que será contrario al mismo realizar preguntas sobre aspectos íntimos
tales como la naturaleza de las prácticas sexuales realizadas por los solicitantes. Por otra parte, tampoco es admisible, en términos de respeto a la
dignidad humana reconocido en el art. 1 de la citada Carta, la aceptación
como elementos con valor probatorio de la grabación de actos sexuales
por parte de los solicitantes, a pesar de que hayan sido los propios solicitantes, y no el Estado, los que hayan sugerido esta posibilidad. Cabe
señalar aquí que el uso del concepto de dignidad humana que se hace en
este asunto parece hacer referencia más a una vulneración del honor y la
intimidad, limitando así su contenido, a nuestro entender, de forma excesiva, ya que la dignidad humana es un concepto más amplio y completo,
con muchísima más proyección, o al menos así debería ser interpretado.
Por último, niega el TJUE que el no haber alegado desde un principio la
condición de homosexual pueda ser entendido como un elemento que
denota falta de credibilidad, recordando el Alto Tribunal que se trata
de una alegación marcada por factores culturales y personales de difícil
superación, por lo que bien puede explicarse esa omisión en términos de
preferir no exponer públicamente la propia condición.

El último asunto que vamos a tratar tiene que ver con una problemática nueva, cual es la de las posibilidades de diferencias de
trato en base a la orientación sexual en el acceso y la colaboración
respecto de determinados tratamientos médicos. Así, la sentencia
*Geoffrey Léger y Ministre des affaires sociales, de la Santé et des
Droits des femmes, Établissement français du sang*[699], va a tener
que resolver la cuestión prejudicial planteada por un tribunal fran-

---

[699]   Sentencia *Geoffrey Léger y Ministre des affaires socials, de la Santé et des Droits des
femmes, Établissement français du sang*, de 29 de abril de 2015, asunto C-528/13.

cés respecto de la interpretación de una Directiva que articula una serie de medidas necesarias para garantizar la transfusión de sangre en las mejores condiciones de salud[700]. En ese contexto, la legislación francesa de desarrollo establece una prohibición total de donar sangre a los hombres que hayan mantenido relaciones sexuales con otros hombres. El TJUE va a abordar la cuestión incidiendo en dos elementos fundamentales, por un lado, la incontestable referencia estadística, que indica la alta incidencia de contagios de VIH entre la población homosexual masculina en Francia, muy superior a la de otros segmentos de población, incluida la heterosexual, y por otro, al análisis de la situación en términos de no discriminación.

Y es aquí en donde el TJUE modula su respuesta, ya que, después de afirmar que la protección de la salud en una finalidad en sí misma, explica que ésta debe alcanzarse utilizando los medios que menos incidan en el disfrute de los derechos fundamentales, en este caso, en el derecho fundamental de igualdad. Y a pesar de afirmar que la medida no contradice el contenido esencial del derecho a la no discriminación por orientación sexual, al afectar a un ámbito muy limitado, enfoque que no compartimos, ya que la noción de contenido esencial no tiene que ver con la amplitud de la limitación, sino con su naturaleza, lo cierto es que el TJUE exige para que la medida sea conforme al Derecho europeo, en aplicación del principio de proporcionalidad, de un estudio y ponderación por parte del tribunal nacional de si no había otro modo, menos gravoso para con las exigencias de igualdad de trato, de garantizar la salud pública, como por ejemplo, a través de un análisis de sangre más eficaz, o realizando un cuestionario que permita determinar de un modo más particularizado si los hábitos sexuales del donante suponen un grave riesgo. En definitiva, un estudio individualizado y no una asunción general basada en estereotipos, que solo contribuye a la estigmatización de un grupo de población que por fin empieza a ser reconocido en sus derechos y libertades.

---

[700]   En concreto, se trata de la Directiva 2004/33/CE de la Comisión, de 22 de marzo de 2004, por la que se aplica la Directiva 2002/98/CE del Parlamento Europeo y del Consejo en lo que se refiere a determinados requisitos técnicos de la sangre y los componentes sanguíneos (DO L 91, pág. 25).

Conclusiones

El concepto de orientación sexual y la propia idea de identidad sexual, que han sido considerados elementos prácticamente inmutables en las sociedades patriarcales, sobre todo a partir del siglo XVIII, se manifiestan hoy, gracias a un acercamiento crítico a los paradigmas dominantes, como características personales que pueden encontrar tantos matices y modos de expresión como personas hay. La importancia de un estudio crítico y la puesta en cuestión de estos paradigmas estriba en las posibilidades que abre al reconocimiento de alteridades igualmente válidas que las identidades socialmente aceptadas, a la vez que permite la relativización de modos de vida impuestos en base a realidades biológicas que nunca han sido tales. Es, en definitiva, un enfoque de la realidad emancipador.

Así, las estructuras de conocimiento y reflexión en las que se han basado las posiciones sociales, culturales, religiosas y políticas en torno a la realidad LGBTI aparecen hoy como modelos que resisten mal un análisis crítico en profundidad, a pesar del enorme peso específico que han mantenido y aún mantienen como elementos de referencia de las sociedades actuales en relación a la diversidad sexual, y constituyen una prueba de la imposibilidad de la existencia de conocimiento humano neutro, ajeno a presupuestos morales o de principios. Este elemento va a constituir un importante factor que explica, al menos en parte, la rotundidad de la negación de derechos humanos en base a la orientación sexual hasta hace muy poco tiempo.

En este contexto, resulta de absoluta relevancia la acción de los grupos LGBTI, en varios y conectados sentidos. Por un lado, han sabido convertir la ignominia en virtud, creando un espíritu de grupo, un sentimiento de identidad, un *orgullo*, que ha permitido tanto la visibilización de aquellas personas con orientación sexual homosexual, como la posibilidad de organización. Ello ha venido unido a un elemento esencial en la estrategia de reivindicación: se trata de un colectivo social unido por una característica común, la pertenencia a minorías sexuales (entendidas éstas como ajenas a la cisheteronormatividad predominante), característica que sin embargo tiene un sentido transversal, esto es, se trata de una condición que comparten personas de todas las capas sociales, de todos los entornos culturales, de todas las esferas de mayor o menor poder. Ello ha permitido la realización de una estructura reivindicativa que lo ha impregnado todo, desde el trabajo más localizado en el barrio, hasta las aportaciones de los más brillantes académicos en diferentes áreas del saber, así como la acción política dentro y fuera de partidos y sindicatos. Pero nada de esto hubiera sido posible sin ese primer elemento vertebrador de una conciencia común de represión histórica, que ha sido fruto fundamentalmente de la actividad de los primeros colectivos organizados LGBTI.

Los esfuerzos de las organizaciones LGBTI europeas se han centrado en lograr cambios normativos en el seno de las instituciones europeas, tanto del Consejo de Europa y a través del Tribunal Europeo de Derechos Humanos, como en relación a la Unión Europea y su Tribunal de Justicia. Un elemento fundamental para entender los avances experimentados en Derecho europeo es el recurso por parte de los colectivos LGBTI a la litigación estratégica en Europa como elemento de transformación extraordinario. En un contexto de Derecho continental como es el español, resulta especialmente interesante, por cuanto no es objeto de gran atención académica, la eficacia de esta fórmula de cambio de la realidad jurídica. Es ahora, momento en que el proceso de integración europea empieza a ser omnipresente, cuando la capacidad transformadora de la litigación está haciéndose cada vez más evidente en nuestro entorno cultural. Y sin embargo, es un instrumento que viene siendo utilizado por los colectivos LGBTI (y aquí hay que reconocer la labor de los colectivos británicos fundamentalmente, que han tenido el protagonismo en este proceso) desde los años setenta del siglo pasado.

Esta estrategia ha comenzado finalmente a dar sus frutos, y en concreto, respecto de la UE, se está produciendo en esta sede un avance normativo de primer orden que aún no ha calado de verdad en algunos de los Estados miembros: el reconocimiento como derecho fundamental de la prohibición de discriminación por orientación sexual. La acción reivindicativa en el ámbito del Derecho Comunitario se ha desarrollado con relativo éxito en base a varios factores. Para empezar, el déficit democrático del aparato institucional de la Unión ha llevado a éste, como fórmula de legitimación ante sus ciudadanos, a convertirse en una estructura más abierta y permeable a las organizaciones sociales. Ello ha desembocado en una situación paradójica: la capacidad de atención y defensa de los interesses minoritarios ha venido de la mano de una organización con un fuerte problema de legitimidad democrática. Así, el entorno al que a primera vista podría resultar más difícil de acceder se ha convertido en la estructura de mayor permeabilidad. Y por otro lado, los colectivos LGBTI han sabido entender los mecanismos de intervención que estaban a su disposición y en los que debían basar su estrategia reivindicativa. Y así, la evolución en el reconocimiento de los derechos ligados a la diversidad sexual se realiza en paralelo al afianzamiento de los derechos fundamentales en la UE, disfrutando de la misma fuerza normativa que se va a otorgar a éstos a través de los Tratado Fundacionales. Y también a través del trabajo realizado por el TJUE, que ha sabido incorporar estos significativos avances en su interpretación jurisprudencial, aunque debemos tener en cuenta la diferente naturaleza de este Alto tribunal respecto del TEDH, algo que explica en cierto modo el distinto grado de intervención de uno y otro en esta materia. Y es que el TJUE surge como máximo intérprete del Derecho Comunitario, y no como garante, hasta hace muy poco, de derechos humanos. Los cambios introducidos en el marco jurídico de la UE, con la consolidación de la Carta de Derechos Fundamentales como norma vinculante, explica en cierta medida el importante avance que respecto de los derechos LGBTI se ha producido por parte del TJUE, que ahora sí ve reforzado su papel en esta materia.

Lo mismo puede decirse, en relación a los resultados alcanzados, respecto del Consejo de Europa y del Tribunal Europeo de Derechos Humanos, que han desarrollado una importantísima labor en el reconocimiento y la defensa del colectivo, primero, a través de la protección del derecho a la vida privada, y después, desplegando cada vez mayor efectividad, a través de la prohibición de discriminación por orientación sexual, elevando enormemente la protección por este motivo. En particular, el TEDH ha protagonizado un impulso de reconocimiento de derechos que, dada su posición de Tribunal internacional clásico (y por tanto muy dependiente de la voluntad de los Estados de someterse a su jurisdicción), es especialmente relevante. Técnicas como la doctrina del margen de apreciación y del test de consenso europeo, aunque ampliamente criticadas, han demostrado permitir una gradual adaptación del sistema al reconocimiento de derechos, incluso en oposición a las mayorías sociales de los Estados miembros.

La evolución de la protección jurídica de la diversidad sexual ha sido, en cualquier caso, vacilante, encontrándonos con momentos de gran

actividad frente a periodos de auténtico freno de las aspiraciones en este
sentido, e incluso algunos episodios de retroceso en derechos. Pero por
otro lado, también se han observado las disfunciones que estrategias de
transformación no coordinadas, e incluso contradictorias entre sí, han
ocasionado en el desarrollo normativo. Así, la situación del colectivo
transexual ha quedado dificultada por los intentos para forzar una interpretación de la discriminación por sexo que no ha llegado a reconocer a
la orientación sexual como parte de su contenido, pero que sí lo ha hecho
respecto de la transexualidad, que ahora se ve, o doblemente regulada
(por la normativa relacionada con la discriminación sexual y por aquella
relacionada con la discriminación por orientación sexual), o lo que es
peor, perdida, respecto de sus particulares características, en motivos an-
tidiscriminatorios que no atienden adecuadamente a su realidad.

El esfuerzo combinado de las organizaciones LGBTI, personas
particulares que también han litigado, y la apertura a nuevas reivindicaciones por parte de los dos Tribunales Europeos, han permitido
un extraordinario avance que debe ser reconocido. Sin embargo, el
estudio de la evolución de la protección de las minorías LGBTI en
Europa también pone de manifiesto las dificultades de interpretación de los instrumentos de derechos humanos como normas jurídicas completas, coherentes e interrelacionas entre sí, con principios
vertebradores que las integran y permiten establecer un contenido
armónico y complementario. Denota esta evolución la importancia
que factores externos a los propios principios inherentes a los derechos humanos tienen en la determinación del contenido de derechos
concretos, de modo que se anteponen aquellos en la interpretación
y aplicación de estos derechos, dando como resultado importantes
contradicciones que son especialmente perceptibles en relación a las
aspiraciones del colectivo LGBTI. Así, la continua inclusión, hasta
muy recientemente, del factor moral, no en el sentido de moral pública vinculada con la protección de los derechos humanos, sino haciendo referencia a la moral social mayoritaria, normalmente basada en la moral religiosa, ha condicionado enormemente la respuesta
dada a las reivindicaciones del colectivo LGBTI.

La falta de un entendimiento de los derechos humanos como sistema integrado de moral pública predominante, privilegiada y prioritaria, resulta especialmente llamativa respecto de la aplicación de
la cláusula antidiscriminatoria en relación, en el caso del Convenio

Europeo de Derechos Humanos, a la protección del derecho a la vida privada. La continua negación hasta prácticamente el inicio del nuevo siglo, de la pertinencia de estudiar la aplicación de la prohibición de discriminación a los asuntos relacionados con la vulneración de derechos sustantivos a las personas LGBTI es un interesante ejemplo de las dificultades apuntadas en este sentido. La importancia de la protección del derecho a la no discriminación, como único instrumento para la consecución de una vida en sociedad en la que el uso legítimo de la libertad individual no se vea coartado, aparece así como elemento fundamental de una adecuada respuesta jurídica que sin embargo tarda mucho en llegar a los Altos Tribunales europeos.

Algunos de los motivos que pueden estar detrás de esta tardanza podrían ser los ya apuntados respecto de la importancia de posicionamientos morales externos a la propia dinámica interna de los derechos humanos, pero también puede ser el resultado de un entendimiento de los derechos humanos como elementos aislados unos de otros, que lejos de complementarse y deber ser interpretados de forma conjunta, se disputan espacios de actuación excluyentes. La historia reivindicativa LGBTI así lo pone de manifiesto, haciendo patentes las dificultades en la consecución de un auténtico reconocimiento de la dignidad humana que devienen de una visión sesgada y limitativa de la realidad humana, en términos de tolerancia y ocultamiento en lugar de libertad e igualdad. Será la combinación de estos dos principios fundamentales, leídos en términos de derechos concretos, los que lleven a la adecuación de la respuesta normativa a las reivindicaciones de una auténtica minoría social como es la representada por la idea de diversidad sexual.

Por último, si algo hay que aprender especialmente a través del estudio de la trayectoria política y jurídica del reconocimiento de la diversidad sexual es precisamente que los derechos humanos no son el resultado de un posicionamiento teórico que se realiza en un momento determinado y que va a desplegar su efectividad solo por el hecho de aseverarlos, sino que estamos ante auténticas reivindicaciones políticas que es necesario alcanzar y preservar a través del activismo social continuado. Así, la lucha persiste.

Listado de sentencias

Tribunal Europeo de Derechos Humanos

- Asunto *Grandrath*, nº 2299/64, Dictamen de la CoEDH de 12 de diciembre de 1966.
- Sentencia *sobre Ciertos Aspectos del Régimen Lingüístico de Bélgica v. Bélgica*, de 13 de julio de 1968, Series A, nº 6.
- Asunto *X v. República Federal de Alemania*, Decisión del CoEDH de 30 de septiembre de 1975, ap. nº 5935/72.
- Sentencia *Sindicato Nacional de Policía Belga v. Bélgica*, de 27 de octubre de 1975, Series A, nº 19.
- Sentencia *Engel y Otros v. Países Bajos*, de 8 de junio de 1976, Series A, nº 22.
- Sentencia *Handyside v. United Kingdom*, de 7 de diciembre de 1976, Series A, nº 24.
- Sentencia *Tyrer v. Reino Unido*, de 25 de abril de 1978, Series A, nº 26.
- Sentencia *Luedicke, Belkacem y Koç v. Alemania*, de 28 de noviembre de 1978, Series A, nº 29.
- Sentencia *Marckx v. Bélgica*, de 13 de junio de 1979, Series A, nº 31.
- Sentencia *Airey v. Irlanda*, de 9 de octubre de 1979, Series A, nº 32.
- Asunto *X v. Islandia*, app. nº 6825/74, D. R. 5.
- Sentencia *Dudgeon v. United Kingdom*, de 22 de octubre de 1981, Series A, nº 45.
- Sentencia *Van des Mussele v. Bélgica*, de 23 de noviembre de 1983, Series A, nº 70.
- Sentencia *Rasmussen v. Dinamarca*, de 28 de noviembre de 1984, Series A, nº 87.
- Sentencia *Abdulaziz, Cabales and Balkandali v. Reino Unido*, de 28 de mayo de 1985, Series A, nº 94.
- Sentencia *Lithgow y Otros v. Reino Unido*, de 8 de julio de 1986, Series A, nº 102
- Sentencia *Rees v. Reino Unido*, de 17 de octubre de 1986, series A, nº 106.
- Sentencia *Johnston y Otros v. Ireland*, de 18 de diciembre de 1986, Series A, nº 112.
- Sentencia *Inze v. Austria*, de 28 octubre de 1987, Series A, nº 126.
- Sentencia *Tyrer v. Reino Unido*, de 25 de abril de 1988, Series A, nº 26, nº 31.
- Sentencia *Norris v. Irlanda*, de 26 de octubre de 1988, Series A, nº 142.
- Sentencia *Cossey v. Reino Unido*, de 27 de septiembre de 1990, Series A, nº 184.
- Sentencia *Vermeire v. Bélgica*, de 29 de noviembre de 1991, Series A, nº 214-C.
- Sentencia *B v. Francia*, de 25 de marzo de 1992, Series A, nº 232-C.
- Sentencia *Castells v. España*, de 23 de abril de 1992, Series A, nº 236.
- Sentencia *Modinos v. Chipre*, de 22 de abril de 1993, Series A, nº 259.
- Sentencia *Brannigan y Mcbride v. Reino Unido*, de 25 de mayo de 1993, Series A, nº 258-B.
- Sentencia *Laskey, Jaggard y Brown v. Reino Unido*, de 19 de febrero de 1997, Reports of Judgments and Decisions 1997-I.
- Sentencia *X, Y y Z v. Reino Unido*, de 22 de abril de 1997, Reports of Judgments and Decisions 1997-II.
- Asunto *Sutherland v. Reino Unido*, de 1 de julio de 1997, Commission Report (31).

- Sentencia *Sheffield and Horsham v. Reino Unido*, de 30 de julio de 1998, Reports of Judgments and Decisions 1998-V.
- Sentencia *Smith and Grady v. Reino Unido*, de 27 de septiembre de 1999, Reports of Judgments and Decisions 1999-VI.
- Sentencia *Lustig-Prean and Beckett v. Reino Unido*, de 27 de septiembre de 1999, ap. n° 31417/96 y 32377/96.
- Sentencia *Da Silva Mouta v. Portugal*, de 21 de diciembre de 1999, Reports of Judgments and Decisions 1999-IX.
- Sentencia *Thlimmenos v. Grecia*, de 6 de abril de 2000, Reports of Judgments and Decisions 2000-IV.
- Sentencia *A.D.T. v. Reino Unido*, de 31 de julio de 2000, Reports of Judgments and Decisions 2000-IX.
- Sentencia *Mata Estevez v. España*, de 10 de mayo de 2001, Reports of Judgments and Decisions 2001-VI.
- Sentencia *Fretté v. Francia*, de 26 de febrero de 2002, Reports of Judgments and Decisions 2002-I.
- Sentencia *Pretty v. Reino Unido* de 29 de abril de 2002, Reports of Judgments and Decisions 2002-III.
- Sentencia *Wilson, National Union of Journalists y otros v. Reino Unido*, de 2 de julio de 2002, Reports of Judgments and Decisions 2002-V.
- Sentencia *Christine Goodwin v. Reino Unido*, de 11 de julio de 2002, Reports of Judgments and Decisions 2002-VI.
- Sentencia *I. v. Reino Unido*, de 11 de julio de 2002, no publicado.
- Sentencia *Perkins y R. v. Reino Unido*, de 22 de octubre de 2002, ap. n° 43208/98 y 44875/98.
- Sentencia *Beck, Copp y Bazeley v. Reino Unido*, de 22 de octubre de 2002, app. n° 48535/99, 48536/99 y 48537/99.
- Sentencia *L. y V. v. Austria*, de 9 de enero de 2003, Reports of Judgments and Decisions 2003-I.
- Sentencia *S. L. v. Austria*, de 9 de enero de 2003, Reports of Judgments and Decisions 2003-I (extracts).
- Sentencia *Van Kück v. Alemania*, de 12 de junio de 2003, Reports of Judgments and Decisions 2003-VII.
- Sentencia *Karner v. Austria*, de 24 de julio de 2003, Reports of Judgments and Decisions 2003-IX.
- Sentencia *B.B. v. Reino Unido*, de 10 de febrero de 2004, no publicada.
- Decisión *F. v. Reino Unido*, de 22 de junio de 2004, n° 17341/03.
- Decision *I.I.N. v. The Netherlands*, de 9 de diciembre de 2004, ap. n° 2035/04.
- Sentencia *Grant v. Reino Unido*, de 23 de mayo de 2006, Reports of Judgments and Decisions 2006-VII.
- Recurso presentado por *Wenaand Anita Parry contra Reino Unido*, auto de inadmisión de 28 de noviembre de 2006.
- Recurso presentado por *R. y F. contra Reino Unido*, auto de inadmisión de 28 de noviembre de 2006.
- Sentencia *Baçzkowski y otros v. Polonia*, de 3 de mayo de 2007, n° 1543/06.

- Sentencia *L. v. Lituania*, de 11 de septiembre de 2007, Reports of Judgments and Decisions 2007-IV.
- Sentencia *E.B. v. Francia*, de 22 de enero de 2008, ap. nº 43546/02.
- Sentencia *Schlumpf v. Suiza*, de 8 de enero de 2009, ap. nº 29002/06.
- Sentencia *Porubova v. Rusia*, de 8 de octubre de 2009, ap. nº. 8237/03.
- Sentencia *Kozak v. Polonia*, de 2 de marzo de 2010, ap. nº 13102/02.
- Sentencia *Schalk y Kopf v. Austria*, de 24 de junio, Reports of Judgments and Decisions 2010.
- Sentencia *P.B. y J.S. v. Austria*, de 22 de julio de 2010, ap. nº 18984/02.
- Sentencia *Santos Couto v. Portugal*, de 21 de septiembre de 2010, ap. nº 31874/07.
- Sentencia *J.M. v. Reino Unido*, de 28 de septiembre de 2010, ap. nº 37060/06.
- Sentencia *Alekseyev v. Rusia*, de 21 de octubre de 2010, ap. nº 4916/07, 25924/08 y 14599/09.
- Sentencia *P.V. v. España*, de 30 de noviembre de 2010, ap. nº 35159/09.
- Sentencia *Stasi v. Francia*, de 20 de octubre de 2011, ap. nº 25001/07.
- Sentencia *Vejdeland v. Suecia*, de 9 de febrero de 2012, ap. nº 1813/07.
- Sentencia *Gas y Dubois v. Francia*, de 15 de marzo de 2012, Reports of Judgments and Decisions 2012.
- Sentencia *Genderdoc-M v. Moldavia*, de 12 de junio de 2012, ap. nº 9106/06.
- Sentencia *X. v. Turquía*, de 9 de octubre de 2012, ap. nº 24626/09.
- Sentencias *Kuchl v. Austria, Rothe v. Austria y Verlagsgruppe News GmbH y Bobi v. Austria*, todas de 4 de diciembre de 2012, ap. nº 51151/06, 6490/07 y 59631/09,
- Sentencia *Eweida y Otros v. Reino Unido*, de 15 de enero de 2013, Reports of Judgments and Decisions 2013.
- Sentencia *X y Otros v. Austria*, de 19 de febrero de 2013, Reports of Judgments and Decisions 2013.
- Asunto *Boeckel y Gessner-Boeckel v. Alemania*, de 7 de mayo de 2013, nº 8017/11.
- Sentencia *M.K.N. v. Suecia*, de 27 de junio de 2013, ap. nº 72413/10.
- Asunto *Joanne Cassar v. Malta*, de 9 de julio de 2013, ap. nº 36982/11.
- Sentencia *Vallianatos y Otros v. Grecia*, de 7 de noviembre de 2013, Reports of Judgments and Decisions 2013.
- Sentencia *E.B. y Otros v. Austria*, de 7 de noviembre de 2013, ap. nº 31913/07, 38357/07, 48098/07, 48777/07 y 48779/07.
- Sentencia *M.E. v. Suecia*, de 16 de junio de 2014, ap. nº 71398/12.
- Sentencia *Hämäläinen v. Finlandia*, de 16 de julio de 2014, Reports of Judgments and Decisions 2014.
- Sentencia *YY. V. Turquía*, de 10 de marzo de 2015, ap. nº 14793/08.
- Sentencia *Identoba y Otros v. Georgia*, de 12 de mayo de 2015, ap. nº 73235/12.
- Sentencia *Oliari y Otros v. Italia*, de 21 de julio de 2015, ap. nº 18766/11 y 36030/11.
- Sentencia *Pajic v. Croacia*, de 23 de febrero de 2016, ap. nº 68453/13.
- Sentencia *Sousa Goucha v. Portugal*, de 22 de marzo de 2016, ap. nº 70434/12.

- Sentencia *M.C y A.C. v. Rumanía*, de 12 de abril de 2016, ap. nº 12060/12.
- Sentencia *Aldeguer Tomás v. España*, de 14 de junio de 2016, ap. nº 35214/09.
- Sentencia *Taddeucci y McCall v. Italia*, de 30 de junio de 2016, ap. nº 51362/09.
- Sentencia *O.M. v. Hungría*, de 5 de julio de 2016, ap. nº 9912/15.
- Sentencia *Lashmankin y Otros v. Rusia*, de 7 de febrero de 2017, ap. nº 57818/09 y otros catorce.
- Sentencia *Bayec y Otros v. Rusia*, de 20 de junio de 2017, ap. nº 67667/09, 44092/12 y 56717/12.

Tribunal de Justicia de la Unión Europea

- Sentencia *Sandro Forcheri y Marisa Marino v. Etat belge y Asbl Institut supérieur de sciences humaines appliquées*, de 13 de julio de 1983, asunto C-152/82.
- Sentencia *Gillespie y Otros*, de 13 de febrero de 1996, asunto C-342/93.
- Sentencia *P v. S. y Cornwall County Council*, de 30 de abril de 1996, asunto C-13/94.
- Sentencia *Grant v. South-West Trains Ltd*, de 17 de febrero de 1998, asunto C-249/96.
- Sentencia *D. y Suecia v. Consejo*, de 31 de mayo de 2001, asuntos acumulados C-122/99 P y C-125/99 P.
- Sentencia *K.B. y National Health Service Pensions Agency*, de 7 de enero de 2004, asunto C-117/01.
- Sentencia *Sarah Margaret Richards y Secretary of State for Work and Pensions*, de 27 de abril de 2006, asunto C-423/04.
- Sentencia *Tadao Maruko y Versorgungsanstalt der deutschen Bühnen*, de 1 de abril de 2008, asunto C-267/06.
- Sentencia *Jürgen Römer y Freie und Hansestadt Hamburg*, de 10 de mayo de 2011, asunto C-147/08.
- Sentencia *Asociatia Accept y Consiliul National pentru Combaterea Discriminării*, de 25 de abril de 2013, asunto C-81/12.
- Sentencia *X, Y, Z y Ministr voor Inmigratie en Asiel*, de 7 de noviembre de 2013, asuntos acumulados C-199/12, C-200/12 y C-201/12.
- Sentencia *Frédéric Hay v Crédit agricole mutuel de Charente-Maritime et des Deux –Sèvres*, de 12 de diciembre de 2013, asunto C-267/12
- Sentencia *A, B y C y Staatssecretaris vas Veiligheid en Justitie*, de 2 de diciembre de 2014, asuntos acumulados C-148/13, C-149/13 y C-150/13.
- Sentencia *Geoffrey Léger y Ministre des affaires socials, de la Santé et des Droits des femmes, Établissement français du sang*, de 29 de abril de 2015, asunto C-528/13.